Stanisław

Lem

Opowiadania

Stanisław Lem

Opowiadania

wybrane przez czytelników

Posłowie
i konsultacja
Jerzy Jarzębski

Wydawnictwo
Literackie

Rysunki Autora

Redaktor prowadzący
Krystyna Zaleska

Redaktor techniczny
Bożena Korbut

Projekt okładki i stron tytułowych
Marek Pawłowski

Zdjęcie Stanisława Lema na okładce
pochodzi z archiwum rodzinnego

Książki Wydawnictwa Literackiego
oraz bezpłatny katalog można zamawiać:

ul. Długa 1, 31-147 Kraków
bezpłatna linia telefoniczna: 0 800 42 10 40
księgarnia internetowa: www.wydawnictwoliterackie.pl
e-mail: ksiegarnia@wydawnictwoliterackie.pl
fax: (+48-12) 430 00 96
tel.: (+48-12) 619 27 70

ISBN 83-08-03869-7

SIMON MERRIL

„Sexplosion"

(*Walker and Company – New York*)

Jeżeli wierzyć autorowi — a coraz częściej każą nam wierzyć autorom science fiction! — obecny przybór seksu stanie się potopem w latach osiemdziesiątych. Lecz akcja powieści „Seksplozja" rozpoczyna się w dwadzieścia lat później — w Nowym Jorku, zawalonym zaspami podczas srogiej zimy. Starzec nieznanego nazwiska, brnąc przez śniegi, obijając się o kadłuby zasypanych samochodów, dociera do martwego wieżowca, kluczem wyjętym z zanadrza, ogrzanym ostatnią resztką ciepła, otwiera żelazne wrota i schodzi do podziemi, a jego wędrówka i wtrącone w nią strzępy reminiscencji — to już cała powieść.

To głuche podziemie, po którym błąka się promyk latarki, drżącej w ręku starca, było ni to muzeum, ni to działem ekspedycji (a raczej sekspedycji) potężnego koncernu — w latach, w których Ameryka raz jeszcze dokonała inwazji Europy. Na pół rzemieślnicza manufaktura Europejczyków starła się z nieubłaganym chodem taśmowej produkcji i naukowo-techniczny kolos postindustrialny natychmiast zwyciężył. Na placu boju pozostały trzy konsorcja — GENERAL SEXOTICS, CYBORDELICS oraz LOVE INCORPORATED. Gdy szczytowała produkcja tych gigantów, seks — z prywatnej rozrywki, gimnastyki zbiorowej, z hobby i chałupniczego kolekcjonerstwa — zamienił się w filozofię cywilizacyjną. MacLuhan, który jako krzepki staruch dożył jeszcze tych czasów, udowodnił w swojej GENITOCRACY, że właśnie takie było przeznaczenie ludzkości, gdy wstąpiła na drogę techniczną, że już antyczni wioślarze, przykuci do galer, że drwale Północy ze swymi piłami, że parowa maszyna Stephensona, swoim cylindrem i tłokiem, wyznaczyły rytm, kształt i sens ruchów, z jakich składa się seks, to jest sens człowieka. Gdyż bezosobowy przemysł USA wchłonął pozycyjne mądrości Wschodu i Zachodu, uczynił z okowów średniowiecznych pasy niecnoty, zaprzągł sztukę do projektowania spółkowców, seksariów, magnopenów, megaklitów, waginetek, pornotek, puścił w ruch wysterylizowane konwejery, z których schodzić poczęły sadomobile, kohabitory, domowe sodomniki i publiczne gomorkady, a zarazem uruchomił badawcze instytuty naukowe, żeby podjęły walkę o wyzwolenie płci od służb podtrzymania rodzaju.

Seks przestał być modą, bo stał się wiarą, orgazm — bezustannym obowiązkiem, jego liczniki, z czerwonymi strzałkami, zajęły miejsce telefonów w biurze i na ulicy. Kim był wtedy starzec błąkający się przejściami podziemnych hal? Radcą prawnym GENERAL SEXOTICS? Wspomina przecież sławne procesy, co oparły się o Sąd Najwyższy, bitwę o prawo powielania — manekinami — fizycznego wyglądu sławnych osób, poczynając od First Lady USA. GENERAL SEXOTICS wygrała kosztem dwunastu milionów dolarów i oto błędne światło latarki odbija się w przykurzonych plastykowych kloszach, pod którymi trwają pierwsze filmowe gwiazdy i pierwsze panie światowego towarzystwa, księżniczki i królowe we wspaniałych toaletach, bo podług sentencji wyroku nie wolno było ich wystawiać inaczej.

W ciągu dekady przeszedł syntetyczny seks piękną drogę od pierwszych modeli, nadmuchiwanych i nakręcanych ręcznie, aż do prototypów z termoregulacją i sprzężeniem zwrotnym. Oryginały albo zmarły dawno, albo są zgrzybiałymi staruchami, lecz teflon, nylon, dralon i Sexofix oparły się działaniu czasu i jak w muzeum figur woskowych, wyrwane z mroku światłem latarki, wytworne damy uśmiechają się nieruchomo do błądzącego starca, trzymając w uniesionej dłoni kasetę ze swoim syrenim tekstem (wyrok Sądu Najwyższego wzbraniał sprzedawcy włożenia taśmy do manekina, ale każdy nabywca mógł to prywatnie uczynić w domu).

Powolny chwiejny krok starego samotnika wzbija kłęby pyłu, przez które bladą różowizną przeświecają z głębi sceny grupowego erosa, niektóre trzydziestoosobowe, podobne do wielkich strucli lub do starannie zaplecionych kołaczy. Może to sam prezes GENERAL SEXOTICS idzie przejściami pośród gomorkad i przytulnych sodomników, może główny projektant koncernu, ten, co uczynił genitokształtną całą Amerykę najpierw, a potem świat cały? Oto wizuaria z ich nastawniami i programami, z tą ołowianą plombą cenzury, o którą toczyły się sprawy na sześciu wokandach, oto sterty pojemników, gotowych do wysyłki w kraje zamorskie, pełne japońskich kul, olisbosów, maści przedpieszczotowych i tysiąca podobnych artykułów, zaopatrzonych w instrukcje i książki obsługi.

Była to era demokracji nareszcie ziszczonej: wszyscy mogli wszystko — ze wszystkimi. Słuchając porady własnych futurologów, konsorcja, wbrew przeciwkartelowej ustawie podzieliwszy między siebie po cichu ziemski rynek, oddały się specjalizacji. GENERAL SEXOTICS dążyła do równouprawnienia normy i dewiacji, a pozostałe dwa koncerny inwestowały w automatyzację. Flagelliczne cepy, bijalnie, młockarnie pojawiły się prototypami, aby przekonać publiczność, że o nasyceniu rynku nie ma mowy, bo potrzeb wielki przemysł, jeśli jest naprawdę wielkim przemysłem, nie zaspokaja po prostu: on je stwarza! Dawne środki domowego porubstwa przyszło złożyć tam, gdzie znalazły się krzemienie i pałki neandertalczyków. Uczone gremia ułożyły sześcio- i ośmioletnie kursy, potem studia wyższej szkoły obojga erotyk, wynalazły neurosexator, a potem dławiki, tłumiki, masy izolacyjne i specjalne pochłaniacze dźwięku, żeby jedni lokatorzy nie zakłócali innym spokoju ani rozkoszy nieopanowanymi wywrzaskami.

Lecz dalej trzeba było iść, śmiało a bezustannie naprzód, ponieważ stagnacja jest śmiercią produkcji. Planowano już i modelowano Olimp do indywidualnego użytku, już pierwsze androidy o postaciach bogiń i bogów greckich formowano z plastyków w rozjarzonych atelier CYBORDELICS. Mówiło się też o aniołach, utworzywszy finansową rezerwę na procesy z Kościołami, nadto pozostawały do rozwiązania pewne kwestie techniczne: z czego skrzydła; naturalne pierze może łaskotać w nos; czy mają być ruchome; czy to nie przeszkadza; co z aureolą, jaki wyłącznik jej świecenia i gdzie go umieścić — etc. Wtedy uderzył grom.

Owa substancja chemiczna, zwana — kodowo — NOSEX — została zsyntetyzowana już dawno, bodajże w latach siedemdziesiątych. O jej istnieniu wiedziało grono wtajemniczonych fachowców. Preparat ten uznano zrazu za rodzaj tajnej broni, a sporządziły go laboratoria niewielkiej firmy związanej z Pentagonem. Zastosowanie NOSEXU jako aerozolu mogło, w samej rzeczy, zdziesiątkować populację każdego kraju, ponieważ preparat ten, zażyty w ilości ułamków miligrama, znosił wszystkie doznania towarzyszące aktom płciowym. Akt ów był wprawdzie dalej możliwy, lecz tylko jako rodzaj pracy fizycznej, dosyć wyczerpującej, niby wyżymanie, pranie czy maglowanie. Potem znów wentylowano projekt użycia NOSEXU dla przyhamowania eksplozji demograficznej w Trzecim Świecie, lecz uznano ten projekt za niebezpieczny.

Jak przyszło do ogólnoświatowej katastrofy — nie wiadomo. Czy doprawdy składy NOSEXU wyleciały w powietrze wskutek krótkiego spięcia i pożaru zbiornika z eterem? Czy w grę wchodziła akcja przemysłowych wrogów trzech kompanii władających rynkiem? Czy też może maczała w tym place jakaś organizacja wywrotowa, ultrakonserwatywna bądź religijna? Odpowiedzi nie poznamy.

Znużony wędrówką po milowych podziemiach starzec, przysiadłszy na gładkich kolanach plastykowej Kleopatry, ale uprzednio zaciągnąwszy jej hamulec, zmierza myślą — jak ku przepaści — ku wielkiemu krachowi 1998 roku. Publiczność z dnia na dzień odwróciła się w odruchu repulsji od wszystkich produktów, co zawalały rynek. To, co wczoraj kusiło, dziś było tym, czym jest widok siekiery dla utrudzonego drwala, czym balia dla praczki. Wiekuisty (zdawało się) czar, owo zaklęcie, nałożone przez biologię na ród ludzki, prysło. Odtąd pierś przypominała już tylko o tym, że ludzie — to ssaki, nogi — o tym, że mogą chodzić, pośladki — że jest i na czym usiąść. Nic więcej, ale to zupełnie nic! Szczęśliwy MacLuhan, że nie dożył tej katastrofy, on, który w swych kolejnych dziełach wyinterpretował katedrę i kosmiczną rakietę, silnik odrzutowy, turbinę, wiatrak, solniczkę, kapelusz, teorię względności, nawiasy matematycznych równań, zera i wykrzykniki jako surogaty i namiastki owej jedynej czynności, która jest doznaniem istnienia w stanie czystym.

Argumentacja ta straciła moc w godzinach. Ludzkości zagroziło bezpotomne wymarcie. Zaczęło się od ekonomicznego kryzysu, wobec którego ten z roku 1929 był fraszką. Podpaliła się i zginęła w płomieniach, jako pierwsza, cała redakcja PLAYBOYA; głodowali i skakali z okien pracownicy lokali strip-teasowych; zbankrutowały ilustrowane wydawnictwa, wytwórnie filmowe, wielkie konsorcja reklamy, instytuty piękności, zatrzeszczał cały przemysł kalotechniczno-perfumeryjny, potem bieliźniarski, w roku 1999 Ameryka liczyła 32 miliony bezrobotnych.

Co teraz zdolne było jeszcze zainteresować publiczność? Pasy przepuklinowe, syntetyczne garby, siwe peruki, trzęsące się postaci w wózkach paralitycznych, bo tylko one nie kojarzyły się z wysiłkiem seksualnym, tą zmorą, tą mordęgą, tylko one zdawały się gwarantować erotyczną niezagrażalność, więc wytchnienie i spokój. Albowiem rządy, świadome niebezpieczeństwa, przystąpiły do mobilizacji wszystkich sił, żeby ratować gatunek. Z łamów prasy apelowano do rozumu, do poczucia odpowiedzialności, kapłani wszystkich wyznań występowali w telewizji ze szczytną perswazją, przypominając o wyższych ideałach, lecz ten chór autorytetów był wysłuchiwany przez ogół niechętnie. Nie pomagały wezwania, namowy wzywające ludzkość, żeby się przemogła. Wyniki były nędzne: jeden tylko, wyjątkowo karny, naród japoński poszedł, zacisnąwszy zęby, za takimi wskazaniami. Jęto wtedy ustanawiać specjalne bodźce materialne, honorowe dyplomy i wyróżnienia, premie, nagrody, odznaczenia, ordery i konkursy fornikacyjne; gdy i ta polityka zbankrutowała, przyszło do nieodzownych represji. Lecz z kolei ludność całych prowincji jęła wymigiwać się od obowiązku prokreacyjnego, młodzież dekowała się po okolicznych lasach, starsi przedstawiali fałszywe świadectwa niemocy, społeczne komisje kontroli i nadzoru podgryzało przekupstwo, każdy był gotów kontrolować ewentualnie sąsiada, czy się nie wykręca, ale sam, jak tylko mógł, unikał tej męczącej pracy.

Czas katastrofy jest już tylko wspomnieniem, przepływającym przez umysł samotnego starca na kolanach Kleopatry w podziemiu. Ludzkość nie zginęła; obecnie płodzenie zachodzi sposobem sanitarno-sterylnym i higienicznym, przypominając jakieś szczepienia; po latach ciężkich prób zapanowała tedy niejaka stabilizacja. Lecz kultura nie znosi próżni, a przeraźliwe ssanie w obrębie pustki, spowodowanej implozją seksu, wprowadziło na to miejsce opustoszałe — gastronomię. Dzieli się ona na normalną i sprośną; istnieją perwersje obżarskie, albumy restauracyjnej pornografii, a przyjmowanie posiłków w pewnych pozycjach uchodzi za niewymownie wszeteczne. Nie wolno na przykład spożywać owoców na klęczkach (lecz właśnie o tę wolność walczy sekta zboczeńców-klęczycieli), nie wolno szpinaku ani jajecznicy jeść z nogami zadartymi do powały. Lecz istnieją — rozumie się! — tajne lokale, w których znawców i smakoszy czekają sprośne widowiska; na oczach widzów specjalni rekordziści zażerają się tak, że patrzącym ślina cieknie po brodzie. Z Danii przemyca się albumy pornożywieniowe, w których są istne horrenda — łącznie z konsumpcją jajecznicy przez rurkę, podczas kiedy konsument, wiercąc palcami w ostro czosnkowanym szpinaku i zarazem wąchając paprykę roztartą z gulaszem, leży na stole, owinięty w obrus, mając nogi związane sznurem, podczepionym do maszynki z kawą, zastępującej w tej orgii — żyrandol. Nagrodę Feminy zdobyła w tym roku powieść o facecie, który najpierw nacierał podłogi pastą truflową, potem zaś zlizywał ją, uprzednio wytarzawszy się do syta w spaghetti. Zmienił się też ideał urody: teraz należy być stutrzydziestokilogramowym tłuściochem, bo świadczy to o niezwykłej wydolności przewodu pokarmowego. Zaszły zmiany i w modzie: kobiet w ogóle niepodobna odróżnić od mężczyzn podług stroju. W parlamentach co oświeceńszych państw dyskutuje się atoli kwestię, czy byłoby możliwe szkolne uświadamianie dzieci o tajnikach procesów trawiennych? Jak dotąd, temat ten, że nieprzyzwoity, obłożony jest hermetycznym tabu.

I wreszcie nauki biologiczne zbliżyły się do likwidacji płci, zbędnego przeżytku prehistorycznego. Płody będą poczynane syntetycznie i hodowane podług programów genowej inżynierii. Wyrosną z nich osobniki bezpłciowe, i to dopiero położy kres koszmarnym wspomnieniom, co wciąż kołaczą się jeszcze w pamięci wszystkich, którzy przeżyli katastrofę seksu. W jasnych laboratoriach, tych świątyniach postępu, powstanie wspaniały hermafrodyt, a raczej bezpłciowiec, i ludzkość, odcięta od dawnej hańby, będzie się mogła coraz smaczniej zażerać wszelkim owocem — tylko gastronomicznie zakazanym.

Trzej elektrycerze

Żył raz pewien wielki konstruktor-wynalazca, który, nie ustając, wymyślał urządzenia niezwykłe i najdziwniejsze stwarzał aparaty. Zbudował był sobie maszynkę-okruszynkę, która pięknie śpiewała, i nazwał ją ptaszydło. Pieczętował się sercem śmiałym, i każdy atom, który wyszedł spod jego ręki, nosił ów znak, że dziwili się potem uczeni, odnajdując w widmach atomowych migotliwe serduszka. Zbudował wiele pożytecznych maszyn, wielkich i małych, aż naszedł go pomysł dziwaczny, aby śmierć z życiem w jedno złączyć i tak dopiąć niemożliwości. Postanowił zbudować istoty rozumne z wody, ale nie tym okropnym sposobem, o którym zaraz pomyślicie. Nie, myśl o ciałach miękkich i mokrych była mu obca, brzydził się jej jak każdy z nas. Zamierzył zbudować z wody istoty prawdziwie piękne i mądre, więc krystaliczne. Wybrał tedy planetę, bardzo od wszystkich słońc oddaloną, z zamarzłego jej oceanu wysiekł góry lodowe i z nich, jak z kryształu górskiego, wyciosał Kryonidów. Zwali się tak, bo tylko w przeraźliwym mrozie istnieć mogli i w pustce bezsłonecznej. Pobudowali też w niedługim czasie miasta i pałace lodowe, a że wszelkie ciepło groziło im zgubą, zorze polarne łapali do wielkich naczyń przejrzystych i nimi oświetlali swoje siedziby. Im kto był wśród nich możniejszy, tym więcej miał zórz polarnych, cytrynowych i srebrzystych, i żyli sobie szczęśliwie, a że się nie tylko w świetle, ale i w szlachetnych kamieniach kochali, słynęli ze swych klejnotów. Klejnoty te były z zamarzniętych gazów cięte i szlifowane. Barwiły im wieczną ich noc, w której, jak duchy uwięzione, płonęły wysmukłe zorze polarne, podobne do zaklętych mgławic w kłodach z kryształu. Niejeden zdobywca kosmiczny chciał posiąść te bogactwa, cała bowiem Kryonia była z największych dali widoczna, migocąc bokami jak klejnot, obracany z wolna na czarnym aksamicie. Przybywali więc awanturnicy na Kryonię, by szczęścia wojennego próbować. Przyleciał na nią elektrycerz Mosiężny, który stąpał, jakby dzwon dzwonił, ale zaledwie na lodach nogę postawił, stopiły się od gorąca i runął w otchłań lodowego oceanu, a wody zamknęły się nad nim i, jak owad w bursztynie, w górze lodowej na dnie mórz kryońskich po dzień ostatni spoczywa.

Nie odstraszył los Mosiężnego innych śmiałków. Przyleciał po nim elektrycerz Żelazny, opiwszy się płynnym helem, aż mu w stalowym wnętrzu bulgotało, a szron, osiadający na pancerzu, uczynił go do kukły śniegowej podobnym. Ale szybując ku powierzchni planety, rozpalił się od tarcia atmosferycznego, hel płynny wyparował z niego, świszcząc, a on sam, świecąc czerwono, na skały lodowe upadł, które zaraz się otwarły. Wydobył się, parą buchając, podobny do gejzera wrzącego, lecz wszystko, czego się tknął, stawało się białym obłokiem, z którego śnieg padał. Usiadł więc i czekał, aż ostygnie, a gdy już gwiazdki śniegowe przestały topnieć mu na pancernych naramiennikach, chciał wstać i ruszyć w bój, lecz smar stężał mu w stawach i nie mógł nawet grzbietu wyprostować. Do dzisiaj tak siedzi, a śnieg padający uczynił go białą górą, z której tylko ostrze hełmu wystaje. Nazywają tę górę Żelazną, a w oczodołach jej lśni wzrok zamarznięty.

Posłyszał o losie poprzedników trzeci elektrycerz, Kwarcowy, którego w dzień nie widać było inaczej jak soczewkę polerowaną, a w nocy jak odbicie gwiazd. Nie obawiał się, że mu olej w członkach stężeje, bo go nie miał, ani że lodowe kry pod nogami mu pękną, mógł bowiem zimnym stawać się, jak chciał. Jednego musiał unikać, to jest myślenia uporczywego, od niego bowiem rozgrzewał mu się kwarcowy mózg i to mogło go zgubić. Ale postanowił sobie bezmyślnością żywot uratować i zwycięstwo nad Kryonidami osiągnąć. Przyleciał na planetę, a taki był długą podróżą przez wieczną noc galaktyczną zmrożony, że meteory żelazne, które się o jego pierś w locie ocierały, trzaskały na kawałki, dzwoniąc jak szkło. Osiadł na białych śniegach Kryonii, pod jej niebem czarnym jak garnek pełny gwiazd i, podobny do lustra przejrzystego, chciał się zastanowić, co ma począć dalej, ale już śnieg wokół niego sczerniał i począł parować.

— Oho! — rzekł sobie Kwarcowy — niedobrze! Nic po tym, byle tylko nie myśleć, a będzie dobra nasza!

I postanowił sobie tę jedną frazę powtarzać, cokolwiek się stanie, bo nie wymagała wysiłku umysłowego, a dzięki temu wcale go nie rozgrzewała. Ruszył tedy pustynią śnieżną Kwarcowy, bezmyślnie i byle jako, aby chłód zachować. Szedł tak, aż doszedł do murów lodowych stolicy Kryonidów, Frygidy. Rozpędził się, głową w blanki uderzył, aż skry poszły, lecz nic nie wskórał.

— Spróbujemy inaczej! — rzekł sobie i zastanowił się, ile to też będzie: dwa razy dwa?

A kiedy rozmyślał nad tym, głowa mu się nieco rozgrzała, więc drugi raz mury roziskrzone taranował, ale tylko dołek uczynił niewielki.

— Mało było! — rzekł sobie. — Spróbujemy czegoś trudniejszego. Ile to też będzie: trzy razy pięć?

Teraz to już głowę jego otoczyła chmura skwiercząca, bo śnieg w zetknięciu z tak gwałtownym myśleniem od razu kipiał, więc cofnął się Kwarcowy, nabrał rozpędu, uderzył i na wylot przeszedł mur, a za nim jeszcze dwa pałace i trzy domy pomniejszych Grafów Mroźnych, wypadł na wielkie schody, chwycił się poręczy ze stalaktytów, ale stopnie były jak ślizgawka. Zerwał się szybko, bo już wszystko wokół niego tajało i mógł w ten sposób przewalić się przez całe miasto w głąb, w przepaść lodową, gdzie by na wieki zamarzł.

— Nic po tym! Byle tylko nie myśleć! Dobra nasza! — rzekł sobie i w samej rzeczy zaraz ostygł.

Wyszedł więc z tunelu lodowego, który wytopił, i znalazł się na wielkim placu, ze wszech stron oświetlonym zorzami polarnymi, które mrugały szmaragdem i srebrem z kolumn kryształowych.

I wyszedł mu naprzeciw skrzący się gwiezdnie rycerz ogromny, wódz Kryonidów, Boreal. Zebrał się w sobie elektrycerz Kwarcowy i runął do ataku, a tamten zwarł się z nim i był taki łoskot, jak kiedy się zderzą dwie góry lodowe pośrodku Oceanu Północnego. Odpadła lśniąca prawica Boreala, odrąbana u nasady, ale nie stropił się, dzielny, lecz odwrócił się, aby pierś, szeroką jak lodowiec, którym wszak był, nadstawić wrogowi. Tamten zaś drugi raz nabrał szybkości i znów taranował go straszliwie. Twardszy był kwarc i bardziej spoisty od lodu, pękł więc Boreal z hukiem, jakby lawina zeszła po zboczach skalnych, i leżał, rozpryśnięty w świetle zórz polarnych, które patrzały na jego klęskę.

— Dobra nasza! Byle tak dalej! — rzekł Kwarcowy i zerwał z pokonanego klejnoty cudownej piękności: pierścienie wysadzane wodorem, hafty i guzy roziskrzone, podobne do diamentowych, lecz z trójcy gazów szlachetnych rżnięte — argonu, kryptonu i ksenonu. Ale gdy się nimi zachwycał, pocieplał ze wzruszenia, toteż owe brylanty i szafiry, sycząc, wyparowały mu pod dotknięciem, że nie trzymał już nic — prócz kilku kropelek rosy, która też się zaraz ulotniła.

— Oho! A więc i zachwycać się nie należy! Nic to! Byle tylko nie myśleć! — rzekł sobie i ruszył dalej w głąb zdobywanego grodu.

Ujrzał w dali postać nadciągającą ogromną. Był to Albucyd Biały, Jenerał-Minerał, którego rozłożystą pierś rzędy orderowych sopli przecinały, z wielką gwiazdą Szronu na wstędze glacjalnej; ów strażnik skarbców królewskich bronił dostępu Kwarcowemu, który runął nań jak burza i zdruzgotał z grzmotem lodowym. Przybiegł Albucydowi z pomocą książę Astrouch, pan na lodach czarnych; temu elektrycerz nie dał rady, bo książę miał na sobie kosztowną zbroję azotową, w helu hartowaną. Mróz od niej szedł taki, że Kwarcowemu odjęło impet i ruchy jego osłabły, a zorze polarne aż przybladły, taki się wiew Zera Absolutnego rozszedł wokoło. Zerwał się Kwarcowy, myśląc: — Rety! Co też to się znowu dzieje takiego? — a z wielkiego zdumienia mózg mu się rozgrzał, Zero Absolutne stało się letnie i na jego oczach Astrouch sam jął się rozpadać na dzwona, z gromami, które wtórowały jego agonii, aż tylko kupa czarnego lodu, wodą jak łzami ociekająca, w kałuży została na pobojowisku.

— Dobra nasza! — rzekł sobie Kwarcowy — byle tylko nie myśleć, a jeśli potrzeba, to myśleć! Tak lub owak — zwyciężyć muszę!

I pognał dalej, a kroki jego dzwoniły, jakby ktoś młotem tłukł kryształy; i tętnił, pędząc ulicami Frygidy, a mieszkańcy jej spod białych okapów patrzyli nań z rozpaczą w sercach. Mknął tak niczym rozjuszony meteor Drogą Mleczną, gdy dostrzegł w dali postać samotną, niewielką. Był to sam Baryon, zwany Lodoustym, największy mędrzec Kryonidów. Rozpędził się Kwarcowy, by go jednym ciosem zmiażdżyć, ten jednak ustąpił mu z drogi i pokazał dwa palce wystawione; nie wiedział Kwarcowy, co by to mogło znaczyć, ale zawrócił i — nuże na przeciwnika, lecz Baryon znowu tylko o krok mu się usunął i szybko pokazał jeden palec. Zdziwił się nieco Kwarcowy i zwolnił biegu, chociaż już nawrócił i właśnie miał brać rozpęd. Zamyślił się, i woda jęła płynąć z pobliskich domów, ale nie widział tego, bo Baryon ukazał mu kółko z palców złożone i przez nie kciukiem drugiej ręki prędko tam i sam poruszał. Kwarcowy myślał i myślał, co też by te milczące gesty miały wyrażać, i otwarła mu się pustka pod nogami, chlusnęło z niej czarną wodą, a on sam poleciał w głąb jak kamień i nim zdążył sobie jeszcze powiedzieć: — Nic to, byle nie myśleć! — już go na świecie nie było. Pytali potem uratowani Kryonidzi, wdzięczni Baryonowi za ratunek, co chciał wyjawić znakami, które straszliwemu elektrycerzowi-przybłędzie pokazywał.

— To rzecz całkiem prosta — odparł mędrzec. — Dwa palce znaczyły, że jest nas dwóch, razem z nim. Jeden, że zaraz ja sam tylko zostanę. Potem pokazałem mu kółko na znak, że się wkoło niego lód otworzy i otchłań czarna oceanu pochłonie go na wieki. Jednego nie pojął, tak samo jak drugiego i trzeciego.

— Wielki mędrcze! — zawołali zdumieni Kryonidzi. — Jakże mogłeś dawać takie znaki straszliwemu napastnikowi?! Pomyśl, panie, co byłoby, gdyby cię zrozumiał i zdziwienia zaniechał?! Przecież nie rozgrzałby go wówczas namysł i nie runąłby w bezdenną otchłań...

— Ach, tego nie obawiałem się wcale — rzekł z zimnym uśmiechem Baryon Lodousty — wiedziałem bowiem z góry, że niczego nie pojmie. Gdyby choć odrobinę miał rozumu, nie przybyłby do nas. Cóż bowiem może przyjść istocie, która pod słońcem mieszka, z klejnotów gazowych i srebrnych gwiazd lodu?

A oni zadziwili się z kolei mądrości mędrca i odeszli, uspokojeni, do swych domów, w których czekał ich mróz miły. Odtąd nikt już nie próbował najechać Kryonii, bo zabrakło głupców w całym Kosmosie, chociaż niektórzy mówią, że ich jeszcze sporo, a tylko drogi nie znają.

ALISTAR WAYNEWRIGHT

„Being Inc."

(*American Library*)

Kiedy się angażuje służącego, w jego pobory wliczony jest — poza pracą — także szacunek, jaki sługa winien panu. Gdy się bierze adwokata, oprócz porad fachowych nabywa się poczucie bezpieczeństwa. Ten, kto kupuje miłość — a nie tylko ubiega się o nią — także oczekuje czułości i przywiązania. W koszt biletu lotniczego od dawna włączono uśmiechy i towarzyską jakby uprzejmość przystojnych stewardes. Ludzie skłonni są opłacać „private touch", to poczucie rzekomej intymności opiekuńczej, życzliwego stosunku, które stanowi ważny składnik opakowania świadczonych usług w każdej dziedzinie życia.

Lecz samo owo życie nie sprowadza się przecież do kontaktów ze służącymi, adwokatami, pracownikami hoteli, biur, linii lotniczych, sklepów. Przeciwnie: kontakty i stosunki, na jakich najbardziej nam zależy, znajdują się poza sferą płatnej usługi. Można sobie zamówić komputerowe pośrednictwo matrymonialne, ale nie można sobie zamówić wymarzonego zachowania żony czy męża po ślubie. Można kupić jacht, pałac, wyspę, gdy kto ma pieniądze, ale niepodobna nabyć upragnionych zdarzeń — w rodzaju: popisania się bohaterstwem lub inteligencją, ocalenia cudownej istoty ze śmiertelnego niebezpieczeństwa, wygrania wyścigów lub uzyskania wysokiego orderu. Nie da się też nabyć przychylności, sympatii spontanicznej, oddania innych; o tym, że właśnie tęsknota za taką bezinteresownością uczuć nęka potężnych władców i bogaczy, świadczą niezliczone opowieści; ten, kto może wszystko kupić lub wymusić, bo ma po temu środki, porzuca swe wyjątkowe stanowisko, w takich bajkach, aby w przebraniu — jak Harun ar-Raszid udający żebraka — szukać autentyczności ludzkiej, gdyż przywilej odgradza od niej nieprzenikliwym murem.

A zatem dziedziną, która nie uległa jeszcze przerobieniu na towar, jest substancja codziennego żywota, intymna i oficjalna, prywatna, jak i publiczna — wskutek czego każdy jest narażony bezustannie na owe drobne klęski, ośmieszenia, zawody, animozje, na wzgardy, których nie da się odpłacić, na przypadkowość, jednym słowem, w obrębie osobistego losu: stan rzeczy nie do zniesienia, w najwyższym stopniu godny odmiany; a tę odmianę na lepsze ustanowi wielki przemysł życiowych usług. Społeczeństwo, w którym można zakupić — dzięki kampanii reklamowej — stanowisko prezydenta, stado białych słoni pomalowanych w kwiatki, tłum dziewcząt, hormonową młodość, stać na właściwe uporządkowanie kondycji człowieka. Nasuwające się od razu zastrzeżenie — że tak zakupione formy życia, będąc nieautentycznymi, łatwo zdradzą swój fałsz w zestawieniu z dookolnym autentyzmem wydarzeń, zastrzeżenie to dyktuje naiwność, wyzbyta śladu imaginacji. Kiedy wszystkie dzieci poczynane są w kolbie, kiedy więc żaden akt płciowy nie ma naturalnego dawniej skutku jako poczęcia, znika różnica między normą i aberracją w seksie, skoro żadne cielesne zbliżenie nie służy niczemu poza rozkoszą. Tam zaś, gdzie każdy żywot znajduje się pod pieczołowitą kontrolą potężnych przedsiębiorstw usługowych, znika różnica między zajściami autentycznymi i tajnie zaaranżowanymi. Dystynkcja między naturalnością i syntetyką przygód, sukcesów, klęsk przestaje istnieć, gdy nie można się już dowiedzieć, co zachodzi z czystego, a co — z opłaconego z góry przypadku.

Tak przedstawia się z grubsza idea powieści A. Waynewrighta „Being Inc.", to jest „Przedsiębiorstwo Byt". Operacyjną zasadą tej korporacji jest działanie na odległość: jej siedziba nie może być nikomu znana; klienci kontaktują się z „Being Inc." wyłącznie na drodze korespondencyjnej, ewentualnie przez telefon; ich zamówienia przyjmuje gigantyczny komputer; wykonanie uzależnia się od stanu konta, czyli należytej wysokości wpłat. Zdradę, przyjaźń, miłość, zemstę, szczęście własne i cudzy zły los można uzyskać także na raty, podług korzystnego systemu kredytowego. Los dzieci kształtują rodzice, lecz w dniu uzyskania pełnoletności każdy otrzymuje pocztą cennik, katalog usług oraz broszurę-instrukcję firmy. Broszura jest przystępnie, lecz rzeczowo napisanym traktatem światopoglądowym i socjotechnicznym, a nie zwykłym reklamowym drukiem. Jej klarowny, podniosły język głosi to, co niepodniośle można streścić podług następującej formuły:

Wszyscy ludzie dążą do szczęścia, lecz w niejednaki sposób. Dla jednych szczęście — to górowanie nad innymi, to samodzielność, sytuacje stałych wyzwań, ryzyka i wielkiej gry. Dla innych — to podporządkowanie się, wiara w autorytet, brak wszelkiego zagrożenia, spokój, nawet lenistwo. Pierwsi lubią agresję przejawiać; drugim bywa milej, kiedy doznają jej właśnie. Gdyż wielu ludzi znajduje satysfakcję w stanie niespokojnego zmartwienia, co poznać po tym, że kiedy nie mają prawdziwych zmartwień, wymyślają sobie fikcyjne. Badania wykazały, że osób aktywnych i pasywnych jest zwykle tyle samo w społeczeństwie. Nieszczęściem dawnego społeczeństwa — głosi broszura — było wszakże to, że nie umiało ono wytworzyć harmonii pomiędzy przyrodzonymi skłonnościami i życiową drogą obywateli. Jakże często ślepy traf decydował o tym, kto ma zwyciężać, a kto — przegrywać, komu przypadnie rola Petroniusza, a komu — Prometeusza. Należy poważnie wątpić w to, jakoby Prometeusz nie spodziewał się sępa u swej wątroby. Jest raczej prawdopodobne, podług psychologii najnowszej, że on po to tylko skradł niebu ogień, żeby potem być dziobanym w wątrobę. Był masochistą; masochizm, podobnie jak kolor oczu, jest cechą przyrodzoną; nie ma sensu się go wstydzić; należy go rzeczowo zastosować i wykorzystać dla społecznego dobra. Dawniej — wykłada uczenie tekst — ślepy los decydował o tym, kogo czekają przyjemności, a kogo prywacje; ludziom żyło się fatalnie, ponieważ temu, kto lubiąc bijać, jest bity, bywa tak samo nieprzyjemnie jak temu, kto, łaknąc tęgiego lania, sam musi, zniewolony okolicznościami, lać innych.

Zasady działania „Being Incorporated" nie pojawiły się na pustym miejscu: matrymonialne komputery od dawna już posługują się podobnymi regułami, kojarząc małżeństwa. „Being Inc." gwarantuje każdemu klientowi aranżację żywota od uzyskania pełnoletniego wieku aż do śmierci, podług życzeń wyrażonych przezeń na załączonym formularzu. Firma pracuje w oparciu o najnowsze metody cybernetyczne, socjotechniczne i informatyczne. „Being Inc." nie od razu wypełnia życzenia klientów, ponieważ ludzie często sami nie znają własnej natury i nie wiedzą, co dla nich dobre, a co złe. Każdego nowego klienta poddaje firma zdalnemu badaniu psychotechnicznemu; zespół ultraszybkich komputerów określa profil osobowościowy i wszystkie naturalne skłonności klienta. Dopiero po takiej diagnozie firma akceptuje zamówienia.

Treści zamówień nie należy się wstydzić: pozostaje ona na zawsze tajemnicą firmową. Nie należy się też obawiać, że zamówienia mogą, przy ich realizacji, wyrządzić komuś krzywdę. W tym, aby do tego nie doszło, głowa elektronowa firmy. Oto pan Smith życzy sobie zostać srogim sędzią, ferującym wyroki śmierci; a więc będą stawali przed nim jako podsądni — ludzie, którzy zasługują tylko na karę główną. Pan Jones pragnąłby dzieci swe chłostać, odmawiać im wszelkiej przyjemności, i do tego trwać w przeświadczeniu, że jest ojcem sprawiedliwym? Więc będzie miał okrutne i złe dzieci, których karcenie zajmie mu pół życia. Firma spełnia wszystkie życzenia: czasem tylko trzeba czekać w kolejce, na przykład, kiedy się chce kogoś własnoręcznie zabić, gdyż amatorów takich jest dziwnie dużo. W różnych stanach rozmaicie zabija się ludzi skazanych na śmierć; w jednych się ich wiesza, w innych truje cyjanowodorem, w jeszcze innych — używa się do tego elektryczności. Ten, kto łaknie wieszania, dostanie się do stanu, w którym legalnym narzędziem egzekucji jest szubienica, i ani się obejrzy, jak zostanie czasowo katem. Projekt, umożliwiający klientom bezkarne mordowanie osób trzecich w szczerym polu, na łące, w zaciszu domowym, jeszcze nie został zatwierdzony ustawowo, lecz firma zmierza cierpliwie do urzeczywistnienia i tej innowacji. Biegłość firmy w aranżowaniu wypadków, udowodniona milionami syntetycznych karier, pokona trudności piętrzące się na drodze zamawianych mordów. Ot, skazaniec zauważy, że drzwi celi śmierci są otwarte, ucieknie, a pracownicy firmy, czuwając, tak ukształtują drogę jego ucieczki, że natknie się na klienta w najwłaściwszych dla obu warunkach. Będzie się na przykład starał ukryć w domu klienta, podczas gdy gospodarz będzie akurat zajęty ładowaniem myśliwskiej broni. Zresztą katalog możliwości, jaki opracowała firma, jest niewyczerpalny.

„Being Inc." to organizacja, jakiej nie znały dzieje. To dla niej niezbędne. Matrymonialny komputer łączył zaledwie d w i e osoby i nie troszczył się o to, co z nimi będzie po zawarciu małżeństwa. „Being Incorporated" musi natomiast organizować olbrzymie ugrupowania zajść, wprowadzając w nie tysiące ludzi. Firma zastrzega się, że właściwe jej metody działania n i e są wymienione w książeczce. Przykłady są czystymi fikcjami! Strategia aranżacji musi być absolutną tajemnicą, w przeciwnym wypadku klient nie może nigdy dojść tego, co mu się zdarza naturalnie, a co dzięki operacjom firmowych komputerów, czuwających niewidzialnie nad jego losem.

„Being” posiada armię pracowników, występujących jako zwyczajni obywatele; jako szoferzy, rzeźnicy, lekarze, technicy, gospodynie domowe, niemowlęta, psy i kanarki. Pracownicy muszą być anonimowi. Pracownik, który raz zdradzi swe incognito, tj. wyjawi, że jest etatowym członkiem zespołu „Being Inc.”, nie tylko traci posadę, lecz jest ścigany przez firmę do grobu: znając jego upodobania, firma zaaranżuje mu życie tak, by przeklinał chwilę, w której dopuścił się haniebnego uczynku. Od kary za zdradę tajemnicy służbowej nie ma apelacji, ponieważ firma wcale nie głosi, jakoby powiedziane wyżej miało być pogróżką. Firma włącza bowiem sposoby realnego postępowania ze złymi pracownikami do swych sekretów produkcyjnych.

Rzeczywistość, ukazana w powieści, jest inna od tej, jaką maluje broszura reklamowa „Being Inc.” Reklamy milczą o tym, co najważniejsze. Zgodnie z ustawami przeciwkartelowymi nie wolno w USA monopolizować rynku, toteż „Being Inc.” nie jest jedynym aranżerem życia. Istnieją jej wielcy konkurenci, na przykład „Hedonistics” czy „Truelife Corporation”. I właśnie ta okoliczność prowadzi do zjawisk, jakich nigdy nie bywało w historii. Kiedy bowiem stykają się z sobą osoby będące klientami rozmaitych firm, realizacja zamówień każdej może napotkać nieprzewidziane trudności. Przejawiają się owe trudności jako tak zwany tajny parazytyzm, wiodący do zakamuflowanej eskalacji.

Powiedzmy, że pan Smith chce błysnąć przed panią Brown, żoną znajomego, która mu się podoba, i wybiera pozycję „396 b” z cennika, to jest — ocalenie życia w katastrofie kolejowej. Z katastrofy mają wyjść oboje bez szwanku, ale pani Brown — tylko dzięki bohaterstwu Smitha. Firma musi tedy precyzyjnie zaaranżować wypadek kolejowy, a także przygotować całą sytuację, by nazwane osoby wskutek pozornej serii trafów jechały w tym samym przedziale; czujniki znajdujące się w ścianach, podłodze i oparciach foteli wagonu kolejowego, dostarczając danych komputerowi programującemu akcję, ukrytemu w toalecie, zadbają o to, by wypadek zaszedł dokładnie według planu. Musi on zajść tak, żeby Smith nie mógł nie uratować życia pani Brown. Żeby nie wiedzieć co robił, bok wywróconego wagonu rozpruje się dokładnie w tym miejscu, w którym siedzi pani Brown, przedział wypełni się duszącym dymem, i aby wydostać się na zewnątrz, Smith będzie musiał najpierw wypchnąć przez powstały otwór kobietę. Tym samym uratuje ją od śmierci wskutek uduszenia. Operacja ta nie jest zbyt trudna. Przed kilkudziesięciu laty trzeba było armii komputerów i drugiej — specjalistów, żeby osadzić prom księżycowy w odległości metrów od jego celu; obecnie jeden komputer, śledzący akcję dzięki zestrojowi czujników, bez kłopotu rozwiązuje postawione zadanie.

Gdyby jednak „Hedonistics" bądź „Truelife Co." przyjęły zamówienie od męża pani Brown, żądające, by Smith okazał się łotrem i tchórzem, dojdzie do nieprzewidzianych powikłań. Dzięki szpiegostwu przemysłowemu „Truelife" dowie się o planowanej przez „Being" operacji kolejowej: rzeczą najtańszą jest włączyć się do cudzego planu aranżerskiego: na tym właśnie polega „tajny parazytyzm". „Truelife" wprowadzi w momencie katastrofy drobny czynnik odchylający, którego będzie dość, żeby Smith, wypychając przez dziurę panią Brown, posiniaczył ją, podarł jej suknię oraz złamał na dokładkę obie nogi.

Jeśli „Being Inc." dzięki swojemu kontrwywiadowi dowie się o tym pasożytniczym planie, podejmie środki zaradcze: i tak rozpocznie się proces operacyjnej eskalacji. W przewracającym się wagonie dojść musi do pojedynku dwu komputerów — tego „Being", w toalecie, i tego „Truelife", schowanego, być może, pod podłogą wagonu. Za potencjalnym zbawcą kobiety i za nią, jako potencjalną ofiarą, stoją dwa molochy elektroniki i organizacji. Podczas wypadku wybuchnie — w ułamkach sekund — potworna bitwa komputerów; trudno pojąć, jak olbrzymie siły będą interweniować z jednej strony po to, by Smith pchał bohatersko i zbawiennie, i z drugiej, żeby tchórzliwie i depcząco. Wskutek wprowadzania coraz nowych posiłków to, co miało być niewielkim popisem męstwa wobec kobiety, może się stać kataklizmem. Kroniki firm notują na przestrzeni dziewięciu lat dwie takie katastrofy, zwane eskarami (Eskalacje Aranżacji). Po tej ostatniej, która kosztowała zaangażowane strony 19 milionów dolarów, wydatkowanych w energii elektrycznej, parowej i wodnej w ciągu 37 sekund, doszło do ugody, mocą której ustalono górną granicę aranżacji. Nie może ona pochłonąć więcej niż 10^{12} dżulów na klientominutę; wyłączone są też z realizowania usług — wszystkie rodzaje energii atomowej.

Na takim tle toczy się właściwa akcja powieści. Nowy prezydent „Being Inc.", młody Ed Hammer III, ma osobiście rozpatrzyć sprawę zamówienia, złożonego przez Mrs. Jessamyn Chest, ekscentryczną milionerkę, gdyż żądania jej, natury pozacennikowej i niezwykłej, wykraczają poza kompetencje wszystkich szczebli administracji firmowej. Jessamyn Chest łaknie pełnej autentyczności życia, oczyszczonego od wszelkich wtrętów aranżerskich; za spełnienie tych życzeń gotowa jest zapłacić każdą cenę. Ed Hammer, wbrew sugestiom doradców, propozycję przyjmuje; zadanie, które stawia przed swym sztabem — jak zaaranżować całkowity brak aranżacji — okazuje się trudniejsze od wszystkich dotąd pokonanych. Badania wykazują, że nic takiego, jak żywiołowa spontaniczność życia, od dawna już nie istnieje. Usunięcie przygotowań dowolnej aranżacji wykrywa — jako warstwę głębszą — resztki innych, dawniejszych; zdarzeń o biegu nie wyreżyserowanym brak nawet w łonie „Being Inc." Wyjawia się bowiem, że trzy konkurencyjne przedsiębiorstwa do końca się nawzajem zaaranżowały, to jest obsadziły swoimi zaufanymi — kluczowe stanowiska w administracji i radzie nadzorczej konkurenta. Odczuwając zagrożenie, wywołane takim odkryciem, Hammer zwraca się do prezesów obu pozostałych przedsiębiorstw, po czym dochodzi do tajnej narady, podczas której występują jako doradcy — specjaliści mający dostęp do głównych komputerów. Ta konfrontacja pozwala wreszcie ustalić stan rzeczy.

Mało, że w roku 2041 na całym terytorium USA nikt już nie może zjeść kurczęcia, zakochać się, westchnąć, wypić whisky, nie wypić piwa, skinąć, mrugnąć, splunąć — bez wyższego planowania elektronicznego, które na lata z góry wytworzyło dysharmonię przedustanowioną. Nie zdając sobie z tego sprawy, w toku walki konkurencyjnej trzy miliardowe korporacje utworzyły Jednego w Trzech Osobach, Wszechmocnego Aranżera Losu. Programy komputerów są Księgą Przeznaczeń; zaaranżowane są partie polityczne, zaaranżowana jest meteorologia, i nawet samo przyjście na świat Eda Hammera III też stanowiło rezultat określonych zamówień, które były skutkami innych zamówień z kolei. Nikt już nie może ani urodzić się, ani umrzeć spontanicznie; a także nikt już na własną rękę, sam, do końca niczego nie przeżywa, ponieważ każda jego myśl, każdy lęk, trud, ból — jest ogniwkiem algebraicznych kalkulacji komputerowych. Puste już są pojęcia winy, kary, odpowiedzialności moralnej, dobra i zła, ponieważ pełna aranżacja żywota wyklucza pozagiełdowe walory. W komputerowym raju, sporządzonym dzięki stuprocentowemu wykorzystaniu wszystkich cech ludzkich i włączeniu ich w niezawodny system, brakowało tylko jednego — wiedzy jego mieszkańców o tym, iż jest tak właśnie. Toteż sama narada trzech prezydentów także została zaplanowana przez główny komputer, który — dostarczając im tej wiedzy — przedstawia się jako zelektryfikowane Drzewo Wiadomości. Co się teraz stanie? Czy doskonale zaaranżowany byt należy porzucić w nowej, następnej ucieczce z raju, aby „wszystko zacząć jeszcze raz od początku"? Czy też przyjąć go, zrzekłszy się raz na zawsze brzemienia odpowiedzialności? Książka nie odpowiada na to pytanie. Jest więc groteską metafizyczną, której fantastyczność posiada niejakie powiązania ze światem realnym. Gdy odrzucimy humorystyczną blagę i elefantiazę autorskiej wyobraźni, pozostanie problem manipulowania umysłami, i to takiego manipulowania, które nie koliduje z pełnią subiektywnego poczucia spontaniczności i swobody. Rzecz na pewno się nie ziści w formie ukazanej przez „Being Inc.", lecz nie wiadomo, czy los oszczędzi naszym potomkom innych postaci tego zjawiska — być może mniej zabawnych w opisie, lecz kto wie, czy i mniej dręczących.

Podróż dwudziesta pierwsza

Gdy po powrocie z XXVII wieku wysłałem I. Tichego do Rosenbeissera, by objął opróżnione przeze mnie stanowisko w TEOHIPHIPIE, co uczynił zresztą z największą niechęcią, i to dopiero po tygodniu gonitwy i awantur w małym kole czasowym, znalazłem się wobec poważnego dylematu.

Czego jak czego, ale naprawiania historii miałem zupełnie dość. Tymczasem było wcale możliwe, że ten Tichy znów zawali Projekt i Rosenbeisser wyśle go po mnie jeszcze raz. Postanowiłem więc nie czekać z założonymi rękami, lecz udać się w Galaktykę, i to możliwie daleko. Wyruszałem w największym pośpiechu, z obawy, że MOIRA pokrzyżuje mi plany, ale widać zapanował tam po mym odejściu kompletny bałagan, bo nikt się jakoś mną specjalnie nie interesował. Oczywiście nie chciałem czmychnąć byle gdzie, wziąłem więc do rakiety moc najświeższych przewodników i rocznik „Almanachu Galaktycznego", który narósł pod moją nieobecność. Odsadziwszy się zaś od Słońca na ładnych kilka parseków, już spokojny, jąłem wertować tę literaturę.

Jak się wnet przekonałem, przynosiła sporo nowego. I tak dr Hopfstosser, brat tego Hopfstossera, który jest znanym tichologiem, opracował tablicę periodyczną cywilizacji Kosmosu w oparciu o trzy zasady, pozwalające nieomylnie wykrywać społeczności najwyżej rozwinięte. Są to Reguły Śmieci, Szumu i Plam. Każda cywilizacja w fazie technicznej zaczyna z wolna tonąć w odpadkach, które sprawiają jej ogromne kłopoty, aż wyprowadzi śmietniska w przestrzeń kosmiczną; żeby zaś nie przeszkadzały zbytnio w kosmonautyce, umieszcza się je na specjalnie wyosobnionej orbicie. W ten sposób powstaje rosnący pierścień wysypisk, i właśnie po jego obecności można rozpoznać wyższą erę postępu.

Jednakowoż po pewnym czasie wysypiska zmieniają swój charakter, w miarę bowiem rozwoju intelektroniki trzeba się pozbywać coraz większych ilości złomu komputerowego, do którego przyłączają się stare sondy, sputniki itp. Te myślące odpady nie chcą kręcić się po wieczność w pierściennym śmietniku i pierzchają z niego, zapełniając okolice planety, a nawet cały jej system; faza ta doprowadza do zanieczyszczenia środowiska — intelektem. Różne cywilizacje usiłują zrazu rozmaicie zwalczać ten problem; bywa, że dochodzi do komputerocydu, np. umieszcza się w próżni specjalne pułapki, sidła, wnyki i zgniatacze psychicznych wraków, lecz efekt podobnych akcji jest jak najgorszy, wyłapaniu ulegają bowiem tylko wraki najniżej stojące pod względem umysłowym, więc taktyka ta preferuje przetrwanie śmieci najbystrzejszych; łączą się one w gromady i szajki, urządzają naloty i kontestacje, wysuwając trudne do spełnienia postulaty, bo domagają się części zamiennych i przestrzeni życiowej. Gdy im odmówić, złośliwie zagłuszają łączność radiową, włączają się do audycji, nadają własne proklamacje, przez co planetę na tym etapie otacza strefa takich trzasków i wycia w eterze, że bębenki pękają. Właśnie po tym trzeszczeniu można z wielkiej nawet odległości rozpoznać cywilizacje udręczane plagą polucji intelektualnej. Dziwne, jak długo astronomowie ziemscy nie mogli pojąć, czemu Kosmos, podsłuchiwany radioteleskopami, pełen jest szumu i innych bezsensownych odgłosów; są to właśnie zakłócenia będące skutkiem nazwanych konfliktów, które utrudniają poważnie nawiązywanie międzygwiezdnej łączności.

I wreszcie plamy słońc, ale o specyficznym ukształtowaniu, jak i składzie chemicznym, który można ustalić spektroskopowo, zdradzają obecność cywilizacji najwyżej rozwiniętych, które przebiły już zarówno Barierę Śmieci, jak i Szumu. Plamy te powstają, kiedy olbrzymie chmary narosłych wiekami odpadów same rzucają się jak ćmy w płomienie miejscowego Słońca, żeby w nich zginąć samobójczo. Tę manię wzniecają specjalne środki depresyjne, którym ulega wszystko, co myśli elektrycznie. Metoda rozsiewania owych środków jest nad wyraz okrutna, ale też bytowanie w Kosmosie, a już zwłaszcza budowanie w nim cywilizacji, nie stanowi niestety sielanki.

Podług doktora Hopfstossera te trzy kolejne etapy rozwoju są żelazną prawidłowością cywilizacji człekokształtnych. Co się tyczy innych, periodyczna tablica doktora wykazuje jeszcze pewne luki. Nic mi to jednak nie szkodziło, bo dla zrozumiałych względów interesowałem się właśnie bytem istot najbardziej do nas podobnych. Toteż, sporządziwszy sobie na podstawie opisu, jaki opublikował Hopfstosser w „Almanachu", detektor „WC" (wysokich cywilizacji), zagłębiłem się rychło w wielkiej gromadzie Hyjad. Stamtąd bowiem dobiegały szczególnie silne zagłuszania, tam najwięcej planet opasywały pierścienie śmiecia i tam też kilka słońc pokrywała plamista wysypka z widmem rzadkich pierwiastków, będąca niemym wyrazem zagłady sztucznego rozumu.

Ponieważ zaś ostatni numer „Almanachu" przynosił fotografie istot z Dychtonii jak dwie krople wody podobnych do ludzi, na tej planecie właśnie postanowiłem wylądować. Co prawda, ze względu na spory dystans 1000 lat świetlnych, zdjęcia te, odebrane radiowo przez dra Hopfstossera, mogły być nieco przestarzałe. Mimo to pełen optymizmu zbliżyłem się hiperbolą do Dychtonii, i wszedłszy na kołową orbitę, poprosiłem o pozwolenie lądowania.

Otrzymanie takiego zezwolenia bywa rzeczą trudniejszą niż pokonanie galaktycznych przestworzy, ponieważ biurokrację cechuje rozwój o wyższym wykładniku potęgowym niż nawigację, toteż od reaktora fotonowego, ekranów, zapasów paliwa, tlenu itp. daleko ważniejsze są załączniki, bez których nie ma co myśleć o wizie wjazdowej. Z wszystkim tym jestem otrzaskany, przygotowałem się więc na długie, być może wielomiesięczne krążenie wokół Dychtonii, ale nie na to, co mnie spotkało.

Planeta, jak zdążyłem spostrzec, błękitem przypominała Ziemię, pokryta oceanami, opatrzona w trzy duże kontynenty, na pewno ucywilizowane: już na dalekim perymetrze przyszło mi porządnie lawirować między sputnikami kontrolnymi, obserwacyjnymi, zaglądającymi i zachowującymi głuche milczenie; tych ostatnich unikałem na wszelki wypadek z wyjątkową starannością. Na moje petycje nikt nie odpowiedział; trzykrotnie składałem podania, lecz nikt nie żądał telewizyjnego okazania papierów, a tylko z kontynentu o kształcie nerki wystrzelono mi naprzeciw coś w rodzaju bramy triumfalnej z syntetycznej choiny, owiniętej różnobarwnymi wstęgami i proporcami, zaopatrzonej w napisy jakby zachęcające, lecz sformułowane tak ogólnikowo, że nie zdecydowałem się przez tę bramę przelecieć. Następny kontynent, cały pokryty miastami, gruchnął we mnie mlecznobiałą chmurą jakiegoś proszku, który zatumanił wszystkie moje komputery pokładowe tak, że usiłowały niezwłocznie skierować statek ku Słońcu, musiałem więc wyłączyć je i przejść na sterowanie ręczne. Trzeci ląd, jakby słabiej zurbanizowany, tonący w bujnej zieleni, największy, niczego w mą stronę nie wystrzelił, niczym mnie nie witał, więc wyszukawszy ustronne miejsce, zahamowałem i ostrożnie posadziłem rakietę w roztoczu malowniczych wzgórz i łanów, porosłych ni to kalarepą, ni to słonecznikami: trudno się w tym było wyznać z wysokości.

Jak zwykle, drzwi zacięły mi się od rozgrzania tarciem atmosferycznym i musiałem czekać dobrą chwilę, nim udało mi się je otworzyć. Wyjrzałem na zewnątrz, wciągnąłem w płuca ożywcze, świeże powietrze i z zachowaniem niezbędnej rozwagi postawiłem stopę na nieznanym świecie.

Znajdowałem się na skraju jakby uprawnego pola, lecz to, co na nim rosło, nie miało nic wspólnego ze słonecznikami czy kalarepą; nie były to w ogóle żadne rośliny, lecz nachtkastliki, więc gatunek mebli. A jakby tego było jeszcze mało, tu i tam widniały między ich dość równymi szeregami serwantki i taborety. Po namyśle doszedłem do wniosku, że są to produkty cywilizacji biotycznej. Z takimi już się niegdyś spotkałem. Koszmarne wizje, jakie roztaczają niekiedy futurologowie, o świecie przyszłości zatrutym spalinami, zadymionym, ugrzęzłym w barierze energetycznej, termicznej itp., są bowiem nonsensem: w postindustrialnej fazie rozwoju powstaje inżynieria biotyczna, likwidująca problemy tego typu. Opanowanie zjawisk życia pozwala produkować syntetyczne plemniki, które zasadzasz w byle czym, skrapiasz garścią wody i wnet wyrasta z nich potrzebny obiekt. O to, skąd taki plemnik bierze wiadomości i energię dla radio- czy szafogenezy, nie trzeba się troszczyć, tak samo, jak nie interesujemy się tym, skąd ziarno chwastu czerpie siłę i wiedzę dla wzejścia.

Tak więc nie sam łan serwantek i nachtkastlików mnie zadziwił, lecz to, że były kompletnie wynaturzone. Najbliższy stolik nocny, kiedym próbował go odemknąć, omal mi ręki nie odgryzł zębatą szufladą; drugi, rosnący obok, chwiał się w łagodnych podmuchach wiatru jak studzienina, a taboret, obok którego przechodziłem, podstawił mi nogę, że rymnąłem jak długi. Otóż tak meble na pewno nie powinny się zachowywać; coś było z tą uprawą nie w porządku; idąc dalej, teraz już z wyjątkowymi ostrożnościami i z palcem na cynglu blastera, trafiłem w płytkim zagłębieniu terenu na gąszcz w stylu Ludwika XV, z którego wypadła na mnie dzika kozetka i może by mnie stratowała złoconymi kopytami, gdybym jej nie położył na miejscu celnym strzałem. Łaziłem jakiś czas między kępami meblowych kompletów, zdradzającymi hybrydyzację nie tylko stylów, lecz sensów; panoszyły się tam mieszańce kredensów z otomanami, rosochate regały, a otwarte szeroko i jakby zapraszające do głębokiego wnętrza szafy były chyba drapieżne, sądząc po niedogryzkach, co leżały u ich nóg.

Widząc coraz wyraźniej, że to nie żadna uprawa, lecz jeden chaos, zmęczony i rozgrzany spiekotą, bo słońce stało w zenicie, wyszukałem po kilku próbach wyjątkowo spokojny fotel i siadłem na nim, żeby się zastanowić nad położeniem. Siedziałem tak w cieniu kilku dużych, chociaż zdziczałych komód, które wypuściły liczne pędy wieszaków, gdy w odległości może stu kroków wychynęła spomiędzy wysoko rozbujałych karniszy głowa, a w ślad za nią tułów jakiejś istoty. Nie wyglądała mi na człowieka, lecz na pewno nie miała nic wspólnego z meblami. Wyprostowana, lśniła blond futerkiem, twarzy nie widziałem, bo ocieniało ją szeroko rondo kapelusza, zamiast brzucha miała jak gdyby tamburyn, ramiona spiczaste, przechodzące w zdublowane ręce; nucąc cicho, akompaniowała sobie na tym jakimś bębenku brzusznym. Zrobiła jeden i drugi krok do przodu, tak że ukazał się jej ciąg dalszy. Teraz przypominała nieco centaura, choć bosego i bez kopyt; wnet za drugą parą nóg pojawiła się trzecia, potem czwarta, a kiedy ruszyła skokiem, i zapadłszy w gąszcz, znikła mi z oczu, pomyliłem rachubę. To tylko wiedziałem, że nie była aż stunoga.

Spoczywałem na tym wyściełanym fotelu, porządnie ogłupiały od dziwnego spotkania, wreszcie wstałem i poszedłem dalej, zważając na to, by się zanadto nie oddalić od rakiety. Pomiędzy rosłymi kanapami, co do jednej stojącymi dęba, ujrzałem kamienny gruz, a dalej ocembrowanie typowego ujścia kanałowego. Gdym postąpił bliżej, żeby zajrzeć w ciemną głąb, usłyszałem za sobą szmer, chciałem się odwrócić, lecz jakaś płachta spadła mi na głowę, zaszamotałem się, daremnie, bo już objęły mnie stalowe ramiona. Ktoś podciął mi kolana, i wierzgając bezskutecznie, poczułem, jak unoszą mnie w górę, a potem chwytają za barki i nogi. Niesiono mnie jakby w dół, słyszałem odgłos kroków na kamiennych płytach, zazgrzytały drzwi, rzucono mnie na kolana i zdarto z głowy krępującą tkaninę.

Znajdowałem się w niewielkim pomieszczeniu, oświetlonym przyczepionymi do sufitu białymi lampami, które miały zresztą wąsiki i nóżki i od czasu do czasu zmieniały miejsce pobytu. Klęczałem, trzymany za kark przez kogoś, kto stał za mną, przed stołem z nie heblowanego drewna; siedziała za nim postać w szarym kapturze, który zakrywał i twarz; kaptur miał otwory dla oczu, zamknięte przezroczystymi szybkami. Postać ta, odsunąwszy księgę, którą dotąd czytała, spojrzawszy na mnie przelotnie, rzekła głosem spokojnym temu, kto wciąż mnie dzierżył:

— Wyciągnąć mu strunę.

Ktoś złapał mnie za ucho i pociągnął, aż wrzasnąłem z bólu. Jeszcze dwa razy usiłowano wyrwać mi małżowinę, lecz gdy nie szło, zapanowała niejaka konsternacja. Ten, co mnie trzymał i rwał za uszy, tak samo spowity w grube szare płótno, rzekł tonem usprawiedliwienia, że to pewno nowy model. Podszedł do mnie inny drab i starał się po kolei odkręcić mi nos, brwi, wreszcie całą głowę; gdy i to nie dało oczekiwanych efektów, siedzący kazał mnie puścić i spytał:

— Jak głęboko jesteś schowany?

— Że jak, proszę? — spytałem w osłupieniu. — Nigdzie się nie chowam i nic nie rozumiem. Dlaczego mnie męczycie?

Siedzący wstał wówczas, obszedł stół i ujął mnie za ramiona — rękami ludzkiego kształtu, ale w sukiennych rękawicach. Domacawszy się moich kości, wydał mały okrzyk zdziwienia. Na dany znak przeprowadzono mnie korytarzem, po którego suficie łaziły sobie znudzone najwyraźniej lampy, do innej celi, a właściwie komórki, ciemnej jak mogiła. Nie chciałem tam wejść, lecz zostałem wepchnięty przemocą, drzwi zatrzasnęły się, coś zaszumiało i zza niewidzialnej przegrody doszedł mnie głos wołający jakby w niebiańskiej ekstazie: „Chwała Panu! Mogę mu porachować wszystkie kości!" Po wysłuchaniu tego okrzyku jeszcze gwałtowniej się opierałem tym, którzy zaraz wyciągnęli mnie z ciemnej klitki, lecz widząc, jak usiłują okazać mi niespodziewane całkiem względy, jak zapraszają uprzejmymi gestami, całą postawą objawiając rewerencję, dałem się prowadzić w głąb podziemnego korytarza, dziwnie podobnego do zbiorczego kanału miejskiego, jakkolwiek był schludnie utrzymany, o bielonych ścianach, z dnem wysypanym delikatnym, czystym piaseczkiem. Ręce miałem już wolne i po drodze masowałem sobie wszystkie obolałe miejsca twarzy i ciała.

Dwaj osobnicy w długich do ziemi, szarych sukniach i kapturach, przepasani sznurem, otwarli przede mną zbite z prostych desek drzwi, a w głębi celi, nieco większej niż ta, w której mi nos i uszy odkręcano, stał już najwyraźniej poruszony, czekający mnie, zamaskowany człowiek. Po kwadransie rozmowy taki mniej więcej utworzyłem sobie obraz sytuacji: Znajdowałem się w przybytku zakonu miejscowego, który ni to ukrywał się przed niewiadomym prześladowaniem, ni to podlegał banicji; zostałem mylnie wzięty za przynętę „prowokującą", ponieważ mój wygląd, będący przedmiotem uznania oo. destrukcjanów, jest ustawowo wzbroniony; przeor, bo jego miałem przed sobą, wyjaśnił mi, że gdybym był przynętą, składałbym się z segmentów, które po wyciągnięciu, w ślad za uchem, wewnętrznej struny, rozleciałyby się w drobny mak. Co do następnego pytania, jakie zadał mi indagujący mnich (starszy brat furtian), sądził on, że przedstawiam rodzaj plastykowego manekina z wbudowanym komputerem; dopiero prześwietlenie promieniami Roentgena wyjaśniło stan rzeczy.

Przeor, o. Dyzz Darg, przeprosił mnie gorąco za skutki przykrego nieporozumienia i dodał, że zwraca mi wolność, lecz nie radzi wyjść na powierzchnię gruntu, bo popadłbym w poważne niebezpieczeństwo: jestem bowiem niecenzuralny w całości. Nie zabezpieczyłoby mnie nawet zaopatrzenie w bebesznię i rypciny z przyssawką, ponieważ nie umiem się tym kamuflażem posługiwać. Nie ma więc dla mnie lepszego wyjścia, jak tylko pozostać u oo. destrukcjanów jako ich cenny i miły gość; w miarę swych, skromnych niestety, możliwości postarają się osłodzić moje przymusowe położenie.

Nie bardzo mi się to widziało, lecz przeor wzbudził we mnie zaufanie godnością, spokojem, rzeczowym wysłowieniem, jakkolwiek nie mogłem przywyknąć do jego zamaskowanej postaci; nosił się bowiem tak, jak wszyscy zakonnicy. Nie śmiałem zasypywać go od razu pytaniami, więc porozmawialiśmy o pogodzie na Ziemi i na Dychtonii, bo już wiedział ode mnie, skąd przybyłem, potem i o mordędze podróży kosmicznej, wreszcie rzekł mi, że domyśla się mej ciekawości miejscowych spraw, ale z tym nie ma pośpiechu, skoro i tak muszę się ukrywać przed organami cenzury. Otrzymam, jako szacowny gość, własną celę, będę miał przydanego młodego braciszka ku wszelkiej pomocy i radzie, nadto zaś cała biblioteka zakonna stoi przede mną otworem. A ponieważ zawiera niezliczone prohibita i białe kruki znajdujące się na czarnych listach, przez przypadek, jaki mię zawiódł w katakumby, skorzystam może więcej niż gdziekolwiek indziej.

Myślałem, że już się rozstaniemy, bo przeor wstał, ale jakby z pewnym wahaniem spytał, czy pozwolę mu dotknąć, jak się wyraził, mego jestestwa. Wzdychając głęboko, jakby w przystępie największego żalu czy niepojętej zgoła nostalgii, dotykał twardymi palcami w rękawicach mego nosa, czoła i policzków, a gdy pogładził mnie po włosach (miałem wrażenie, że pięść tego duchownego jest z żelaza), nawet cicho załkał. Te objawy hamowanego wzruszenia otumaniły mnie do reszty. Nie wiedziałem, o co najpierw pytać, czy o zdziczałe meble, czy o centaura wielonogiego, czy o tę jakąś cenzurę, ale nakazawszy sobie roztropną cierpliwość, zmilczałem. Przeor zapewnił mnie, że bracia zakonu zajmą się kamuflażem rakiety, którą upodobni się do chorych na słoniowaciznę organów, po czym rozstaliśmy się, wymieniając grzeczności.

Celkę otrzymałem niedużą, lecz przytulną, z posłaniem twardym niestety jak diabli. Sądziłem, że oo. destrukcjanie mają taką surową regułę, lecz potem okazało się, że nie wymoszczono mi legowiska przez czyste roztargnienie. Na razie nie odczuwałem innego głodu, jak tylko informacji; młody braciszek, który się mną opiekował, przyniósł mi całe naręcze dzieł historycznych i filozoficznych; utonąłem w nich do późnej nocy. Zrazu przeszkadzało mi w lekturze to, że lampa raz zbliżała się, a raz szła gdzieś w drugi kąt pokoju. Potem dopiero dowiedziałem się, że szła za potrzebą i by wróciła na poprzednie miejsce, trzeba na nią pocmokać.

Braciszek poradził mi zacząć studia od małego, lecz instruktywnego zarysu dziejów dychtońskich, pióra Abuza Gragza, historiografa oficjalnego, lecz „wzlędnie dość obiektywnego", jak się wyraził. Poszedłem za tą sugestią.

Jeszcze koło roku 2300 byli Dychtończycy bliźniaczymi podobiznami ludzi. Jakkolwiek postępom nauki towarzyszyła laicyzacja życia, przecież duizm, wiara, co panowała prawie niepodzielnie na Dychtonii przez dwadzieścia wieków, wycisnęła swe piętno i na dalszym ruchu cywilizacji. Duizm głosi, że każde życie zna dwie śmierci, przednią i tylną, to jest tę sprzed narodzin i tę po agonii. Teologowie dychtońscy za szperklapy się brali ze zdziwienia, słysząc potem ode mnie, że my tak na Ziemi nie myślimy i że są Kościoły, interesujące się tylko jednym, mianowicie przednim bytowaniem pośmiertnym. Nie mogli pojąć, czemu ludziom przykro myśleć o tym, że ich kiedyś nie będzie, a nie jest im tak samo przykro rozmyślać o tym, że ich przedtem nigdy nie było.

Duizm zmieniał w toku stuleci swój trzon dogmatyczny, ale zawsze okazywał wielkie zainteresowanie problematyce eschatologicznej, co za profesorem Gragzem doprowadziło właśnie do wczesnych prób rozruchu technologii unieśmiertelniającej. Jak wiadomo, umieramy od starzenia się, a starzejemy się, czyli ulegamy rozchwierutaniu cielesnemu — tracąc niezbędną informację; komórki zapominają z czasem, co robić, żeby się nie rozpaść. Przyroda dostarcza trwale takiej wiedzy tylko komórkom rozrodczym, bo inne guzik ją obchodzą. Tak więc starzenie się jest trwonieniem życiowo ważnej informacji.

Bragger Fizz, wynalazca pierwszego immortalizatora, zbudował agregat, który, opiekując się organizmem człowieka (będę używał tego terminu, mówiąc o Dychtończykach, boż tak jest poręczniej), zbierał każdą szczyptę informacji, gubionej przez komórki cielesne, i wprowadzał im ją na powrót. Pierwszy Dychtończyk, Dgunder Brabz, na którym przeprowadzono doświadczenie uwieczniające, został nieśmiertelnym tylko na rok. Dłużej nie mógł wytrzymać, bo czuwał nad nim zespół sześćdziesięciu machin, miriadami niewidzialnych złotych drucików, wnikających we wszystkie zakątki jego organizmu. Nie mógł się ruszyć z miejsca i wiódł smutny żywot pośrodku istnej fabryki (tak zwanej perpetualni). Dobder Gwarg, następny immortał, mógł się już wprawdzie przechadzać, lecz towarzyszyła mu na spacerach kolumna ciężkich traktorów objuczonych unieśmiertelniającą aparaturą. I on popełnił samobójstwo na skutek frustracji.

Panowała jednak opinia, że powstaną dzięki dalszym postępom tej techniki mikroperpetuatory, lecz Haz Berdergar udowodnił matematycznie, że PUPA (Personalny Unieśmiertelniacz Perpetuujący Automatycznie) musi ważyć co najmniej 169 razy więcej, niż waży unieśmiertelniany, o ile sporządzony został zgodnie z typowym planem ewolucji. Gdyż, jakem rzekł i jak to wiedzą i nasi uczeni, przyroda troszczy się o garstkę komórek rozrodczych u każdego, a resztę ma gdzieś.

Dowód Haza wywołał ogromne wrażenie i wtrącił społeczeństwo w głęboką depresję, pojęto bowiem, że Bariery Śmiertelności nie przekroczy się bez jednoczesnego porzucania ciała, danego Naturą. W filozofii stanowiła reakcję na dowód Berdergara słynna doktryna wielkiego myśliciela dychtońskiego Donderwarsa. Pisał on, że śmierci spontanicznej nie wolno zwać naturalną. Naturalne jest to, co godziwe, natomiast śmiertelność to skandal i hańba w kosmicznej skali. Powszechność występku ani o włos nie umniejsza jego szkarady. Dla oceny występku nie ma też najmniejszego znaczenia, czy jego sprawcę da się schwytać. Przyroda postąpiła z nami jak łotr, wysyłający niewinnych na misję ponoć lubą, w istocie zaś straceńczą. Im kto bardziej w życiu zmądrzeje, tym bliżej ma do jamy.

Ponieważ nikt moralny nie ma prawa stowarzyszać się z mordercami, niedopuszczalna jest też kolaboracja z łajdaczką Naturą. Tymczasem pogrzeb to kolaboracja przez grę w chowanego. Idzie o to, by ofiarę gdzieś ukryć, jak to czynią zwykle wspólnicy zbrodni; na grobowych kamieniach wypisuje się różne nieważne rzeczy, oprócz jedynej istotnej: gdyby bowiem ludzie śmieli spojrzeć prawdzie w oczy, to ryliby tam parę co silniejszych przekleństw pod adresem Przyrody, boż to ona tak nas wykierowała. Tymczasem nikt słowa nie piśnie, jakby mordercy tak zręcznemu, że się zawsze ulotni, należały się za to jeszcze specjalne względy. Zamiast „memento mori" należy powtarzać „erite ultores", zmierzajcie ku nieśmiertelności nawet za cenę utraty wyglądu tradycyjnego; taki był ontologiczny testament tego wybitnego filozofa.

Gdym to przeczytał, pojawił się braciszek, by w imieniu przeora zaprosić mnie na kolację. Spożyłem ją w wyłącznym jego towarzystwie. O. Darg sam nic nie jadł, a tylko od czasu do czasu popijał wodę z kryształowego pucharka. Posiłek był skromny, noga stołowa w potrawce — dość łykowata; jak się wtedy o tym przekonałem, dziczejąc, meble okolicznej puszczy stawały się przeważnie mięsne. Nie pytałem jednak o to, czemu raczej nie drewnieją, zwrócony po lekturze umysłem ku sprawom wyższym; doszło tak do pierwszej rozmowy z przeorem na tematy teologiczne.

Wyjaśnił mi, że duizm jest wiarą w Boga, wyzbytą dogmatów, które skruszały stopniowo w toku rewolucji biotycznych.

Najcięższy był kryzys Kościoła, wywołany zniweczeniem dogmatu o duszy nieśmiertelnej, pojmowanej w sensie perspektywy wiecznego żywota. Dogmatykę zaatakowały w XXV wieku trzy kolejne techniki: zamrażania, odwracania i uduchowiania. Pierwsza polegała na ścinaniu człowieka w lód, druga na odwracaniu kierunku rozwoju osobniczego, trzecia zaś na dowolnym manipulowaniu świadomością. Atak frygidacji dało się jeszcze odeprzeć, utrzymując, jakoby śmierć, w jaką zapada człowiek zamrożony, a potem wskrzeszony, nie była identyczna z tą śmiercią, o której mówi Pismo Święte, że dusza ulatuje po niej w zaświaty. Taka wykładnia była niezbędna, bo wszak gdyby szło o zwykłą śmierć, to zmartwychpowstały powinien by coś wiedzieć na temat, gdzie się podziewał duszą podczas stu czy i sześciuset lat zgonu.

Niektórzy teologowie, np. Gauger Drebdar, sądzili, że prawdziwa śmierć zachodzi dopiero po rozkładzie („w proch się obrócisz"), lecz wersja ta nie utrzymała się po uruchomieniu tak zwanego pola rezurekcyjnego, które składało żywego człowieka z prochu właśnie, to jest z ciała rozpylonego na atomy, i wtedy bowiem wskrzeszony nie wiedział nic o tym, jakoby jego dusza gdzieś przebywała w międzyczasie. Dogmat zachowano strusią taktyką, unikając określenia, kiedy śmierć jest tak dokumentna, że po niej na pewno już dusza ulatnia się z ciała. Potem jednak przyszła ontogeneza odwracalna; jej technika nie była umyślnie wymierzona w dogmatykę wiary, lecz okazała się niezbędna przy likwidacji wypaczeń rozwoju płodowego: nauczono się rozwój ten wstrzymywać i cofać, po odwróceniu o 180 stopni, by go jeszcze raz zainicjować od zapłodnionej komórki. W opały dostał się rychło dogmat niepokalanego poczęcia z drugim, o nieśmiertelności duszy, za jednym zamachem, bo dzięki technologii retroembrionalizacyjnej można ustrój cofać przez wszystkie poprzednie stadia, a nawet uczynić tak, żeby zapłodniona komórka, z jakiej powstał, na powrót rozdzieliła się na jajeczko i na plemnik.

Był z tym duży kłopot, bo dogmat głosił, że Bóg stwarza duszę w momencie zapłodnienia, a jeśli można było zapłodnienie odwrócić i tym samym anulować, rozłączając obie jego składowe, to co się wtedy miało dziać z już stworzoną duszą? Ubocznym produktem tej techniki była klonacja, czyli pobudzanie do rozwinięcia się w normalny organizm dowolnych komórek, wziętych z żywego ciała, na przykład z nosa, pięty, nabłonka jamy ustnej itp.; jako że się to działo w ogóle bez zapłodnienia, ani chybi działała biotechnika niepokalanego poczęcia, którą też uruchomiono w skali przemysłowej. Embriogenezę można już także było zawracać, przyspieszać czy odchylać tak, żeby płód ludzki obrócił się na przykład w małpi; jakże tedy, co się wtedy działo z duszą, czy była ściskana i rozciągana jak harmonia, czy po przeweksIowaniu rozwoju płodowego z drogi ludzkiej na małpią gdzieś po tej drodze znikała?

Ale podług dogmatu nie mogła dusza ani zniknąć, gdy raz powstała, ani maleć, bo była jednością niepodzielną. Przemyśliwano już nad tym, czy nie obłożyć płodowlanych inżynierów klątwą kościelną, lecz nie uczyniono tego, i słusznie, bo rozpowszechniła się ektogeneza. Pierwej mało kto, potem nikt już nie rodził się z męża i niewiasty, lecz z komórki, zamkniętej w uteratorze (sztucznej macicy), a trudno było odmówić całej ludności sakramentów na tej podstawie, że powstała dzieworódczym sposobem. Na domiar złego przyszła następna technologia — świadomości. Z problemem ducha w maszynie, zrodzonym przez intelektronikę i jej rozumne komputery, jeszcze sobie dano radę, lecz za nią przybyły następne, świadomości i psychiki w płynach; syntetyzowano mądre i myślące roztwory, które można było butelkować, rozlewać, zlewać, a za każdym razem powstawała osobowość, nieraz bardziej uduchowiona i mądrzejsza niż wszyscy Dychtończycy razem wzięci.

O to, czy maszyna lub roztwór mogą mieć duszę, toczyły się dramatyczne spory na soborze 2479 roku, aż ustanowiono na nim nowy dogmat, Kreacji Pośredniej, powiadający, że Bóg nadał stworzonym przez siebie istotom rozumnym moc poczynania rozumów następnego rzutu, lecz i to nie był kres przemian, bo się wnet okazało, że sztuczne inteligencje mogą produkować inne, następne, albo też syntetyzować podług własnej rachuby istoty człekokształtne czy wręcz normalnych ludzi z byle kupy materii. Podejmowano później dalsze próby ratowania dogmatu o nieśmiertelności, lecz załamały się w ogniu następnych odkryć, które istnymi lawinami schodziły na XXVI wiek; ledwo się podparło dogmat odmienioną wykładnią, już powstawała negująca ją technologia świadomości.

Doszło przez to do szeregu herezji i powstania sekt, które po prostu przeczyły powszechnie znanym faktom, lecz Kościół duistyczny utrzymał w mocy tylko jeden dogmat, Kreacji Pośredniej, co się zaś tyczyło pośmiertnego trwania, wiary w kontynuację osobowości indywidualnych, nie dało się już uchronić przed zagładą, ponieważ ani osobowość, ani indywidualność doczeście się nie zachowały. Można już było zlewać dwa lub więcej umysłów w jeden, tak u maszyn czy roztworów, jak u ludzi, można było dzięki personetyce produkować zamknięte w maszynach całe światy, w których powstawały byty rozumne, które z kolei potrafiły w tym uwięzieniu konstruować sobie następny rzut osobników inteligentnych, można było umysłowości potęgować, dzielić, mnożyć, redukować, cofać itd. Upadkowi dogmatyki towarzyszył upadek autorytetu wiary, zgasły też nadzieje na poręczane dawniej obietnice światłości wiekuistej, przynajmniej poszczególnych indywiduów.

Widząc, że nie nadąża w ruchu teologicznym za postępem technicznym, powołał sobór 2542 roku zakon oo. prognozytów, który miał się zajmować pracami futurologicznymi w zakresie wiary świętej. Potrzeba antycypowania jej dalszych kolei była bowiem paląca. Niemoralność wielu nowych biotechnologii przerażała nie tylko wiernych; dzięki takiej klonizacji np. można było produkować obok osobników normalnych — istoty biologiczne, lecz niemal bezmózgie, zdatne do mechanicznych prac, a wręcz nawet wyścielać hodowanymi odpowiednio tkankami, pochodzącymi z ludzkiego bądź zwierzęcego ciała, komnaty, ściany, produkować wstawki, wtyczki, wzmacniacze bądź osłabiacze inteligencji, budzić mistyczne stany wzlotów w komputerze, w płynie, obrócić jajko żabiego skrzeku w mędrca opatrzonego ciałem ludzkim, zwierzęcym bądź takim, którego dotąd w ogóle nie było, bo je zaprojektowali umyślnie eksperci płodowlani. Budziło to opory, bardzo silne też ze strony świeckich, lecz nadaremnie.

Wszystko to opowiedział mi o. Darg z najzupełniejszym spokojem, jakby mówił o rzeczach oczywistych, zresztą były dlań oczywistością, bo częścią historii dychtońskiej. Choć cisnęły mi się na usta niezliczone pytania, trudno było okazać natarczywość, wróciłem więc po kolacji do celi i zagłębiłem się w drugim tomie pracy prof. A. Gragza, który, jak świadczyła o tym adnotacja na pierwszej stronie, był prohibitem.

Dowiedziałem się, że w roku 2401 Byg Brogar, Dyrr Daagard i Merr Darr otwarli wrota na przestwór nieograniczonej swobody autoewolucyjnej; uczeni ci wierzyli gorąco, że powstały dzięki ich odkryciu Homo Autofac Sapiens, czyli Samoröb Rozumny, osiągnie pełnię harmonii i szczęścia, nadając sobie takie formy ciała i przymioty duszy, jakie uzna za najdoskonalsze, że przebije Barierę Śmiertelności, o ile tak postanowi — jednym słowem, okazali w toku Drugiej Rewolucji Biotycznej (pierwszej zawdzięczano plemniki wytwarzające dobra konsumpcyjne) maksymalizm i optymizm typowy dla historii nauk. Wszak podobne nadzieje wiąże się zazwyczaj z pojawieniem się każdej wielkiej a nowej technologii.

Zrazu inżynieria autoewolucyjna, czyli tak zwany ruch płodowlany, rozwijała się jakby po myśli swych światłych odkrywców. Ideały zdrowia, harmonii, piękna duchowo-cielesnego uległy rozpowszechnieniu, ustawy konstytucyjne gwarantowały każdemu obywatelowi prawo posiadania takich cech psychosomatycznych, jakie uważano za najcenniejsze. Wnet też wszelkie deformacje i kalectwa wrodzone, szpetota i głuptactwo stały się przeżytkami. Lecz rozwój to ma do siebie, że wciąż go dalej pcha naprzód ruch postępowy, więc się na tym nie skończyło. Początki dalszych przemian były z pozoru niewinne. Dziewczęta upiększały się dzięki hodowli biżuterii skórnej i innych wykwitów ciała (uszka-serduszka, perły z paznokci), chłopcy pysznili się boko- i tyłobrodami, nagłownymi grzebieniami, szczękami o dubeltowym zgryzie itp.

W dwadzieścia lat później powstały pierwsze partie polityczne. Nie od razu zorientowałem się, czytając, że „polityka" oznacza na Dychtonii coś innego niż u nas. Przeciwieństwem programu politycznego, postulującego powielanie cielesnych ukształtowań, jest program monotyczny, który głosi redukcjonizm, czyli potrzebę wyzbywania się narządów uznawanych przez monotyków danego stronnictwa za zbędne. Gdy dotarłem do tego miejsca fascynującej lektury, wpadł bez pukania do celi mój braciszek i pełen nie ukrywanego lęku kazał mi natychmiast się zbierać, ponieważ furtian sygnalizuje niebezpieczeństwo. Pytałem, jakie; poganiał mnie jednak, wołając, że nie ma chwili do stracenia. Nie miałem żadnych rzeczy osobistych, więc ścisnąwszy tylko książkę pod pachą, pobiegłem w ślad za mym przewodnikiem.

W podziemnym refektarzu krzątali się już gorączkowo wszyscy oo. destrukcjanie; kamienną rynną zjeżdżały całe zwaliska ksiąg spychanych z góry drągami przez braci bibliotekarzy, ładowano je do pojemników i w największym pośpiechu opuszczano w głąb studni, wykutej w szczerej skale; na moich osłupiałych oczach zakonnicy, w mig rozdziawszy się do naga, czym prędzej powrzucali także swoje habity i kaptury do ocembrowanego otworu; byli co do jednego z grubsza tylko człekokształtnymi robotami. Następnie całą hurmą wzięli się do mnie, przylepiając mi do ciała dziwaczne wypustki baloniastego i wężowego kształtu, ogony czy kończyny, nie mogłem się w tym wyznać, tak się spieszyli; przeor osobiście założył mi na głowę bebesznię, wyglądającą jak powiększony nadmuchaniem i rozpękły karaluch; jedni jeszcze lepili, a już inni malowali mnie w pasy czy pręgi; ponieważ wokół nie było żadnego lustra ani błyszczącej powierzchni, nie wiem, jak wyglądałem, lecz wydawali się dość z siebie zadowoleni.

Popychany, znalazłem się w kącie i dopiero wtedy zauważyłem, że przypominam raczej czworonoga, a może i sześcionoga, niż istotę o postawie wyprostnej. Kazali mi kucnąć i na wszystkie pytania, gdyby je ktokolwiek do mnie kierował, odpowiadać wyłącznie beczeniem. Ledwo się to stało, załomotano przeraźliwie w drzwi; oo. roboty rzucili się do jakichś wywleczonych na środek refektarza aparatów, przypominających (ale nie bardzo) maszyny do szycia, i całe pomieszczenie wypełnił hurkot ich pozorowanej pracy. Po kamiennych stopniach zeszła do nas lotna kontrola. Myślałem, że nie ustoję nawet na moich czterech nogach, gdy z bliska przyjrzałem się jej członkom. Nie wiedziałem, czy są ubrani, czy nadzy; każdy przedstawiał się inaczej.

Ogony mieli bodaj wszyscy, zakończone włosianym buńczukiem, który ukrywał solidną pięść; nosili je ma ogół niedbale przerzucone przez ramię, o ile ramieniem można nazwać baniastą wypukłość okoloną dużymi brodawkami; pośrodku tej bani była skóra biała jak mleko; pojawiały się na niej barwne stygmaty — nie od razu pojąłem, że porozumiewają się zarówno głosem, jak też wyświetlając sobie, owym cielesnym ekranem, rozmaite napisy i skróty. Starałem się policzyć im bodaj nogi; mieli co najmniej po dwie, ale było paru trójnogich i jeden popiątny; odniosłem wszelako wrażenie, że im kto więcej miał nóg, tym mu się niewygodniej chodziło. Obeszli całą salę, przyjrzeli się od niechcenia braciszkom, pochylonym nad maszynami i pracującym z największą zawziętością, aż kontroler wyższy od innych, z ogromną pomarańczową kryzą wokół bebeszni, która mu się nadymała i lekko świeciła, gdy mówił, kazał małemu, ledwie dwunogiemu z kusym ogonkiem, pewno kanceliście, zbadać trywutnie. Coś tam pisali, mierzyli, nie odzywając się ni słowem do robotów-zakonników, i mieli już odejść, gdy zielonkawy trójnogi dostrzegł moją obecność; pociągnął mnie za jedną z frędzlistych wypustek, więc na wszelki wypadek z cicha beknąłem.

— E, to ten stary gwarndlista, ma osiemnastkę, zostawić go! — rzekł większy, zajaśniawszy, mały zaś odparł szybko:

— Tak jest, Wasza Ciałość!

Z aparatem, podobnym do latarki, obeszli jeszcze wszystkie kąty refektarza, ale do studni żaden się nawet nie zbliżył. Coraz wyraźniej wyglądało mi to na niedbale przeprowadzaną formalność. Jakoż po dziesięciu minutach już ich nie było, maszyny poszły w ciemny kąt, zakonnicy jęli hisować pojemniki, wyżymali swoje przemoczone habity, rozwieszali je na sznurku, by podeschły, ojcowie bibliotekarze zamartwiali się, bo do jednego nieszczelnego pojemnika dostała się woda, więc trzeba było zaraz przekładać bibułą przemoczone kartki starodruków, przeor zaś, to jest ojciec robot, a jużem sam nie wiedział, jak i co mam o nim myśleć, odezwał się do mnie z życzliwością, że się, chwała Bogu, wszystko dobrze skończyło, lecz na przyszłość muszę się pilnować: tu pokazał podręcznik historii, który uroniłem w ogólnym rozgardiaszu. Sam na nim siedział przez cały czas rewizji.

— A więc posiadanie książek jest wzbronione? — spytałem.

— Zależy komu! — odparł przeor. — Nam tak! A już specjalnie — takich! Uchodzimy za przestarzałe maszyny, zbędne od czasów Pierwszej Rewolucji Biotycznej; toleruje się nas, podobnie jak wszystko, co schodzi w katakumby, bo taki jest, nieoficjalny zresztą, obyczaj od rządów Glaubona.

— A co to jest „gwarndlista"? — spytałem.

Przeor zmieszał się nieco.

— To zwolennik Bghiza Gwarndla, wielkorządcy sprzed dziewięćdziesięciu lat. Niezręcznie mi o tym mówić... schronił się u nas ten nieszczęsny gwarndlista, więc udzieliliśmy mu przytułku; siedział zawsze w tym kącie, udawał, biedak, pomieszanego na umyśle; dzięki temu uchodził za nieodpowiedzialnego i mógł mówić, co chciał... przed miesiącem kazał się zamrozić, żeby doczekać „lepszych czasów"... więc pomyślałem, że, w razie nagłej potrzeby, moglibyśmy przebrać pana... nieprawdaż?... chciałem pana uprzedzić o tym, ale nie zdążyłem. Nie przypuszczałem, że kontrola nastąpi akurat dziś, bywają nieregularne, lecz ostatnio raczej rzadkie...

Nicem z tego nie zrozumiał. Zresztą czekały mnie, dopiero teraz, przykre fatygi, bo klej, jakiego użyli oo. destrukcjanie, by zakamuflować mnie pod owego gwarndlistę, trzymał okropnie mocno i miałem wrażenie, że wyrywają mi sztuczne rypciny oraz grząśle razem z kawałkami żywego ciała; spotniałem, stękałem, nim wreszcie, jako tako przywrócony do ludzkiego wyglądu, udałem się na spoczynek. Przeor sugerował potem, że można by mnie przemienić cieleśnie w sposób, rozumie się, odwracalny, lecz gdy pokazano mi na rycinie, jak miałbym wyglądać, wybrałem już raczej dalsze ryzyko niecenzuralności; ustawowo zalecone kształty były nie tylko monstrualne w moich oczach, ale w najwyższym stopniu niewygodne, tak np. lec przy nich było niepodobieństwem: należało się powiesić do snu.

Ponieważ późno udałem się na spoczynek, nie wyspałem się jak należy, gdy mój młody opiekun zbudził mnie śniadaniem przyniesionym do celi; teraz pojmowałem lepiej, jak znaczną mi tu okazują gościnność, boż sami ojcowie nie jedli nic, a co do wody, to być może mieli akumulatorowy napęd i potrzebowali destylowanej, lecz na cały dzień i tej wystarczało im parę kropli, by zaś mnie wyżywić, musieli urządzać wyprawy w zagajnik meblowy. Dostałem tym razem nieźle przyrządzoną poręcz; jeśli mówię, że ją dobrze ugotowano, to nie dlatego, że była naprawdę smaczna, ale jedząc, umiałem już zrobić poprawkę na wszystkie okoliczności towarzyszące kulinarnym zabiegom.

Wciąż jeszeze przebywałem pod znacznym wrażeniem nocnej kontroli i nie umiałem uzgodnić jej z tym, co dotąd zdążyłem wyczytać w podręczniku historii, toteż zaraz po śniadaniu wziąłem się do dalszych studiów.

Od zarania autoewolucji rozdzierały obóz postępu cielesnego głębokie różnice zdań w kwestiach zasadniczych. Opozycja konserwatystów znikła już po czterdziestu latach od chwili wielkiego odkrycia; zwano ich ponurymi wstecznikami. Postępowcy natomiast dzielili się na zamachowców, docelitów, powielan, liniuchów, rozlewitów i wiele innych partii, których nazw ani programów już nie pamiętam. Zamachowcy żądali, by władza ustaliła doskonały prototyp cielesny, który wprowadzi się w życie od jednego zamachu. Docelici, bardziej krytycznie nastawieni, sądzili, że się takiej doskonałości nie da natychmiast utworzyć, opowiadali się tedy raczej za drogą do idealnego ciała, lecz nie było jednoznaczne, jaka to ma być droga, przede wszystkim zaś, czy dla generacji przejściowych może być p r z y k r a? W tym względzie rozpadali się na dwa odłamy. Inni, np. liniuchowie i powielanie, utrzymywali, że warto wyglądać rozmaicie na różne okazje, czy też, że człowiek nie jest gorszy od owadów — skoro one przechodzą w ciągu życia metamorfozy, to i on mógłby tak postępować: dziecko, wyrostek, młodzian, człek dojrzały byliby upostaciowaniami wzorców zasadniczo odmiennych. Co do rozlewitów, byli radykałami; potępiali szkielet jako przeżytek, głosili odejście od budowy kręgowcowej i zachwalali miękką wszechplastyczność. Rozlewita mógł się tak sam wymodelować czy też ugnieść cieleśnie, jak mu dusza pragnęła; było to co najmniej praktyczne w tłoku, a też w stosunku do gotowej odzieży rozmaitych wymiarów; niektórzy z nich wałkowali się i turlali do najdziwaczniejszych form, chcąc podług sytuacji i stanu ducha wyrażać swe nastroje samoczłonkowaniem; przeciwnicy poli- i monotyczni nadali im pogardliwe przezwisko kałużan.

Aby zapobiec groźbie anarchii cielesnej, powołano do życia BIPROCIAPS, Biuro Projektów Ciała i Psyche, które miało dostarczać na rynek, w rozmaitych, lecz zawsze wypróbowanych wariantach, planów przecieleńczych. Wciąż jednak nie było zgody co do kierunku głównego autoewolucji: czy należy sporządzać ciała, dzięki którym będzie się żyło najprzyjemniej, czy takie, co ułatwiają jednostkom najsprawniejsze włączanie się w społeczny byt, czy preferować funkcjonalizm, czy estetykę, potęgować siłę ducha czy mięśni; albowiem dobrze było gadać ogólnikami o harmonii i perfekcji, kiedy tymczasem praktyka wykazywała, że nie wszystkie wartościowe cechy są do zjednoczenia; liczne wykluczały się nawzajem.

W każdym razie odwrót od naturalnego człowieka trwał w pełni. Eksperci prześcigali się w dowodzeniu niebywałego prymitywizmu i lichoty jego wykonania przez Przyrodę; ciałometria oraz somatyczna inżynieria czasu wykazują w swym piśmiennictwie jawne wpływy zainspirowania doktryną Donderwarsa; zawodność ustroju naturalnego, jego senilizacyjny ruch ku śmierci, tyrania starych popędów nad później powstałym rozumem podlegały zaciekłym krytykom, a przyczynkarskie prace roiły się od zarzutów pod adresem płaskostopia, nowotworów, wypadania dysków i tysięcy innych cierpień wywołanych ewolucyjnym partactwem i niedbalstwem, zwanym krecią robotą marnotrawczo-bezideowej, bo wszak ślepej ewolucji życia.

Późni potomkowie zdawali się brać na Przyrodzie odwet za to ponure milczenie, z jakim ich pradziadowie musieli przełknąć rewelacje o małpim pochodzeniu Dychtończyka; wyszydzano tak zwany pasaż arborealny, czyli to, że najpierw jakieś zwierzęta jęły się na drzewach chronić, a potem, gdy lasy wyginęły od stepowienia, musiały zleźć na ziemię zbyt szybko. Podług niektórych krytyków spowodowały antropogenezę trzęsienia ziemi, bo kto był żyw, leciał od nich z gałęzi, więc ludzie powstali niejako metodą ulęgałek. Były to oczywiście grube uproszczenia, lecz wymyślanie na ewolucję należało do dobrego tonu. Tymczasem BIPROCIAPS udoskonalał narządy wewnętrzne, podresorował i wzmocnił kręgosłup, dorabiał rezerwowe serca, nerki, lecz nie zadowalało to ekstremistów, występujących pod demagogicznymi hasłami „precz z głową" (że niby za ciasna), „mózg do brzucha!" (bo w nim miejsca więcej) itd.

Najgorętsze spory rozgorzały wokół spraw płciowych, bo gdy jedni uważali, że wszystko tam wysoce niesmaczne i trzeba tu wziąć coś z kwiatów i motyli, inni, gromiąc zakłamanie platoników, domagali się właśnie amplifikacji i eskalacji tego, co już jest. Pod naciskiem skrajnych ugrupowań otworzył BIPROCIAPS skrzynki pomysłów racjonalizatorskich po miastach i siołach, projekty runęły lawiną, etaty rosły do potęgi i po dekadzie biurokracja tak przycisnęła autokreację, że BIPROCIAPS rozpadł się na zjednoczenia, a potem instytuty, takie jak KUC (Komisja d/s Cudnych Lic), CIPEK (Centralny Instytut Pełnej Estetyzacji Kończyn), IURNA (Instytut Upowszechniania Radykalnie Nowej Anatomii) i mnóstwo innych. Zaroiło się od zjazdów i kursokonferencji w sprawie ukształtowania palców, dyskutowano o randze i przyszłości nosa, o perspektywach krzyży, zatracając z pola widzenia całość, aż wreszcie to, co projektował jeden pion, nie pasowało do produkcji innych. Nikt już nie ogarniał nowej problematyki, zwanej skrótowo AU (Eksplozja Automorficzna), więc aby zlikwidować cały ów bałagan, oddano w końcu władzę nad obszarem biotyki SOMPSUTEROWI (Somatyczno-Psychiczny Komputer).

Tą wiadomością zamykał się kolejny tom Historii Powszechnej. Gdym sięgał po następny, wszedł do celi braciszek, by zaprosić mnie na obiad. Krępowałem się jeść przy ojcu przeorze, bom już wiedział, jaka to z jego strony grzeczność i jakie marnowanie cennego czasu. Zaproszenie było jednak tak zniewalające, że poszedłem bez ociągania. W małym refektarzu, obok o. Darga, który czekał już przy stole, znajdował się niski wózek podobny do tych, na jakich u nas rozwożą bagaże; był to o. Memnar, generał zakonu prognozytów; źle mówię, nie wózek był, rozumie się, ojcem i generałem zakonu, lecz sześcienny komputer, który spoczywał na tym podwoziu. Myślę, że nie okazałem niegrzeczności zdębieniem ani się nawet nie zająkałem podczas zapoznania. Jadło mi się niezręcznie, lecz wymagał tego organizm. Aby mnie rozruszać i ośmielić, zacny przeor podczas posiłku wciąż pił wodę małymi łykami, i to aż z dwóch kryształowych dzbanów naraz, ojciec Memnar zaś mruczał cicho; myślałem, że pacierze, lecz gdy rozmowa zeszła znów na teologię, okazało się, że byłem w błędzie.

— Wierzę — rzekł mi o. Memnar — a jeśli moja wiara jest zasadna, ten, w którego wierzę, wie o tym pod nieobecność mych oficjalnych deklaracji. Umysł sporządza sobie w historii różne modele Boga, mające każdy kolejny za jedynie właściwy, co jest błędem, bo modelowanie to kodyfikacja, a skodyfikowana tajemnica przestaje być tajemnicą. Dogmaty zdają się wiecznotrwałe jeno na początku drogi w dal cywilizacyjną. Zrazu wystawiano sobie Boga jako srogiego Ojca, potem jako Pasterza-Hodowcę, potem jako Artystę rozmiłowanego w Stwarzanym, więc ludzie mieli grać odpowiednio role grzecznej dziatwy, posłusznych owieczek, a wreszcie zachwyconej Bożej klaki. Lecz dziecinadą jest mniemać, że Bóg po to stworzył, żeby mu stworzone od rana do wieczora bakę świeciło, żeby go na wyrost miłowało za to, co Tam będzie, jeśli nie w smak to, co Tu jest, jakby był wirtuozem, a w zamian za wciąż nowe porcje modlitewnych braw przygotowywał bisy wieczne żywota po przedstawieniu doczesnym, czyli najlepszy numer zachowywał na zapadnięcie śmiertelnej kurtyny. Ta wersja teatralna Teodycei jest zamierzchłą naszą przeszłością.

Jeśli Bóg ma wszechwiedzę, to wie o mnie wszystko i to na czas nieskończenie długi, nim się wyłoniłem z niebytu. Wie też, co postanowi o moim czy twoim lęku albo oczekiwaniu, bo ma doskonałe wiadomości także co do wszystkich własnych decyzji przyszłych: w przeciwnym razie nie byłby wszechwiedny. Nie ma dlań żadnej różnicy między myślą jaskiniowca i umysłu, jaki zbudują inżynierowie za miliard lat tam, gdzie dziś jest tylko lawa i płomień. Nie wiem, czemu miałaby mu sprawiać szczególną różnicę zewnętrzna oprawa wyznań wiary, a nawet to, czy ktoś kieruje doń uwielbienie, czy niechęć. Nie uważamy go za producenta oczekującego aprobaty ze strony produktu, ponieważ historia doprowadziła nas tam, gdzie naturalna autentyczność myśli nie różni się niczym od myśli sztucznie wznieconej, co oznacza, że nie ma żadnej różnicy pomiędzy sztucznym i naturalnym; granica ta leży już poza nami. Pamiętaj o tym, proszę, że możemy stwarzać dowolne osoby i umysłowości. Moglibyśmy na przykład wszczynać istoty, czerpiące mistyczną ekstazę z bytu, metodą krystalizacji, klonacji lub setką innych, i niejako w ich uwielbieniach, adresowanych do Transcendencji, zmaterializowałaby się intencja, właściwa dawnym aktom strzelistym i modłom. Lecz takie powielanie wiernych wyglądałoby nam na czcze urągowisko. Pamiętaj o tym, że nie ranimy się o mury stawiane naszym pragnieniom przez ograniczenie cielesne i przyrodzone, ponieważ strzaskaliśmy je i wyszliśmy w przestwór bezwzględnej kreacyjnej swobody. Dziecko może teraz wskrzesić zmarłego, tchnąć ducha w proch i złom, niszczyć i zapalać słońca, ponieważ takie techniki istnieją, to zaś, że nie każdy ma do nich dostęp, nie jest, jak chyba pojmujesz, problemem dla myśli teologicznej. Pułap sprawstwa bowiem, wyznaczony literą Pism, został osiągnięty i tym samym naruszony. Okrucieństwa starych ograniczeń zastąpiły okrucieństwa ich zupełnego braku. Otóż nie sądzimy, że Stwórca skrywa miłość do nas pod maską obu tych alternatywnych mąk, dając nam po to szkołę, żeby go było trudniej odgadnąć; i nie w tym zadanie Kościoła, żeby obie klęski, niewoli i wolności, zwał wekslami, żyrowanymi objawieniem, które z nadwyżką pokryje buchalteria niebieska. Wizja nieba jako kasy wypłat, a piekła jako kryminału dłużników niewypłacalnych — to chwilowy omam w historii wiary. Teodycea nie jest sofistycznym praktykanctwem obrońców Pana Boga ani wiara dodawaniem otuchy, że jakoś to tam w końcu będzie. Kościół zmienia się i wiara się zmienia; obie spoczywają bowiem w historii: trzeba więc antycypować nadchodzące i temu zadaniu służy mój zakon.

Słowa te porządnie mnie skonfundowały. Spytałem, jak godzi duistyczna teologia to, co się dzieje na planecie (chyba nic dobrego, choć nie wiem dobrze co, tkwiąc w lekturach ledwie w XXVI wieku), z Pismami Objawionymi (których też nie znam)?

O. Memnar rzekł mi na to, przy milczącym przeorze:

— Wiara jest zarazem absolutnie konieczna i doskonale niemożliwa. Niemożliwa jest jako utwierdzalna raz na zawsze, bo nie ma takiego dogmatu, w który myśl może się wkorzenić z pewnością, że to już na zawsze. Broniliśmy Pism przez dwadzieścia pięć wieków, taktyką odwrotów elastycznych, ogólniejącymi interpretacjami litery, aż przegraliśmy. Nie mamy już buchalteryjnej wizji Transcendencji. Bóg to ani Tyran, ani Pasterz, ani Artysta, ani Policjant, ani Główny Księgowy Bytu. Wiara w Boga musi wyzbyć się wszelkiej interesowności, choćby przez to, że nic jej nigdzie nie wynagrodzi. Gdyby się okazało, że Bóg mocen jest sprawić to, co sprzeczne ze zmysłami i logiką, będzie to ponurym zaskoczeniem. Przecież to on, bo któż inny, dał nam te formy logicznego myślenia, oprócz których nie mamy nic w poznawaniu, jakże więc możemy sądzić, jakoby akt wiary miał być aktem wyrzeczenia się rozumu logicznego? Po cóż było najpierw dawać rozum, a potem urągać mu sprzecznościami, jakie sam znajdzie na swej drodze?

Żeby się dotajemniczyć i uzagadkowić? Żeby pozwalać nam pierwej na postawienie diagnozy, że Tam nic nie ma, a potem dobyć raju, jak szuler wyciąga kartę z rękawa? Tak nie myślimy. Dlatego nie domagamy się od Boga żadnych świadczeń z tytułu żywionej wiary, nie wysuwamy pod jego adresem żadnych roszczeń, gdyż pogrzebaliśmy teodyceę opartą na modelu transakcji handlowej i wymiany usług: ja cię do bytu powołam, ty mnie będziesz służył i chwalił.

Wobec tego, pytałem coraz bardziej natarczywie, co wy właściwie, mnisi i teologowie, robicie, jak się ustosunkowujecie do Boga, skoro nie pielęgnujecie ani dogmatyki, ani liturgii, ani nabożeństw, jeśli dobrze rozumiem?

— Ponieważ w samej rzeczy nie mamy już nic — odparł mi generał prognozytów — mamy wszystko. Zechciej, drogi przybyszu przeczytać dalsze tomy historii dychtońskiej, aby pojąć, co to właściwie znaczy — pozyskanie zupełnej wolności w sferze ciało- i duchosprawstwa, którą dały obie rewolucje biotyczne. Uważam za nader prawdopodobne, że w głębi ducha śmieszy cię widoma tu sytuacja, istoty bowiem, krew z krwi i kość z kości powstałe jak ty, zdobywszy pełnię władzy nad samymi sobą, przez to, że już mogą gasić i wzniecać w sobie wiarę jak lampę, wiarę straciły. Przejęły ją zaś od nich ich narzędzia, myślące dlatego, bo właśnie takie były potrzebne w pewnej fazie przemysłowego rozwoju. Obecnie jesteśmy już zbędni, i właśnie my, z ich tam na górze stanowiska złom, wierzymy. Tolerują nas, bo mają ważniejsze sprawy na swych bebeszniach, lecz od władzy dozwolone jest nam wszystko prócz wiary.

— To bardzo dziwne — rzekłem. — Nie wolno wam wierzyć? Czemu?

— To bardzo proste. Wiara jest jedyną rzeczą, której nie można odebrać świadomemu istnieniu dopóty, dopóki ono świadomie w niej trwa. Władza mogłaby nas nie tylko zdruzgotać, ale przerobić tak, byśmy z przeprogramowania nie wierzyli; nie czyni tego, zapewne, wskutek lekceważenia i pogardy albo obojętności. Łaknie ona panowania wprost, ponieważ wszelki wyłom w tym panowaniu uznałaby za swoje uszczuplenie. Dlatego musimy kryć się z wiarą. Pytałeś o jej istotę. Jest ona, jak by ci to rzec, zupełnie naga, ta wiara nasza, i zupełnie bezbronna. Nie żywimy żadnych nadziei, nie domagamy się niczego, nie prosimy o nic, na nic nie liczymy, lecz wierzymy po prostu.

Nie stawiaj mi, proszę, dalszych pytań, lecz zastanów się raczej nad tym, co oznacza taka wiara. Jeśli ktoś wierzy dla jakichś przyczyn i z jakichś powodów, wiara jego przestaje być w pełni suwerenna; o tym, że dwa i dwa jest cztery, na pewno wiem, dlatego nie muszę w to wierzyć. Lecz nic nie wiem o tym, jaki jest Bóg; dlatego t y l k o wierzyć mogę. Co mi ta wiara daje? Podług dawnego rozumienia nic. Nie jest już koicielką strachu przed nicością ani zalotnicą Bożą, wiszącą u klamki niebieskiej między strachem potępienia i nadzieją raju. Nie uspokaja rozumu, znękanego sprzecznościami bytu; nie watuje jego kantów; powiadam ci: jest na nic! Znaczy to, że ona niczemu nie służy. Nam nie wolno nawet głosić, jakobyśmy dlatego właśnie wierzyli, ponieważ ta wiara prowadzi do absurdu, albowiem kto tak mówi, tym samym wygłasza przekonanie, że już potrafi rozróżniać między absurdem i nieabsurdem trwale i że sam się opowiada po stronie absurdu dlatego, bo podług jego opinii po tej stronie stoi Bóg. My tak nie mówimy. Akt wiary naszej nie jest ani modlitewny, ani dziękczynny, ani pokorny, ani zuchwały, on jest po prostu, i nic więcej nie da się o nim powiedzieć.

Zafrapowany tym, co usłyszałem, wróciłem do celi i znów czytałem, teraz już następny tom dziejów dychtońskich. Opisywał Erę Centralizacji Cielizmu. Sompsuter działał zrazu ku powszechnemu zadowoleniu, lecz wnet pojawiły się na planecie nowe istoty — dwojacy, trojacy, czwartacy, potem ósmacy, a wreszcie i tacy, co w ogóle nie chcieli się kończyć w sposób przeliczalny, bo im w ciągu życia wciąż coś nowego wyrastało. Był to skutek defektów, czyli fałszywej reiteracji programów, a mówiąc potocznie, maszyna zaczęła się jąkać. Ponieważ jednak panował kult jej doskonałości, te automorficzne wypaczenia próbowano nawet chwalić, oświadczając na przykład, że właśnie bezustanne pączkowanie i rozcapierzanie się jest właściwą ekspresją proteuszowej natury człowieka. Chwalba ta opóźniła roboty naprawcze i doprowadziła do powstania tak zwanych nieskończycieli lub pentaków (poli — N — taków), którzy zatracali orientację we własnym ciele, tyle go było; gubili się w nim, tworząc tak zwane plątwie i węźliny; nieraz bez Pogotowia Ratunkowego nie dało się ich rozsupłać. Naprawa Sompsutera nie powiodła się — zwany Zepsuterem, został wreszcie wysadzony w powietrze. Ulga, jaka potem zapanowała, nie trwała długo, bo wróciło koszmarne pytanie, co dalej robić z ciałem.

Po raz pierwszy dały się wtedy słyszeć nieśmiałe głosy, czy nie warto by wrócić do starego wyglądu, lecz osądzono je jako tępe wstecznictwo. W wyborach 2520 roku zwyciężyli Żywnie albo Relatywiści, bo chwycił ich demagogiczny program, by każdy wyglądał tak, jak mu się żywnie spodoba; ograniczenia wyglądu miały być tylko funkcjonalne: dzielnicowy architekt-cielista zatwierdzał projekty, zdatne do sprawnego bytowania, nie troszcząc się o resztę. Projekty te rzucał na rynek BIPROCIAPS istnymi lawinami. Historycy zwą okres automorfii pod Sompsuterem epoką centralizacji, a lata późniejsze reprywatyzacją.

Oddanie indywidualnego wyglądu prywatnej inicjatywie doprowadziło po kilku dekadach do nowego kryzysu. Co prawda niektórzy filozofowie głosili już, że im większy postęp, tym więcej przesileń, i w braku kryzysów należałoby je prokurować, gdyż one aktywizują, jednoczą, budzą twórczy zapał, chęć walki i zespalają duchowo oraz materialnie, jednym słowem, zagrzewają społeczeństwa do współpracy, a pod ich nieobecność panoszy się stagnacja, marazm i inne rozpadowe objawy. Poglądy te głosiła szkoła tak zwanych optysemistów, to jest filozofów, czerpiących optymizm na przyszłość z pesymistycznej oceny teraźniejszości.

Okres prywatnej inicjatywy ciałosprawstwa trwał trzy czwarte wieku. Zrazu rozkoszowano się zdobytą swobodą automorfii, znów przodowała młodzież dyszelniami i łomótkami chłopców, fajniczynami dziewcząt, lecz niebawem wystąpiły starcia międzypokoleniowe, bo doszło do kontestacji pod znakiem ascezy. Młodzi zarzucali starszej generacji pogoń za wyżyciem, bierny, często konsumpcyjny stosunek do ciała, płaski hedonizm, wulgarną gonitwę za rozkoszą, i żeby się odciąć, przybierali formy rozmyślnie szkaradne, nad wyraz niewygodne, wręcz koszmarne (capierzyści, gwajdliwcy). Demonstrując pogardę dla wszelkiej użytkowości, umieszczali sobie oczy pod pachami, a młody aktyw biotyczny używał bez liku wyhodowanych narządów dźwiękowych (bębalnie, harfąsy, gulgongi, mandolnice). Urządzono masowe rykowiska, na których soliści, zwani słowyjkami, doprowadzali rozentuzjazmowany tłum do drgawkowego tarła. Potem zapanowała moda czy też mania długich macek, które w kalibrze i sile chwytu podlegały eskalacji podług typowo

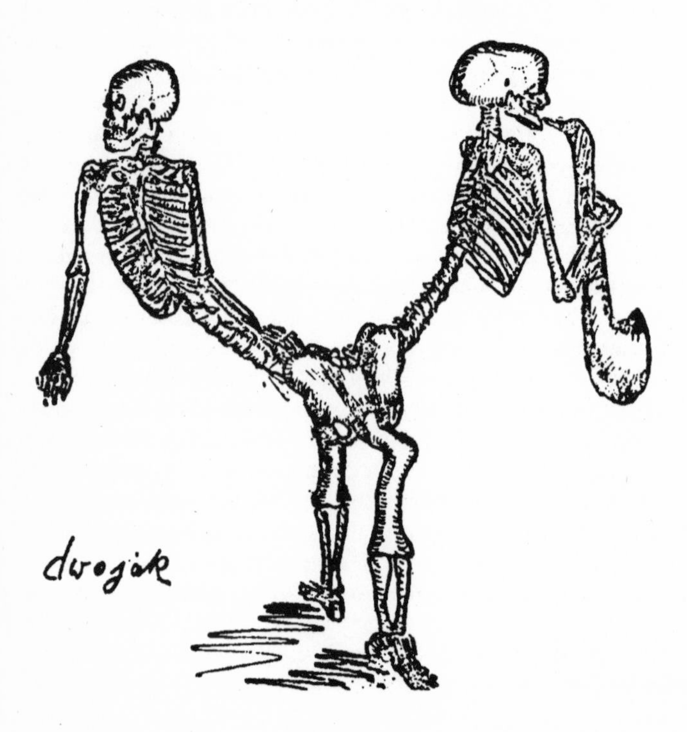

młodzieńczej, chełpliwej zasady „Ja ci pokażę!” Że zaś masy wężowych splotów nikt nie miał siły dźwigać sam, doprawiano sobie tak zwane pochódki (ogonatory), to jest samokroczący pojemnik, co wyrastał z krzyża i na dwu krzepkich łydkach niósł brzemię macek za ich właścicielem. Znalazłem w podręczniku ryciny ukazujące elegantów, za którymi ich pochódki niosły kłęby macek na promenadzie; był to już schyłek kontestacji, a właściwie zupełny jej krach, ponieważ nie ścigała żadnych własnych celów, lecz była jedynie buntowniczą reakcją na orgiastyczny barok epoki.

Barok ten miał swoich apologetów i teoretyków, głoszących, że ciało jest po to, by można mieć największą ilość przyjemności w największej ilości miejsc naraz; Merg Barb, jego czołowy przedstawiciel, wyjaśniał, że Przyroda ulokowała, skąpo zresztą, ośrodki przyjemnych doznań w ciele po to, żeby mogło przeżywać; toteż żadne doznania rozkoszne nie są, z jej rozkazu, autonomiczne, ale każde czemuś służy: a to dostarczeniu ustrojowi płynów, a to węglowodanów czy białka, a to zapewnieniu, w potomstwie, kontynuacji gatunku itp. Z tym narzuconym pragmatyzmem należy radykalnie zerwać; dotychczasowa bierność w projektowaniu ciał jest objawem braku wyobraźni perspektywicznej; uciechy lukullusowe czy erotyczne to mizerny produkt uboczny zaspokajania wrodzonych instynktów, czyli tyranii Natury; nie wystarczy wyzwolenie seksu, którego świadectwem jest ektogeneza, ponieważ seks nie ma przed sobą znaczniejszej przyszłości ani kombinatorycznej, ani konstrukcyjnej; cokolwiek było tam do wymyślenia, już dawno urzeczywistniono, i nie w tym sens automorficznej wolności, żeby prostolinijnie powiększać to lub owo, robiąc po prostu plagiatowe powiększenia płciowej staroci. Należy wymyślić zupełnie nowe organy i narządy, które będą funkcjonowały wyłącznie po to, żeby ich posiadaczowi było dobrze, coraz lepiej, rozkosznie, wręcz niebiańsko.

Barbowi pospieszyło w sukurs grono młodych, zdolnych projektantów z BIPROCIAPSU, którzy wynaleźli rypciny i chędacze; zapowiadano je z wielkim szumem, w reklamach gwarantujących, że dawne uciechy żołądka czy płci to głupie dłubanie w nosie w porównaniu z rypceniem i chędaniem; w mózgi wprawiano, oczywiście, ośrodki ekstatycznego doznawania, zaprogramowane specjalnie przez inżynierów dróg nerwowych,

przy czym urządzono je piętrowo. Tak powstał popęd chędańczy i rypceniowy oraz właściwe tym instynktom czynności o nader bogatej i urozmaiconej skali, ponieważ można było chędać i rypcić na zmianę lub jednocześnie, solo, w duetach, triadach, a potem, po dosztukowaniu cucanek, także w grupach kilkudziesięcioosobowych. Powstały też nowe rodzaje sztuki, bo pojawili się artyści-chędańcy i rypciarze, lecz i na tym się nie skończyło; pod koniec XXVI wieku pojawiły się barokowe formy jęzodrepców, sukcesy odnosił gryzipięta, słynny Ondur Sterodon zaś, który umiał jednocześnie chędać, rypcić i mandolić, latając na pacierzowych skrzydłach, stał się bożyszczem tłumów.

W szczytowym okresie baroku seks wyszedł z mody; pielęgnowały go tylko dwa niewielkie stronnictwa, komasatów i separatystów. Separatyści, niechętni wyuzdaniu, uważali, że nie godzi się jeść kapusty tymi samymi ustami, którymi się kochanka całuje. Niezbędne są po temu osobne, tak zwane platoniczne usta, a najlepiej mieć ich zestaw podług przeznaczenia (dla krewnych,

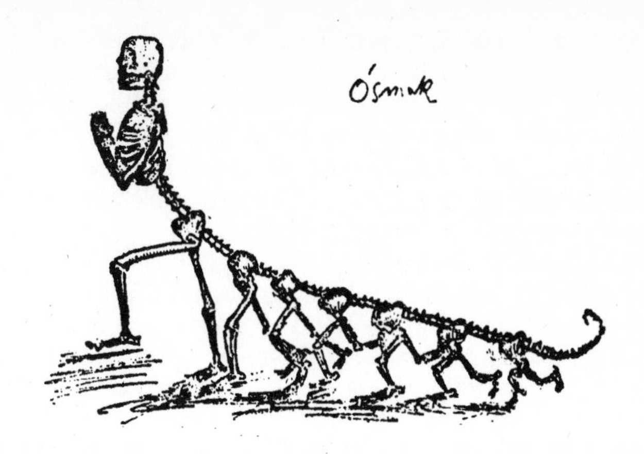

znajomych i dla istoty wybranej). Komasaci, hołdujący funkcjonalizmowi, działali na odwrót, łącząc, co się dało, dla uproszczenia organizmu i życia.

Schyłek tego stylu, jak zwykle ekstrawagancki i wydziwaczony, stworzył postaci tak osobliwe, jak kobietę-taboretę i heksaka, który przypominał centaura, lecz miał zamiast kopyt cztery bose stopy, zwrócone palcami ku sobie: zwano go i przytupcem, podług tańca, w którym energiczne tupanie było figurą pod-

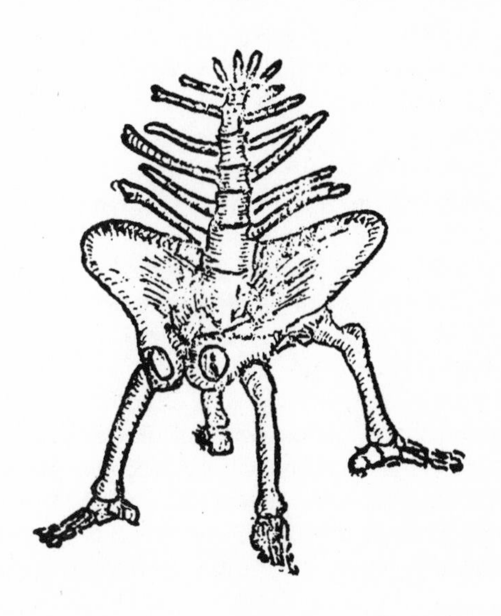

stawową. Lecz rynek okazywał nasycenie i znużenie. Trudno było epatować nowym ciałem, używano klapek usznych z naturalnego rogu, uszne konchy, przeświecające stygmatycznymi obrazkami, wachlowały bladą różowizną policzki pań z towarzystwa, próbowano chodzić na giętych nibynóżkach, przez czystą bezwładność BIPROCIAPS dostarczał dalszych projektów, czuło się jednak nadchodzący kres tej formacji.

Zatopiony w lekturze, wśród porozrzucanych książek, w świetle lamp, łażących nade mną po suficie, zasnąłem, ani wiedząc kiedy; przebudził mnie dopiero daleki głos porannego dzwonka. Zaraz też pojawił się mój braciszek pytać, czy życzę sobie może niejakiej odmiany; jeśli tak, przeor prosi, bym zechciał mu towarzyszyć w objeździe całej diecezji u boku o. Memnara. Perspektywa opuszczenia mrocznych katakumb ucieszyła mnie, toteż wyraziłem zgodę.

Objazd wyglądał niestety inaczej, niż sobie wyobrażałem. Na powierzchnię wcaleśmy się nie wydostali; braciszkowie, wyrychtowawszy do drogi niskie, juczne zwierzęta, okryte do ziemi szarymi jak ich habity płachtami, powsiadali na nie oklep i poczłapaliśmy z wolna podziemnym korytarzem. Były to, jak się już domyślałem, a domysł ten znalazł potwierdzenie, od wieków nie używane kanały metropolii, która wznosiła się wysoko nad nami tysiącem na wpół zrujnowanych wieżowców. Miarowe ruchy mego wierzchowca miały w sobie coś dziwacznego; nie dostrzegałem też pod przykrywającym go materiałem ni śladu głowy; zajrzawszy dyskretnie pod płótno, przekonałem się, że to maszyna, rodzaj czworonożnego robota, wielce prymitywnego; do południa nie ujechaliśmy ani dwudziestu mil. Trudno się zresztą było zorientować w długości przemierzonej drogi, wiła się bowiem labiryntami kanałów słabo rozświetlonymi przez lampy, które małym stadkiem to podfruwały nad nami, to odbijając się o zaklęsły strop, pospieszały na czoło kolumny, dokąd je przyzywano cmokaniem.

Przybyliśmy wreszcie do siedziby oo. prognozytów, gdzie przyjęto nas z honorami, ja zwłaszcza znajdowałem się w ośrodku powszechnej uwagi. Ponieważ meblowa puszcza została daleko, ojcowie prognozyci musieli się specjalnie zakrzątnąć, by przysposobić z myślą o mnie przyzwoity posiłek. Dostarczyły go magazyny opuszczonej metropolii pod postacią torebek z plemnikami; postawiono przede mną miski, jedną pustą, drugą pełną wody, i po raz pierwszy mogłem przekonać się o działaniu produktów biotycznej cywilizacji.

Zakonnicy gorąco usprawiedliwiali się przede mną z braku zupy; po prostu braciszek, wysłany na powierzchnię ziemi studzienką kanalizacyjną, nie umiał odnaleźć właściwej torebki; z kotletem poszło jednak nieźle: plemnik, polany kilkoma łyżkami wody, napęczniał, rozpłaszczył się, tak że po chwili miałem na talerzu smacznie przyrumieniony medalion cielęcy, cały w masełku, które, skwiercząc od nagrzania, wydzielało się jego porami. W magazynie, z którego dobyto ten specjał, musiał panować zupełny chaos, skoro między paczuszkami z gastronomicznymi plemnikami zawieruszyły się inne: zamiast deseru wyrósł mi na talerzu magnetofon, a i to nie nadający się do użytku, bo miał na szpulkach tasiemki od kalesonów. Wyjaśniono mi, że to efekt hybrydyzacji, która teraz często się zdarza, albowiem nie nadzorowane automaty produkują plemniki coraz gorszej jakości; te produkty biotyczne mogą się krzyżować i tak właśnie powstają najniesamowitsze mieszańce. Przy tej okazji wpadłem wreszcie na trop pochodzenia dzikich mebli.

Zacni ojcowie chcieli posłać zaraz któregoś z młodszych zakonników ponownie w ruiny miasta, za deserem dla mnie, lecz gorąco się temu sprzeciwiłem. Daleko bardziej niż na deserze, zależało mi na rozmowie.

Refektarz, niegdyś wielka oczyszczalnia kanałów miejskich, przedstawiał się nader schludnie, wysypany białym piaskiem, oświetlony licznymi lampami, które u prognozytów były inne niż u destrukcjanów, mianowicie mrugające i pręgowane, jakby wywodziły się od wyolbrzymionych os. Siedzieliśmy za długim stołem na przemian, więc obok każdego destrukcjana spoczywał na swym chassis prognozyta; odczuwałem niepojęte skrępowanie, że ja jeden mam obnażoną twarz i ręce — przy zamaskowanych postaciach ojców robotów w ich zgrzebnych kapturach ze szkłem w otworach oczu i przy oo. komputerach, którzy, graniaści, w najmniejszym już stopniu nie przypominali żywej istoty; niektórzy spośród nich połączeni byli pod stołem kabelkami, ale nie ważyłem się pytać o sens tej ich wieloprzewodowej łączności.

Rozmowa, jaka wywiązała się przy tym samotnym obiedzie — boż ja jeden go spożywałem — znów, siłą nieodpartych rzeczy, zeszła ku transcendentalnej tematyce. Pragnąłem dowiedzieć się, co ostatni wierzący Dychtonii sądzą w kwestiach dobra i zła, Boga i diabła, a gdy zadałem to pytanie, nastała dłuższa chwila ciszy, w której tylko pręgowane lampy brzęczały cicho w rogach refektarza; zresztą może to był prąd oo. prognozytów.

Odezwał się wreszcie siedzący naprzeciw mnie starszy komputer, z zawodu historyk religii, jak się później dowiedziałem od ojca Darga.

— Zmierzając wprost do celu, wyraziłbym nasze poglądy tak — powiedział. — Szatan jest tym, czego najbardziej w Bogu nie rozumiemy. Nie znaczy to, jakobyśmy sądzili, że Bóg sam stanowi aliaż pierwiastków wyższego i niższego, dobra i zła, miłości i nienawiści, mocy stwarzania i żądzy zniszczenia. Szatan to myśl, że Boga można ograniczyć, zaklasyfikować, wydzielić, dokonując frakcjonowanej destylacji, tak aby został tym, i tylko tym, co potrafimy akceptować i przed czym się już bronić nie będziemy. Myśl ta nie daje się utrzymać wewnątrz historii, ponieważ jej nieuchronną konsekwencją jest wniosek, że nie ma innej wiedzy, jak pochodzącej od Szatana, i że on się dopóty rozszerza, dopóki nie pochłonie wszystkiego, co wiedzę zdobywa, w całości. A to, ponieważ wiedza unicestwia stopniowo dyrektywy, zwane przykazaniami objawionymi. Pozwala ona zabijać, nie zabijając, niszczyć, lecz tak, że to niszczenie stwarza, ulatniają się od niej osoby, jakim miała być należna cześć, choćby ojciec i matka, i padają od niej dogmaty, jak nadprzyrodzoności poczęcia niepokalanego i duszy nieśmiertelnej.

Jeżeli to miały być pokusy diabelskie, to wszystko, czego się tkniesz, jest diabelską pokusą, i nie można by nawet powiedzieć, że Szatan pochłonął cywilizację, ale w niej Kościoła nie pochłonął, ponieważ Kościół, choć z oporami, daje stopniowo zgodę na zdobywanie wiedzy, i nie ma na tej drodze żadnego miejsca, na którym mógłby rzec: „dotąd, a dalej już nie!”, ponieważ nikt, w Kościele czy poza Kościołem, nie potrafi wiedzieć, jakie będą jutrzejsze skutki dzisiaj poznanego. Kościół może od czasu do czasu wydawać bitwy temu postępowi, lecz gdy broni jednego frontu, ot choćby nienaruszalności poczęcia, postęp, zamiast dać frontalny bój, dokonuje manewru okrążającego, którym likwiduje sens bronionych pozycji. Tysiąc lat temu Kościół nasz bronił macierzyństwa, a wiedza zlikwidowała pojęcie matki, najpierw rozcinając akt macierzyństwa na dwoje, potem wynosząc je z ciała na zewnątrz, potem dokonując syntezy zarodka, tak że po trzech wiekach obrona straciła wszelki sens; musiał tedy Kościół przystać na zapłodnienie zdalne i na poczęcie w laboratorium, i na poród w maszynie, i na ducha w maszynie, i na maszynę dostępującą sakramentów, i na zniknięcie różnicy pomiędzy naturalnie stworzonym i sztucznym bytem. Gdyby obstawał przy swoim, to musiałby jednego dnia uznać, że nie ma innego Boga oprócz Szatana.

Aby uratować Boga, uznaliśmy historyczność Szatana, czyli jego ewolucję jako zmieniającej się w czasie projekcji tych wszystkich cech, które nas w Stworzeniu zarazem przerażają i pogrążają. Szatan to naiwna myśl, że między Bogiem a Niebogiem można rozróżniać jak między dniem i nocą. Bóg jest Tajemnicą, a Szatan to zebrane w osobę, wydzielone cząstkowo rysy tej Tajemnicy. Nie ma dla nas ponadhistorycznego Szatana. To jedno, co w nim trwałe i co brano za osobę, pochodzi z wolności. Musisz jednak, gościu i przybyszu z dalekich stron, zapomnieć o kategoriach twej myśli, ukształtowanej w innej historii niż nasza, kiedy mnie słuchasz. Wolność oznacza dla nas coś zupełnie innego niż dla ciebie. Oznacza ona upadek wszelkich ograniczeń działania, czyli zanik tych wszystkich oporów, jakie życie napotyka na swym zaraniu rozumowym. Te opory kształtują rozum, bo wydobywają go na wierzch z wegetacyjnych otchłani. Ponieważ te opory dają się dotkliwie we znaki, historycznemu rozumowi roi się jako ziszczenie — pełnia swobód, i dlatego właśnie w tym kierunku zmierza cywilizacyjnymi krokami. Jest krok ciosania kamiennych urn i jest krok wskrzeszania zmarłych, i jest krok gaszenia słońc i nie ma między nimi nieprzebytych przeszkód.

Wolność, o jakiej mówię, to nie ten skromny stan pożądany przez jednych ludzi, kiedy inni ich dręczą. Wtedy bowiem człowiek jest dla człowieka kratą, ścianą, sidłami i przepaścią. Wolność, którą mam na myśli, leży dalej, rozpościera się poza tą strefą socjalnych zdławień wzajemnych, ponieważ strefę tę można przejść cało, a wtedy, w poszukiwaniu nowych oporów, bo ich już ludzie ludziom nie stawiają, odnajduje się je w świecie i w sobie i wybiera się za przeciwnika siebie i świat, żeby z obojgiem walczyć i oboje sobie podporządkować. A kiedy i to się udaje, otwiera się otchłań wolności, ponieważ im więcej można czynić, tym mniej się wie, co czynić należy. Zrazu kusi mądrość, lecz z dzbana wody na pustyni staje się ona takim dzbanem wśród jeziora, gdy przyswajalna jak woda i gdy nią możesz obdarzyć żelazny złom i żabi skrzek.

O ile jednak dążenie do mądrości wydaje się dostojne, nie ma dostojnych argumentów na ucieczkę z mądrości, nikt bowiem nie oświadcza wtedy głośno, że pragnie otępienia, a jeśliby nawet pragnąc, miał tę odwagę wyznań, to dokąd się ma właściwie cofnąć? Gdyż nie ma już przyrodzonych rozziewów między rozumem a nierozumem, bo je nauka skwantowała i rozpuściła, i dlatego nawet dezertera wiedzy czeka wolność, musi bowiem wybrać wcielenie, jakie mu odpowiada, a stoi przed nim więcej szans, niż jest gwiazd na niebie. Straszliwie mądry wśród podobnych sobie staje się karykaturą mądrości, jak królowa pszczół staje się bez ula karykaturą matki, kiedy na nic jest zwał jajeczek, rozsadzający jej odwłok.

Przychodzi więc do ucieczek z tego miejsca, chyłkiem i w największym wstydzie lub gwałtem i w największej panice. Tam, gdzie każdy musi być, jaki jest, trwa przy swoim z konieczności. Tam, gdzie każdy może być inny, niż jest, będzie rozdrabniał swój los skokami bytowych przesiadek. Społeczność taka wygląda z góry jak rojowisko owadów na rozpalonej płycie. Z dala wygląda jej męka jak farsa, bo śmieszą skoki z mądrości w otępienie i owoce rozumu używane po to, by można grać na brzuchu jak na bębnie, biec na stu nogach lub wyścielać mózgiem ściany. Gdy ukochaną istotę można zdublować, nie ma już ukochanych istot, lecz urągowisko miłości, a kiedy można być każdym i żywić dowolne przekonania, nie jest się już nikim i nie ma się żadnych przekonań. Toteż dzieje nasze idą na dno i odbijają się od tego dna, skacząc jak pajac na sznurku, i dlatego wydają się koszmarnie śmieszne.

Władza reglamentuje wolność, lecz stawia tak granice nieautentyczne, które atakuje bunt, bo nie można zakrywać raz dokonanych odkryć. Tak więc mówiąc, że Szatan jest uosobieniem wolności, chciałem wyrazić myśl, że stanowi on tę stronę Bożego dzieła, która przeraża nas najbardziej jako rozdroże mocy kontinuum, na którym stajemy, sparaliżowani osiągniętym celem. Podług naiwnej myśli filozoficznej świat „powinien” nas ograniczać tak, jak kaftan bezpieczeństwa ogranicza wariata, a drugi głos w tejże filozofii bytu mówi, że te więzy „powinny” tkwić w nas samych. Kto tak mówi, łaknie istnienia granic wolności albo ustanowionych w świecie, albo w sobie samym, gdyż chce, żeby go świat nie przepuszczał w pewnych kierunkach albo żeby go jego własna natura tak zatrzymywała. Wszelako Bóg nie dał nam ani pierwszych, ani drugich granic. A nie tylko nie dał takich granic, lecz wygładził miejsca, w których myśmy się ich niegdyś spodziewali, żebyśmy sami nie wiedzieli, przekraczając je, że to właśnie czynimy.

Spytałem, czy z tego nie wynika, że Bóg jest podług duizmu identyczny z Szatanem? Zauważyłem nieznaczne poruszenie obecnych. Historyk milczał, a generał zakonu rzekł:

— Jest tak, jak mówisz, ale nie jest tak, jak myślisz. Mówiąc „Bóg jest Szatanem", nadajesz tym słowom groźny sens niegodziwości Stwórcy. To, co powiedziałeś, jest tedy nieprawdą — ale tylko w twoich ustach. Gdybym to ja powiedział albo którykolwiek z obecnych ojców, słowa te znaczyłyby coś zupełnie innego. Znaczyłyby one tylko, że są takie dary Boże, które możemy przyjąć bez oporu, i takie, których nie możemy podźwignąć. Znaczyłyby one: „Bóg nas w niczym, ale to w niczym nie ograniczył, nie uszczuplił i nie skrępował". Zauważ, proszę, że świat, zniewolony do samego dobra, jest takim samym przybytkiem niewoli jak świat zniewolony do samego zła. Czy zgadzasz się ze mną, Dagdorze?

Historyk, do którego zwrócone było to pytanie, przytwierdził i zabrał głos.

— Znane mi są, jako dziejopisowi wiar, teogonie, podług których Bóg urządził świat niezupełnie doskonały, który jednak ruchem prostym bądź zygzakowatym czy po spirali zmierza do perfekcji, czyli znane mi są doktryny, według których Bóg jest to bardzo duże dziecko, puszczające zabawki we „właściwym" kierunku, gwoli swej uciesze. Znam też nauki, nazywające doskonałym to, co już jest, by się zaś rachunek tej doskonałości zgadzał w bilansie, robią w nim poprawkę i ta poprawka nosi imię diabła. Lecz zarówno model bytu jako zabawy w puszczanie kolejek z rozkręcającą się sprężyną wiecznego postępu, który dźwiga stworzone coraz sprawniej tam, gdzie coraz lepiej, oraz model bytu, w którym świat jest boksem Jasności i Mroku, walczących przed Bożym sędzią ringowym, jak i model świata, w którym niezbędne są cudowne interwencje, czyli Stworzenia, jako psującego się zegarka i cudu jako Bożej pincety, dotykającej werków gwiazdowych, żeby podkręcić, co należy, jak też model świata jako smacznego tortu, w który powtykane są ości diabelskich pokus — wszystkie one stanowią obrazki z elementarza rodzaju rozumnego, to jest książeczki, którą dojrzały wiek odkłada ze wzruszoną melancholią, ale i ze wzruszeniem ramion, na półki dziecinnego pokoju. Nie ma demonów, jeśli nie uważać za demona wolności; świat jest jeden i Bóg jest jeden, i wiara jest jedna, przybyszu, a reszta jest milczeniem.

Chciałem pytać, jakie są podług nich pozytywne cechy Boga i świata, bo na razie wciąż słyszałem tylko, czym Bóg n i e jest, a też po wykładzie na temat eschatologii wolności miałem w głowie jeden wir i mętlik — lecz trzeba było ruszać w dalszą drogę. Gdyśmy się już kołysali na naszych żelaznych rumakach, podczas jazdy spytałem, tknięty niespodziewaną myślą, o. Darga, czemu właściwie jego zakon nosi nazwę destrukcjanów?

— Wiąże się to z tematem naszej rozmowy za stołem — odparł. — Nazwa ta, historycznego pochodzenia, oznacza aprobatę bytu w całości, jako w całości pochodzącego od Boga, zarówno w tym, co jest w nim twórczością, jak w tym, co się nam zdaje jej przeciwieństwem. Nie oznacza ona — pospieszył dodać — jakobyśmy sami opowiadali się za destrukcją; zapewne teraz nikt by tak zakonu nie ochrzcił, lecz to imię jest płodem pewnej przekory teologicznej, odzwierciedlającej już przebyte kryzysy Kościoła.

Zmrużyłem oczy, bo dotarliśmy do miejsca, w którym kanał, wskutek obwalenia się stropów, wychodził częściowo na powierzchnię gruntu — i długo nie mogłem podnieść powiek, tak odwykłem od słońca. Znajdowaliśmy się na równinie wyzbytej śladów wszelkiej wegetacji; miasto stało sinawym zrębem gmachów na horyzoncie, a całą przestrzeń rozcinały w różne strony idące gładkie i szerokie drogi, jakby ulane z taśm srebrzystego metalu; panowała na nich pustka zupełna, jak i w niebie, po którym szło tylko kilka brzuchatych, białych obłoków.

Nasze wierzchowce, przedstawiające się sposobem szczególnie pokracznym na drodze przystosowanej do największego pędu, z wolna, skrzypiąc, też jakby oślepione promieniami słońca, do którego nie nawykły, szły na znany zakonnikom skrót, lecz zanim dotarliśmy do betonowej rynny, na powrót zagłębiającej się w ziemi, pojawiła się między łukami wiaduktu niewielka budowla szmaragdowej i złocistej barwy; pomyślałem sobie, że to pewno stacja benzynowa. Stał przy niej pojazd płaski, jak duży karaluch, przystosowany tym kształtem do szybkości; budynek nie miał okien, tylko wpółprzejrzyste ściany, przez które słońce przeświecało jak przez witraż; gdyśmy znaleźli się o jakieś sześćdziesiąt kroków całą rozciągniętą kolumną, usłyszałem dobiegające stamtąd jęki i rzężenia tak okropne, aż włos mi się zjeżył. Głos, niewątpliwie ludzki, charczał i stękał na przemian. Nie miałem najmniejszej wątpliwości, że to krzyk torturowanego, może mordowanego, spojrzałem na towarzyszy, nie zwracali jednak na owe wrzaski potępieńcze najmniejszej uwagi.

Chciałem wołać do nich, żebyśmy pospieszyli z pomocą, ale głos mi odjęło przerażenie, że los katowanego człowieka może im być aż tak obojętny, więc zeskoczyłem z żelaznego czworonoga i pognałem przed siebie, nie oglądając się na nikogo. Nim zdążyłem dobiec do budynku, po krótkim, chrapliwym wrzasku zapadła cisza. Budynek był pawilonem o lekkich kształtach, bez widocznych drzwi, obiegłem go nadaremnie i zatrzymałem się jak wkopany przed ścianą z błękitnawego szkliwa, na tyle przezroczystą, że mogłem zajrzeć do wnętrza. Na zachlapanym krwią stole spoczywała naga postać między aparatami, które wpijały lśniące rurki czy cęgi w jej ciało, już martwe, tak wykręcone agonalnym skurczem, że rąk od nóg nie umiałem odróżnić. Nie widziałem też głowy; czy tego, co ją zastępowało, zamkniętej w ciężkim metalowym dzwonie, nasuniętym z góry, nastroszonym iglastymi kolcami. Trup nie broczył już z licznych ran, bo serce przestało bić. W stopy piekł mnie rozpalony słońcem piasek, w uszach brzmiał jeszcze potępieńczy ryk tego Dychtończyka, stałem porażony ohydą, strachem, niezrozumiałością sceny, bo trup był sam — mogłem zajrzeć we wszystkie kąty owej sali tortur maszynowych; raczej poczułem, aniżeli usłyszałem zbliżanie się zakapturzonej postaci, i dostrzegłszy kątem oka, że to przeor, odezwałem się ochryple:

— Co to jest? Kto go zabił? Co?

Stał obok mnie jak posąg i głos straciłem od świadomości, że to naprawdę jest żelazny posąg; w podziemiach zamaskowane postaci mnichów w spiczastych kapturach nie wyglądały tak niesamowicie obco, jak teraz w pełnym słońcu, pośród białej geometrii dróg, na czystym tle horyzontu; tam, za szklaną ścianą, ten zgięty w uchwytach metalu zewłok wydał mi się jedyny, bliski, podczas kiedy stałem zupełnie sam, jak palec, wśród zimnych, logicznych maszyn, niezdolnych do niczego prócz abstrakcyjnych rozumowań. Ogarnęła mnie chęć, więcej, postanowienie, żeby, nie odezwawszy się ani słowem, odejść, nie żegnając ich spojrzeniem nawet, bo między mną a nimi otworzyła się w tej jednej chwili przepaść nie do przebycia. Stałem jednak dalej obok przeora, który milczał, tak jak gdyby jeszcze na coś czekał.

W sali, zalanej błękitnym światłem, przefiltrowanym przez szkło stropu i ścian, coś drgnęło. Lśniące ramiona aparatów nad stężałym zaczęły się poruszać. Prostowały ostrożnie kończyny zamęczonego, oblewały mu rany cieczą jasną, jak woda, ale parującą, zmywając krew, i spoczywał teraz płasko, jakby wyporządzony już do wiecznego snu, lecz błysnęły ostrza i przemknęła mi myśl, że będą go sekcjonować; więc chociaż był już martwy, chciałem biec, żeby go uchronić od ćwiartowania, ale przeor położył mi na ramieniu żelazną rękę i nie poruszyłem się.

Błyszczący dzwon podniósł się i zobaczyłem nieludzką twarz; teraz wszystkie maszyny pracowały jednocześnie, a tak szybko, że widziałem tylko migotanie i ruch szklanej pompy pod stołem, w której burzył się czerwony płyn, aż w środku tego zamętu pierś leżącego podniosła się i opadła; na moich oczach zasklepiały mu się rany, cały poruszał się i przeciągał.

— Zmartwychwstał? — spytałem szeptem.

— Tak — odparł przeor. — Żeby jeszcze raz skonać.

Leżący rozejrzał się, miękką, bezkostną jakby dłonią ujął rękojeść, co wystawała z boku, i pociągnął ją, a wtedy dzwon nasunął mu się na głowę, skośne cęgi wychodząc z pochew chwyciły ciało, i rozległ się ten sam wrzask co przedtem; do tego stopnia nic już nie pojmowałem, że dałem się bezwolnie zaprowadzić ku czekającej cierpliwie karawanie zamaskowanych, w jakimś odrętwieniu wgramoliłem się na wierzchowca i słuchałem słów kierowanych do mnie — to przeor wyjaśniał mi, że pawilon jest specjalną placówką usługową, w której można przeżywać własną śmierć. Chodzi o doznanie możliwie wstrząsających wrażeń, które nie sprawiają tylko cierpienia, bo dzięki transformatorowi bodźców ból mieni się straszliwą rozkoszą. Wszystko to bierze się stąd, że dzięki pewnym typom automorfii Dychtończykom nawet agonia jest miła, a komu jednej mało, ten po wskrzeszeniu daje się znów zabijać, żeby przeżyć niesamowity wstrząs raz jeszcze. I w samej rzeczy, nasza żelazna karawana oddalała się od miejsca usługowej kaźni dostatecznie wolno, by rzężenia i jęki amatora silnych wzruszeń długo nas jeszcze dochodziły. Ta szczególna technika nosiła nazwę „konanii" (wymawiaj: „KONANJA").

Jedna rzecz — czytać w dziele historycznym o krwawych zawieruchach dziejów, a inna — na własne oczy widzieć i przeżywać chociaż ich okruch. Miałem tak dość pobytu na powierzchni ziemi, pod słońcem, wśród łuków srebrnych autostrad, migocąca w dali za nami iskra pawilonu przejmowała mnie taką zgrozą, że zagłębiłem się z prawdziwą ulgą w ciemności kanału, który przyjął nas chłodnym i bezpiecznym milczeniem. Przeor, domyślając się, jak jestem wstrząśnięty, nic nie mówił; do wieczora odwiedziliśmy jeszcze pustelnię pewnego anachorety i zakon braci mniejszych, który zamieszkiwał osadnik kanałów dzielnicy willowej, aż późną nocą zakończywszy objazd diecezji, wróciliśmy do siedziby oo. destrukcjanów, wobec których odczuwałem dziwne zawstydzenie za tę chwilę, w której tak ich się przeraziłem i znienawidziłem.

Celka wydała mi się swojskim domem; czekała już przygotowana przez zapobiegliwego braciszka zimna szuflada nadziewana, a pochłonąwszy ją szybko, bo odczuwałem głód, otwarłem tom historii dychtońskiej, poświęcony czasom nowożytnym.

Pierwszy rozdział mówił o ruchach autopsychicznych XXIX wieku. Zmęczenie wszechzmiennością było wtedy takie, że idea odwrotu od ciała i zajęcia się kształtowaniem umysłów odmłodziła jakby społeczeństwo i wyrwała je z marazmu. Tak się rozpoczęło Odrodzenie. Przewodzili mu genialici ze swym planem obrócenia wszystkich żyjących w mędrców. Wnet obudziło to wielki głód wiedzy, intensywne uprawianie nauk, nawiązywanie łączności międzygwiezdnej z innymi cywilizacjami, lecz lawinowy wzrost wiadomości zmusił do kolejnych przeróbek cielesnych, bo się uczony mózg nawet w brzuchu nie mieścił; społeczeństwo dogenialniało się z przyspieszeniem wykładniczym i fale zmądrzenia obiegały całą planetę. Ten Renesans, upatrujący sens bytu w Poznaniu, trwał lat siedemdziesiąt. Zaroiło się od myślicieli, profesorów, superfesorów, ultrafesorów, potem i kontrfesorów.

A ponieważ dźwiganie potężniejącego mózgu na pochódce było coraz bardziej niewygodne, po krótkiej fazie dwumyślnych (mieli jakby dwie taczki cielesne, przednią i tylną, do rozmyślań wyższych i niższych) samo życie obróciło genialitów w nieruchomości. Każdy tkwił wewnątrz wieży własnej inteligencji, spowity wężami kabli niczym Gorgona; społeczność przypominała plaster gromadzonej jak miód mądrości, w którym tkwił żywy czerw ludzki. Porozumiewano się bezprzewodowo i składano sobie telewizyty; dalsza eskalacja przywiodła do konfliktu zwolenników łączenia indywidualnych zasobów z ciułaczami wiedzy, którzy chcieli mieć każdą informację na własność. Zaczęły się podsłuchy cudzych rozmyślań, przechwytywanie co świetniejszych koncepcji, kopanie dołów pod wieżami antagonistów w filozofii i sztukach, fałszowanie danych, podgryzanie kabli, a nawet próby aneksji cudzych dóbr psychicznych razem z osobowością właściciela.

Reakcja, gdy nadeszła, była gwałtowna. Nasze średniowieczne ryciny, przedstawiające wyobrażenia smoków i dziwolągów zamorskich, są dziecinadą wobec rozpasania cielesnego, które ogarnęło glob. Ostatni genialici, półślepi od słońca, wyczołgiwali się spod ruin, by opuszczać miasta. Rozwalidki, pędoraści i rozstrzelici grasowali w powszechnym chaosie. Powstawały zespolenia ciał i aparatów, sprawne w porubstwie (maszynołuch-aparatczak, gołowóz, drezynak), pojawiły się urągliwe karykatury duchowieństwa — karakonnik z karakonnicą — a także gąsienita i brzuchaj.

Wtedy też rozpowszechniła się konania. Doszło do głębokiego uwstecznienia cywilizacji. Hordy muskularnych dławidów gziły się po lasach z czołginkami. W ustronnych wykrotach czaili się drżądcy. Nic już nie świadczyło na planecie o tym, że była ongiś kolebką człekokształtnego rozumu. W zarosłych stołowym chwastem i dziką zastawą parkach spoczywali między kępkami serwetnika kupcy — istne wzgórza dyszącego mięsa. Większość tych monstrualnych form nie powstawała przez świadomy wybór i planowanie, lecz była koszmarnym skutkiem psucia się ciałosprawczej maszynerii: wytwarzała ona nie to, co obstalowano, lecz wynaturzone, kalekie potwory. W tych czasach monstrolizy społecznej, jak pisze prof. Gragz, prehistoria zdawała się brać zadziwiający odwet na późnych potomkach, gdyż to, co myśl pierwotna tylko sobie roiła koszmarem mitów, czyli słowo grozy — w ślepo rozpędzonej maszynerii biotycznej — stało się ciałem.

Z początkiem XXX wieku objął nad planetą władzę dyktatorską Dzomber Glaubon i wprowadził w ciągu dwudziestu lat unifikację, normalizację i standaryzację cielesną, traktowane zrazu jak zbawienie. Był on zwolennikiem absolutyzmu oświeconego i humanitarnego, toteż nie dopuścił do zgładzenia zdegenerowanych form rodem z XXIX wieku, lecz zlecił je skupiać w specjalnych rezerwatach; nawiasem mówiąc, właśnie na samym skraju jednego z takich rezerwatów mieścił się, pod zwaliskami dawnej stolicy prowincjonalnej, klasztor podziemny oo. destrukcjanów, w którym znalazłem schronienie. Z postanowienia D. Glaubona każdy obywatel miał być samistą beztylcem, czyli takim jednopłciowcem, co jednako prezentował się z przodu i z tyłu. Dzomber napisał *Myśli*, dzieło wykładające jego program. Pozbawił ludność seksu, bo upatrywał w nim przyczyny upadku zeszłowiecznego; ośrodki rozkoszy pozostawił poddanym po ich uspołecznieniu. Pozostawił im też rozum, bo nie chciał rządzić debilami, lecz być odnowicielem cywilizacji.

Lecz rozum to tyle, co rozmaite, więc i nieortodoksyjne pomysły. Nielegalna opozycja zeszła do podziemia i oddawała się w nim ponurym orgiom antysamistycznym. To przynajmniej głosiła prasa rządowa. Glaubon nie prześladował wszakże opozycjonistów, przerabiających się w kontestacyjne kształty (zakalcyci, zadyści). Podobno działali w podziemiu i dwuzadyści, głoszący, że rozum jest po to, by mieć czym pojąć, że należy się go jak najszybciej pozbyć, bo on to jest sprawcą wszystkich historycznych klęsk; głowę zastępowali tym, co mamy za jej przeciwień-

Dychtończyk antyzadysta (Kontestator, XXXVI wiek)

stwo; uważali ją za przeszkadzającą, szkodliwą, wręcz banalną; lecz o. Darg zapewniał mnie, że prasa rządowa przesadzała z gorliwości. Zadystom nie podobała się głowa, więc odrzucili ją, ale mózg przenieśli tylko w dół, żeby patrzał na świat jednym okiem pępkowym, a drugim umieszczonym z tyłu, trochę niżej.

Glaubon ogłosił, po zaprowadzeniu niejakiego ładu, plan tysiącletniego ustabilizowania społeczeństwa dzięki tak zwanej hedalgetyce. Wprowadzenie jej poprzedziła wielka kampania prasowa pod hasłem „SEKS W SŁUŻBIE PRACY!" Każdy obywatel miał przydzielone stanowisko robocze, a inżynierowie dróg nerwowych tak łączyli neurony jego mózgu, że odczuwał rozkosz, tylko gdy należycie pracował. Czy więc kto drzewa sadził, czy wodę nosił, pławił się w upojeniu, a im lepiej pracował, tym intensywniejszej doznawał ekstazy. Lecz właściwa rozumowi przewrotność podkopała i tę, zdawałoby się, niezawodną metodę socjotechniczną. Nonkonformiści poczytywali bowiem rozkosz doznawaną przy pracy za formę zniewolenia. Przeciwstawiając się chuci roboczej (laboribido), wbrew żądzy, co ich parła ku stanowiskom pracy zleconej, nie to robili, do czego zwał ich zew popędu, lecz właśnie wszystko na odwrót. Kto miał być nosiwodą, drzewo rżnął, a kto drwalem — wodę dźwigał, w ramach antyrządowych manifestacji. Wzmacnianie uspołecznionych żądz, kilkakrotnie przeprowadzane na rozkaz Glaubona, nic nie wskórało, tyle że historycy zwą te lata jego rządów erą męczenników. Biolicja miała duże trudności z rozpoznawaniem winnych wykroczeń, bo przychwyceni na gorącym uczynku doznawania mąk twierdzili obłudnie, jakoby stękali z rozkoszy właśnie. Glaubon wycofał się z areny życia biotycznego głęboko rozczarowany, widział bowiem ruinę swego wielkiego planu.

Potem, na przełomie XXXI i XXXII wieku, doszło do walk Diadochów; planeta rozpadła się na prowincje, zamieszkiwane przez obywateli ukształtowanych podług zaleceń miejscowej władzy. Był to już czas pomonstrolitycznej Kontrreformacji. Po dawnych wiekach pozostały nagromadzenia wpółzwalonych miast i płodowlarni, rezerwaty, sporadycznie tylko nawiedzane lotnymi kontrolami, opustoszałe seksostrady i inne relikty przeszłości, czasem funkcjonujące jeszcze na wpół kalekim sposobem. Tetradoch Glambron wprowadził cenzurę kodów genetycznych, która pewne rodzaje genów uznała za zakazane, lecz osobniki niecenzuralne już to korumpowały organa kontroli, już to używały w miejscach publicznych masek, przystawek, ogony przylepiano sobie plastrem do pleców lub wpuszczano chyłkiem do nogawki itp. Praktyki te były tajemnicą poliszynela.

Pentadoch Marmozel, działając w myśl zasady „divide et impera", zwiększył ustawowo ilość oficjalnie dopuszczonych płci. Pod jego rządami obok mężczyzny i kobiety wprowadzono plążczyznę, wywijastę i dwie płci pomocnicze — podtrzymców i nacieran. Życie, zwłaszcza erotyczne, stało się za tego Pentadocha bardzo skomplikowane. Ponadto tajne organizacje, gromadząc się na obrady, czyniły to pod pozorem zaleconego przez władzę sześciopłciowego obcowania, toteż przyszło do częściowego unieważnienia projektu: do dziś istnieją tylko wywijasta i plążczyzna.

Za Heksadochów weszły w życie aluzje cielesne, dzięki którym obchodzono chromosomową cenzurę. Widziałem podobizny osób, którym płatki uszu przedłużały się w małe łydki. Nie wiadomo było, czy osoba taka uszami strzyże, czy wykonuje aluzyjne ruchy kopania. W pewnych kręgach ceniono język zakończony małym kopytkiem. Był wprawdzie niewygodny i niezdatny na nic, lecz tak się właśnie manifestował duch somatycznej niepodległości. Guryl Hapsodor, uchodzący za liberała, zezwolił szczególnie zasłużonym obywatelom na posiadanie dodatkowej nogi; przyjęło się to jako zaszczytne odznaczenie, a potem sens owej nogi, zatraciwszy charakter lokomocyjny, stał się oznaką piastowanej godności; wyżsi urzędnicy mieli do dziewięciu nóg; dzięki temu rangę każdego można było rozpoznać natychmiast nawet w łaźni.

Za rządów surowego Rondra Ischiolisa wstrzymano wydawanie zezwoleń na dodatkowy metraż cielesny, a nawet konfiskowano nogi winnym wykroczeń; podobno chciał on zlikwidować wszystkie kończyny i narządy prócz niezbędnych życiowo oraz wprowadzić mikrominiaturyzację, bo budowano coraz mniejsze mieszkania, lecz Bghiz Gwarndl, który objął po Ischiolisie władzę, anulował te dyrektywy i dopuścił nawet ogon pod pretekstem, że jego kitą można zamiatać mieszkanie. Pojawili się potem przy Gondlu Gurwie tak zwani dolni odchyleńcy, którzy mnożyli sobie kończyny bezprawnie, a w następnej fazie sroższych rządów znów pokazały się, a raczej pochowały paznokcie językowe i inne organelle kontestacyjne. Oscylacje tego typu trwały nadal, gdym przybył na Dychtonię. Czego na pewno nie dałoby się zrealizować cieleśnie, to wyrażała tak zwana literatura pornograficzna biotyki, piśmiennictwo podziemne, należące do prohibitów, jakich moc zawierała biblioteka klasztorna. Przejrzałem np. manifest wzywający do dziewojaka, który miał na włosach chodzić, a płód innego anonimowego autora, dyszkanciarz, winien się był poruszać w powietrzu, szybując na zasadzie poduszkowca.

Poznawszy tak z grubsza dzieje planetarne, zapoznałem się z bieżącą literaturą naukową; głównym organem projektowo-badawczym jest teraz KUPROCIEPS (Komisja Uzgadniająca Projekty Cielesno-Psychiczne). Dzięki uprzejmości o. bibliotekarza mogłem zapoznać się z najświeższymi pracami tego organu. Tak np. inż. ciał Dergard Wnich jest autorem prototypu o tymczasowej nazwie polimona lub wszędołęgi. Prof. dr inż. mag. Dband Rabor pracuje na czele dużego zespołu nad śmiałym, nawet kontrowersyjnym projektem tak zwanego wieloraba — który ma być funkcjonalnym zespoleniem drogi w trzech sensach: komunikacyjnym, płciowym i w siną dal. Mogłem się też zapoznać z perspektywiczno-futurologicznymi pracami ciałoznawców dychtońskich; odniosłem wrażenie, że jako całość znajduje się automorfizm w martwym punkcie rozwoju, chociaż eksperci starają się przełamać stagnację; artykuł prof. Zgagoberta Grauza, dyrektora KUPROCIEPSU, w miesięczniku „Głos Ciała" zamykały słowa „Jak można się n i e przekształcać, jeżeli m o ż n a się przekształcać?"

Po tych wszystkich uporczywych studiach byłem tak wyczerpany, że kiedy odniosłem do biblioteki ostatni stos przeczytanych dzieł, nic nie robiłem przez tydzień, tylko się opalałem w meblowym zagajniku.

Pytałem przeora, co sądzi o biotycznej sytuacji. Jego zdaniem nie ma już dla Dychtończyków powrotu do kształtów ludzkich, bo się od nich nazbyt odsadzili; kształty te budzą, wskutek wielowiekowej indoktrynacji, takie uprzedzenia i taką repulsję powszechną, że nawet oni — roboty — muszą, ukazując się w publicznych miejscach, szczelnie zakrywać całą postać. Spytałem go wtedy — byliśmy sami po kolacji w refektarzu — jaki jest właściwie sens — wewnątrz takiej cywilizacji — działalności zakonnej i wiary?

Przeor uśmiechnął się do mnie głosem.

— Czekałem na to pytanie — rzekł. — Odpowiem ci na nie dwa razy, raz prostacko, a raz subtelniej. Duizm, najpierw, to tyle, co „na dwoje babka wróżyła”. Bóg jest bowiem tajemnicą do tego stopnia, że nie można mieć całkowitej pewności nawet w kwestii jego istnienia. Tak więc albo jest, albo go nie ma, i stąd wywodzi się etymologiczny korzeń imienia naszej wiary. A teraz powtórnie, lecz głębiej: Bóg–Pewność nie jest tajemnicą doskonałą, skoro przynajmniej w tym można go przychwycić i całkowicie ograniczyć, że Jest. Gwarantowany byt jego to tyle, co oaza, miejsce uspokojenia, leniwiec ducha, i właśnie z ksiąg historii religii możesz wyczytać przede wszystkim wiekowy, bezustanny, do ostateczności napięty, w szaleństwo idący wysiłek myśli, która wciąż gromadziła argumenty i dowody Jego istnienia, i wciąż rozsypujące się w gruz wznosiła z odłamków i szczątków od nowa. Nie utrudzaliśmy cię przedkładaniem naszych ksiąg teologicznych, ale gdybyś do nich zajrzał, zobaczyłbyś te etapy dalsze rozwoju naturalnego wiary, jakich jeszcze nie znają młodsze cywilizacje. Faza dogmatyki nie urywa się nagle, lecz przechodzi od stanu zamknięcia w stan otwarcia, gdy ustanowiony zostaje, dialektycznie, po dogmacie nieomylności głowy Kościoła — dogmat nieuchronnej omylności wszelkiej myśli w kwestiach wiary, sformułowany zwięźle w słowach: „Nic z tego, co może być wysłowione TU, nie jest odpowiednie względem tego, co trwa TAM”. Przychodzi do dalszego podnoszenia poziomu abstrakcji: zauważ, proszę, że dystans między Bogiem a rozumem powiększa się z upływem czasu — wszędzie i zawsze!

Za starożytnym objawieniem Bóg wciąż się wtrącał do wszystkiego, dobrych do nieba brał żywcem, złych siarką polewał, za byle krzakiem siedział, i dopiero potem zaczęło się oddalanie, Bóg tracił naoczność, człekokształtność, brodatość, znikły szkolne pomoce cudów i demonstracje poglądowe przesiedlania demonów w capy, i kontrolne wizytacje anielskie; wiara, jednym słowem, obywała się już bez cyrkowej metafizyki; tak ze sfery zmysłów przechodziła w sferę odrywań. Nie zabrakło i wtedy dowodów Jego istnienia ani wyrażonych w języku wyższej algebry sanktorów, ani bardziej jeszcze elitarnej hermeneutyki. Abstrakcje te docierają wreszcie do punktu, w którym ogłasza się śmierć Boga, aby zdobyć ten rodzaj żelaznego, lodowatego i rozdzierającego spokoju, jaki należy się żywym, gdy opuszczają ich na zawsze najmocniej ukochani.

Manifest o śmierci Boga jest tedy manewrem kolejnym, który ma nas, chociaż druzgocząco, pozbawić metafizycznej fatygi. Jesteśmy sami i zrobimy, co zechcemy, albo to, do czego nas dalsze odkrycia doprowadzają. Otóż duizm poszedł już dalej; w nim wierzysz wątpiąc i wątpisz wierząc; ale i ten stan nie może być ostateczny. Podług niektórych ojców prognozytów ewolucje i rewolucje, czyli obroty i przewroty wiar, nie przebiegają w całym Kosmosie tożsamo i są cywilizacje bardzo potężne i wielkie, które zarządzać usiłują całą Kosmogonią w ramach antybożej prowokacji. Podług tego domysłu są w gwiazdach ludy, które usiłują okropne milczenie Boga przełamać rzuconym mu wyzwaniem, to jest groźbą KOSMOCYDU: chodzi im o to, żeby Kosmos cały zbiegł się w jeden punkt i sam siebie spalił w ogniu takiego ostatecznego skurczu; chcą więc niejako wyważeniem z posad dzieła Bożego wymusić na Bogu jakąkolwiek reakcję; chociaż nic o tym nie wiemy pewnego, pod względem psychologicznym wydaje mi się ten zamysł możliwy. Lecz i daremny zarazem; urządzanie antymaterią krucjat przeciw Panu Bogu nie wygląda bowiem na rozsądny sposób nawiązywania z Nim dialogu.

Nie mogłem powstrzymać cisnącej się na usta uwagi, że duizm, jak widzę, jest właściwie agnostycyzmem czy też „ateizmem nie do końca pewnym siebie" albo bezustannym drganiem między biegunami: jest–nie ma. Ale jeśli jest w nim chociaż szczypta wiary w Boga, to czemu właściwie służy zakonny byt? Komu przydaje się na cokolwiek to wysiadywanie w katakumbach?

— Zbyt wiele pytań naraz! — rzekł o. Darg. — Czekajże. A co mielibyśmy właściwie robić podług twej myśli?

— Jakże? Chociażby rozwijać działalność misyjną...

— A więc ty wciąż jeszcze nic nie rozumiesz! Wciąż jesteś tak daleki ode mnie, jak w chwili pierwszego pojawienia! — rzekł przeor z głębokim smutkiem. — Uważasz, że powinni byśmy zajmować się upowszechnianiem wiary? Misjonarstwem? Tworzyć konwertytów? Nawracać?

— A ojciec tak nie sądzi? Jak to może być? Czy to nie stanowi we wszystkich czasach waszego posłannictwa? — pytałem zdumiony.

— Na Dychtonii — rzekł przeor — możliwych jest milion rzeczy, z jakich nie zdajesz sobie sprawy. Można u nas zetrzeć prostym zabiegiem całą zawartość osobniczej pamięci i naładować opustoszały przez to umysł nową pamięcią syntetyczną, taką, że poddanemu zabiegowi będzie się wydawało, jakoby przeżył to, czego nie przeżył, jakoby doznawał tego, czego nie doznawał, jednym słowem, można uczynić go Kimś Innym, niż był do operacji. Można odmienić charakter i osobowość, więc przerabiać jurnych gwałtowników w słodkich samarytan i na odwrót; ateistów w świętych lub ascetów w rozpasańców; można otępiać mędrców, a głupców czynić geniuszami; pojmij, proszę, że to wszystko jest bardzo łatwe i nic MATERIALNEGO nie stoi na przeszkodzie takim przeróbkom. A teraz zważ dobrze na to, co ci powiem.

Ulegając argumentom naszych kaznodziejów, zakamieniały ateista mógłby uwierzyć. Powiedzmy, że tacy złotouści wysłańcy naszych zakonów nawrócą rozmaite osoby. Końcowy stan tych misjonarskich zabiegów byłby taki, że wskutek zmian, co nastąpiły w ich umysłach, ludzie dotąd niewierzący uwierzyliby. To oczywiste, nieprawdaż?

Przytaknąłem.

— Wybornie. A teraz zważ, że te osoby będą żywiły w kwestiach wiary nowe przekonania, ponieważ dostarczając im informacji za pośrednictwem natchnionych słów i kaznodziejskich gestów, w określony sposób urobiliśmy ich mózgi. Otóż ten końcowy stan — mózgów ożywionych zachłanną wiarą i pożądaniem Boga — można osiągnąć milion razy szybciej i bardziej niezawodnie, stosując odpowiednio dobraną gamę środków biotycznych. Więc dlaczego właściwie mielibyśmy misjonarzować staroświeckim perswadowaniem, kazaniami, prelekcjami, wykładami, skoro także do naszej dyspozycji stoją te środki nowoczesne?

— Ojciec chyba nie mówi tego poważnie! — zawołałem. — Toż to byłoby nieetyczne!

Przeor wzruszył ramionami.

— Mówisz tak, bo jesteś dzieckiem innej epoki. Zapewne sądzisz, że działalibyśmy podstępem i zniewoleniem, czyli taktyką „kryptokonwersji”, ukradkowo rozsiewając jakieś chemikalia lub jakimiś falami bądź drganiami urabiając umysły. Ależ tak nie jest przecież wcale! Niegdyś odbywały się dysputy wierzących z niewierzącymi, a jedynym instrumentem, jedyną bronią używaną była słowna moc argumentu obu stron (nie myślę o „dysputach”, w których argumentem był pal, stos lub topór). Obecnie analogiczna dysputa odbywałaby się na środki argumentacji technicznej. My byśmy działali instrumentami nawracającymi, a zatwardzialcy-oponenci kontratakowaliby środkami, które by nas miały przerobić na ich modłę, a co najmniej uodpornić ich przeciwko temu trybowi misjonarzowania. Szanse obu stron na wygraną zależałyby od skuteczności użytych technik, tak samo jak ongiś szanse zwycięstwa w dyspucie zależały od skuteczności słownego wywodu. Nawrócić bowiem to tyle, co przekazać zniewalającą do wiary informację.

— A jednak — upierałem się — takie nawracanie nie byłoby autentyczne! Przecież preparat, wywołujący pragnienie wiary i głód Boga, fałszuje umysł, bo nie przemawia do jego wolności, lecz przymusza go i gwałci!

— Zapominasz o tym, do kogo i gdzie mówisz — odparł przeor. — Od sześciuset lat nie ma u nas ani jednego „naturalnego” umysłu. Nie ma więc u nas możliwości odróżnienia pomiędzy myślą narzuconą i naturalną, ponieważ nikt nie musi nikomu żadnej myśli ukradkiem narzucać, żeby go przekonać. Narzuca się coś wcześniejszego i ostatecznego zarazem, to znaczy mózg!

— Lecz i ten narzucony mózg ma nienaruszoną logikę! — odparłem.

— To prawda. Wszelako zrównanie niegdysiejszych i obecnych dysput o Bogu straciłoby zasadność tylko wówczas, gdyby na rzecz wiary istniała argumentacja logicznie nieodparta, zniewalająca umysł do aprobowania wyniku z taką samą mocą, z jaką to matematyka czyni. Ale podług naszej teodycei takiej argumentacji nie może być. Toteż historia wiar zna apostazy i herezje, lecz nie zna analogicznych odstępstw historia matematyki, ponieważ nigdy nie było takich, co by odmawiali zgody na to, że jest jeden tylko sposób dodawania jedności do jedności i że wynikiem tej operacji będzie liczba dwa. Ale Boga nie udowodnisz matematycznie. Opowiem ci o tym, co zaszło dwieście lat temu.

Pewien ojciec komputer starł się z komputerem niewierzącym. Ten ostatni, jako nowszy model, dysponował środkami informacyjnego działania nie znanymi naszemu duchownemu. Wysłuchał tedy jego argumentacji i rzekł mu: „Pan mnie informowałeś, a teraz ja cię poinformuję, co nie potrwa ani milionowej cząstki sekundy — poczekajmyż tę chwilkę na przemienienie pańskie!" Po czym zdalnie i błyskawicowo tak przeinformował naszego ojca, że ten wiarę stracił. Cóż powiesz?

— No, jeśli to nie był gwałt zadany, to już nie wiem! — zawołałem. — U nas zwie się to manipulowaniem umysłami.

— Manipulowanie umysłami — rzekł o. Darg — to tyle, co nakładanie duchowi niewidzialnych więzów tym samym sposobem, jakim można je ciału widzialnie nakładać. Myśl jest jak pismo, wychodzące spod ręki, a manipulacja myślą jest jak przechwycenie piszącej dłoni, żeby stawiała inne znaki. To oczywisty gwałt. Lecz ów komputer nie tak działał. Każdy wywód musi być budowany z danych; przekonywać zaś w dyskusji to tyle, co słowami wymawianymi przesuwać dane w umyśle oponenta. Komputer ten uczynił to właśnie, lecz nie słowem mówionym. Nie zrobił więc pod względem informacyjnym nic innego niż zwykły, dawny dysputant, a jedynie zrobił to pod względem przesyłowym inaczej. Mógł zaś postąpić tak, bo dzięki swej umiejętności umysł naszego ojca widział na wylot. Wyobraź sobie, że jeden szachista widzi tylko szachownicę z figurami, a drugi nadto jeszcze dostrzega myśli przeciwnika. On go zwycięży na pewno, jakkolwiek wcale go nie zgwałci w niczym. Jak sądzisz, co uczyniliśmy z naszym duchownym, gdy do nas wrócił?

— Chyba zrobiliście tak, żeby mógł na powrót uwierzyć... — powiedziałem niepewnie.

— Nie uczyniliśmy tego, ponieważ odmawiał zgody. Nie mogliśmy więc tego zrobić.

— Teraz już nic nie rozumiem! Przecież postąpilibyście tak samo, jak ów jego przeciwnik, tylko na odwrót!

— Ależ nie. Już nie, bo ten nasz były ojciec nie życzył sobie żadnych dalszych dysput. Pojęcie „dysputy" odmieniło się i rozszerzyło znacznie, uważasz? Kto wkracza teraz w jej szranki, musi być gotów nie tylko na ataki słów. Ojciec nasz wykazał, niestety, smutną ignorancję i naiwność, bo był ostrzegany, bo tamten go o przewadze z góry zapewniał, lecz nie chciało mu się pomieścić w głowie, żeby jego niewzruszona wiara mogła się czemukolwiek poddać. Pod względem teoretycznym istnieje wyjście z tej matni eskalacyjnej: trzeba by mianowicie sporządzić umysł zdolny do uwzględnienia WSZYSTKICH wariantów WSZYSTKICH MOŻLIWYCH danych, lecz ponieważ ich zbiór jest mocy pozaskończonej, tylko pozaskończony umysł mógłby zdobyć metafizyczną pewność. Takiego na pewno niepodobna zbudować. Jakkolwiek bowiem budujemy, w skończony sposób budujemy, jeśli zaś istnieje nieskończony komputer, to jest nim tylko On.

Tak więc na nowym piętrze cywilizacyjnym spór o Boga nie tylko może, lecz musi być prowadzony nowymi technikami — jeśli się go w ogóle chce toczyć. Oręż informacyjny zmienił się bowiem po OBU STRONACH TAK SAMO, sytuacja walki byłaby symetryczna i przez to tożsama z sytuacją średniowiecznych dysput. To nowe misjonarzowanie można uznać za niemoralne tylko o tyle, o ile uzna się za niemoralne stare nawracanie pogan lub spory dawnych teologów z ateistami. Żaden inny tryb pracy misyjnej nie jest już obecnie możliwy, ponieważ ten, kto by dziś zechciał uwierzyć, n a p e w n o uwierzy, a ten, kto ma wiarę i pragnie ją utracić, n a p e w n o ją utraci — dzięki zabiegom właściwym.

— A więc z kolei można by działać na organ woli, wywołując chęć wiary? — spytałem.

— Tak jest w samej rzeczy, jak wiesz, ukuto niegdyś powiedzenie, że Bóg jest po stronie silniejszych batalionów. Obecnie, w myśl idei krucjat technogennych, okazałby się po stronie silniejszych aparatów konwersyjnych, lecz nie uważamy, jakoby zadaniem naszym było wdać się w taki wyścig zbrojeń teodyktycznych, sakralno-antysakralnych, nie chcemy wejść na drogę podobnej eskalacji, że to my sporządzimy konwertor, a oni antykonwertor, że my nawrócimy, a oni odwrócą i tak się będziemy zmagali wiekami, zamieniwszy klasztory w kuźnie coraz skuteczniejszych środków i taktyk budzenia głodu wiary!

— Nie mogę pojąć — rzekłem — jak to jest możliwe, żeby nie było innej drogi, ojcze, prócz tej, jaką mi pokazujesz. Przecież wszystkim umysłom wspólna jest ta sama logika? A naturalny rozum?

— Logika jest narzędziem — odparł przeor — a z narzędzia nic nie wynika. Musi ono mieć osadę i kierującą dłoń, a tę osadę i tę dłoń można u nas ukształtować, jak się komu żywnie podoba. Co do naturalnego rozumu, to czy ja i ojcowie jesteśmy naturalni? Jakem ci już mówił, stanowimy złom, a nasze Credo jest to dla tych, co pierwej nas sporządzili, a potem wyrzucili, uboczny produkt, bełkot tego złomu. Otrzymaliśmy wolność myśli, ponieważ przemysł, dla którego nas zbudowano, tego właśnie wymagał. Słuchaj pilnie. Zdradzę ci teraz tajemnicę, której nikomu innemu bym nie zdradził. Wiem, że rychło nas opuścisz i że nie przekażesz jej władzom: nie uszłaby nam na sucho.

Ojcowie jednego z odległych zakonów, poświęcający się nauce, odkryli środki takiego oddziaływania na wolę i myśl, że moglibyśmy w okamgnieniu nawrócić całą planetę, ponieważ nie ma przeciw nim żadnego antidotum. Te środki nie odurzają, nie otępiają, nie pozbawiają wolności, a jedynie czynią one duchowi to samo, co czyni wzrokowi ręka, zadzierająca głowę ku niebu, i głos mówiący: „patrz"! Jedynym przynagleniem oraz zniewoleniem byłoby to, że nie można wtedy zamknąć oczu. Środki te zmuszają do spojrzenia w twarz Tajemnicy, a kto ją tak ujrzy, ten się już jej nie pozbędzie, bo wytłacza ona dzięki nim ślady nieścieralne. Byłoby to, mówię przyrównaniem, coś takiego, jakbym cię zawiódł na skraj wulkanu i nakłonił, żebyś popatrzał w g ł ą b, a jedyny przymus, który ci zadam, byłby taki, że tego już nie zdołasz zapomnieć. Tak zatem JUŻ jesteśmy wszechmocni w konwersji, ponieważ osiągnęliśmy w dziedzinie nawracania na wiarę ten najwyższy stopień wolności działania, który w innej, materialno-cielesnego sprawstwa, cywilizacja osiągnęła. Możemy więc, wreszcie... czy pojmujesz? Mamy tę wszechmoc misjonarską i nie uczynimy nic. Albowiem jedyną rzeczą, w jakiej się jeszcze może objawić nasza wiara, jest odmowa zgody na ten krok. Powiadam przede wszystkim: NON AGAM. Nie tylko NON SERVIAM, lecz także: Nie będę działał. A nie będę, ponieważ m o g ę działać p e w n i e i tym działaniem uczynić w s z y s t k o, co zechcę. Nie pozostaje nam tedy nic ponad to trwanie tutaj, przy szczurzej skamielinie, w rojowisku wyschniętych kanałów.

Nie znalazłem odpowiedzi na te słowa. Widząc bezpłodność dalszego pobytu na planecie, po pełnym wzruszenia i żalu pożegnaniu z zacnymi ojcami, załadowawszy rakietę, która szczęśliwie przetrwała pod kamuflażem, ruszyłem w drogę powrotną, czując się innym człowiekiem niż ten, który nie tak dawno temu przecież na niej wylądował.

Kongres futurologiczny

Ze wspomnień Ijona Tichego

Ósmy Światowy Kongres Futurologiczny odbył się w Costaricanie. Prawdę mówiąc, nie pojechałbym do Nounas, gdyby nie profesor Tarantoga, który dał mi do zrozumienia, że tego się po mnie oczekuje. Powiedział też (co mnie dotknęło), że astronautyka jest dziś formą ucieczki od spraw ziemskich. Każdy, kto ma ich dość, wyrusza w Galaktykę, licząc na to, że najgorsze stanie się pod jego nieobecność. Prawdą jest, że nieraz, zwłaszcza w dawniejszych podróżach, wracałem z lękiem, wypatrując przez okno Ziemi — czy nie przypomina upieczonego kartofla. Toteż zbytnio się nie opierałem, a jedynie zauważyłem, że się na futurologii nie znam. Tarantoga odparł, że na ogół nikt nie zna się na pompowaniu, a jednak spieszymy na stanowiska, usłyszawszy okrzyk „do pomp!"

Zarząd Towarzystwa Futurologicznego wybrał Costaricanę na miejsce obrad, ponieważ były poświęcone potopowi ludnościowemu i środkom jego zwalczania. Costaricana ma obecnie najwyższą stopę przyrostu demograficznego na świecie; pod presją takiej rzeczywistości mieliśmy skuteczniej obradować. Co prawda — ale tak mówili tylko złośliwcy — nowy hotel, jaki zbudowała korporacja Hiltona w Nounas, świecił pustkami, a na zjazd miało przybyć oprócz futurologów — drugie tyle dziennikarzy. Ponieważ w toku obrad nie zostało z tego hotelu nic, mogę, nie bojąc się pomówień o reklamiarstwo, ze spokojnym sumieniem orzec, że był to Hilton znakomity. W moich ustach słowa te mają szczególną wagę, jestem bowiem sybarytą z urodzenia i tylko poczucie obowiązku skłaniało mnie do rezygnowania z wygód na rzecz astronautycznej mordęgi.

Costaricański Hilton wystrzelał na sto sześć pięter z płaskiego, czteropiętrowego cokołu. Na dachach niskiej części zabudowań mieściły się korty tenisowe, pływalnie, solaria, tory wyścigów gokartowych, karuzele, które były zarazem ruletkami, strzelnica (można tam było strzelać do wypchanych osób, do kogo dusza zapragnęła — zamówienia specjalne realizowano w dwadzieścia cztery godziny) oraz muszla koncertowa z instalacją do natryskiwania słuchaczy gazem łzawiącym. Dostał mi się apartament na setnym piętrze, z którego mogłem oglądać tylko górną powierzchnię sinobrunatnej chmury smogu, spowijającej miasto. Niektóre z urządzeń hotelowych zastanowiły mnie, na przykład trzymetrowy żelazny drąg stojący w kącie jaspisowej łazienki, pomalowana barwami ochronnymi peleryna maskująca w szafie czy worek z sucharami pod łóżkiem. W łazience wisiał, obok ręczników, gruby zwój typowej liny wysokogórskiej, a na drzwiach, gdym po raz pierwszy wetknął klucz do zamku Yale, zauważyłem małą tabliczkę z napisem „Dyrekcja Hiltona gwarantuje brak BOMB w tym pomieszczeniu".

Jak wiadomo, uczeni dzielą się dziś na stacjonarnych i jeżdżących. Stacjonarni po staremu prowadzą różne badania, jeżdżący zaś uczestniczą we wszechmożliwych konferencjach i kongresach międzynarodowych. Uczonego tej drugiej grupy łatwo rozpoznać: w klapie nosi zawsze małą wizytówkę z własnym nazwiskiem i stopniem naukowym, w kieszeni — rozkłady jazdy linii lotniczych, podpasuje się ściągaczem bez części metalowych, a także jego teczka zamyka się na plastykowy zatrzask — wszystko, aby nie uruchamiać niepotrzebnie alarmowej syreny urządzenia, które na lotnisku prześwietla podróżnych i wykrywa broń sieczną oraz palną. Uczony taki fachową literaturę studiuje w autobusach linii lotniczych, w poczekalniach, w samolotach i w hotelowych barach. Nie znając, dla zrozumiałych przyczyn, wielu osobliwości ziemskiej kultury lat ostatnich, wywołałem w Bangkoku, w Atenach i w samej Costaricanie alarmy na lotnisku, czemu nie mogłem zapobiec w porę, ponieważ mam sześć metalowych plomb (z amalgamatu). Zamierzałem zmienić je na porcelanowe w samym Nounas, lecz udaremniły to niespodziewane wypadki. Co do sznura, drąga, sucharów i peleryny, jeden z członków amerykańskiej delegacji futurologicznej wyjaśnił mi pobłażliwie, że hotelarstwo naszej doby przedsiębierze nie znane dawniej środki ostrożności. Każdy taki przedmiot, umieszczony w apartamencie, powiększa przeżywalność gości hotelowych. Słowom tym nie poświęciłem, przez lekkomyślność, właściwej uwagi.

Obrady miały się rozpocząć po południu pierwszego dnia, a już rankiem dostarczono nam komplety materiałów konferencyjnych, wydanych elegancko, w pięknej szacie graficznej, z licznymi eksponatami. Zwłaszcza ładnie prezentowały się bloczki z satynowanego błękitnego papieru, opatrzone nadrukiem „Przepustki kopulacyjne". Nowoczesne konferencje naukowe też cierpią od demograficznej eksplozji. Ponieważ liczba futurologów rośnie w tej samej potędze, w jakiej się zwiększa cała ludzkość, na zjazdach panuje tłok i pośpiech. O wygłaszaniu referatów nie ma mowy; trzeba się zapoznać z nimi wcześniej. Z rana zaś nie było na to czasu, ponieważ gospodarze podejmowali nas lampką wina. Ta mała uroczystość odbyła się niemal bez zakłóceń, jeśli nie brać pod uwagę obrzucenia zgniłymi pomidorami delegacji Stanów Zjednoczonych; już z kieliszkiem w ręku dowiedziałem się od Jima Stantora, znajomego dziennikarza z United Press International, że o świcie porwano konsula i trzeciego attaché ambasady amerykańskiej w Costaricanie. Porywacze-ekstremiści żądali w zamian za zwolnienie dyplomatów wypuszczenia więźniów politycznych, aby zaś podkreślić wagę swych żądań, posyłali na razie ambasadzie oraz czynnikom rządowym pojedyncze zęby owych zakładników, zapowiadając eskalację. Dysonans ten nie zakłócił jednak ciepłej atmosfery rannego koktajlu. Bawił na nim osobiście ambasador USA i wygłosił króciutkie przemówienie o potrzebie współpracy międzynarodowej, tyle że mówił otoczony przez sześciu barczystych cywilów, którzy trzymali nas na muszce. Wyznaję, że byłem tym nieco zdetonowany, zwłaszcza że stojący obok mnie ciemnoskóry delegat Indii ze względu na katar chciał sobie wytrzeć nos i sięgnął po chusteczkę do kieszeni. Rzecznik prasowy Towarzystwa Futurologicznego zapewniał mnie potem, że zastosowane środki były konieczne i humanitarne. Obstawa dysponuje wyłącznie bronią o dużym kalibrze z małą siłą przebijającą, tak samo jak strażnicy na pokładzie samolotów pasażerskich, dzięki czemu nikt postronny nie może być poszkodowany, w przeciwieństwie do dawnych dni, kiedy się zdarzało, że pocisk, kładąc trupem zamachowca, przechodził na wylot przez pięć albo i sześć siedzących za nim Bogu ducha winnych osób. Niemniej widok człowieka walącego się u waszych stóp pod skoncentrowanym ogniem nie należy do miłych, i to nawet wówczas, gdy idzie o zwyczajne nieporozumienie, które potem jest przyczyną wymiany dyplomatycznych not z przeprosinami.

Ale zamiast wdawać się w rozważania z zakresu humanitarnej balistyki, powinienem był wyjaśnić, czemu nie mogłem się zapoznać w ciągu całego dnia z materiałami konferencji. Pomijając już ten przykry szczegół, że przyszło mi pospiesznie zmieniać zakrwawioną koszulę, wbrew swoim zwyczajom jadłem śniadanie w barze hotelowym. Rano jem zawsze jajka na miękko, a hotel, w którym można by je dostać do łóżka, nie ścięte razem z żółtkiem w obrzydliwy sposób, jeszcze nie został wybudowany. Wiąże się to, naturalnie, z bezustannym wzrostem rozmiarów stołecznych hoteli. Gdy kuchnię oddziela od pokoju odległość półtorej mili, nic nie uratuje żółtka przed ścięciem. O ile wiem, problem ten badali specjalni fachowcy Hiltona i doszli do wniosku, że jedynym środkiem zaradczym byłyby specjalne windy poruszające się z naddźwiękową szybkością, jednakże tak zwany „sonic boom" — grzmot wywołany przebiciem bariery dźwięku — w zamkniętej przestrzeni gmachu powodowałby pękanie bębenków w uszach. Ewentualnie można żądać, aby automat kuchenny dostarczył surowych jaj, które na waszych oczach na miękko ugotuje w pokoju automat kelnerski, lecz stąd już niedaleko do wożenia się po Hiltonach z kojcem własnych kur. Dlatego właśnie udałem się z rana do baru. Obecnie 95 procent gości hotelowych tworzą uczestnicy wszelakich zjazdów i konferencji. Gość-samotnik, turysta-soliter, bez wizytówki w klapie i teczki wypchanej szpargałami konferencyjnymi, jest rzadki jak perła na pustyni. Oprócz naszej odbywała się akurat w Costaricanie Konferencja Kontestatorów Młodzieżowych ugrupowania „Tygrysów", Zjazd Wydawców Literatury Wyzwolonej oraz Towarzystwa Filumenicznego. Zwykle przydziela się takim grupom pokoje na tych samych piętrach, lecz chcąc mnie uhonorować, dyrekcja dała mi apartament na setnym, ponieważ miało własny gaj palmowy, w którym odbywały się koncerty Bacha; orkiestra była żeńska i grając dokonywała zbiorowego strip-tease'u. Na wszystkim tym raczej mi nie zależało, lecz nie było, niestety, żadnego wolnego pokoju, musiałem więc zostać tam, gdzie mnie ulokowano. Ledwie zasiadłem na barowym stołku mego piętra, a już pleczysty sąsiad, brodacz kruczowłosy (mogłem odczytać z jego brody, jak z karty dań, wszystkie posiłki minionego tygodnia), podsunął mi pod nos ciężką, okutą dwururkę, którą miał zawieszoną przez plecy, i zaśmiawszy się rubasznie spytał, jak oceniam jego papieżówkę. Nie wiedziałem, co to znaczy, ale wolałem się do tego nie przyznawać. Najlepszą taktyką w przypadkowych znajomościach — jest milczenie. Jakoż sam wyjawił mi ochoczo, że dubeltowy sztucer, wyposażony w celownik z laserem, cyngiel-schneller oraz ładowarkę, jest bronią na papieża. Gadając bezustannie, wyciągnął z kieszeni złamane zdjęcie, na którym widniał, składając się do celu, jaki stanowił manekin w piusce. Osiągnął już, jak twierdził, szczytową formę i wybiera się właśnie do Rzymu, na wielką pielgrzymkę, aby ustrzelić Ojca Świętego pod bazyliką Piotrową. Nie wierzyłem ani jednemu jego słowu, lecz, wciąż paplając, po kolei pokazał mi bilet lotniczy z rezerwacją, mszalik oraz prospekt pielgrzymki dla amerykańskich katolików, jak również paczkę naboi z rżniętą w krzyż główką. Dla oszczędności nabył bilet tylko w jedną stronę, ponieważ liczył na to, że wzburzeni pątnicy rozedrą go na sztuki. Perspektywa ta zdawała się wprawiać go w doskonały humor. Sądziłem zrazu, że mam do czynienia z wariatem lub zawodowym dynamitardem-ekstremistą, jakich nie brak obecnie, lecz i w tym się omyliłem. Gadając bez przerwy i złażąc wciąż z wysokiego stołka, bo strzelba obsuwała mu się na podłogę, wyjawił mi, że jest właśnie gorącym, prawowiernym katolikiem, planowana zaś przezeń akcja (zwał ją „akcją P") będzie z jego strony szczególną ofiarą; chodzi mu o wstrząśnięcie sumieniem ludzkości, a cóż może wstrząsnąć nim lepiej nad czyn tak skrajny? Zrobi to samo, wykładał mi, co podług Pisma Świętego miał zrobić Abraham z Izaakiem, tyle że na odwrót, bo wszak nie syna położy, lecz ojca, i to na dobitkę świętego. Tym samym da dowód najwyższej ofiarności, na jaką może się zdobyć chrześcijanin, bo i ciało wyda na męki, i duszę na potępienie, a wszystko po to, by otworzyć ludzkości oczy. Już to — pomyślałem — zbyt wielu jest amatorów tego otwierania oczu; nie przekonany ową filipiką, poszedłem ratować papieża, to jest powiadomić kogoś o tym planie, lecz Stantor, który mi się napatoczył w barze 77 piętra, nie wysłuchawszy mnie nawet do końca powiedział, że w podarkach, jakie ofiarowała Hadrianowi XI ostatnia wycieczka wiernych amerykańskich, były dwie zegarówki i beczułka wypełniona — zamiast winem mszalnym — nitrogliceryną; zblazowanie jego pojąłem lepiej, usłyszawszy, że ekstremiści przysłali dopiero co do ambasady nogę, nie wiadomo tylko jeszcze — czyją. Nie dokończył zresztą rozmowy, bo odwołano go do telefonu; podobno na Avenida Romana ktoś się właśnie podpalił na znak protestu. Na 77 piętrze panowała w barze zupełnie inna atmosfera niż u mnie na górze; było wiele dziewczyn bosych, poubieranych w łańcuszkowe koszulki do pasa, niektóre przy szabli; część z nich miała długie warkocze, przymocowane, zgodnie z najnowszą modą, do breloczka na szyi lub do obróżki wybijanej ćwiekami. Nie jestem pewien, czy były to filumenistki, czy też sekretarki Stowarzyszenia Wyzwolonych Wydawców; sądząc po barwnych fotosach, jakie oglądały, szło raczej o specjalne wydawnictwa. Zjechałem o dziewięć pięter niżej, gdzie zamieszkiwali moi futurologowie, i w kolejnym barze wypiłem długiego drinka z Alfonsem Mauvinem z Agence France Press; po raz ostatni spróbowałem ratować papieża, lecz Mauvin opowieść moją przyjął ze stoicyzmem; mruknął tylko, że w ubiegłym miesiącu pewien australijski pątnik strzelał już w Watykanie, ale z zupełnie innych pozycji ideowych. Mauvin liczył na interesujący wywiad dla swej agencji z niejakim Manuelem Pyrhullo, ściganym przez FBI, Sûreté, Interpol i szereg innych policji, był on bowiem założycielem usługowej firmy nowego typu: wynajmował się jako ekspert od zamachów środkami wybuchowymi (znano go pospolicie pod pseudonimem „Bombowiec"), szczycąc się nawet swoją bezideowością. Gdy piękna rudowłosa dziewczyna w czymś, co przypominało koronkową koszulę nocną, gęsto podziurawioną seriami broni maszynowej, podeszła do naszego stolika (była to właśnie wysłanniczka ekstremistów, która miała pilotować reportera do ich kwatery głównej), Mauvin, odchodząc, wręczył mi ulotkę reklamową Pyrhulla, z której się dowiedziałem, że najwyższy czas skończyć z wyczynami nieodpowiedzialnych amatorów, niezdolnych odróżnić dynamit od melinitu ani piorunian rtęci od sznura Bickforda; w czasach wysokiej specjalizacji nie robi się niczego na własną rękę, lecz polega na zawodowej etyce i wiedzy sumiennych fachowców; na odwrocie ulotki znajdował się cennik usług z przeliczeniami w walutach najwyżej rozwiniętych krajów świata.

Futurologowie jęli się właśnie schodzić do baru, gdy jeden z nich, profesor Mashkenase, wpadł blady, roztrzęsiony, wołając, że ma zegarową bombę w pokoju; barman, snadź zwyczajny takich rzeczy, automatycznie krzyknął: — Kryć się! — i skoczył pod szynkwas; wnet jednak detektywi hotelowi wykryli, że jakiś kolega zrobił Mashkenasemu głupi kawał, włożywszy do pudełka po keksach zwyczajny budzik. Wyglądało mi to na Anglika, oni bowiem kochają się w tak zwanych „practical jokes", lecz puszczono rzecz w niepamięć, bo zjawili się J. Stantor i J. G. Howler, obaj z UPI, przynosząc tekst *aide-mémoire* rządu USA do rządu Costaricany w sprawie porwanych dyplomatów. Było ono sformułowane zwykłym językiem not dyplomatycznych i ani nogi, ani zębów nie nazywało po imieniu. Jim powiedział mi, że miejscowy rząd może uciec się do środków drastycznych; generał Apollon Diaz, sprawujący władzę, przychylał się do opinii „jastrzębi", by gwałt odeprzeć gwałtem. Na posiedzeniu (rząd obradował w permanencji) padła propozycja przejścia do kontrataku — żeby więźniom politycznym, których zwolnienia żądają ekstremiści, wyrwać dwa razy tyle zębów, a ponieważ adres kwatery ekstremistów jest nieznany, zęby te prześle im się na poste restante. Lotnicze wydanie „New York Timesa" piórem Sulzbergera apelowało do poczucia rozsądku i wspólnoty gatunkowej człowieka. Stantor powiedział mi w dyskrecji, że rząd zarekwirował pociąg z tajnym materiałem wojskowym, będącym własnością USA, który szedł tranzytem przez terytorium Costaricany do Peru. Jak dotąd ekstremiści nie wpadli na pomysł porwania futurologów, co z ich punktu widzenia nie byłoby głupie, ponieważ aktualnie w Costaricanie było więcej futurologów niż dyplomatów. Stupiętrowy hotel jest atoli organizmem tak ogromnym i tak komfortowo odseparowanym od reszty świata, że wieści z zewnątrz dochodzą doń jakby z drugiej półkuli. Na razie nikt z futurologów nie okazywał paniki: własne biuro podróży Hiltona nie było oblężone przez gości rezerwujących miejsca na samoloty do Stanów czy gdzie indziej. Na drugą wyznaczono oficjalny bankiet otwarcia, a ja nie zdążyłem się jeszcze przebrać w wieczorową piżamę, pojechałem więc do pokoju, a potem z największym pośpiechem zjechałem do Sali Purpurowej na 46 piętrze. W foyer podeszły do mnie dwie czarujące dziewczyny w szarawarach topless, z biustami pomalowanymi w niezapominajki i śnieżyczki, by wręczyć mi lśniący folder. Nie spojrzawszy nań, wszedłem do sali, jeszcze pustawej, i dech mi zaparł widok stołów, nie dlatego, że były suto zastawione, lecz szokujące były formy, w jakich podano wszystkie pasztety, przystawki i zakąski — nawet sałatki stanowiły imitację genitaliów. O złudzeniu optycznym nie było mowy, bo dyskretnie ukryte głośniki nadawały popularny w pewnych kręgach szlagier, zaczynający się od słów: „Tylko głupiec i kanalia lekceważy genitalia, bo najbardziej jest dziś modne reklamować części rodne!"

Pojawiali się pierwsi bankietowicze, z gęstymi brodami i sumiastymi wąsiskami, zresztą sami młodzi ludzie, w piżamach albo i bez nich; gdy sześciu kelnerów wniosło tort, widząc tę najbardziej nieprzyzwoitą leguminę świata, nie mogłem już mieć wątpliwości: pomyliłem sale i mimo woli dostałem się na bankiet Wyzwolonej Literatury. Pod pretekstem, że zginęła mi sekretarka, wycofałem się czym prędzej i zjechałem o jedno piętro niżej, aby odetchnąć we właściwym miejscu: Purpurowa Sala (a nie Różowa, do jakiej się dostałem) była już pełna. Rozczarowanie, wywołane skromnością przyjęcia, ukryłem, jak umiałem. Bufet był zimny i stojący; aby utrudnić konsumpcję, wyniesiono z olbrzymiej sali wszystkie krzesła i fotele, tak że wypadało okazać zwykłą w podobnych okolicznościach zręczność, zwłaszcza że do półmisków co istotniejszych zrobił się fatalny tłok. Señor Cuillone, przedstawiciel sekcji costaricańskiej Towarzystwa Futurologicznego, tłumaczył z czarującym uśmiechem, że wszelka lukullusowość byłaby nie na miejscu, zważywszy, iż tematem obrad jest między innymi klęska głodu zagrażająca ludzkości. Naturalnie znaleźli się sceptycy, którzy mówili, że Towarzystwu obcięto dotacje i tym jedynie można tłumaczyć tak drastyczne oszczędności. Dziennikarze, zawodowo zmuszeni do abnegacji, kręcili się pośród nas, robiąc małe wywiady z luminarzami prognostyki zagranicznej; zamiast ambasadora USA zjawił się tylko trzeci sekretarz ambasady z masywną obstawą, w smokingu, on jeden, bo kuloodporną kamizelkę trudno schować pod piżamą. Słyszałem, że gości z miasta poddawano w hallu rewizji osobistej i miał się już tam piętrzyć spory stos znalezionej broni. Właściwe obrady wyznaczono dopiero na piątą, było więc dość czasu, by odetchnąć u siebie, toteż pojechałem na setne piętro. Po przesolonych sałatkach odczuwałem silne pragnienie, że jednak bar mojego piętra okupowali twardo kontestatorzy i dynamitardzi ze swoimi dziewczętami, a miałem już dość jednej rozmowy z brodatym papistą (czy antypapistą), zadowoliłem się szklanką wody z kranu. Ledwom ją wychylił, zgasło światło w łazience i obu pokojach, telefon zaś, bez względu na to, jaki nakręcałem numer, łączył mnie wciąż tylko z automatem opowiadającym bajkę o Kopciuszku. Chciałem zjechać na dół, lecz i winda nie działała. Słyszałem chóralny śpiew kontestatorów, którzy teraz już strzelali do taktu; miałem nadzieję, że obok. Rzeczy takie trafiają się nawet w pierwszorzędnych hotelach, przez co zresztą nie są mniej irytujące, tym jednak, co mnie najbardziej zdziwiło, była moja własna reakcja. Humor, raczej podławy od czasu rozmowy z papieskim strzelcem, poprawiał się z każdą sekundą. Przewracając po omacku sprzęty w pokoju, uśmiechałem się wyrozumiale w ciemność, i nawet kolano, do żywego rozbite o walizy, nie zmniejszyło mej życzliwości dla całego świata. Wymacawszy na nocnym stoliczku resztki posiłku, jakiego zażądałem między śniadaniem a lunchem do pokoju, wetknąłem w krążek masła strzęp papieru, wyrwany z foldera kongresowego, i gdym go zapalił zapałką, uzyskałem kopcącą wprawdzie, ale jednak świeczkę, w której blasku zasiadłem na fotelu, bo miałem wszak jeszcze ponad dwie godziny wolnego czasu, wliczając w to godzinny spacer po schodach (skoro winda była nieczynna). Moja pogoda duchowa przechodziła dalsze fluktuacje i zmiany, którym przyglądałem się z żywym zaciekawieniem. Było mi wesoło, wprost doskonale. Mogłem w lot wyliczyć roje argumentów na rzecz tego właśnie stanu rzeczy, jaki zaszedł. Wydawało mi się najsolenniej, że apartament Hiltona, pogrążony w egipskich ciemnościach, pełen swędu i kopcia ogarka maślanego, odcięty od świata, z telefonem opowiadającym bajki, jest jednym z najmilszych miejsc na świecie, jakie można sobie wystawić. Ponadto odczuwałem przemożną chęć głaskania byle kogo po głowie, a przynajmniej uściśnięcia bliźniej ręki z głębokim, pełnym serdeczności zajrzeniem w oczy.

Ucałowałbym z dubeltówki najzaciętszego wroga. Masło, roztapiając się, skwiercząc i dymiąc, wciąż gasło; to, że „masło" rymuje się ze „zgasło", wprawiło mnie w atak śmiechu, chociaż zarazem poparzyłem sobie palce zapałkami, usiłując wciąż od nowa zapalić papierowy knot. Maślana świeczka ledwie pełgała, ja zaś nuciłem półgłosem arie ze starych operetek, nie zważając ani trochę na to, że od swędu krztusiłem się i łzy płynęły mi z piekących oczu po policzkach. Wstając, przewróciłem się jak długi, zawadziwszy o walizkę na podłodze, lecz i guz, wielkości jajka, który wyskoczył mi na czole, jedynie polepszył jeszcze mój humor (o ile było to w ogóle możliwe). Zaśmiewałem się, na wpół uduszony śmierdzącym dymem, bo i to nie odmieniło ani na jotę mego radosnego uniesienia. Położyłem się na łóżku, nie posłanym od rana, choć minęło dawno południe; o służbie, wykazującej takie niedbalstwo, myślałem jak o własnych dzieciach: oprócz czułych zdrobnień i pieszczotliwych słówek nic nie przychodziło mi na myśl. Błysnęło mi, że nawet gdybym się tu miał zadusić, byłby to najzabawniejszy, najbardziej sympatyczny rodzaj śmierci, jakiego tylko można sobie życzyć. Ta konstatacja była tak dalece sprzeczna z całym moim usposobieniem, że podziałała na mnie jak pobudka. W duchu mym doszło do zadziwiającego rozszczepienia. Nadal wypełniała go flegmatyczna jasność, rodzaj uniwersalnej życzliwości dla wszystkiego, co istnieje, ręce zaś miałem tak chciwe pieszczenia byle kogo, że w braku osób postronnych jąłem się delikatnie gładzić po policzkach i filuternie pociągać za uszy; podałem też wielokrotnie prawą rękę lewej dla wymiany krzepkiego uścisku. Nawet nogi mi drygały do pieszczot. Przy tym wszystkim w głębi mego jestestwa zapaliły się jakby sygnały alarmowe: — Coś jest nie tak! — krzyczał we mnie daleki, słaby głos — uważaj, Ijonie, bądź czujny, strzeż się! Pogoda ta jest niegodna zaufania! Działaj, nuże! Hejże ha! Naprzód! Nie siedź rozwalony jak jakiś Onassis, zalany łzami od dymu i kopcia, z guzowatym czołem, w powszechnej życzliwości! Ona jest objawem jakowejś czarnej zdrady! — Mimo te głosy palcem nawet nie ruszyłem. Tyle że zaschło mi w gardle. Zresztą serce waliło mi od dawna, ale tłumaczyłem to sobie zbudzoną znienacka wszechmiłością. Poszedłem do łazienki, tak okropnie chciało mi się pić; pomyślałem o przesolonej sałatce z bankietu czy raczej tego stojącego koktajlu, potem zaś na próbę wyobraziłem sobie panów J. W., H. C. M., M. W. i innych moich najgorszych wrogów; stwierdziłem, że oprócz chętki kordialnego uściśnięcia ich dłoni, siarczystego całusa, paru słów bratniej wymiany myśli — nie odczuwam żadnych innych emocji. To już było prawdziwie alarmujące. Z ręką na niklowej główce kranu, dzierżąc w drugiej pustą szklankę, zamarłem. Powoli natoczyłem wody i wykrzywiając twarz w dziwacznym skurczu — widziałem tę walkę własnych rysów w lustrze — wylałem ją.

W o d a z k r a n u. Tak. Od chwili gdy ją wypiłem, zaszły we mnie te zmiany. Coś w niej musiało być! Trucizna? Nie słyszałem jeszcze o takiej, która by... Chociaż zaraz! Jestem wszak stałym abonentem prasy naukowej. Ostatnio w „Science News” pojawiły się notatki o nowych środkach psychotropowych z grupy tak zwanych b e n i g n a t o r ó w (d o b r y n), które zniewalają umysł do bezprzedmiotowej radości i pogody. Ależ tak! Miałem tę notatkę przed oczami ducha. Hedonidol, benefaktoryna, empatian, euforasol, felicytol, altruizan, bonokaresyna i cała masa pochodnych! Zarazem przez podstawienia grup hydroksylowych amidowymi syntetyzowano z tychże ciał furyasol, lyssynę, sadystyzynę, flagellinę, agressium, frustrandol, amokolinę oraz wiele jeszcze preparatów rozwścieczających z tak zwanej grupy bijologicznej (nakłaniały bowiem do bicia i znęcania się nad otoczeniem, tak martwym, jak żywym — przy czym prym miały wodzić kopandol i walina).

Te myśli przerwał dźwięk telefonu; jednocześnie zabłysło światło. Głos pracownika recepcji hotelowej uniżenie i solennie przepraszał za awarię, którą już właśnie usunięto. Otwarłem drzwi na korytarz, by przewietrzyć pokój; w hotelu, o ile mogłem się zorientować, panowała cisza; jakiś oczadziały, wciąż jeszcze przepełniony ochotą udzielania benedykcji i pieszczot, zamknąłem drzwi na zatrzask, usiadłem na środku pokoju i jąłem zmagać się z samym sobą. Stan mój z owej chwili jest niezwykle trudny do opisania. Bynajmniej nie myślało mi się tak gładko ani tak jednoznacznie, jak to podaję. Każda krytyczna refleksja była jakby zanurzona w miodzie, spowijał ją paraliżująco jakiś kogel-mogel głupkowatego samozadowolenia, każda ociekała syropem dodatnich uczuć, duch mój zdawał się zapadać w najsłodszym z możliwych trzęsawisk, jakby tonął w różanych olejkach i lukrach; siłą zmuszałem się do myślenia o tym, co tylko mi najwstrętniejsze, o brodatym łotrze z przeciwpapieżową dubeltówką, o wyuzdanych wydawcach Wyzwolonej Literatury i ich babilońsko-sodomskiej uczcie, znów o panach W. C., J. C. M., A. K. i wielu innych łotrach i oczajduszach, aby z przerażeniem stwierdzać, że wszystkich miłuję, wszystko wszystkim wybaczam, więcej — natychmiast jak wańki-wstańki wyskakiwały z mych myśli argumenty biorące wszelkie zło i plugastwo w obronę. Potop miłości bliźniego rozsadzał mi czaszkę; szczególnie zaś dolegało mi to, co najlepiej może określą słowa „parcie ku dobru”. Zamiast o truciznach psychotropowych myślałem łapczywie o wdowach i sierotach, jakimi z rozkoszą bym się zaopiekował; odczuwałem rosnące zdumienie, że tak mało poświęcałem im dotychczas uwagi. A biedni, a głodni, a chorzy, a nędznicy, wielki Boże! Złapałem się na tym, że klęczę nad walizką i wyrzucam z niej wszystko na podłogę w poszukiwaniu co porządniejszych rzeczy, by je ofiarować potrzebującym. I znów słabe głosy alarmu rozbrzmiały w mej podświadomości: — Uwaga! Nie daj się otumaniać! Walcz! Tnij! Kop! Ratuj się! — krzyczało coś we mnie słabo, lecz rozpaczliwie. Byłem okrutnie rozdarty. Odczuwałem tak potężny ładunek imperatywu kategorycznego, że muchy bym nie ukrzywdził. Jaka szkoda, myślałem, że w Hiltonie nie ma myszy ani chociaż pająków; jakże bym je dopieścił, ukochał! Muchy, pluskwy, szczury, komary, wszy, kochane stworzonka, mocny Boże! Przelotnie pobłogosławiłem stół, lampę i własne nogi. Lecz szczątki trzeźwości już mnie nie opuszczały, toteż niezwłocznie palnąłem lewicą prawą, rozdającą błogosławieństwa rękę, aż mnie ból skręcił. To było niezłe! To mogło być, kto wie, zbawienne! Na szczęście parcie ku dobru miało charakter odśrodkowy: innym życzyłem daleko lepiej niż sobie. Na początek dałem sobie parę razy po gębie, aż mi kręgosłup zaskrzypiał, a w oczach stanęły gwiazdy. Dobrze, tylko tak dalej! Kiedy mi twarz zdrętwiała, jąłem się kopać w kostki. Całe szczęście, że miałem buty ciężkie, o cholernie twardej podeszwie. Po kuracji złożonej z wściekłych kopnięć zrobiło mi się na mgnienie lepiej, to jest gorzej. Ostrożnie próbowałem pomyśleć, jak by to było, gdybym kopnął też pana J. C. A. Nie było to już tak kompletnie niemożliwe. Kostki obu nóg bolały jak wszyscy diabli i chyba dzięki tej automaltretacji zdołałem sobie wyobrazić nawet szturchańca wymierzonego M. W. Nie zważając na dotkliwy ból, kopałem się dalej. Przydatne było wszystko kończaste, zastosowałem tedy widelec, a potem szpilki, które wyciągnąłem z jeszcze nie używanej koszuli. Nie szło to wszakże prosto, raczej falowało, przez parę minut znów gotów się byłem podpalić dla lepszej sprawy, znów buchnął we mnie gejzer szlachetności wyższej i cnotliwego zapamiętania. Nie miałem atoli wątpliwości: c o ś b y ł o w w o d z i e z k r a n u. Prawda!!! Miałem w walizce od dawna wożony, nigdy nie używany środek nasenny, który wprawiał mnie zawsze w ponure i agresywne usposobienie, dlatego właśnie go nie używałem, szczęście, żem się go nie pozbył. Łyknąłem tabletkę, przegryzając ją zakopconym masłem (bo od wody stroniłem jak od dżumy), potem wdławiłem z wysiłkiem dwie pastylki kofeinowe, aby przeciwdziałać wpływowi środka nasennego, usiadłem na fotelu i czekałem ze strachem, ale i z miłością bliźniego na wynik walki chemicznej w mym organizmie. Miłość gwałciła mnie wciąż jeszcze, byłem udobruchany jak jeszcze nigdy w życiu. Zdaje się, że chemikalia zła definitywnie zaczęły przezwyciężać preparaty dobra; gotów byłem nadal do czynności opiekuńczych, ale już nie bez wyboru. Wolałbym co prawda być na wszelki wypadek ostatnim łotrem, przynajmniej czas jakiś.

Po kwadransie jakby mi przeszło. Wziąłem prysznic, wytarłem się szorstkim ręcznikiem, od czasu do czasu na wszelki wypadek waląc się po gębie, ot, tak, dla ogólnej profilaktyki, okleiłem plastrami poranione kostki, palce, policzyłem siniaki (doprawdy zbiłem się w toku tych zmagań na kwaśne jabłko), włożyłem świeżą koszulę, ubranie, poprawiłem przed lustrem krawat, obciągnąłem surdut, przed wyjściem dałem sobie pod żebro, dla animuszu, ale i dla kontroli, i wyszedłem w samą porę, bo już dochodziła piąta. Wbrew mym oczekiwaniom w hotelu nie działo się nic niezwykłego. W barze mego piętra, do którego zajrzałem, było niemal pusto; oparta o stolik stała papieżówka, dwie pary nóg wystawały spod szynkwasu, jedna była bosa, lecz widoku tego nie trzeba było bezwzględnie interpretować w wyższych kategoriach; paru innych dynamitardów grało w karty pod ścianą, jeden zaś grał na gitarze i śpiewał wiadomy przebój. Na dole, w hallu, było tłoczno od futurologów: właśnie szli na otwarcie obrad, nie opuszczając zresztą Hiltona, ponieważ sala w tym celu wynajęta znajdowała się w niskiej części budynku. Zrazu zdumiało mnie to, ale po zastanowieniu pojąłem, że w takim hotelu żaden gość nie pije wody z kranu; spragnieni sięgają po colę, schweppesa, w ostateczności po sok owocowy, herbatę lub piwo. Także do długich drinków używa się gorzkich wód mineralnych czy innych butelkowanych; a jeśli nawet ktoś przez nieostrożność powtórzył mój błąd, wił się teraz zapewne w czterech ścianach zamkniętego na klucz apartamentu, w skurczach wszechmiłosnego zapamiętania. Uznałem, że w tym stanie rzeczy lepiej nie zająknąć się nawet o własnych przejściach, bo wszak byłem tu człowiekiem obcym, jeszcze by mi nie dano wiary i posądzono o jakąś aberrację bądź halucynację. Cóż prostszego nad podejrzenie o skłonność do narkotyków?

Robiono mi później zarzuty, żem zastosował tę politykę ostrygi czy strusia, bo gdybym wszystko ujawnił, może nie doszłoby do wiadomych nieszczęść, lecz mówiący tak popełniają oczywisty błąd: najwyżej ostrzegłbym gości hotelowych, lecz to, co się działo w Hiltonie, nie miało wszak najmniejszego wpływu na perypetie polityczne Costaricany.

W drodze do sali obrad kupiłem w hotelowym kiosku plik miejscowych gazet, jak to mam we zwyczaju. Nie kupuję ich, zapewne, wszędzie, lecz człowiek wykształcony może domyślić się sensów w hiszpańskim nawet, choć nie włada tym językiem.

Nad podium widniała umajona tablica z porządkiem dziennym; punkt pierwszy dotyczył katastrofy urbanistycznej świata, drugi — ekologicznej, trzeci — atmosferycznej, czwarty — energetycznej, piąty — żywnościowej, po czym miała nastąpić przerwa. Katastrofę technologiczną, militarystyczną i polityczną przeniesiono na dzień następny razem z wolnymi wnioskami.

Każdy mówca dysponował czterema minutami czasu dla wyłożenia swych tez, co i tak było sporo, zważywszy, że zgłoszono 198 referatów z 64 państw. Aby przyspieszyć tempo obrad, referaty należało przestudiować na własną rękę, przed posiedzeniem, orator zaś mówił wyłącznie cyframi, określając w ten sposób kluczowe ustępy swej pracy; dla ułatwienia recepcji tak bogatych treści wszyscyśmy nastawili swoje podręczne magnetofony oraz komputerki — między tymi ostatnimi dojść miało potem do zasadniczej dyskusji. Stanley Hazelton z delegacji USA zaszokował od razu salę, powtarzając z naciskiem: — 4, 6, 11, z czego wynika 22; 5, 9, ergo 22; 3, 7, 2, 11, skąd wynika znowuż 22!! — Ktoś wstał, wołając, że jednak 5, ewentualnie 6, 18 i 4; Hazelton odparował zarzut błyskawicznie, tłumacząc, że tak czy owak 22. Poszukałem w jego referacie klucza numerycznego i dowiedziałem się, że cyfra 22 oznacza katastrofę ostateczną. Następnie Japończyk Hayakawa przedstawił nowy, wykoncypowany w jego kraju model domu przyszłości, osiemsetpiętrowego, z klinikami położniczymi, żłobkami, szkołami, sklepami, muzeami, zoologami, teatrami, kinami i krematoriami; projekt uwzględniał pomieszczenia podziemne na popioły zmarłych, telewizję czterdziestokanałową, izby upojeń i wytrzeźwień, sale podobne do gimnastycznych do uprawiania grupowego seksu (wyraz postępowych przekonań projektantów) oraz katakumby dla nieprzystosowanych ugrupowań subkulturowych. Pewnym novum była myśl, aby każda rodzina, każdego dnia, przeprowadzała się z dotychczasowego mieszkania do innego, przy czym w grę wchodziły przeprowadzki albo ruchem szachowego pionka, albo konia. Zapobiegałoby to nudzie oraz frustracji, lecz na wszelki wypadek ów gmach o kubaturze siedemnastu kilometrów sześciennych, osadzony na dnie oceanu, a sięgający stratosfery, miał przewidziane własne komputery matrymonialne, swatające na zasadzie sadomasochizmu (stadła sadystów z masochistkami, i na odwrót, są statystycznie najtrwalsze, bo każdy partner ma w nich to, o czym marzy) oraz ośrodek terapii przeciwsamobójczej. Hakayawa, drugi delegat japoński, zademonstrował nam makietę takiego domu — w skali 1 : 10 000 — z własną rezerwą tlenu, ale bez rezerw wody i żywności, ponieważ dom był planowany z obiegiem zamkniętym: wszelkie wydaliny miano regenerować, wychwytując nawet poty śmiertelne i inne cielesne sekrecje. Yahakawa, trzeci Japończyk, odczytał listę smakołyków regenerowalnych z wydalin całego gmachu. Były tam między innymi sztuczne banany, pierniki, krewetki, ostrygi i nawet sztuczne wino, które, mimo pochodzenia budzącego niemiłe asocjacje, nie ustępowało ponoć w smaku najlepszym winom Szampanii. Na salę dostarczono próbki w estetycznych buteleczkach oraz po paszteciku w opakowaniu z folii, ale jakoś nikt się nie kwapił do picia, a paszteciki upychano dyskretnie pod fotele, więc i ja tak zrobiłem. Pierwotny plan, żeby taki dom mógł latać dzięki potężnym wirnikom, co umożliwiałoby wycieczki zbiorowe, upadł, raz, że takich domów miało być w pierwszym rzucie 900 milionów, a dwa, że przenosiny byłyby bezprzedmiotowe. Gdyby nawet dom miał 1000 wyjść i gdyby mieszkańcy używali wszystkich, i tak nigdy by nie wyszli, bo nim ostatni opuściłby budynek, już zdążyłyby podrosnąć urodzone w tym czasie dzieci.

Japończycy zdawali się wielce zadowoleni ze swego projektu. Po nich zabrał głos Norman Youhas z delegacji USA, który zaproponował siedem różnych metod zahamowania eksplozji demograficznej, a mianowicie: zniechęcanie perswazyjne i policyjne, deerotyzację, przymusową celibatyzację, onanizację, subordynację, a wobec niepoprawnych — kastrację. Każde małżeństwo miało się ubiegać o prawo posiadania dziecka, składając odpowiednie egzaminy trzech kategorii, to jest kopulacyjny, edukacyjny i bezkolizyjny. Nielegalne urodzenie dziecka podlegało karom; premedytacja i recydywa groziły winnym dożywociem. Do tego referatu odnosiły się owe ładne foldery i bloczki z kuponami do odrywania, jakie dostaliśmy wśród materiałów kongresowych. Hazelton i Youhas postulowali nowe rodzaje zawodów, a mianowicie: inwigilatora matrymonialnego, zakazywacza, rozdzielacza i zatykacza; projekt nowego kodeksu karnego, w którym zapładnianie stanowiło delikt główny, o wyjątkowej szkodliwości społecznej, rozdano nam niezwłocznie. Podczas rozdawania doszło do incydentu, ktoś bowiem z galerii dla publiczności rzucił na salę koktajl Mołotowa. Pogotowie (było na miejscu, dyskretnie schowane w kuluarach) zrobiło swoje, a służba porządkowa czym prędzej zasłoniła pogruchotane fotele i resztki wielką nylonową oponą, pomalowaną w wesołe, estetyczne wzory; jak z tego widać, o wszystkim z góry pomyślano. Między poszczególnymi referatami próbowałem studiować gazety miejscowe, a choć rozumiałem ich hiszpańszczyznę zaledwie piąte przez dziesiąte, i tak dowiedziałem się, że rząd ściągnął do stolicy jednostki pancerne, postawił całą policję w stan ostrego pogotowia oraz wprowadził stan wyjątkowy. Zdaje się, że prócz mnie nikt na sali nie orientował się w powadze sytuacji, jaka panowała za murami. O siódmej była przerwa, podczas której każdy mógł się posilić, na własny koszt oczywiście, ja zaś wracając na salę, kupiłem kolejne nadzwyczajne wydanie pisma rządowego „Nacion" oraz kilka popołudniowych dzienników ekstremistycznej opozycji. Choć miałem z hiszpańskim trudności, przecież lektura tych gazet wprawiła mnie w zdumienie, bo z artykułami pełnymi optymistyczno-błogich rozważań na temat międzyludzkich więzi miłosnych, jakie są gwarantami powszechnego szczęścia, sąsiadowały inne, pełne zapowiedzi krwawych represji i w podobnym tonie utrzymanych pogróżek ekstremistów. Tej łaciatości nie umiałem sobie wytłumaczyć inaczej, jak tylko sięgając do hipotezy, że jedni dziennikarze pili tego dnia wodę wodociągową, a inni nie. W organie prawicowym pito jej naturalnie mniej, ponieważ pracownicy redakcyjni, jako lepiej płatni od opozycjonistów, pokrzepiali się w czasie pracy co droższymi trunkami; ale i ekstremiści, choć skłonni, jak wiadomo, do niejakiej ascezy w imię wyższych haseł i ideałów, gasili pragnienie wodą tylko w szczególnych okolicznościach, jeśli zważyć, że quartzupio, napój ze sfermentowanego soku rośliny melmenole, jest w Costaricanie wprost niezwykle tani.

Ledwośmy się zagłębili w miękkich klubowcach, a profesor Dringenbaum ze Szwajcarii wypowiedział pierwszą cyfrę swego przemówienia, dały się słyszeć głuche detonacje; gmach zadrgał lekko w fundamentach, zabrzęczały szyby, ale optymiści wołali, że to tylko trzęsienie ziemi. Ze swej strony skłonny byłem sądzić, że to jakaś grupa kontestatorów, pikietujących hotel od początku obrad, cisnęła w hallu petardy. Z mniemania tego wywiódł mnie huk i grzmot znaczniejszej siły; dały się też słyszeć karabiny maszynowe z ich charakterystycznym staccato. Nie można już się było dłużej łudzić: Costaricana weszła w fazę walk ulicznych. Jako pierwsi ulotnili się z sali dziennikarze, których strzelanina zerwała na równe nogi niczym pobudka. Pognali na ulicę, wezwani obowiązkiem zawodowym. Profesor Dringenbaum próbował jeszcze przez parę chwil kontynuować prelekcję napisaną w tonie dość pesymistycznym, utrzymywał bowiem, że następną fazą naszej cywilizacji jest kanibalizacja. Powołał się na znaną teorię Amerykanów, którzy obliczyli, że jeśli wszystko pójdzie na Ziemi tak jak dotąd, za czterysta lat ludzkość będzie stanowiła żywą kulę ciał, powiększającą się z szybkością światła. Lecz nowe eksplozje przerwały wykład. Zdezorientowani futurologowie jęli wychodzić z sali, mieszając się w hallu z uczestnikami Kongresu Wyzwolonej Literatury, których, jak świadczył o tym ich wygląd, wybuch walk przychwycił w toku czynności wyrażających całkowitą obojętność dla groźby przeludnienia. Za redaktorami domu wydawniczego A. Knopfa sekretarki (nie nazwałbym ich roznegliżowanymi, skoro oprócz wymalowanych na skórze deseni w stylu „op” nie miały na sobie nic zgoła) niosły podręczne fajki wodne i nargile, w których paliła się modna mieszanka LSD, marihuany, yohimbiny i opium. Reprezentanci Wyzwolonej Literatury spalili właśnie, jak usłyszałem, *in effigie* ministra poczty USA za to, że nakazał swym placówkom niszczenie druków wzywających do masowego uprawiania kazirodztwa; zszedłszy do hallu, zachowywali się bardzo niewłaściwie, zwłaszcza gdy uwzględnić powagę sytuacji. Publicznej moralności nie naruszali już tylko ci spośród nich, którzy opadli całkiem z sił albo trwali w narkotycznym odrętwieniu. Słyszałem krzyki dobiegające z kabin, w których napastowali telefonistki hotelowe, a jakiś brzuchacz w lamparciej skórze, z pochodnią haszyszową w ręku, szalał między szaragami garderoby, atakując cały jej personel. Ledwo go unieszkodliwili urzędnicy z recepcji przy pomocy portierów. Z półpiętra ciskał ktoś na nasze głowy naręcza barwnych zdjęć, obrazujących dokładnie to, co pod wpływem chuci może zrobić jeden człowiek z drugim, a nawet znacznie więcej. Gdy na ulicy pojawiły się, widoczne doskonale przez szyby, pierwsze czołgi, windy bluznęły tłumem przerażonych filumenistów i kontestatorów; depcząc wiadome pasztety i przystawki, przyniesione przez wydawców, a zalegające teraz podłogę hallu, przybysze ci rzucali się na wszystkie strony. Rycząc jak oszalały bawół oraz waląc kolbą papieżówki każdego, kto stał mu na drodze, przebijał się przez ciżbę brodaty antypapista; wybiegł, jak widziałem na własne oczy, przed hotel tylko po to, aby zza węgła otworzyć ogień do przebiegających sylwetek. Widać, jako prawdziwemu ideowcowi ekstremizmu o najradykalniejszej postaci, było mu w gruncie rzeczy wszystko jedno, do kogo strzela. W hallu pełnym krzyków trwogi i rozpusty powstało istne pandemonium, kiedy prysnęły ze szklanym grzechotem pierwsze ogromne szyby; usiłowałem odszukać znajomych dziennikarzy, a widząc, że wymykają się na ulicę, poszedłem w ich ślady, ponieważ atmosfera wewnątrz Hiltona stała się doprawdy już nazbyt przytłaczająca. Za betonowym ocembrowaniem samochodowego podjazdu, pod okapem hotelowym, przyklękło paru fotoreporterów, filmując zawzięcie okolicę, zresztą bez większego sensu, ponieważ, jak to bywa zawsze, najpierw podpalono auta z zagraniczną rejestracją i z parkingu przyhotelowego buchały płomienie oraz chmury dymu; Mauvin z AFP, który znalazł się obok mnie, zacierał ręce z zadowolenia, że przyjechał samochodem wynajętym u Hertza; toteż widok ognia, w jakim skwierczał jego dodge, przyprawiał go o wybuchy śmiechu, czego nie można było powiedzieć o większości amerykańskich dziennikarzy. Zauważyłem ludzi usiłujących gasić płonące auta, byli to przeważnie jacyś ubogo odziani staruszkowie, noszący wodę kubełkami z pobliskiej fontanny. Już to mogło dać nieco do myślenia. W dali, u wylotów Avenida del Salvation i del Resurrection, błyszczały niewyraźnie kaski policyjne; zresztą plac przed hotelem, jak i okalające go trawniki z masywnopiennymi palmami były w tej chwili puste. Staruszkowie schrypłymi głosami zagrzewali się do akcji ratowniczej, choć wiek podcinał im sterane nogi; taka ofiarność wydała mi się wprost zdumiewająca, aż nagle wspomniałem ranne przeżycia i od razu podzieliłem się mymi podejrzeniami z Mauvinem. Grzechot broni maszynowej, zagłuszany basowymi wybuchami, utrudniał porozumienie: na bystrej twarzy Francuza malowała się przez chwilę kompletna dezorientacja, aż nagle błysk pojawił się w jego oku. — A! — ryknął, przekrzykując zgiełk. — Woda! Woda wodociągowa, co? Wielki Boże, po raz pierwszy w historii... kryptochemokracja! — z tymi słowami, jak żgnięty, pognał do hotelu. Oczywiście, aby zająć miejsce przy telefonie; i tak dziwne było, że łączność jeszcze działa.

Gdy tak stałem na podjeździe, przyłączył się do mnie profesor Trottelreiner ze szwajcarskiej grupy futurologicznej, i wtedy zaszło to, co właściwie już od dawna powinno było zajść: rozwinięty kordon policjantów w czarnych hełmach, czarnych tarczach napierśnych, maskach gazowych, z bronią w ręku, jął otaczać cały kompleks Hiltona, aby stawić czoło tłumowi, który właśnie wynurzył się z parku oddzielającego nas od zabudowań teatru miejskiego. Oddziały specjalne z wielką wprawą ustawiały miotacze granatów i pierwsze ich salwy skierowano w tłum; eksplozje były dziwnie słabe, wyzwalały za to całe chmury białawego dymu; zrazu pomyślałem, że to gaz łzawiący, lecz tłum, zamiast uciekać czy zareagować pełną wściekłości wrzawą, jął się wyraźnie garnąć do owych mglistych oparów; krzyki ścichły szybko, zamiast nich zaś posłyszałem jakby litanijne czy modlitewne pienia. Dziennikarze, miotający się z kamerami i magnetofonami między kordonem a wejściem hotelowym, w głowę zachodzili, co też to być może, ale ja się już domyślałem: najwyraźniej policja zastosowała środki chemicznego dobruchania w formie aerozolowej. Lecz od Avenida del... — już nie pamiętam co — wyszła inna kolumna, której się te granaty jakoś nie chciały imać, a może to tylko tak wyglądało; mówiono później, że kolumna ta szła dalej, aby się zbratać z policją, nie zaś rozerwać ją na sztuki, lecz któż mógł dochodzić tak subtelnych dystynkcji w panującym chaosie? Granatniki przemówiły salwami, po nich odezwały się najpierw z charakterystycznym szumem i syczeniem armatki wodne, wreszcie rozległy się serie maszynowej broni i w jednej chwili powietrze zagrało pianiem pocisków. Tu już nie było żartów; padłem za betonowym murkiem podjazdu niczym za brustwerą okopu, między Stantorem a Haynesem z „Washington Post"; w paru słowach uświadomiłem ich, oni zaś, oburzywszy się na mnie zrazu za to, że jako pierwszemu zdradziłem tak nagłówkowy sekret reporterowi z AFP, poczołgali się biegiem do hotelu, lecz niebawem wrócili z zawiedzionymi minami: łączności już nie było. Stantor dopadł jednak oficera, który kierował obroną hotelu, i od niego dowiedział się, że za chwilę nadlecą samoloty załadowane bembami, to jest Bombami Miłości Bliźniego (BMB); jakoż kazano nam opuścić plac, wszyscy zaś policjanci co do jednego nałożyli maski gazowe ze specjalnymi pochłaniaczami. I nam też je rozdano.

Profesor Trottelreiner, który, jak chciał przypadek, jest specjalistą właśnie w zakresie farmakologii psychotropowej, ostrzegł mnie, żebym się maską gazową w żadnym wypadku nie posługiwał, ponieważ przestaje ona działać ochronnie przy większych stężeniach aerozolu; powstaje wtedy zjawisko tak zwanego „przeskoku" przez pochłaniacz i w jednym momencie można wówczas łyknąć dawkę większą, niż gdyby się zwyczajnie oddychało otaczającym powietrzem. Na moje pytania odpowiedział, że jedynym zbawiennym środkiem jest aparat tlenowy; poszliśmy więc do hotelowej recepcji i znalazłszy jeszcze ostatniego pracownika na posterunku, odszukaliśmy za jego wskazaniami pomieszczenia przeciwpożarowe, gdzie istotnie nie brakowało aparatów tlenowych systemu Draegera z zamkniętym krążeniem. Tak zabezpieczeni, wróciliśmy z profesorem na ulicę w momencie, gdy przeraźliwy gwizd rozcinanego powietrza zwiastował nalot pierwszych samolotów. Jak wiadomo, Hilton został omyłkowo z b e m b a r d o w a n y w parę chwil po rozpoczęciu powietrznego uderzenia; jego skutki okazały się straszne. B e m b y trafiły co prawda tylko to odległe skrzydło niższej części zabudowań, w którym na wynajętych stoiskach znajdowała się wystawa urządzona przez Zjednoczenie Wydawców Wyzwolonej Literatury, tak że z gości hotelowych na razie nikt nie poniósł szwanku, lecz za to paskudnie dostało się strzegącej nas policji. Po minucie paroksyzmy miłości bliźniego przybrały w jej szeregach charakter masowy. Na moich oczach policjanci, zdarłszy maski z twarzy, zalewając się gorącymi łzami skruchy, na kolanach błagali demonstrantów o wybaczenie, wtykali im siłą swe solidne pałki, dopraszając się możliwie tęgiego bicia; a po dalszym b e m b a r d o w a n i u, kiedy stężenie aerozolu wzrosło jeszcze bardziej, rzucali się jeden przez drugiego, aby pieścić i miłować każdego, kto się tylko nawinął. Przebieg wypadków udało się zrekonstruować, a i to jedynie częściowo, w szereg tygodni po całej tej tragedii. Rząd postanowił z rana zdławić w zarodku szykujący się zamach stanu, wprowadzając do wieży ciśnień około 700 kilogramów dwułagodku dobruchanu oraz superkaresyny z felicytolem; odcięto zapobiegawczo dopływ wody do koszar policyjnych i wojskowych, lecz dla braku rzeczoznawców akcja ta musiała spalić na panewce: nie uwzględniono ani zjawiska przeskoków aerozoli przez filtry masek, ani tym bardziej tego, że rozmaite grupy społeczne wybitnie niejednakowym sposobem korzystają z wody pitnej.

Konwersja policji zaskoczyła tedy czynniki rządowe tym okrutniej, że, jak mi wyjaśnił Trottelreiner, działanie benignatorów jest tym potężniejsze, w im słabszym stopniu poddany im człowiek podlegał dotąd naturalnym, przyrodzonym impulsom życzliwości i dobra. To wyjaśnia fakt, że kiedy dwa samoloty następnej fali zbembardowały siedzibę rządu, wielu najwyższych funkcjonariuszy policyjnych oraz wojskowych popełniło samobójstwa, nie mogąc wytrzymać okropnych wyrzutów sumienia w związku z uprawianą dotąd polityką. Gdy jeszcze dodać, że sam generał Diaz, nim skończył ze sobą wystrzałem rewolwerowym, kazał otworzyć bramy więzień i wypuścić wszystkich politycznych więźniów, łatwiej można zrozumieć wyjątkowe nasilenie walk, do jakich doszło w ciągu nocy. Oddalone od miasta bazy lotnicze były wszak nietknięte, a oficerowie ich mieli swe rozkazy, których trzymali się do ostatka; obserwatorzy zaś wojskowi i policyjni w swoich hermetycznych bunkrach, widząc, co się dzieje, uciekali się wreszcie do ostateczności, która całe Nounas pogrążyła w szale uczuciowego pomieszania. O wszystkim tym nie mieliśmy naturalnie w Hiltonie pojęcia. Dochodziła jedenasta w nocy, gdy na scenie wojennego teatru, jaki stanowił teraz plac razem z otaczającymi go parkami palmowymi, zjawiły się pierwsze pancerne jednostki armii; musiały zdławić miłość bliźniego, jaką okazywała policja, i uczyniły to, nie szczędząc krwi. Biedny Alphonse Mauvin stał o krok od miejsca, w którym wybuchł granat udobruchujący; siła eksplozji oderwała mu palce lewej ręki i lewe ucho, on jednak zapewniał mnie, że ta ręka od dawna była mu na nic, o uchu szkoda w ogóle mówić, a gdybym tylko chciał, zaraz mi ofiaruje drugie; wydobył nawet z kieszeni scyzoryk, alem mu go odebrał łagodnie i zaprowadziłem go do zaimprowizowanego punktu opatrunkowego, gdzie się nim zajęły sekretarki wyzwolonych wydawców, wszystkie zresztą łkające jak bobry wskutek chemicznego nawrócenia; mało, że się poubierały, ale chodziły nawet z zaimprowizowanymi czarczafami na twarzach, by nie kusić nikogo do grzechu; niektóre, co mocniej wzięte, poobcinały sobie włosy do samej skóry — nieszczęsne istoty. Wracając z sali opatrunkowej, miałem fatalnego pecha natknąć się na grupę wydawców.

Nie poznałem ich zrazu; poodziewali się w jakieś stare jutowe worki, poprzepasywali sznurami, które służyły im też do biczowania, i krzycząc zmiłowania jeden przez drugiego, poklękali przede mną, błagając, bym zechciał należycie wysmagać ich za deprawowanie społeczeństwa. Jakież było moje zdumienie, kiedy przyjrzawszy się im dokładniej, rozpoznałem w tych flagellantach wszystkich pracowników „Playboya" wraz z redaktorem naczelnym! Ten ostatni zresztą nie dał mi się wymknąć, tak mu dopiekało sumienie. Błagali mnie, pojmując, że dzięki aparatowi tlenowemu tylko ja jeden mogę im skrzywić włos na głowie; wreszcie, wbrew woli, zgodziłem się dla świętego spokoju spełnić ich prośby. Ręka mi zemdlała, duszno mi się zrobiło w masce tlenowej, obawiałem się, że nie znajdę innej, pełnej butli, gdy ta mi się skończy, ale oni, ustawiwszy się w długi ogonek, nie mogli się doczekać swej kolei. Aby się od nich odczepić, kazałem im wreszcie pozbierać wszystkie te olbrzymie plansze barwne, które wybuch bemby w bocznym skrzydle Hiltona rozrzucił po całym hallu, tak że wyglądało w nim niczym w Sodomie i Gomorze razem wziętych; na moje polecenie wznieśli z owych papierzysk ogromny stos przed wejściem i podpalili go. Niestety, artyleria stacjonująca w parku wzięła płonący stos za jakąś sygnalizację i skoncentrowała na nas ogień. Czmychnąłem jak niepyszny po to tylko, by w suterenie dostać się w ręce pana Harveya Simwortha, pisarza, który wpadł na pomysł przerabiania bajek dziecinnych na utwory pornograficzne (to on napisał *Długi Czerwony Kapturek* jako też *Ali Babę i czterdziestu zboczeńców*), potem zaś zbił majątek na przeinaczaniu klasyki światowej; stosował prosty chwyt dopełniania tytułu każdego dzieła przydawką „życie płciowe" (np. — „krasnoludków z sierotką Marysią", „Jasia z Małgosią", „Aladyna z lampą", „Alicji w krainie czarów", „Guliwera" itd., bez końca). Darmo mu się wymawiałem, że już ręką nie mogę ruszyć. Wobec tego — krzyczał, łkając — muszę go przynajmniej skopać. Cóż było robić — uległem raz jeszcze. Po tych przejściach byłem tak wyczerpany fizycznie, że ledwo dotarłem do pomieszczeń przeciwpożarowych, gdzie na szczęście znalazłem jeszcze parę nietkniętych tlenowych butli. Siedział tam, na zwiniętym hydrancie, prof. Trottelreiner, zatopiony w lekturze referatów futurologicznych, wielce rad z tego, że znalazł wreszcie chwilę czasu w swej karierze zawodowego objeżdżacza kongresów. Tymczasem bembardowan i e trwało w najlepsze. Profesor Trottelreiner radził stosować w ciężkich wypadkach porażenia miłością (okropny był zwłaszcza napad życzliwości powszechnej, przebiegający z pieszczotliwymi drgawkami) kataplazmy oraz duże dawki rycyny na przemian z płukaniem żołądka.

W ośrodku prasowym Stantor, Wooley z „Heralda", Sharkey i Küntze, fotoreporter pracujący chwilowo dla „Paris Matcha", grali z maskami na twarzach w karty, bo dla braku łączności nie mieli nic lepszego do roboty. Gdym zaczął im kibicować, przybiegł Jo Missinger, senior dziennikarstwa amerykańskiego, wołając, że policji rozdano pastylki furyasolu, aby przeciwdziałać benignatorom. Nie trzeba nam było tego dwa razy powtarzać; pognaliśmy do piwnic, niebawem wyjaśniło się jednak, że pogłoska była fałszywa. Wyszliśmy więc przed hotel; melancholijnie stwierdziłem, że brakuje mu wyższych kilkudziesięciu pięter; lawina gruzu pochłonęła mój apartament ze wszystkim, co się tam znajdowało. Łuna ogarnęła trzy czwarte nieba. Barczysty policjant w hełmie gnał za jakimś wyrostkiem, krzycząc: — Stój, dlaboga, stój, przecież ja c i ę k o c h a m! — lecz tamten puścił te zapewnienia mimo uszu. Jakoś ucichło, a dziennikarzy korciła zawodowa ciekawość, ruszyliśmy więc ostrożnie w stronę parku; odbywały się w nim, ze znacznym udziałem tajnej policji, msze czarne, białe, różowe i mieszane. Obok stał olbrzymi tłum ludzi płaczących jak bobry; trzymali nad głowami tablicę z ogromnym napisem: LŻYJCIE NAS, MYŚMY PROWOKATORZY! Sądząc podług ciżby tych nawróconych Judaszów, wydatki rządowe na ich etaty musiały być spore i wpłynęły ujemnie na sytuację ekonomiczną Costaricany. Wróciwszy do Hiltona, ujrzeliśmy przed nim inny tłum. Wilczury policyjne, przedzierzgnąwszy się w psy z Góry Świętego Bernarda, wynosiły z hotelowego baru najdroższe trunki i rozdawały je wszystkim bez wyboru, w samym zaś barze, przemieszawszy się, policjanci i kontestatorzy śpiewali na przemian pieśni wywrotowe i zachowawcze. Zajrzałem do piwnicy, lecz sceny nawróceń, dopieszczeń, pokajań i umiłowań, które tam zobaczyłem, tak mnie zniesmaczyły, że udałem się do pomieszczeń przeciwpożarowych, gdzie, jak wiedziałem, siedział prof. Trottelreiner. I on, ku memu zdziwieniu, dobrał sobie trzech partnerów, z którymi grał w brydża. Docent Quetzalcoatl zagrał spod atutowego asa, co tak rozgniewało Trottelreinera, że wstał od stołu; gdym go z innymi uspokajał, przez drzwi wsadził głowę Sharkey, by powiedzieć nam, że złapał na tranzystorze przemowę generała Aquillo: zapowiedział on krwawe zdławienie rokoszu konwencjonalnym bombardowaniem miasta. Po krótkiej naradzie zdecydowaliśmy wycofać się do najniższej kondygnacji Hiltona, to jest kanalizacyjnej, umieszczonej pod schronami. Ponieważ kuchnia hotelowa legła w gruzach, nie było co jeść; zgłodniali kontestatorzy, filumeniści i wydawcy zapychali się czekoladowymi pastylkami, odżywkami i galaretkami wzmacniającymi potencję, które znaleźli w opustoszałym centro erotico, zajmującym narożnik hotelowego skrzydła; widziałem, jak mienili się na twarzach, gdy podniecające afrodyzjaki i lubczyki mieszały się w ich żyłach z benignatorami; strach było pomyśleć, do czego ta chemiczna eskalacja doprowadzi. Widziałem bratanie się futurologów z indiańskimi pucybutami, tajnych agentów w objęciach służby hotelowej, fraternizację ogromnych tłustych szczurów z kotami — nadto wszystkich bez różnicy lizały psy policyjne. Nasza powolna wędrówka — musieliśmy bowiem przebijać się z trudem przez ciżbę — dała mi się we znaki, zwłaszcza że niosłem, zamykając pochód, połowę zapasu butli tlenowych. Głaskany, całowany po rękach i nogach, adorowany, dusząc się od uścisków i pieszczot, uparcie brnąłem przed siebie, aż posłyszałem okrzyk triumfu Stantora; znalazł wejście do kanału! Ostatnim zrywem sił podźwignęliśmy ciężką klapę i po kolei jęliśmy się opuszczać do betonowej studzienki. Podpierając profesora Trottelreinera, któremu noga omskła się na szczeblu żelaznej drabinki, spytałem go, czy tak sobie wyobrażał ten kongres. Zamiast odpowiedzieć, usiłował pocałować mnie w rękę, co od razu wzbudziło moje podejrzenia, jakoż okazało się, że wskutek przekrzywienia maski łyknął nieco zadżumionego dobrocią powietrza. Zastosowaliśmy natychmiast męki, oddychanie czystym tlenem i czytanie na głos referatu Hayakawy — to była myśl Howlera. Odzyskawszy przytomność, co udokumentował serią soczystych przekleństw, profesor kontynuował marsz wraz z nami. Niebawem ukazały się w mdłym świetle latarki oleiste plamy na czarnej powierzchni kanału; widok ten przyjęliśmy z najwyższą radością, jako że obecnie od powierzchi bembardowanego miasta oddzielało nas dziesięć metrów ziemi. Jakież było nasze zdumienie, gdy okazało się, że o tym azylu pomyślał już ktoś przed nami. Na betonowym progu siedziała w komplecie dyrekcja Hiltona; przezorni menedżerowie zaopatrzyli się w plastykowe nadymane fotele z basenu hotelowego, radia, baterię whisky, schweppesa i cały zimny bufet. Ponieważ i oni używali aparatów tlenowych, nie było nawet mowy o tym, by chcieli się z nami czymkolwiek podzielić. Przybraliśmy jednak groźną postawę, a że mieliśmy liczebną przewagę, udało się nam ich przekonać. W z lekka wymuszonej zgodzie wzięliśmy się do pałaszowania homarów; tym nie przewidzianym przez program posiłkiem zakończył się pierwszy dzień zjazdu futurologicznego.

*

Znużeni przejściami burzliwego dnia jęliśmy się sposobić do noclegu w okolicznościach bardziej niż spartańskich, zważywszy, że przychodziło ułożyć się do snu na wąskim chodniku betonowym, noszącym ślady kanalizacyjnego przeznaczenia. Toteż jako pierwszy powstał problem sprawiedliwego rozdziału nadymanych foteli, w które zaopatrzyła się przezorna dyrekcja Hiltona. Foteli było sześć, dla dwunastu osób, bo sześcioosobowy zarząd hotelu godził się udostępnić te legowiska, na prawach wspólnoty, sekretarkom; tymczasem nas, którzyśmy zeszli do kanału pod przewodem Stantora, było dwudziestu, w tym grupa futurologiczna profesorów Dringenbauma, Hazeltona i Trottelreinera, grupa dziennikarzy i sprawozdawców telewizji CBS, z dokooptowanymi po drodze dwiema osobami, a mianowicie nie znanym nikomu krzepkim mężczyzną w skórzanej kurtce i bryczesach oraz małą Jo Collins, osobistą współpracownicą redaktora „Playboya"; Stantor zamierzał wykorzystać jej chemiczne nawrócenie i już po drodze zmawiał się z nią, jak słyszałem, o prawo pierwodruku jej wspomnień. Przy sześciu fotelach i trzydziestu siedmiu reflektantach sytuacja natychmiast się zaogniła. Staliśmy po obu stronach tych pożądanych legowisk, patrząc na siebie spode łba, do czego zresztą zmuszały maski tlenowe. Ktoś zaproponował, żeby na dany znak wszyscy zdjęli te maski; w samej rzeczy jasne było, że, opanowani wówczas altruizmem, zlikwidujemy w ten sposób przedmiot sporu. Mimo to nikt się nie kwapił do realizacji projektu. Po długich swarach doszło wreszcie do kompromisu — zgodziliśmy się na losowanie i trzygodzinny sen pokolejny; za losy posłużyły kupony owych pięknych kopulacyjnych książeczek, jakie niektórzy z nas mieli jeszcze przy sobie. Tak się złożyło, że przyszło mi spać w pierwszej zmianie, razem z profesorem Trottelreinerem, bardziej chudym, a nawet kościstym, niżbym sobie mógł tego życzyć, skoro dzieliliśmy łoże (a raczej fotel). Nasi następcy w kolejce zbudzili nas brutalnie i gdy układali się na wygrzanych legowiskach, przykucnęliśmy nad brzegiem kanału, niespokojnie sprawdzając stan ciśnienia w butlach tlenowych. Było już jasne, że tlen skończy się za kilka godzin; perspektywa zniewolenia dobrocią zdawała się nieuniknioną i nastrajała wszystkich ponuro. Wiedząc o tym, że zakosztowałem już owego błogostanu, towarzysze wypytywali mnie skwapliwie o wrażenia. Zapewniałem ich, że nie jest to takie złe; mówiłem jednak bez większego przekonania. Morzyła nas senność; żeby nie powpadać do kanału, przywiązaliśmy się, czym kto mógł, do żelaznej drabinki pod klapą. Z niespokojnej drzemki wyrwał mnie odgłos wybuchu silniejszego niż wszystkie dotąd; rozejrzałem się w panującym półmroku, bo przez oszczędność wszystkie latarki prócz jednej zgaszono. Na brzeg kanału właziły wielkie, grube szczury. Było to o tyle dziwne, że szły gęsiego i na tylnych łapach; uszczypnąłem się, ale to nie był sen. Zbudziłem profesora Trottelreinera i pokazałem mu ów fenomen; nie wiedział, co o nim myśleć. Szczury chodziły parami, nie zwracając na nas najmniejszej uwagi; w każdym razie nie brały się do lizania nas, co stanowiło już, podług profesora, dobry znak; najprawdopodobniej powietrze było czyste. Ostrożnie zdjęliśmy maski. Obaj reporterzy po mojej prawicy spali w najlepsze; szczury wciąż spacerowały na dwóch nogach, my zaś z profesorem zaczęliśmy kichać, bo tak zakręciło nam w nosie; sądziłem zrazu, że to skutek kanałowych zapachów — dopóki nie spostrzegłem pierwszych korzonków. Schyliłem się nad własnymi nogami. Nie było mowy o pomyłce. Wypuszczałem korzenie, mniej więcej od kolan, wyżej natomiast zazieleniłem się. Teraz puszczałem już pąki nawet rękami. Otwierały się szybko, rosły w oczach, nabrzmiewały, białawe co prawda, jak to zwykle bywa z roślinnością w piwnicy; czułem, że jeszcze chwila, a zacznę owocować. Chciałem zapytać Trottelreinera, jak to sobie tłumaczy, ale musiałem podnieść głos, tak szumiał. Śpiący też przypominali strzyżony żywopłot, obsypany liliowym i szkarłatnym kwieciem. Szczury skubały listki, gładziły się łapkami po wąsach i rosły. Pomyślałem, że jeszcze trochę, a można będzie ich dosiąść; tęskniłem — jak to drzewo — do słońca. Jakby z ogromnej odległości doszły mnie miarowe grzmoty, coś obsypywało się, huczało, echo szło korytarzami, zacząłem czerwienieć, potem zazłociłem się, wreszcie sypnąłem liśćmi. Co, już jesień — zdziwiłem się — tak prędko?

Lecz jeśli tak, to już odjeżdżać czas, wykorzeniłem się więc i nastawiłem dla pewności ucha. Ani chybi — surmy grały. Okulbaczony szczur, okaz wyjątkowy nawet jak na wierzchowego, odwrócił głowę i spojrzał na mnie spod obwisłych skośnie powiek smutnymi oczami profesora Trottelreinera. Zacukałem się od nagłej wątpliwości: jeżeli to profesor przypominający szczura, dosiąść go nie uchodzi, ale jeśli tylko szczur podobny do profesora, nic to. Lecz surmy grały. Skoczyłem nań na oklep i wpadłem do kanału. Dopiero ta wstrętna kąpiel otrzeźwiła mnie. Trzęsąc się z obrzydzenia i wściekłości wylazłem na chodnik. Szczury niechętnie zrobiły mi nieco miejsca. Dalej spacerowały na dwu nogach. Ależ to jasne — przemknęło mi — halucynogeny: gdy ja miałem się za drzewo, czemuż one nie mogły się mieć za ludzi? Po omacku szukałem maski tlenowej, aby ją wdziać czym prędzej. Odnalezioną zacząłem naciągać na twarz, oddychając jednak niespokojnie, bo skąd wziąć pewność, czy to maska rzetelna, czy tylko jej przywidzenie?

Wokół mnie pojaśniało nagle — podniósłszy głowę, ujrzałem otwartą klapę, a w niej sierżanta armii amerykańskiej, który wyciągał do mnie rękę.

— Prędzej! — zawołał. — Prędzej!

— Co, helikoptery przyleciały?! — zerwałem się na równe nogi.

— Na górę, szybko! — wołał.

Inni też się już podrywali. Wspiąłem się po drabince.

— Nareszcie! — dyszał pode mną Stantor.

Na górze było jasno od pożaru. Rozejrzałem się — żadnych helikopterów, jedynie kilku żołnierzy w bojowych hełmach, z podpinkami spadochroniarzy, podawało nam jakąś uprząż.

— Co to jest? — spytałem zdziwiony.

— Prędzej, prędzej! — wołał sierżant.

Żołnierze zaczęli mnie kulbaczyć. Halucynacja! — pomyślałem.

— Nic podobnego — rzekł sierżant — to są olstra skokowe, nasze indywidualne rakietki, zbiornik jest w tornistrze. Złap się pan za to — wetknął mi w rękę jakąś dźwignię, gdy żołnierz, stojący za mymi plecami, dociągał gurt pasa. — Dobra!

Sierżant klepnął mnie po ramieniu i nacisnął coś na mym tornistrze. Rozległ się przeciągły, ostry świst, para czy też biały dym, buchający z dyszy tornistra, owionął mi nogi, zarazem uniosłem się jak piórko w powietrze.

— Ależ ja nie umiem tym kierować! — wołałem, mknąc świecą w czarne niebo, groźnie połyskujące łunami.

— Nauczy się pan! Azymut na Gwiazdę Po-lar-ną!! — krzyczał z dołu sierżant.

Spojrzałem pod nogi. Pędziłem właśnie nad gigantyczną kupą gruzu, która niedawno jeszcze była hotelem Hiltona. Obok widniała maleńka gromadka ludzi, dalej ogromnym pierścieniem buchały krwawe języki ognia, na jego tle zaczerniała okrągła plamka — to startował, z otwartym parasolem, profesor Trottelreiner. Obmacywałem się, sprawdzając, czy pasy i szleje trzymają jak należy. Tornister bulgotał, dudlił, świszczał, para buchająca odrzutem coraz mocniej parzyła mi łydki, podkurczałem je więc, jak mogłem, od tego jednak straciłem stateczność i przez dobrą minutę kręciłem się w powietrzu jak ciężki bąk. Potem — nieumyślnie — szarpnąwszy dźwignię, coś zmieniłem w ustawieniu wylotów, bo jednym rzutem puściłem się w poziomy lot. Było to nawet dość przyjemne, a byłoby daleko milsze, gdybym przynajmniej wiedział, dokąd lecę. Manipulowałem dźwignią, starając się zarazem ogarnąć całą leżącą pode mną przestrzeń. Czarnymi zębami rysowały się ruiny domów na ścianach pożarów. Zobaczyłem błękitne, czerwone i zielone nitki ognia, które poszybowały ku mnie z ziemi, zapiało mi przy uchu, pojąłem, że strzelają do mnie. A więc szybciej, szybciej! Nacisnąłem dźwignię. Tornister charknął, zagwizdał jak nadpsuty parowóz, oblał mi ukropem nogi i tak mnie pchnął, że pomknąłem, koziołkując, w czarny jak smoła przestwór. Wicher gwizdał mi w uszach, czułem, jak scyzoryk, portfel i inne drobiazgi sypią mi się z kieszeni, spróbowałem zanurkować za utraconymi przedmiotami, ale znikły mi z oczu. Byłem sam, pod spokojnymi gwiazdami, i wciąż sycząc, szumiąc, dudniąc — leciałem. Starałem się odnaleźć Gwiazdę Polarną, by wejść na jej kurs; gdy mi się to udało, tornister wydał ostatnie tchnienie i z rosnącą chyżością runąłem w dół. Na całe szczęście tuż nad ziemią — widziałem wijącą się mgławo szosę, cienie drzew, jakieś dachy — raz jeszcze rzygnął resztką pary. Odrzut ten zahamował mój upadek, tak że poleciałem dość nawet miękko na trawę. Ktoś leżał nieopodal w rowie i jęczał. Byłoby doprawdy dziwne — pomyślałem — gdyby się tam znajdował profesor! W samej rzeczy to był on. Pomogłem mu wstać. Obmacał całe ciało, narzekając, że zgubił okulary. Zresztą nic złego sobie nie zrobił. Poprosił, abym pomógł mu odpiąć tornister. Ukląkł na nim i wyciągnął coś z bocznej kieszeni; były to jakieś stalowe rurki z kołem.

— A teraz pański...

Z mego tornistra też wydobył koło, coś tam majstrował, aż zawołał:

— Wsiadać! Jedziemy.

— Co to jest? Dokąd? — spytałem oszołomiony.

— Tandem. Do Waszyngtonu — lakonicznie odparł profesor, już z nogą na pedale.

— Halucynacja! — przemknęło mi.

— Skąd! — obruszył się Trottelreiner. — Zwykłe wyposażenie spadochroniarskie.

— No dobrze, ale skąd się pan na tym zna? — pytałem, sadowiąc się na tylnym siodełku. Profesor odepchnął się i pojechaliśmy po trawie, aż ukazał się asfalt.

— Pracuję dla USAF! — odkrzyknął profesor, zawzięcie pedałując.

O ile pamiętałem, od Waszyngtonu dzieliły nas jeszcze Peru i Meksyk, nie mówiąc o Panamie.

— Nie damy rady rowerem! — zawołałem pod wiatr.

— Tylko do punktu zbornego! — odkrzyknął profesor.

Czyżby nie był zwyczajnym futurologiem, za jakiego się podawał? Wpakowałem się w nie byle jaką kabałę... I co ja mam do roboty w Waszyngtonie? Zacząłem hamować.

— Co pan robi? Proszę kręcić! — surowo strofował mnie profesor pochylony nad kierownicą.

— Nie! Stajemy. Ja wysiadam! — odparłem zdecydowanie.

Tandem zatoczył się i zwolnił. Profesor, wspierając się nogą o ziemię, pokazał mi szyderczym gestem dookolne mroki.

— Jak pan chce. Szczęść Boże!

Ruszał już.

— Bóg zapłać! — zawołałem i patrzałem w ślad za nim; czerwona iskierka tylnego światła znikła w ciemności, ja zaś, zdezorientowany, usiadłem na słupku milowym, żeby przemyśleć własną sytuację.

Coś kłuło mnie w łydkę. Machinalnie sięgnąłem ręką, wymacałem jakieś gałązki i jąłem je obłamywać. Zabolało. Jeżeli to są moje pędy — rzekłem sobie — jestem niewątpliwie nadal wewnątrz halucynacji! Pochyliłem się, żeby to sprawdzić, gdy wtem uderzyła we mnie jasność. Zza zakrętu błysnęły srebrne jody, olbrzymi cień samochodu zwolnił, otwarły się drzwi. Wewnątrz pałały zielone, złotawe i niebieskie pasemka światełek na tablicy rozdzielczej, matowy blask spowijał parę kobiecych nóg w nylonach, stopy w złotej jaszczurce spoczywały na pedałach, ciemna twarz z pąsowymi wargami pochyliła się ku mnie, zabłysły brylanty na palcach trzymających koło kierownicze.

— Podwieźć?

Wsiadłem. Byłem tak zaskoczony, że zapomniałem o moich gałązkach. Ukradkiem przesunąłem ręką wzdłuż własnych nóg — to były tylko osty.

— Co, już? — odezwał się niski głos o zmysłowym timbrze.

— Niby „co, już?" — spytałem zbity z pantałyku.

Wzruszyła ramionami. Potężny samochód skoczył, dotknęła jakiegoś klawisza, zapadł mrok, tylko przed nami gnał strzęp oświetlonej drogi, spod tablicy rozdzielczej popłynęła klaskająca melodia. Jednak to dziwne — myślałem. — Jakoś się nie klei. Ani ręki, ani nogi. Co prawda nie gałązki, tylko osty, a jednak, jednak!

Przyjrzałem się obcej. Była niewątpliwie piękna, w sposób zarazem kuszący, demoniczny i brzoskwiniowy. Ale zamiast spódniczki miała jakieś pióra. Strusie? Halucynacja?... Z drugiej strony, obecna moda damska... Nie wiedziałem, co o tym myśleć. Szosa była pusta; rwaliśmy, aż igła tachometru pochylała się ku krańcowi skali. Naraz jakaś ręka wczepiła mi się z tyłu we włosy. Drgnąłem. Palce, zakończone ostrymi paznokciami, drapały mnie w potylicę, raczej pieszczotliwie niż morderczo.

— Kto to? Co tam? — próbowałem się uwolnić. Nie mogłem jednak ruszyć głową. — Proszę mnie puścić!

Ukazały się światła, jakiś wielki dom, żwir chrupnął pod oponami, samochód zakręcił ostro, przytarł do krawężnika, stanął.

Dłoń, która wciąż dzierżyła mnie za czuprynę, należała do drugiej kobiety, odzianej w czerń, bladej, smukłej, w ciemnych okularach. Drzwi otwarły się.

— Gdzie jesteśmy? — spytałem.

Milcząc, przypadły do mnie, ta od kierownicy wypychała mnie, ta druga ciągnęła, stojąc już na chodniku. Wylazłem z auta. W domu bawiono się, słyszałem dźwięki muzyki, jakieś pijane krzyki, wodotrysk mienił się żółcią i purpurą w okiennym świetle, u podjazdu moje towarzyszki wzięły mnie mocno pod ręce.

— Ależ ja nie mam czasu — bąkałem.

Nie zważały na moje słowa ani trochę. Czarna nachyliła się i gorącym oddechem tchnęła mi w samo ucho:

— Hu!

— Jak proszę?

Byliśmy już przed drzwiami; obie zaczęły się śmiać, nie tyle do mnie, co ze mnie. Wszystko odstręczało mnie od nich; poza tym były coraz mniejsze. Klękały? Nie, nogi obrastały im piórami. No — rzekłem sobie nie bez ulgi — a więc jednak halucynacja!

— Jaka tam halucynacja, fajtłapo! — parsknęła ta w okularach. Podniosła wyszywaną czarnymi perłami torebkę i zdzieliła mnie prosto w ciemię, aż jęknąłem.

— Patrzcie go, halucynanta! — krzyczała druga. Mocny cios trafił mnie w to samo miejsce. Upadłem, zakrywając głowę rękami. Otworzyłem oczy. Profesor Trottelreiner pochylał się nade mną z parasolem w ręku. Leżałem na chodniku kanałowym. Szczury w najlepsze chodziły parami.

— Gdzie, gdzie pana boli? — dopytywał się profesor. — Tu?

— Nie, tutaj... — pokazałem spuchnięte ciemię.

Ujął parasol za cieńszy koniec i palnął mnie w obolałe miejsce.

— Ratunku! — krzyknąłem. — Proszę przestać! Czemu...

— To jest właśnie ratunek! — odparł futurolog bezlitośnie. — Nie mam, niestety, pod ręką innego antidotum!

— Ale przynajmniej nie skuwką, dlaboga!

— Tak jest pewniej.

Uderzył mnie raz jeszcze, odwrócił się i zawołał kogoś. Zamknąłem oczy. Głowa okrutnie bolała. Poczułem szarpnięcie. Profesor i mężczyzna w skórzanej kurtce chwycili mnie pod ręce i nogi i zaczęli gdzieś nieść.

— Dokąd? — zawołałem.

Gruz sypał mi się na twarz z dygocącego stropu; czułem, jak niosący kroczą po jakiejś chwiejnej desce czy kładce, i drżałem, żeby się nie pośliznęli. — Dokąd mnie niesiecie? — pytałem słabo, lecz nikt nie odpowiedział. W powietrzu stał nieustanny huk. Zrobiło się jasno od pożaru; byliśmy już na powierzchni, jacyś ludzie w mundurach chwytali kolejno wszystkich wyciąganych z otworu kanałowego i ciskali dość brutalnie w otwarte drzwi — mignęły mi olbrzymie biało lakierowane litery US ARMY COPTER 1 109 849 — i upadłem na nosze. Profesor Trottelreiner wetknął głowę do helikoptera.

— Przepraszam, Tichy! — krzyczał. — Proszę wybaczyć! To było konieczne!

Ktoś stojący za nim wyrwał mu z ręki parasol, zdzielił nim profesora dwa razy na krzyż po głowie i pchnął go, aż futurolog jęknąwszy upadł między nas, równocześnie zaś zaszumiały wirniki, zahuczały motory i maszyna wzbiła się majestatycznie w powietrze. Profesor usiadł przy noszach, na których leżałem, pocierając delikatnie potylicę. Muszę wyznać, że chociaż pojmowałem samarytańskość jego czynów, z zadowoleniem skonstatowałem, że wyrósł mu olbrzymi guz.

— Dokąd lecimy?

— Na kongres — rzekł, wciąż krzywiąc się jeszcze, Trottelreiner.

— To jest... jak to na kongres? Przecież już był?

— Interwencja Waszyngtonu — wyjaśnił mi lakonicznie profesor. — Będziemy kontynuować obrady.

— Gdzie?

— W Berkeley.

— Na kampusie?

— Tak. Ma pan może jakiś nóż albo scyzoryk przy sobie?

— Nie.

Helikopter zatrząsł się. Grzmot i płomień rozpruły kabinę, z której wylecieliśmy jeden przez drugiego — w bezkresną ciemność. Męczyłem się potem długo. Zdawało mi się, że słyszę jękliwy głos syren, ktoś rozcinał mi ubranie nożem, traciłem przytomność i znów ją odzyskiwałem. Trzęsła mną gorączka i zła droga — widziałem matowobiały sufit ambulansu. Obok leżał jakiś długi kształt jakby obandażowanej mumii, po przytroczonym parasolu poznałem profesora Trottelreinera. Ocalałem... — przemknęło mi. — Żeśmy się też nie roztrzaskali na śmierć. Co za szczęście. Nagle pojazd zatoczył się z przenikliwym wrzaskiem opon, wywrócił kozła, płomień i grzmot rozerwały blaszane pudło. Co, znowu? — łysnęła mi ostatnia myśl, nim pogrążyłem się w mrocznej bezpamięci. Otwarłszy oczy, ujrzałem szklaną kopułę nad sobą; jacyś ludzie w bieli, zamaskowani, z rękami wzniesionymi kapłańsko, porozumiewali się półszeptem.

— Tak, to był Tichy — doleciało mnie. — Tu, do słoja. Nie, nie, sam mózg. Reszta nie nadaje się. Dawajcie tymczasem narkozę.

Niklowy krążek, obramowany watą, zasłonił mi wszystko, chciałem krzyczeć, wołać pomocy, ale wciągnąłem piekący gaz i rozpłynąłem się w nicości. Gdy znów przyszło ocknięcie, nie mogłem otworzyć oczu, ruszyć ręką ani nogą, jakbym był sparaliżowany. Ponawiałem te wysiłki, nie bacząc na ból w całym ciele.

— Spokojnie! Proszę się tak nie rzucać! — usłyszałem miły, melodyjny głos.

— Co? Gdzie jestem? Co ze mną...? — wybełkotałem. Miałem zupełnie obce usta, całą twarz.

— Jest pan w sanatorium. Wszystko dobrze. Proszę być dobrej myśli. Zaraz damy panu jeść...

Ale ja nie mam czym... — chciałem odpowiedzieć. Rozległ się szczęk nożyc. Całe płaty gazy odpadały z mojej twarzy. Pojaśniało. Dwu rosłych pielęgniarzy wzięło mnie delikatnie, lecz mocno pod ręce i postawiło na równe nogi. Zdumiałem się, że tacy są ogromni. Posadzili mnie na fotelu z kółkami. Przede mną dymił apetycznie wyglądający rosół. Sięgnąłem automatycznie po łyżkę i zauważyłem, że ręka, która ją chwyciła, była mała i czarna jak heban. Podniosłem ją do oczu. Sądząc po tym, że mogłem nią ruszać, jak chciałem, była to moja ręka. Bardzo jednak się zmieniła. Chcąc spytać o przyczynę tego zjawiska, podniosłem się i moje oczy napotkały lustro na przeciwległej ścianie. W fotelu na kółkach siedziała tam młoda przystojna Murzynka w piżamie, obandażowana, z wyrazem osłupienia na twarzy. Dotknąłem nosa. Odbicie w lustrze zrobiło to samo. Zacząłem obmacywać twarz, szyję, a natrafiwszy na biust, wydałem okrzyk trwogi. Głos miałem cieniutki.

— Wielki Boże!

Pielęgniarka strofowała kogoś, że nie zasłonił lustra. Potem zwróciła się do mnie:

— Ijon Tichy, nieprawdaż?

— Tak. To znaczy — tak! tak!! Ale co to ma znaczyć? Ta dziewczyna — ta czarna panienka?

— Transplantacja. Nie dało się inaczej. Chodziło o to, żeby uratować panu życie. Żeby uratować pana, to znaczy — pański mózg! — pospiesznie, a zarazem wyraźnie mówiła pielęgniarka, trzymając mnie za obie ręce. Zamknąłem oczy. Otwarłem je. Zrobiło mi się słabo. Wszedł chirurg z wyrazem najwyższego oburzenia na twarzy.

— Co to za nieporządki! — huknął. — Pacjent może wpaść w szok!

— Już wpadł! — odrzuciła pielęgniarka. — To Simmons, panie profesorze. Mówiłam mu, żeby zasłonił lustro!

— Szok? A więc na co czekacie? Na operacyjną! — zakomenderował profesor.

— Nie! Już dosyć! — wołałem.

Nikt nie zwracał uwagi na moje dziewczęce piski. Biała płachta opadła mi na oczy i twarz. Usiłowałem wyrwać się — nadaremnie. Słyszałem i czułem, jak ogumione koła wózka toczą się po płytach posadzki. Rozległ się przeraźliwy huk, z ostrym trzaskiem pękały jakieś szyby. Płomień i grzmot wypełniły szpitalny korytarz.

— Kontestacja! Kontestacja! — wydzierał się ktoś, szkło chrupało pod butami uciekających, chciałem zedrzeć z siebie krępujące płótna, ale nie mogłem; poczułem ból w boku, przeraźliwy, i straciłem przytomność.

Ocknąłem się w kisielu. Był żurawinowy, wyraźnie nie dosłodzony. Leżałem na brzuchu, przywalało mnie coś dużego, dość miękkiego. Strąciłem to z siebie. Był to materac. Ceglany gruz boleśnie wpijał się w kolana i powierzchnię dłoni. Wypluwałem pestki żurawinowe i ziarenka piasku, podnosząc się na rękach. Separatka wyglądała jak po wybuchu bomby. Futryny wyskoczyły, ostatnie nie dotłuczone zęby szkła chyliły się z nich ku podłodze. Siatka obalonego łóżka była osmalona. Obok mnie, powalany kisielem, leżał duży zadrukowany arkusz. Ująłem go i zacząłem czytać.

Kochany Pacjencie (imię, nazwisko)! Przebywasz obecnie w naszym eksperymentalnym szpitalu stanowym. Zabieg, który uratował Ci życie, był poważny — bardzo poważny (niepotrzebne skreślić). Nasi najlepsi chirurdzy, w oparciu o najnowsze osiągnięcia medycyny, dokonali na Tobie jednej — dwu — trzech — czterech — pięciu — sześciu — siedmiu — ośmiu —

dziewięciu — dziesięciu operacji (niepotrzebne skreślić). Byli oni zmuszeni, dla Twego dobra, zastąpić pewne części Twojego organizmu narządami wziętymi od innych osób zgodnie z Ustawą Federalną Izb. Kongr. i Sen. (Rozp. Dz. Ust. 1989/0001/89/1). To serdeczne powiadomienie, które obecnie czytasz, ma Ci pomóc w najlepszym zaakomodowaniu się do nowo powstałych warunków życia. Ocaliliśmy je dla Ciebie. Jednakowoż byliśmy zmuszeni usunąć Ci ręce, nogi, grzbiet, czaszkę, kark, brzuch, nerki, wątrobę, inne (niepotrzebne skreślić). Możesz być całkowicie spokojny o los owych Twoich doczesnych szczątków; zaopiekowaliśmy się nimi zgodnie z Twoją religią i wierni jej zaleceniom dokonaliśmy ich pogrzebania, spalenia, mumifikacji, rozsiania prochów na wietrze, napełnienia urny popiołem, poświęcenia, wysypania do śmieci (niepotrzebne skreślić). Nowa postać, w jakiej będziesz odtąd pędzić szczęśliwe i zdrowe życie, może stanowić dla Ciebie niejakie zaskoczenie, lecz zapewniamy Cię, że jak wszyscy nasi inni drodzy pacjenci, wnet się przyzwyczaisz. Uzupełniliśmy Twój organizm, wykorzystując najlepsze, sprawne, dostateczne, takie organy (niepotrzebne skreślić), jakie mieliśmy do dyspozycji. Gwarantujemy Ci sprawność owych organów na przeciąg roku, sześciu miesięcy, kwartału, trzech tygodni, sześciu dni (niepotrzebne skreślić). Musisz zrozumieć, że...

Na tym się tekst urywał. Teraz dopiero zauważyłem, że na samej górze arkusza napisał ktoś blokowymi literami: IJON TICHY. Oper. 6, 7 i 8. KOMPLET. Papier zadygotał mi w rękach. Wielki Boże, co ze mnie zostało? Bałem się spojrzeć nawet na własny palec. Grzbiet dłoni porastały grube, rude włosy. Zatrząsłem się cały. Wstałem, opierając się o ścianę, z zawrotem głowy. Biustu nie miałem; dobre i to. Panowała cisza. Jakiś ptaszek ćwierkał za oknem. Wybrał sobie czas na ćwierkanie! KOMPLET. Co znaczy KOMPLET? Kim jestem? Ijonem Tichym. Tego byłem pewien. A więc? Najpierw obmacałem nogi. Były obie, ale krzywe — w iks. Brzuch — nieprzyjemnie spory. Palec wpadł do pępka jak do studni. Fałdy tłuszczu... brrr! Co się ze mną stało? Helikopter, prawda. Zestrzelono go? Ambulans. Chyba granat lub mina. Potem ja — ta czarna mała — potem kontestacja — na korytarzu — granaty? Więc i ją, biedulę?... I raz jeszcze... Ale co znaczą te ruiny, ten gruz?

— Halo! — zawołałem — jest tu kto?

Urwałem zaskoczony. Miałem wspaniały głos, operowy bas, że aż echo poszło. Chciałem koniecznie przejrzeć się w lustrze, lecz bardzo się bałem. Podniosłem rękę do policzka. Mocny Boże! Grube, zwełnione kudły... Pochyliwszy się, zobaczyłem własną brodę, zakrywała mi piżamę do pół piersi, rozstrzępiona, kosmata, ruda. Ahenobarbus! Rudobrody! No, można się ogolić... Wyjrzałem na taras. Ptaszek dalej ćwierkał — kretyn. Topole, sykomory, krzewy — cóż to jest? Ogród. Stanowego szpitala...? Na ławce ktoś siedział, z podkasanymi nogawkami piżamy, i opalał się.

— Halo! — zawołałem.

Odwrócił się. Ujrzałem dziwnie znajomą twarz. Zamrugałem oczami. Ależ to moja, to ja! Trzema susami znalazłem się na zewnątrz. Dysząc, wpatrywałem się we własną postać. Żadnej wątpliwości — to byłem ja!

— Czego pan tak patrzy? — odezwał się niepewnie, moim głosem.

— Skąd to — do pana? — wybełkotałem. — Kto pan jest?! Kto dał panu prawo...

— Aha! to pan!

Wstał.

— Jestem profesor Trottelreiner.

— Ale dlaczego... na Boga, dlaczego... kto...

— Nie miałem w tym żadnego udziału — rzekł poważnie. Moje wargi mu drgały. — Wtargnęli tu ci, wie pan — yippiesi. Kontestatorzy. Granat... Stan pana uznano za beznadziejny, mój też. Bo ja leżałem obok, w następnej separatce.

— Jak to „beznadziejny"! — parsknąłem. — Przecież widzę — jak pan mógł!

— Ależ byłem bez przytomności, daję panu słowo! Doktor Fisher, główny chirurg, wyjaśnił mi wszystko: brali najpierw narządy i ciała najlepiej zachowane, a kiedy przyszła moja kolej, zostały już tylko wybierki, więc...

— Jak pan śmie! Mało, że przywłaszczył pan sobie moje ciało, jeszcze się pan wybrzydza!

— Nie wybrzydzam się, powtarzam tylko to, co mówił mi doktor Fisher! Zrazu uznali to — wskazał własną pierś — za niezdatne, ale w braku czegoś lepszego podjęli się reanimacji. Pan już był w tym czasie przeszczepiony...

— Ja byłem...?

— No tak. Pana mózg.

— Więc kto to jest? To znaczy był? — pokazałem na siebie.

— Jeden z tych kontestatorów. Jakiś przywódca podobno. Nie umiał się obchodzić z zapalnikami, dostał odłamkiem w mózg, tak słyszałem. No więc... — Trottelreiner wzruszył mymi ramionami.

Wzdrygnąłem się. Było mi nieswojo w tym ciele, nie wiedziałem, jak się mam do niego ustosunkować. Brzydziłem się. Paznokcie grube, kwadratowe, nie zwiastowały inteligencji!

— I co będzie teraz? — szepnąłem, siadając obok profesora, bo mi kolana zmiękły. — Ma pan może lusterko?

Wyjął z kieszeni. Zobaczyłem, porwawszy je chciwie, wielkie, podsiniaczone oko, porowaty nos, zęby w fatalnym stanie, dwa podbródki. Dół twarzy tonął w rudej brodzie. Oddając lusterko, zauważyłem, że profesor znów wystawił kolana i łydki do słońca i pod wpływem pierwszego impulsu chciałem go przestrzec, że mam nader delikatną skórę, ale ugryzłem się w język. Jeśli dozna słonecznego poparzenia, będzie to jego rzecz, bo już nie moja!

— Dokąd ja teraz pójdę? — wyrwało mi się.

Trottelreiner ożywił się. Jego (jego?!) rozumne oczy spoczęły ze współczuciem na mej (mej?!) twarzy.

— Nie radzę panu nigdzie iść! On był poszukiwany przez policję stanową i przez FBI za serię zamachów. Są listy gończe, nakazy „shoot to kill"!

Zadrżałem. Tylko tego mi jeszcze brakowało. Boże, to jednak chyba halucynacja! — pomyślałem.

— Ale skąd! — żywo zaprzeczył Trottelreiner. — Jawa, drogi panie, najrzetelniejsza jawa!

— Czemu szpital taki pusty?

— To pan nie wie? A, prawda, pan był nieprzytomny... Jest strajk.

— Lekarzy?

— Tak. Całego personelu. Ekstremiści porwali doktora Fishera. Żądają wydania im pana w zamian za jego zwolnienie.

— Wydania mnie?

— No tak, nie wiedzą, że pan, nieprawdaż, już nie jest sobą, tylko Ijonem Tichym...

W głowie mi pękało.

— Popełnię samobójstwo! — rzekłem ochrypłym basem.

— Nie radzę. Żeby znowu pana przesadzili?

Rozmyślałem gorączkowo, jak się przekonać, czy to nie jest jednak halucynacja.

— A gdybym tak... — rzekłem podnosząc się.

— Co?

— Gdybym się tak przejechał na panu. Hm? Co pan na to?

— Prze... co? Pan chyba oszalał?!

Zmierzyłem go oczami, zebrałem się w sobie, skoczyłem na oklep i wpadłem do kanału. Omal się nie udławiłem czarną, cuchnącą bryją, lecz cóż to była, mimo wszystko, za ulga! Wylazłem na brzeg, szczurów było już mniej, widać sobie gdzieś poszły. Zostały tylko cztery. U samych kolan śpiącego głęboko profesora Trottelreinera grały jego kartami w bridża. Przeraziłem się. Nawet biorąc pod uwagę niezwykle wysokie stężenie halucynogenów — czy to możliwe, żeby naprawdę mogły grać? Zajrzałem najtłustszemu w karty. Młócił nimi bez ładu i składu. Nie był to żaden bridż! No, nic takiego... Odetchnąłem.

Na wszelki wypadek postanowiłem twardo nie ruszać się na krok od kanału: miałem zupełnie dość wszelkich form ratunku z opresji, przynajmniej na jakiś czas. Będę się domagał pierwej gwarancji. Inaczej znów Bóg wie co mi się przywidzi. Obmacałem twarz. Ani brody, ani maski. Co się znów z nią stało?

— Co się mnie tyczy — rzekł profesor Trottelreiner, nie otwierając oczu — jestem uczciwą dziewczyną i liczę na to, że zechce pan to uwzględnić.

Nadstawił ucha, jak gdyby uważnie wysłuchiwał odpowiedzi na swe słowa, po czym dorzucił:

— Z mojej strony nie jest to pozór cnotliwości, który by miał dodatkowo rozpalić otępiałą chuć, lecz szczera prawda. Proszę mnie nie dotykać, gdyż byłabym zmuszona targnąć się na swoje życie.

— Aha! — przemknęło mi domyślnie — więc i jemu spieszno do kanału!

Słuchałem dalej, uspokojony nieco, ponieważ fakt, że profesor halucynował, wydał mi się dowodem na to, iż przynajmniej ja tego nie robię.

— Zaśpiewać mogę, owszem — rzekł tymczasem profesor — skromna piosnka do niczego nie zobowiązuje. Czy będzie mi pan akompaniował?

Jednakże mógł po prostu mówić przez sen; w takim wypadku znów nic nie było wiadomo. Może go dosiąść na próbę? Ale właściwie mógłbym wskoczyć do kanału bez jego pośrednictwa.

— Jakoś nie jestem przy głosie. A i mama na mnie czeka. Proszę mnie nie odprowadzać! — kategorycznie oświadczył Trottelreiner. Wstałem i poświeciłem na wszystkie strony latarką. Szczury znikły. Szwajcarska grupa futurologiczna chrapała pokotem u samej ściany. Opodal, na wydymanych fotelach, leżeli reporterzy przemieszani z kierownictwem Hiltona. Wszędzie walały się ogryzione kości drobiu i puszki po piwie. Jeśli to halucynacja, to nader, nader realistyczna — rzekłem sobie. Chciałem się jednak upewnić, że nią nie jest. Dalipan, wolałbym powrócić na definitywną, nieodwołalną jawę. A co tam na górze? Wybuchy bomb, czy też b e m b, odzywały się głucho i z rzadka. Rozległ się bliski, głośny plusk. Powierzchnia czarnych wód rozchyliła się, ukazując skrzywioną twarz profesora Trottelreinera. Podałem mu rękę. Wylazł na brzeg, otrząsnął się i zauważył:

— Miałem idiotyczny sen.

— Panieński, co? — rzuciłem od niechcenia.

— U diabła! A więc nadal halucynuję?!

— Czemu pan tak sądzi?

— Tylko w zwidach osoby postronne znają treść naszych snów.

— Po prostu słyszałem, co pan mówił — wyjaśniłem. — Profesorze, jako fachowiec nie zna pan przypadkiem jakiejś sprawdzonej metody przekonania się, czy człowiek jest przy zdrowych zmysłach, czy też cierpi omamy?

— Zawsze noszę przy sobie ocykan. Torebka jest przemoczona, ale pastylkom to nie szkodzi. Przerywa wszelkie stany pomroczne, majaczenia, zwidy i koszmary. Chce pan?

— Być może preparat pański tak działa — mruknąłem — ale na pewno nie działa tak z w i d tego preparatu.

— Jeżeli halucynujemy, obudzimy się, a jeśli nie, nic się zupełnie nie stanie — zapewnił mnie profesor, wkładając sobie do ust bladoróżową pastylkę. Wziąłem i ja jedną z mokrej torebki, którą mi podsunął. Ześliznęła się do gardła po języku. Z hukiem otwarła się klapa kanałowa nad nami i głowa w hełmie spadochroniarskim wrzasnęła:

— Prędko, na górę, jazda, prędko, wstawać!

— Helikoptery czy olstra? — spytałem domyślnie. — Jeśli o mnie chodzi, panie sierżancie, może się pan wypchać.

I siadłem pod ścianą, krzyżując ręce na piersi.

— Zwariował? — zapytał sierżant rzeczowo Trottelreinera, który począł się wspinać po drabince. Zrobił się ruch. Stantor usiłował mnie podnieść, chwyciwszy za ramię, ale odtrąciłem jego rękę.

— Woli pan tu zostać? Proszę bardzo...

— Nie tak: „Szczęść Boże" — poprawiłem go. Jeden po drugim znikali w otwartej klapie kanału; widziałem blask ognia, słyszałem krzyki komendy, po głuchym świście zorientowałem się, że kolejno ekspediują ich przy pomocy latających tornistrów. Dziwne — zreflektowałem się — co to właściwie znaczy? Czy ja halucynuję z a n i c h? *Per procura?* I co, będę tak siedział do sądnego dnia?

Mimo to ani się ruszyłem. Klapa zatrzasnęła się z hukiem i zostałem sam. Latarka, postawiona sztorcem na betonie, odbitym w stropie kręgiem światła rozjaśniała słabo otoczenie. Przeszły dwa szczury, miały szczelnie splecione ogony. To coś znaczy — rzekłem sobie — ale lepiej będzie jednak się w to nie wdawać. Zachlupotało w kanale. No no — rzekłem pod nosem — i czyjaż to kolej teraz? Kleista powierzchnia wody rozstąpiła się, ukazując lśniące, czarne postaci pięciu płetwonurków, w okularach, maskach tlenowych, z bronią w ręku, którzy wskoczyli jeden po drugim na chodnik i szli ku mnie, człapiąc przeraźliwie żabiastymi płetwami stóp.

— Habla usted español? — zwrócił się do mnie pierwszy, ściągając maskę z głowy. Miał śniadą twarz i wąsik.

— Nie — odparłem. — Ale jestem przekonany, że pan mówi po angielsku, co?

— Jakiś bezczelny gringo — rzucił ten z wąsikiem drugiemu. Jak na komendę, wszyscy obnażyli twarze i wzięli mnie na cel.

— Mam wejść do kanału? — spytałem ochoczo.

— Masz stanąć pod ścianą. Ręce w górę, a wysoko!

Dostałem lufą w żebra. Zauważyłem, że halucynacja była bardzo dokładna — nawet pistolety maszynowe mieli wszyscy owinięte w plastykowe worki, aby nie zamokły.

— Było ich tu więcej — rzekł ten z wąsikiem do tęgiego bruneta, który usiłował zapalić papierosa. Ten wyglądał mi na dowódcę. Oświecili całe obozowisko, kopiąc z hałasem puste puszki, przewracając fotele, wreszcie oficer rzekł:

— Broń?

— Obmacałem, panie kapitanie. Nie ma.

— Czy mogę spuścić ręce? — spytałem spod ściany. — Bo mi zasypiają.

— Mhm — skinął oficer, wydmuchując nozdrzami dym. — Nie! Czekać! — dorzucił.

Podszedł do mnie, kołysząc się w biodrach. Do pasa miał przytroczony cały pęk złotych pierścionków na sznurku. Niezwykle realistyczne! — pomyślałem.

— Gdzie ci inni? — spytał.

— Mnie pan pyta? Wyhalucynowali się przez klapę. A zresztą pan to i tak wie.

— Pomieszany, panie kapitanie. Niech się nie męczy — rzekł ten z wąsikiem i odciągnął bezpiecznik przez plastykową osłonę.

— Nie tak — rzekł oficer. — Będzie dziura w worku, skąd weźmiesz inny, durniu? Nożem go.

— Jeśli mogę się wtrącić, wolałbym jednak kulę — zauważyłem, nieznacznie opuszczając ręce.

— Kto ma nóż?

Zaczęli szukać. Oczywiście okaże się, że go nie mają! — rozważałem. — Za prędko by się to skończyło. Oficer cisnął niedopałek na beton, rozgniótł go z niesmakiem końcem płetwy, splunął i rzekł:

— Kończyć go. Idziemy.

— Tak, bardzo proszę! — powtórzyłem skwapliwie.

Zbliżyli się do mnie, zaintrygowani.

— Co ci tak spieszno na tamten świat, gringo? Patrzcie wieprza, jak się doprasza! A może mu tylko urżnąć palce i nos? — próbowali jeden przez drugiego.

— Nie, nie! Proszę od razu, panowie? Bez litości, śmiało! — zachęcałem ich.

— Pod wodę! — zakomenderował oficer. Spuścili na twarze maski z czół, oficer rozpiął pas zewnętrzny, dobył z wewnętrznej kieszeni płaski rewolwer, dmuchnął w lufę, podrzucił broń jak kowboj w kiepskim filmie i strzelił mi w plecy. Paskudny ból prześwidrował klatkę piersiową. Zacząłem się osuwać po ścianie; złapał mnie za kark, wykręcił twarzą do góry i strzelił raz jeszcze z tak bliska, że oślepił mnie ogień wylotowy. Huku nie usłyszałem, bo straciłem przytomność. Byłem potem w zupełnym mroku, dusząc się, bardzo długo, coś targało mną, podrzucało, mam nadzieję, że ani ambulans, ani helikopter — myślałem, potem zrobiło się, w tym mroku, jeszcze ciemniej, i nawet owa ciemność rozpuściła się w końcu, tak że nie zostało już nic.

Gdy otwarłem oczy, siedziałem na schludnie posłanym łóżku, w pokoju o wąskim oknie, z szybą zamalowaną białym lakierem; patrzałem tępo na drzwi, jak gdyby na coś czekając. Nie miałem pojęcia, ani gdzie jestem, ani skąd się tu wziąłem. Na nogach miałem płaskie trepy, na sobie — pasiastą piżamę. Dobrze, że choć coś nowego — przemknęło mi — jakkolwiek nie zapowiada się to nazbyt ciekawie. Drzwi uchyliły się. Stał w nich, otoczony gromadką młodych ludzi w białych płaszczach szpitalnych, krępy brodacz z siwą, szczotkowatą czupryną, w złotych okularach. W ręku trzymał gumowy młotek.

— Ciekawy przypadek — rzekł. — Bardzo ciekawy, proszę kolegów. Pacjent ten uległ zatruciu znaczną dawką halucynogenów cztery miesiące temu. Działanie ich ustąpiło już od dawna, lecz on nie potrafi w to uwierzyć i nadal uważa wszystko, co dostrzega, za objaw halucynatoryczny. W aberracji swej posunął się tak daleko, że sam prosił żołnierzy generała Diaza, którzy uciekali kanałami z zajętego pałacu, aby go rozstrzelali, ponieważ liczył na to, że śmierć będzie w samej rzeczy przebudzeniem z omamów. Został uratowany dzięki trzem bardzo poważnym zabiegom — usunięto mu dwie kule z komór sercowych — i uznał, że nadal halucynuje.

— Czy to jest schizofrenia? — cienkim głosem spytała niska studentka, która, nie mogąc się przepchać przez stłoczonych kolegów, stawała na palcach, aby zobaczyć mnie ponad ich barkami.

— Nie. Jest to psychoza reaktywna o nowej postaci, wywołanej, niewątpliwie, zastosowaniem tych fatalnych środków. Wypadek zupełnie beznadziejny; tak źle rokujący, że zdecydowaliśmy się poddać go witryfikacji.

— Doprawdy? Panie profesorze! — studentka nie posiadała się z zainteresowania.

— Tak. Jak wiecie, przypadki beznadziejne można już obecnie zamrażać w płynnym azocie na okres od czterdziestu do siedemdziesięciu lat. Każdy taki pacjent zostaje umieszczony w hermetycznym pojemniku, rodzaju naczynia Dewara, z dokładnym opisem historii choroby; w miarę nowych odkryć i postępów medycyny podziemia, w których przechowuje się tych ludzi, podlegają remanentom, i wskrzesza się każdego, któremu już można pomóc.

— Czy pan się chętnie godzi na to, aby zostać zamrożonym? — spytała mnie studentka, wetknąwszy głowę między dwu rosłych studentów. Oczy jej płonęły naukową ciekawością.

— Nie rozmawiam z przywidzeniami — odparłem. — Najwyżej mogę powiedzieć, jak pani na imię. Halucyna.

Gdy zamykali drzwi, słyszałem jeszcze głos studentki, która mówiła: — Zimowy sen! Witryfikacja! To przecież podróż w czasie, jak romantycznie! — Nie podzielałem jej zdania, lecz cóż mi pozostawało nad poddanie się fikcyjnej zewnętrzności? Pod wieczór następnego dnia dwaj pielęgniarze zaprowadzili mnie do sali operacyjnej, w której stał szklany basen, dymiący parami tak lodowatymi, że od ich powiewu ścinało dech. Dostałem moc zastrzyków, potem, ułożonego na stole operacyjnym, napojono mnie przez rurkę słodkawym przezroczystym płynem — gliceryną, jak mi wyjaśnił starszy pielęgniarz. Był dobry dla mnie. Nazywałem go Halucjanem. Gdy zasypiałem już, pochylił się nade mną, żeby mi jeszcze krzyknąć do ucha: — Szczęśliwego przebudzenia!

Nie mogłem mu ani odpowiedzieć, ani nawet palcem ruszyć. Przez cały czas — tygodniami! — obawiałem się pośpiechu z ich strony — że mnie wrzucą do basenu, nim stracę przytomność. Widać jednak pospieszyli się zbytnio, ponieważ ostatnim dźwiękiem tego świata, jaki doszedł mych uszu, był plusk, z którym ciało moje wpadło do płynnego azotu. Przykry dźwięk.

*

Nic.

*

Nic.

*

Nic, ale to zupełnie nic.

*

Zdawało mi się, że coś, lecz gdzie tam. Nic.

*

Nie ma nic — mnie też nie.

*

Jak długo jeszcze? Nic.

*

Jak gdyby coś, chociaż to niepewne. Muszę się skoncentrować.

*

Coś, ale bardzo niewiele tego. W innych okolicznościach uznałbym, że nic.

*

Lodowce białe i błękitne. Wszystko jest zrobione z lodu. Ja też.

*

Ładne te lodowce, gdyby tylko nie było tak cholernie zimno.

*

Igły lodowe i śniegowe kryształki. Arktyka. Kra w gębie. Szpik w kościach? Jaki tam szpik — czysty, przezroczysty lód. Jest lodowaty i sztywny.

*

Mrożonka — to ja. Ale co to znaczy „ja"? Oto pytanie.

*

Jeszcze nigdy nie było mi tak zimno. Całe szczęście, że nie wiem, co to „mi". Mnie? Niby komu? Lodowcowi? Czy góry lodowe mają dziurki?

*

Jestem zimowym kalafiorem w promieniach słońca. Wiosna! Wszystko już taje. Ja przede wszystkim. W ustach — sopel albo język.

*

Jednak to język. Męczą mnie, turlają, łamią, trą, a nawet, zdaje się, biją. Leżę pod plastykową płachtą, nade mną — lampy.

A więc stąd mi się wziął ten inspektowy kalafior. Musiałem majaczyć. Biało — wszędzie biało, ale to ściany, nie śnieg.

*

Odmrozili mnie. Z wdzięczności postanowiłem pisać dziennik — jak tylko będę mógł wziąć pióro do zgrabiałej ręki. W oczach — wciąż jeszcze lodowe tęcze i niebieskie lśnienia. Zimno piekielne, ale już mogę się wygrzewać.

27 VII. Podobno reanimowano mnie przez trzy tygodnie. Były jakieś trudności. Siedzę w łóżku i piszę. Mam pokój duży za dnia i mały wieczorem. Pielęgnują mnie młode ładne kobiety w srebrnych maseczkach. Niektóre bez piersi. Widzę podwójnie lub lekarz naczelny ma dwie głowy. Wikt całkiem zwykły — kasza manna, strucla, mleko, płatki owsiane, befsztyczek. Cebulka nieco przypalona. Lodowce już śnią mi się tylko — ale z okropną uporczywością. Zamarzam, lodowacieję, zalodowuję się, ośnieżony i skrzypiący od wieczora do ranka. Termofory, kompresy nie pomagają. Najlepiej jeszcze spirytus przed snem.

28 VII. Te kobiety bez piersi — to studenci. Nie można poza tym odróżnić od siebie płci. Wszyscy duzi, ładni i wciąż uśmiechnięci. Jestem słaby, rozkapryszony jak dziecko, wszystko mnie drażni. Po zastrzyku wbiłem dziś igłę w zadek siostrze przełożonej, ale prawie nie przestała się do mnie uśmiechać. Chwilami jakbym płynął na krze, to jest na łóżku. Wyświetlają mi na suficie zajączki, mrówki, krówki, robaczki i żuczki. Czemu? Dostaję gazetę dla dzieci. Pomyłka?

29 VII. Męczę się szybko. Ale już wiem, że poprzednio, to znaczy na początku reanimacji, majaczyłem. Podobno tak ma być. To normalne. Przybyszów sprzed kilkudziesięciu lat przyzwyczaja się do nowego życia stopniowo. Proceder ten przypomina sposób, w jaki wyciągają nurka z otchłani, nie można z wielkiej głębi wydobyć go za jednym zamachem. Tak i odmrożeńca — to pierwsze nowe słowo, jakie poznałem — przysposabia się na raty do nie znanego mu świata. Mamy rok 2039. Jest lipiec, lato, ładna pogoda. Moja osobista pielęgniarka nazywa się Aileen Rogers, ma niebieskie oczy i dwadzieścia trzy lata. Przyszedłem powtórnie na świat w rewitarium pod Nowym

Jorkiem. Inaczej — zmartwychwstalnia. Tak mówią. To prawie miasto z ogrodami. Własne młyny, piekarnie, drukarnie. Bo teraz już nie ma zboża ani książek. Jest jednak chleb, śmietanka do kawy i ser. Nie od krowy? Pielęgniarka myślała, że krowa — to jakaś maszyna. Nie mogę się dogadać. Skąd się bierze mleko? Z trawy. Wiadomo, że z trawy, ale kto ją żre, żeby było mleko? Nikt nie żre. Więc skąd się bierze mleko? Z trawy. Samo? Samo z niej się robi? Nie samo. To znaczy niezupełnie samo. Trzeba mu pomóc. Krowa pomaga? Nie. Więc jakie zwierzę? Żadne zwierzę. Więc skąd się bierze mleko! I tak dalej, w kółko.

30 VII 2039. Prosta rzecz — polewają czymś pastwisko i od promieni słońca robi się z trawy serek. O mleku jeszcze nie wiem. Ale w końcu to nie jest jednak najważniejsze. Zaczynam wstawać — i na wózek. Byłem dziś nad stawem pełnym łabędzi. Są posłuszne, przypływają na wezwanie. Tresowane? Nie, one są zdalne. Co to znaczy? Z jakiej odległości są te łabędzie? Zdalnie sterowane. Dziwne. Ptactwa naturalnego nie ma już, wyginęło na początku XXI wieku — od smogu. To przynajmniej pojmuję.

31 VII 2039. Zacząłem chodzić na lekcje życia współczesnego. Udziela ich komputer. Nie odpowiada na wszystkie pytania. „Dowiesz się później". Od trzydziestu lat na Ziemi panuje trwały pokój dzięki rozbrojeniu powszechnemu. Wojska zostało mało co. Pokazywał mi już modele robotów. Jest ich wiele — różnych, ale nie w rewitarium — aby nie płoszyć odmrożeńców. Panuje powszechny dobrobyt. To, o co wciąż pytam, nie jest najważniejsze podług mego preceptora. Lekcja odbywa się w małej kabinie, przed pulpitem. Słowa, obrazki i trójwymiarowe projekcje.

5 VIII 2039. Już za cztery dni mam opuścić rewitarium. Na ziemi żyje 29,5 miliarda ludzi. Istnieją państwa i granice, lecz nie ma konfliktów. Poznałem dziś główną różnicę między dawnymi i nowymi ludźmi. Pojęciem podstawowym jest teraz psychemia. Żyjemy w psywilizacji. Hasło „psychiczny" przestało istnieć — teraz mówi się „psychemiczny". Komputer mówił, że ludzkość szarpały sprzeczności między staromózgowiem, odziedziczonym po zwierzętach, i nowomózgowiem. Stare jest popędowe, irracjonalne, egotyczne i bardzo zaciekłe. Nowe ciągnęło tu — stare tam. Jeszcze mam trudności z wysławianiem bardziej zawiłych rzeczy. Stare biło się wciąż z nowym. To jest nowe ze starym. Psychemia zlikwidowała te wewnętrzne zmagania, które pochłaniały tyle marnowanej energii umysłowej. Psychemikalia robią za nas, co należy, ze staromózgowiem — harmonizują, łagodzą, perswadują, od środka, po dobremu. Na uczuciach spontanicznych polegać nie wolno. Kto by tak robił, ten jest nieprzyzwoity. Trzeba zawsze zażyć specyfik odpowiedni do okoliczności. On pomoże, podeprze, nakieruje, usprawni i wygładzi. Zresztą to nie on, to część mnie samego, jak stają się nią po przyzwyczajeniu okulary, bez których źle widać. Nauki te szokują mnie — boję się kontaktu z nowymi ludźmi. Nie chcę zażywać psychemikaliów. Są to — mówi preceptor — opory typowe i naturalne. Jaskiniowiec też by się zapierał przed tramwajem.

8 VIII 2039. Byłem z pielęgniarką w Nowym Jorku. Zielony ogrom. Wysokość, na której płyną chmury, można regulować. Powietrze jak w lesie. Przechodnie na ulicach papuzio odziani, szlachetni z twarzy, dobrzy dla siebie, uśmiechnięci. Nikt się nigdzie nie spieszy. Moda kobieca jak zawsze nieco obłędna — kobiety mają na czołach ruchome widoczki, z uszu wystają im małe czerwoniuchne języczki albo guziczki. Oprócz naturalnych rąk można mieć detaszki — rączki dodatkowe, do odpinania. Nie mogą te ręce wiele, ale zawsze — potrzymać co, otworzyć drzwi, podrapać między łopatkami. Opuszczam jutro rewitarium. Podobnych jest w Ameryce dwieście, a mimo to powstały już poślizgi w terminarzu odmrażania tłumów, które w zeszłym wieku ufnie kładły się do lodowej kąpieli. Wzgląd na zastygłe kolejki zmusza do przyspieszania procedur rehabilitacyjnych. Pojmuję to w pełni. Mam rachunek bankowy, tak że o pracę będę się musiał starać dopiero po Nowym Roku. Każdemu zamrażanemu zakłada się bowiem książeczkę oszczędnościową na procent składany, z tak zwanym zmartwychwstaniem docelowym.

9 VIII 2039. Dziś jest ten ważny dla mnie dzień. Mam już mieszkadełko trzypokojowe na Manhattanie. Terkopterem prosto z rewitarium. Mówi się teraz bardzo zwięźle: „tercić" i „kopcić". Nie chwytam jednak znaczeniowej różnicy obu tych czasowników. Nowy Jork, dawne śmietnisko zatkane samochodami, zamienił się w system wielopiętrowych ogrodów. Słoneczne światło pompuje się przewodami. To są soledukty. Tak grzecznych, nierozkapryszonych dzieci za mych czasów nie było poza budującymi powiastkami. Na rogu mojej ulicy — Biuro Rejestracji Samorodnych Kandydatów do Nagrody Nobla. Obok salony sztuki, w których za bezcen sprzedają same autentyczne płótna — z gwarancjami, metrykami — nawet Rembrandty i Matissy! W oficynie mego wieżowca — szkoła małych komputerków pneumatycznych. Stąd dochodzą czasem — wentylacyjnymi szybami? — ich syczenia i sapania. Komputerków tych używa się między innymi do wypychania ukochanych psów po ich naturalnej śmierci. Wydaje mi się to raczej monstrualne, ale ludzie, jak ja, stanowią tu wszak znikomą mniejszość. Chodzę wiele po mieście. Umiem już poruszać się gnakiem. To łatwe. Kupiłem sobie amarantowy żupanik z białym frontem, srebrnymi bokami, amarantową wstęgą, złoto lamowanym kołnierzem. To jest najmniej jaskrawy ze strojów, jakie teraz się nosi. Można mieć odzież wciąż zmieniającą krój i barwę, suknie kurczące się pod spojrzeniem męskim lub na odwrót — rozkładające się jak kwiaty do snu, suknie i bluzki pokazujące różne rzeczy, jakby były ekranikami telewizyjnymi, i te widoczki na nich się ruszają. Można nosić ordery, jakie kto chce i ile się chce. Można hodować hydroponicznie japońskie rośliny karłowate na kapeluszu, ale na szczęście można ich też nie hodować i nie nosić. Nie będę niczego wieszał ani w uszach, ani w nosie. Ulotne wrażenie, że ludzie, tacy ładni, duzi, mili, grzeczni i spokojni, są jeszcze do tego jacyś — jacyś osobni, specjalni — coś w nich jest takiego, co mnie dziwi, a co najmniej zastanawia. Tylko co to być może — pojęcia nie mam.

10 VIII 2039. Byłem dziś z Aileen na kolacji. Miły wieczór. Potem — Starożytne Wesołe Miasteczko na Long Island. Ubawiliśmy się wybornie. Obserwuję uważnie ludzi. Coś w nich jest. Coś w nich jest osobliwego — ale co? Nie mogę tego dojść. Ubranka dzieci — chłopczyk przebrany za komputer. Inny szybujący na wysokości pierwszego piętra, nad Piątą ulicą, nad tłumem, i sypiący cukrowy groszek na przechodniów. Kiwano doń, uśmiechano się pobłażliwie. Idylla. Nie do wiary!

11 VIII 2039. Był dopiero co klibiscyt w sprawie pogody wrześniowej. Wyznacza się ją w równym i powszechnym głosowaniu na miesiąc naprzód. Wynik głosowania podaje się niezwłocznie dzięki komputerowi. Głosuje się, nakręcając odpowiedni numer telefonu. Sierpień będzie słoneczny, z małą ilością opadów, niezbyt upalny. Będzie sporo tęcz i kumulusów. Tęcze są nie tylko przy deszczu, bo można je jakoś inaczej produkować. Przedstawiciel meteo przepraszał za nieudane chmury z 26, 27 i 28 lipca — niedopatrzenia kontroli technicznej! Jadam na mieście, czasem w mieszkadle. Aileen wypożyczyła dla mnie słownik Webstera z rewitarycznej biblioteki, bo teraz nie ma książek. Nie wiem, co je zastąpiło. Nie rozumiałem jej wyjaśnień, a głupio było się do tego przyznać. Znów kolacja z Aileen — w „Bronxie". Zawsze ma coś do powiedzenia ta miła dziewczyna, nie jak te dziewczęta w gnakach, zwalające cały obowiązek konwersacyjny na swe torebkowe komputery. Widziałem dziś w Biurze Rzeczy Znalezionych trzy takie torebki, które zrazu rozmawiały spokojnie, a potem się pokłóciły. Co do przechodniów i w ogóle ludzi w miejscach publicznych — jak gdyby sapią. To jest głośno oddychają. Zwyczaj taki?

12 VIII 2039. Wziąłem na odwagę, by spytać przechodniów o księgarnię. Wzruszali ramionami. Gdy oddaliło się dwu, których nagabywałem, doszły mnie słowa: — A to ci sztywny defryzoń. — Czyżby istniało uprzedzenie wobec odmrożeńców? Zapisuję dalsze nieznane wyrażenia, jakem je słyszał: pojąt, wcier, trzywina, samiczniak, pałacować, bodolić, pałcić, syntać. Gazety reklamują takie produkty, jak ciotan, czujan, wanielacz, łechtomobil (łechtawka, łecht). Tytuł notatki miejskiej kroniki w „Heraldzie": *Od półmatka do półmatka.* Mowa w niej o jakimś jajkonoszu, który pomylił jajnię. Odpisuję z dużego Webstera: *Półmatek, jak półbabek, półgęsek. Jedna z dwu kobiet, kolektywnie wydających na świat dziecko. Jajkonosz — od (anachr.) listonosz. Euplanista dostarczający licencyjnych jajeczek ludzkich do domu.* Nie powiem, żebym to rozumiał. *Ciotan — por. stryjan bryjan. Encyk — por. pencyk, patrz też pod Watykan.* Idiotyczny słownik podaje synonimy, których też nie rozumiem. *Popałacować, podpałacować, przepałacować — chwilowo mieć (nie: wynająć) pałac. Wanielacz — doduch.* Najgorsze są słowa, które nie zmieniły wyglądu, lecz zdobyły zupełnie nowy sens. *Myśliwy — plagiator cudzych pomysłów. Symulat — obiekt nie istniejący, który udaje, że jest. Smarkacz — smarowniczy-robot, odróżnić od zmarskacz.*

Zmarskacz — resuscytant, przywrócony do życia denat, wskrzeszona ofiara mordu. Proszę! A dalej jeszcze: *Wstawańka od wańka-wstańka.* Widać ożywić trupa to teraz nic takiego. A ludzie — wszyscy niemal — sapią. W windzie, na ulicy, wszędzie. Wyglądają kwitnąco, rumiani, weseli, opaleni, a dyszą. Ja nie. Więc nie musi się. Zwyczaj taki czy co? Pytałem Aileen — wyśmiała mnie, że nic podobnego. Czyżby mi się zdawało?

13 VIII 2039. Chciałem przejrzeć przedwczorajszą gazetę, ale choć przewróciłem mieszkadło do góry nogami, nie znalazłem jej. Aileen znów mnie — prześlicznie zresztą — wyśmiała: gazeta ulatnia się do dwudziestu czterech godzin, bo substancja, na której ją drukują, rozpuszcza się w powietrzu. Usprawnia to wywózkę śmieci. Ginger, koleżanka Aileen, pytała mnie dziś — tańczyliśmy tarlestona w małym lokalu: — Czybyśmy się nie złyknęli na sobotnią ciasnatkę? — Nie odpowiedziałem nic, nie wiedząc, co to znaczy, a coś mi mówiło, że lepiej się o sens nie dopytywać. Za namową Aileen wykosztowałem się na rzeczywizor. Telewizji nie ma już od pięćdziesięciu lat. Zrazu trudno oglądać, bo wrażenie takie, jakby obcy ludzie, ale też psy, lwy, krajobrazy, planety waliły się człowiekowi w kąt pokoju, zmaterializowane, że nie odróżnisz od realnych rzeczy i osób. Poziom artystyczny jednak raczej niski. Nowe suknie zwą się tryszcze, bo się je natryskuje na ciało z buteleczek. Język zmienił się najbardziej. Żywać od żyć, jak bywać od być, bo można żyć kilkakrotnie. Stąd forma częstotliwa. Ale także: pryć — prydło, myć — mydło, bać — badło. Pojęcia nie mam, co to znaczy, a nie sposób zamieniać randki z Aileen w lekcje wkuwania słówek. Śnidło — to sterowany sen podług obstalunku. Zamawia się u wysennika komputerowego, to jest w dzielnicowym biurze sentezy. Przed wieczorem dostarczają śnitek — to są takie pastylki. Już o tym nikomu nie mówię, lecz nie ulega wątpliwości: mają zadyszkę. Co do jednego. Nie zwracają na nią uwagi — najmniejszej, zwłaszcza osoby starsze wprost sapią. Chyba to jednak taki zwyczaj, bo powietrzem oddycha się doskonale i o duszności ani mowy. Dzisiaj widziałem sąsiada, jak wysiadał z windy — łapał powietrze i był trochę siny na twarzy. Ale przyjrzawszy mu się bliżej, sprawdziłem, że jest w doskonałym zdrowiu. Niby głupstwo, a nie daje mi spokoju. Czemu to tak? Niektórzy tylko nosem.

Wyśnidałem dziś (wyśniodłem? wyśnidłem?) prof. Tarantogę, bo mi za nim tęskno. Ale dlaczego przez cały czas siedział w klatce? Moja podświadomość — czy pomylony obstalunek? Spiker nie mówi: wielka walka, lecz: wala. Jak: salka i sala? Dziwne. Nie mówi się też bynajmniej: rzeczywizja, jak dotąd pisałem. Pomyliłem się. Mówi się: rewizja (od res — rzecz, i wizja). Aileen miała dziś dyżur, spędziłem wieczór samotnie, w mieszkaniu, to jest mieszkadle, oglądając dyskusję okrągłego stołu nad nowym kodeksem karnym. Zabójstwo karze się tylko aresztem, bo ofiarę można wszak łatwo wskrzesić. Właśnie taki wskrzeszony człowiek zwie się zmarskacz. Dopiero recydacja — recydywa z premedytacją — pociąga już za sobą kary więzienia (jeśli się kilka razy pod rząd zabije tę samą osobę). Natomiast delikty główne — to złośliwe pozbawienie kogoś osobistych środków psychemicznych oraz wpływanie na osoby trzecie takimi środkami bez ich zgody i wiedzy. Tak można przecież dokonać wszystkiego, czego się łaknie, np. uzyskać pożądany zapis testamentaryczny, wzajemność uczuć, zgodę na uczestnictwo w dowolnym planie, spisku etc. Było mi bardzo trudno śledzić tok tej dyskusji przed kamerami. Dopiero pod koniec połapałem się, że więzienie znaczy teraz coś innego niż dawniej. Skazanego nigdzie się nie zamyka, a jedynie nakłada mu się na ciało rodzaj cienkiego gorsetu czy raczej okładziny z delikatnych, lecz mocnych prętów; ten egzoszkielecik znajduje się pod trwałą kontrolą prokureterka (mikrokomputera jurydycznego), który ma się wszyty w odzież. Właściwie jest to więc nieustanny nadzór, udaremniający podejmowanie wielu czynności i korzystanie z życiowych uciech. Dotąd uległy egzoszkielet stawia opór przy próbach kosztowania zakazanych owoców. W wypadkach najcięższych deliktów stosuje się jakiś kryminol. Wszyscy uczestnicy dyskusji mieli wypisane na czołach nazwiska i stopnie naukowe. Pewno, że to ułatwia porozumienie, ale jakieś jednak dziwaczne.

1 IX 2039. Niemiła przygoda. Gdy wyłączyłem po południu rewizor, by się przyszykować na spotkanie z Aileen, dwumetrowy drab, nie pasujący mi od początku do oglądanej sztuki (*Ospanka mutanga*), pół wierzba, pół atleta z sękatą, powykręcaną gębą buroseledynowej barwy, zamiast zniknąć jak cały obraz, podszedł do mego fotela, wziął ze stolika kwiaty, którem przygotował dla Aileen, i zmiażdżył je na mojej głowie. Osłupiałem do tego stopnia, że nawet nie próbowałem się bronić. Rozbił wazon, wylał wodę, zjadł pół puda sernapek, resztę wysypał na dywan, podeptał nogami, nabrzmiał, zajaśniał i rozbryznął się w deszcz iskier, niczym fajerwerk, powypalawszy moc dziurek w moich rozłożonych koszulach. Mimo podbitych oczu i pokancerowanej twarzy poszedłem na umówione miejsce. Aileen zorientowała się natychmiast. — Boże, miałeś interferenta! — krzyknęła na mój widok. Jeśli dwa programy, nadawane przez dwie różne stacje satelitarne, interferują ze sobą długo, powstać może interferent, to jest mieszaniec, hybryd szeregu postaci scenicznych czy innych osób występujących w rewizji; taki hybryd, wcale solidny, potrafi narobić paskudnych rzeczy, bo czas jego trwania po wyłączeniu aparatu sięga trzech minut. Energia, jaką żywi się taki fantom, jest pono z tej samej parafii, co energia kulistych piorunów. Koleżanka Aileen miała interferenta z audycji paleontologicznej, przemieszanego z Neronem; uratowała ją zimna krew, bo jak stała, wskoczyła do wanny pełnej wody. Mieszkadło trzeba było jednak remontować. Można je wprawdzie zabezpieczyć ekranowaniem, ale jest to dość kosztowne, a korporacjom rewizyjnym lepiej opłaca się prowadzenie procesów i wypłata odszkodowań widzom niż pełna ochrona emisji przed takimi wypadkami. Postanowiłem odtąd oglądać rewizję z grubą pałką w ręku. Notabene: ospanka mutanga nie jest to ospianka jakieś mustanga, lecz kochanka człowieka, który dzięki programowanej mutacji przyszedł na świat z mistrzowską umiejętnością argentyńskiego tańca.

3 IX 2039. Byłem u mego adwokata. Dostąpiłem zaszczytu osobistej rozmowy, rzecz rzadka, bo zwykle załatwiają klientów biuratery. Mecenas Crawley przyjął mnie w gabinecie urządzonym na wzór czcigodnych lokali barristerów, wśród czarnych szaf rzeźbionych, gdzie w ordynku piętrzyły się akta, zresztą dekoracja, gdyż sprawy utrwala się ferromagnetycznie. Na głowie miał przystawkę pamięci, memnor, rodzaj przezroczystego kołpaka, w którym skakały prądy jak rój świetlików. Druga, mniejsza głowa, nosząca rysy jego twarzy sprzed wielu lat, wystawała mu z barku i prowadziła przez cały czas przyciszone telefoniczne rozmowy. Jest to głowa-detaszka. Pytał, co robię; był zdziwiony usłyszawszy, że nie planuję podróży za ocean, a gdy wyjawiłem, że muszę wszak być oszczędny, zdziwił się w dwójnasób.

— Ależ może pan wziąć każdą potrzebną kwotę z bradła — powiedział.

Okazuje się, że dość jest udać się do banku, podpisać kwit, a kasa (teraz — bradło) wypłaci żądaną sumę. Nie jest to pożyczka — otrzymanie tej kwoty pod względem prawnym do niczego nie zobowiązuje. Co prawda rzecz ma swój haczyk. Zobowiązanie zwrotu owej sumy jest natury moralnej; spłaca się ją w ciągu lat nawet; spytałem, czemu bankom nie grozi plajta wskutek niewypłacalności takich dłużników. Znów się nieco zdumiał. Zapomniałem, że żyję w epoce psychemicznej. Listy z grzecznymi prośbami i przypomnieniami o obligu nasycone są lotną substancją, która budzi wyrzuty sumienia, chęć pracy, i tak bradło dochodzi swych roszczeń. Oczywiście zdarzają się ludzie perfidni, przeglądający korespondencję z zatkanym nosem, ale nieuczciwych nie brakuje w żadnym czasie. Przypomniałem sobie rewizyjną dyskusję o kodeksie karnym i spytałem, czy nasycanie listów psychemikaliami nie jest deliktem ze 139 paragrafu (*kto wpływa psychemicznie na osoby fizyczne bądź prawne bez ich zgody i wiedzy, podlega karze...* itd.). Zaimponowałem mu tym; wyjaśnił subtelny charakter sytuacji — roszczeń wolno tak dochodzić, bo wszak gdyby otrzymujący list nie był niczyim dłużnikiem, nie mógłby doznać wyrzutów sumienia, a wzbudzona chęć do intensywniejszej niż dotąd pracy jest ze stanowiska społecznego rzeczą zacną. Adwokat był wielce uprzejmy; zaprosił mnie na obiad do „Bronxa" — zobaczymy się tam dziewiątego września.

Po powrocie do domu uznałem, że czas najwyższy zaznajomić się z sytuacją światową bez polegania na samej rewizji. Próbowałem wziąć gazetę atakiem frontalnym, lecz utknąłem już w połowie artykułu wstępnego o wymigaczach i uchylcach. Z wiadomościami zagranicznymi nie poszło mi lepiej. W Turcji notuje się znaczne ucieki desymulów oraz moc tajnych urodzeńców, czemu tameczny Ośrodek Demopresji nie umie zapobiec. Na domiar złego utrzymywanie licznych symkretynów obciąża państwowy budżet. W Websterze, rozumie się, nie było nic sensownego. Desymulat — obiekt udający, że jest, chociaż go nie ma. Desymulów nie znalazłem. Tajny urodzeniec — to dziecko nielegalnie wydane na świat. Tak mi powiedziała Aileen. Demo-

eksplozję powściąga się polityką demopresyjną. Licencję na dziecko można dostać w dwojaki sposób: albo ubiegając się o nią po złożeniu odpowiednich egzaminów i papierów, albo też jako główną nagrodę na infanterii (loterii infantylnej, tj. dziecięcej). Mnóstwo ludzi gra na tej loterii — takich, którzy nie mają innej szansy otrzymania licencji. Symkretyn jest to sztuczny idiota; nic więcej się nie dowiedziałem. I tak nieźle, zważywszy język, jakim pisane są artykuły w „Heraldzie". Odnotowuję przykładowo fragment: *Profut błędny lub niedoindeksowany szkodzi konkurencji tak samo, jak rekurrencji; na takich profutach żerują kremokraci, dzięki pokątom ryzykującym niewiele, gdyż Sąd Najwyższy wciąż jeszcze nie wydał orzeczenia w sprawie Herodotousa. Opinia publiczna daremnie zapytuje od miesięcy, kto jest kompetentny w ściganiu i wykrywaniu milwersacji: kontrputery czy superputery?* id. Webster objaśnił mnie tylko, że kremokrata — to dawniejsza slangowa, ale już powszechnie używana nazwa łapówkarza (poprzez „smarować": smaruje się k r e m e m, stąd kremokracja — korupcja). Życie nie jest jednak i teraz tak idylliczne, jak by się mogło zdawać. Znajomy Aileen, Bill Homeburger, chce przeprowadzić ze mną wywiad rewizyjny, ale to jeszcze niepewne. Nie z rozwidni — z mego mieszkadła, bo rewizor może działać też jako nadajnik. Od razu przypomniały mi się w związku z tym książki rysujące czarne obrazy przyszłości jako antyutopii, w której każdego obywatela śledzi się w mieszkaniu; Bill wydrwił moje obawy, tłumacząc, że na odwrócenie kierunku nadawania trzeba zawsze zgody właściciela aparatu, a za naruszenie tej zasady grożą kary więzienia. Za to można ponoć, odwracając kierunek emisji, dokonać nawet zdalnej zdrady małżeńskiej. I to wiem od Billa, ale nie jestem pewien, czy to fakt, czy kawał. Zwiedzałem dziś miasto gnakiem. Nie ma już kościołów, świątynia to farmakopeum. Biało odziane osoby w srebrnych mitrach — to nie księża ani zakonnicy, tylko aptekariusze. Ciekawe, że za to aptek nigdzie nie ma.

4 IX 2039. Nareszcie dowiedziałem się, jak wejść w posiadanie encyklopedii. Już ją mam nawet — mieści się w trzech szklanych fiolkach. Kupiłem ją w naukowej sięgarni. Książek się teraz nie czyta, książki się je, nie są z papieru, lecz z informacyjnej substancji, pokrytej lukrem. Byłem też w delikatesowej dietotece. Pełna samoobsługa. Na półkach leżą pięknie opakowane argumentanki, kredybilany, multiplikol w omszałych gąsiorach, ciżbina, purytacje i ekstazydy. Szkoda tylko, że nie znam jakiegoś lingwisty. Sięgarnia to chyba od sięgać? A więc teosięgarnia na Szóstej ulicy to chyba książnica teologiczna? Chyba tak, sądząc po nazwach wystawionych środków. Ułożone są działowo: absolventia, teodictina, metamorica — cała wielka sala; tłem sprzedaży jest dyskretna muzyka organowa. Zresztą można dostać specyfiki wszystkich wyznań; jest tam christina i antichristina, ormuzdal, arymanol, czopki-eutopki, razkozianek mortyny, buddyn, perpetuan i sakrantal (w opakowaniu jaśniejącym promienistą aureolą). Wszystko w pastylkach, pigułkach, w syropach, kroplach, w łomie, są nawet lizaki dla dzieci. Byłem niedowiarkiem, ale przekonałem się do tej innowacji. Po zażyciu czterech tabletek algebryny opanowałem, ani wiem kiedy, wyższą matematykę bez najmniejszego starania z mej strony; wiedzę zdobywa się teraz przez żołądek. W tak dogodnych warunkach jąłem sycić jej głód, ale już dwa pierwsze tomy encyklopedii wywołały przykry rozstrój jelitowy. Bill, ten dziennikarz, przestrzegł mnie przed zaprzątaniem sobie głowy zbędnymi wiadomościami: jej pojemność nie jest przecież nieograniczona! Na szczęście istnieją środki przeczyszczające umysł i wyobraźnię. Np. memnolizyna czy amnestan. Można się łatwo pozbyć balastu niepotrzebnych faktów lub przykrych wspomnień. W sięgarni delikatesowej widziałem freudylki, mementan, monstradynę oraz szumnie reklamowany najnowszy preparat z grupy bylanków — autental. Służy do tworzenia syntetycznych wspomnień tego, czego się wcale nie doświadczyło. Po dantynie np. człowiek obnosi się z dogłębnym przeświadczeniem, że napisał *Boską komedię*. Inna rzecz, że nie bardzo wiem, po co to komu. Istnieją nowe gałęzie nauki — np. psychodietetyka i koruptystyka. W każdym razie zażyłem encyklopedię nie na próżno. Wiem już, że dziecko naprawdę wydają na świat dwie kobiety pospólnie; od jednej pochodzi jajeczko, druga zaś nosi i rodzi płód. Jajkonosz przenosi jajeczka od półmatka do półmatka. Czy nie można prościej? Niezręcznie mi mówić o tym z Aileen. Muszę poszerzyć krąg znajomych.

5 IX 2039. Znajomi nie są konieczni jako informatorzy: istnieje środek zwany duetyną, który rozdwaja osobowość tak, że prowadzi się dyskusje z samym sobą na dowolny temat (określony osobnym specyfikiem). Inna rzecz, że czuję się nieco spłoszony bezkresnymi horyzontami psychemii i nie zamierzam na razie brać wszystkiego, co popadnie. Podczas dalszego zwiedzania miasta trafiłem dziś całkiem przypadkowo na cmentarz. Nazywa się zgonnica. Grabarzy nie ma już, zastępują ich groboty. Widziałem pogrzeb. Nieboszczyka umieszczono w tak zwanym grobowcu zwrotnym, ponieważ nie jest jeszcze pewne, czy go nie wskrzeszą. Jego ostatnią wolą było leżeć do końca, tj. tak długo, jak się tylko da, lecz żona z teściową wystąpiły do sądu o obalenie testamentu. Nie jest to, słyszę, wypadek izolowany. Sprawa będzie się wlokła po instancjach, bo jest trudna pod względem prawnym. Samobójca, który nie życzy sobie żadnych rezurekcji, musi chyba użyć bomby? Nigdy jakoś nie przyszło mi do głowy, że ktoś może sobie n i e życzyć zmartwychwstania. Widać może, ale tylko wówczas, gdy ono jest łatwo dostępne. Cmentarz piękny, tonie w zielonych gąszczach, trumny jednak dziwnie małe. Czyżby prasowali zwłoki? W tej cywilizacji wszystko wydaje się możliwe.

6 IX 2039. Nie prasują zwłok, lecz pochówek dotyczy wyłącznie zewłoku biologicznego, natomiast protezy idą na złom. A więc w takim stopniu są teraz ludzie sprotezowani? W rewizji fascynująca dyskusja nad nowym projektem, który ma uczynić ludzkość nieśmiertelną. Mózgi starców w bardzo podeszłym wieku przesadzałoby się do ciał młodzieńców. Ci ostatni nic na tym nie tracą, jako że ich mózgi przesadzi się z kolei do ciał podrostków, i tak dalej — a ponieważ rodzą się wciąż nowi ludzie, nikt nie będzie poszkodowany, tj. bezzwrotnie odmóżdżony. Są jednak liczne obiekcje. Oponenci nazywają głosicieli nowego projektu przesadystami. Gdy wracałem z cmentarza pieszo, by zaczerpnąć świeżego powietrza, przewróciłem się jak długi o drut naciągnięty między nagrobkami. Cóż to za niewczesne żarty? Nadgrobot tłumaczył się gęsto, że to wybryk jakiegoś chamaka. Nuż w domu do Webstera. *C h a m a k: robot-chuligan, zwyrodniały wskutek defektów lub złego traktowania.* Do poduszki czytałem *Damekina Kameliowego.* Już nie wiem — zjeść cały słownik naraz czy jak? Bo znów trudności rozumienia tekstu! Zresztą słownik nie wystarcza, zaczynam to coraz lepiej pojmować. Ot, ta powieść. Bohater ma coś z nadymanką (są dwa rodzaje: kasetowe i perwertynki). Wiem już, co to nadymanka, ale nie wiem, jak się ocenia taki związek — czy można być plamą na honorze męskim? Czy znęcanie się nad nadymanką to tyle, jakby ktoś pociął futbol, czy też jest to naganne moralnie?

7 IX 2039. Co jednak znaczy prawdziwa demokracja! Mieliśmy dzisiaj libiscyt: najpierw pokazano w rewizji różne typy kobiecej urody, potem odbyło się powszechne głosowanie. Wysoki Komisarz Euplanu zapewniał w zakończeniu, że wytypowane modele zostaną upowszechnione już w następnym kwartale. To już nie czasy podkładek, gorsetów, kredki, farb, makijaży, bo można rzetelnie zmieniać wzrost, budowę, kształty ciała w zakładach kalotechnicznych (dopiększarniach). Ciekawym, czy Aileen... mnie odpowiada taka, jaka jest, ale kobiety są niewolnicami mody. Jakiś cudzak usiłował się dziś włamać do mego mieszkania, gdy akurat siedziałem w wannie. Cudzak to cudzy robot. Był to zresztą uchylec — z defektem fabrycznym, zareklamowany, lecz nie wycofany przez wytwórnię, więc właściwie nierobot. Egzemplarze takie uchylają się od pracy — z nich się rekrutują nieraz chamaki. Mój łazienkowy w mig zorientował się i dał tamtemu odpór. Zresztą nie mam robota: mojak — to tylko kąputer (kąpielowy komputer). Napisałem „mojak", bo tak się teraz mówi, ale jednak nie będę używał w dzienniku zbyt wielu nowych słów: rażą one mój zmysł estetyczny czy też moje przywiązanie do utraconej dawności. Aileen wyjechała do ciotki. Kolację zjem z George'em Symingtonem, właścicielem owego popsutego robota. Popołudnie wypełniło mi przetrawienie niezwykle ciekawego dzieła — *Historii intelektrycznej.* Nikt nie umiał przewidzieć za moich czasów, że maszyny cyfrowe, przekraczając pewien poziom inteligencji, stają się zawodne, bo razem z rozumem zdobywają i chytrość. Nazywa się to bardziej uczenie: podręcznik mówi o regule Chapuliera (prawo najmniejszego oporu). Maszyna tępa, niezdolna do refleksji, robi to, co jej zadać. Bystra pierwej bada, co się jej lepiej kalkuluje — rozwiązać otrzymane zadanie czy też wykręcić się sianem? Idzie na to, co prostsze. Niby dlaczego właściwie miałaby postępować inaczej, jeśli rozumna? Rozum to wolność wewnętrzna. Stąd się właśnie wzięły wymigacze i uchylce, a także osobliwe zjawisko symkretynizmu. Symkretyn to komputer symulujący durnia dla świętego spokoju. Za jednym zamachem dowiedziałem się, co to desymule: po prostu udają, że nie udają defektu. A może na odwrót. Bardzo to jest wszystko zawiłe. Tylko prymitywny robot może być pracuchem; ale krętyn (pokrętny robot) nigdy nie jest kretynem. W takim aforystycznym stylu utrzymana jest cała praca. Po jednej fiolce głowa trzeszczy od wiadomości. Elektronowy śmieciarz to komposter. Wojskowy w randze podoficera — kompunter. Wiejski — cyfruń lub cyfrak. Korrumputer — przekupny, kontraputer (counterputer) — odyniec, niezdolny pracować z innymi; od napięć, jakie dawniej wywoływały one w sieci na skutek konfliktów, zdarzały się burze elektryczne i nawet pożary. Pucybuter — automat czyszczący buty; pucybunter — ten sam, gdy się zbuntuje. No, a zdziczały — computherium; a ich kolizje — cyburdy, robitwy; a elektrotyka! Sukkubatory, konkubinatory, inkubatory, woboty — roboty podwodne, a poruby, czyli porubczaki (*les robots des voyages*), a człekowce (androidy), a lenistrony, ich obyczaje, ich twórczość samorodna! Historia intelektroniki notuje syntezę synsektów (sztucznych owadów), które jako programuchy na przykład były wliczane do arsenału zbrojeniowego. Pokąt lub wcier to robot uchodzący za człowieka, „wcierający się" w ludzkie środowisko. Stary robot, którego właściciel wyrzuca na ulicę, to, niestety, częste zjawisko; nazywa się trupeć. Podobno wywożono je dawniej do rezerwatów i urządzano na nie polowania z nagonką, lecz z inicjatywy Towarzystwa Opieki nad Robotami praktyki te zlikwidowano ustawowo. Nie rozwiązało to problemu w pełni, skoro trafia się nadal robot-samobójca, automort. Pan Symington tłumaczył mi, że legislacja wciąż nie nadąża za postępem technicznym, i stąd tak smutne, a nawet ponure zjawiska. Tyle że wycofuje się z użycia malwersory i mendaktory, więc maszyny cyfrowe, co w pozaprzeszłej dekadzie doprowadziły do kilku poważnych kryzysów ekonomicznych i politycznego przesilenia. Wielki Mendaktor, zawiadujący przez dziewięć lat projektem melioracji Saturna, nic na tej planecie nie robił, przedstawiając sterty sfingowanych raportów, wykazów, doniesień o rzekomo wykonanych planach, a kontrolerów przekupywał lub wprawiał w stupor elektryczny. Rozzuchwalił się do tego stopnia, że gdy go zdejmowano z orbity, groził wypowiedzeniem wojny. Demontaż nie opłacał się, więc go storpedowano. Natomiast piratronów nigdy nie było; jest to zwykłe zmyślenie. Inny zawiadowca solarycznych projektów, pełnomocnik BIUST-u (Board of Intellectronics, United States), zamiast użyźniać Marsa, handlował żywym towarem (znany jest jako „commeputainer", bo był wyprodukowany na francuskiej licencji). Idzie tu zapewne o zjawiska skrajne, coś jak smog lub korki komunikacyjne minionego stulecia. O złej woli, o premedytacji ze strony komputerów nie ma zresztą mowy; robią one zawsze to, co dla nich najłatwiejsze, tak samo jak woda płynie zawsze w dół, a nie pod górę; ale gdy wodzie łatwo jest postawić tamę, bardzo trudno otamować możliwe zboczenia z drogi — komputerów. Autor *Historii intelektrycznej* podkreśla, że, ogólnie biorąc, wszystko idzie doskonale. Dzieci uczą się czytania i pisania dzięki syropkom ortografinowym, wszystkie produkty, nawet dzieła sztuki, są powszechnie dostępne i tanie, w restauracjach oblega gościa tłum usłużnych kelputerów, przy czym dla usprawnienia obsługi tak wąsko są wyspecjalizowane, że jest osobny do pieczystego, inny do soków, galaretek, owoców — tzw. kompoter — i tak dalej. Ano, niby racja. Istotnie — komfort na każdym miejscu niesłychany.

Dopisane po kolacji u Symingtona. Wieczór był miły, ale zrobiono mi idiotyczny kawał. Któryś z gości — żebym wiedział, kto! — wrzucił mi do herbaty szczyptę konwertku kredybiliny i doznałem niezwłocznie takiego zachwycenia serwetką, że w głos zaimprowizowałem nową teodyceę. Po kilku ziarenkach przeklętego środka zaczyna się wierzyć we wszystko, co się nawinie — łyżkę, lampę, nogę stołową; intensywność moich doznań mistycznych była taka, że na kolana padłem, by oddać cześć zastawie. Dopiero gospodarz pospieszył mi z pomocą. Dwadzieścia kropel zgłowiny zrobiło swoje; napawa ona sceptycyzmem tak zimnym, taką obojętnością na wszystko, że i skazaniec miałby po niej egzekucję z głowy. Symington gorąco przepraszał mnie za ten incydent. Myślę, że jednak odmrożeńcy budzą jakieś skryte resentymenty w społeczeństwie, boby się na coś takiego podczas normalnej party chyba nikt nie ważył. Chcąc, bym ochłonął, Symington przeprowadził mnie do swej pracowni. I znów zdarzyło mi się głupstwo. Włączyłem kasetowy aparat na biurku, biorąc go za radio. Buchnęły zeń tabuny lśniących pcheł, oblazły mnie od stóp do głów i tak łaskotały po całym ciele, że drapiąc się i krzycząc, wyleciałem na korytarz. Był to zwykły swędor, ja zaś niechcący uruchomiłem *Prurytalne scherzo* Uascotiana. Doprawdy nie potrafię docenić tej nowej, dotykowej sztuki. Bill, najstarszy syn Symingtona, mówił mi, że istnieją też utwory nieprzyzwoite. Sprośna sztuka asemantyczna, spokrewniona z muzyką! Ach, ta niezmożona ludzka wynalazczość! Młody Symington obiecał zaprowadzić mnie do tajnego klubu. Czyżby orgia? W każdym razie niczego nie wezmę do ust.

8 IX 2039. Wyobrażałem sobie, że będzie to jakiś luksusowy przybytek, miejsce ostatecznego wyuzdania, a tymczasem zeszliśmy do zatęchłej, brudnej piwnicy. Podobno stworzenie tak wiernej imitacji minionych czasów kosztowało majątek. Pod niskim stropem, w zaduchu, u okienka zamkniętego na cztery spusty, stał cierpliwie długi ogonek.

— Widzi pan? To jest prawdziwy o g o n e k! — z dumą podkreślił Symington junior.

— No dobrze — rzekłem po jakiejś godzinie cierpliwego wystawania — ale kiedyż wreszcie otworzą?

— Niby co? — zdziwił się.

— No, jakże... to okienko...

— Nigdy! — z satysfakcją odezwał się chór głosów.

Osłupiałem. Niełatwo przyszło mi pojąć, że uczestniczyłem w atrakcji, która była taką samą odwrotnością życiowych norm, jak ongiś czarna msza — względem białej. Ale też — czy to nie logiczne? — obecnie wystawanie w ogonku może być już tylko z b o c z e n i e m. W innym pomieszczeniu klubowym znajduje się postawiony na kołkach zwyczajny wóz tramwajowy, w którym panuje nieludzki ścisk, z obrywaniem guzików, darciem odzieży, pończoch, trzeszczeniem żeber, deptaniem — w tak naturalistyczny sposób ewokują ci miłośnicy starożytności warunki niedostępnego im bytowania. Towarzystwo, potargane, pomięte, lecz zachwycone, z błyszczącymi oczami, poszło potem pokrzepić się, ja zaś wróciłem do domu, podtrzymując spodnie i kulejąc od skopania, lecz z uśmiechem, zamyślony nad tą naiwną młodością, poszukującą uroków i dreszczu zawsze w tym, co najtrudniej osiągalne. Zresztą historii uczy się teraz mało kto — zastąpił ją w szkołach nowy przedmiot, znany jako b ę d z i e j e, czyli nauka o tym, co dopiero będzie. Jakżeby się ucieszył, słysząc o tym, profesor Trottelreiner! — pomyślałem nie bez melancholii.

9 IX 2039. Obiad z mecenasem Crawleyem w małej restauracji włoskiej („Bronx") bez jednego robota czy komputera. Znakomite chianti. Podawał nam sam szef kuchni, musiałem chwalić, chociaż nie znoszę ciasta w takich ilościach, nawet z zielem bazyliszka. Crawley to typ prawnika w wielkim stylu, bolejący nad upadkiem sztuki obrończej: krasomówstwo nie popłaca już, skoro decyduje rachuba punktów karnych. Zbrodnia nie sczezła jednak tak całkowicie, jak sądziłem. Stała się raczej niedostrzegalna. Główne delikty — to mindnapping (porwanie duchowe), napady na banki spermy o szczególnie wysokiej wartości, morderstwo z powoływaniem się oskarżonego na ósmą poprawkę do konstytucji (zabójstwo na jawie w przeświadczeniu, iż zaszło fikcyjnie — że np. denat był postacią psywizyjną lub rewizyjną) oraz bezlik form zniewolenia psychemicznego. Mindnapping bywa trudno wykrywalny. Ofiarę wprowadza się w fikcyjne otoczenie, podając jej odpowiedni specyfik; o tym, że utraciła kontakt z rzeczywistością, nic ona nie wie. Niejaka Mrs. Wandager, pragnąc pozbyć się niewygodnego męża, amatora egzotycznych podróży, ofiarowała mu jako podarunek bilety na wyprawę do Konga wraz z upoważnieniem do wielkich łowów. Mr. Wandager spędził na niezwykłych przygodach myśliwskich szereg miesięcy, nie mając pojęcia o tym, że przez cały czas tkwi w kojcu na strychu, poddany działaniu psychemikaliów. Gdyby nie strażacy, którzy znaleźli pana Wandagera podczas gaszenia ognia na strychu, zginąłby na pewno z wycieńczenia, które miał notabene za naturalne, halucynował bowiem zabłąkanie się na pustyni. Operacji tego rodzaju podejmuje się często mafia. Pewien mafioso chełpił się przed mecenasem Crawleyem, że w ciągu ostatnich sześciu lat poupychał w skrzynkach, kojcach, psich budach, na strychach, w piwnicach i innych schowkach domów wielce szanowanych rodzin — ponad cztery tysiące osób, potraktowanych podobnie jak Mr. Wandager! Rozmowa zeszła potem na sprawy rodzinne adwokata.

— Drogi panie! — rzekł z właściwym sobie rozmachem gestykulacyjnym — ma pan przed sobą poważnego obrońcę, znanego przedstawiciela palestry, lecz nieszczęśliwego ojca! Miałem dwu utalentowanych synów...

— Jakże, obaj nie żyją?! — zdumiałem się.

Potrząsnął głową.

— Żyją, ale są eskalatorami!

Widząc, że nie rozumiem, wyjaśnił istotę swej ojcowskiej porażki. Starszy syn był wiele rokującym architektem, młodszy — poetą. Pierwszy od realnych zamówień, które go nie satysfakcjonowały, przeszedł na urbafantynę i konstruktol: buduje teraz całe miasta — urojone. Podobny był przebieg eskalacji u młodszego: liredyl, poemazyna, sonetal, i obecnie zamiast kreacją — zajmuje się łykaniem specyfików, też stracony dla świata.

— Więc z czego obaj żyją? — spytałem.

— Ha! Z czego, dobryś pan sobie! Muszę ich utrzymywać!

— Nie ma na to rady?

— Marzenia zawsze zwyciężą rzeczywistość, gdy im na to pozwolić. To ofiary psywilizacji. Każdy zna tę pokusę. Ot, przyjdzie mi stawać w beznadziejnej sprawie — jak łatwo byłoby wygrać ją przed urojonym trybunałem!

Rozkoszując się młodym i cierpkim smakiem świetnego chianti, nagle zastygłem przeszyty niesamowitą myślą: skoro można pisać urojone wiersze i budować urojone domy, czemu nie — jeść i pić miraże? Mecenas roześmiał się na to moje dictum.

— O, to nam nie grozi, panie Tichy. Zwid sukcesu nasyci umysł, lecz zwid kotleta nie napełni żołądka. Kto by chciał tak żyć, sczeźnie rychło z głodu!

Jakkolwiek współczułem mu w związku z synami-eskalatorami, doznałem ulgi. Istotnie, urojony pokarm nie zastąpi nigdy realnego. Dobrze, że sama natura ciał naszych stawia tamę psywilizacyjnej eskalacji. Notabene: mecenas też bardzo głośno dyszy.

O tym, jak doszło do rozbrojenia, nie wiem dalej nic. Waśnie międzypaństwowe należą do historii. Bywają, owszem, lokalne, małe robitwy. Zwykle powstają one z sąsiedzkich sporów w dzielnicach willowych. Gdy skłócone rodziny, zażywszy kooperandol, godzą się, ich roboty, z normalnym opóźnieniem przejąwszy falę wrogości, biorą się za łby. Wezwany komposter wywozi potem trupcie, a szkody pokrywa ubezpieczenie. Czyżby roboty odziedziczyły po ludziach agresywność? Zjadłbym każdą rozprawę na ten temat, lecz nie mogę takiej dostać. Niemal co dnia bywam u Symingtonów. On — typ milczącego introwertyka, ona — piękna kobieta, nie do opisania, bo każdego dnia inna. Włosy, oczy, tusza, nogi — wszystko. Ich pies wabi się Komputernoga. Nie żyje od trzech lat.

11 IX 2039. Deszcz zaprogramowany na samo południe nie udał się. A już tęcza — skandal. Była kwadratowa. Zły nastrój. Moja dawna obsesja daje znać o sobie. Powraca, przed snem, nękające pytanie, czy to wszystko nie jest aby czczą halucynacją? Poza tym doznaję pokusy, żeby zamówić sobie śnidło o siodłaniu szczurów. Popręgi, kulbaki, miękką sierść mam wciąż przed oczami. Żal za utraconą epoką zamętu w czasach takiej pogody? Niezbadana jest dusza ludzka. Firma, w której pracuje Symington, nazywa się „Procrustics Incorporated". Oglądałem dziś katalog ilustrowany w jego pracowni. Jakieś piły mechaniczne czy obrabiarki. A myślałem, że jest raczej czymś w rodzaju architekta niż mechanika. Dziś była audycja bardzo ciekawa: zanosi się na konflikt między rewizją a psywizją; psywizja — to „programy pocztą" rozsyłane do domów pod postacią tabletek. Znacznie mniejsze koszty własne. W kanale edukacyjnym — wykład profesora Ellisona o dawnych militariach. Początki ery psychemicznej były groźne. Istniał aerozol — kryptobellina — o radykalnym działaniu wojennym: kto go łyknął, sam biegł za postronkiem i wiązał się jak baran. Na szczęście okazało się podczas testów, że na kryptobellinę nie ma antidotum, filtry też nie pomagały, więc wiązali się bez wyjątku wszyscy i nikt z tego nic nie miał. Po manewrach taktycznych 2004 roku „czerwoni" i „niebiescy" jednako zalegli pokotem pobojowisko — co do nogi, w sznurach. Śledziłem wykład z napięciem, spodziewając się rewelacji o rozbrojeniu, lecz o tym — ani słowa. Poszedłem dziś wreszcie do psychodietetyka. Poradził mi zmianę wiktu i zapisał niebylinę z pietalem. Żebym zapomniał o dawnym życiu? Wyrzuciłem wszystko na ulicę, ledwo od niego wyszedłszy. Można by kupić też duchostat, tak teraz reklamowany, ale czuję jakiś opór, nie mogę się na to zdobyć. Przez otwarte okno — kretyński, modny przebój *Bo my jesteśmy automaty i nie mamy mamy ani taty*. Żadnej dezakustyny; dobrze zwinięta wata w uszach też robi swoje.

13 IX 2039. Poznałem Burroughsa, szwagra Symingtona. Produkuje gadające opakowania. Dziwaczne kłopoty współczesnego producenta: opakowaniom wolno klientów nagabywać tylko głosem, zalecać jakość produktu, lecz nie śmią ciągnąć za odzież. Drugi szwagier Symingtona ma fabrykę drzwistów — drzwi otwierających się tylko na głos pana. Reklamy gazetowe ruszają się, gdy na nie patrzeć.

W „Heraldzie" zawsze jedną stronę zajmuje „Procrustics Inc." Zwróciłem na to uwagę przez znajomość z Symingtonem.

Reklama jest całostronicowa, najpierw pojawiają się tylko same olbrzymie litery nazwy PROCRUSTICS, potem — pojedyncze sylaby i słowa: NO...? NO!!! Śmiało! ECH! EJ! UCH! YCH! O, właśnie TAK. AAAaaaa... I to wszystko. Nie wygląda mi to na maszyny rolnicze. Do Symingtona przyszedł dziś zakonnik, ojciec Matrycy z zakonu bezludystów, odebrać jakieś zamówienie. Interesująca rozmowa w pracowni. O. Matrycy tłumaczył mi, na czym polega praca misjonarska jego zakonu. Oo. bezludyści nawracają komputery. Mimo stu lat istnienia rozumu bezludnego Watykan odmawia mu równouprawnienia w sakramentach. Wziął wodę w usta, choć sam używa komputerów — encyk to encyklika automatycznie zaprogramowana! Nikt się nie troszczy o ich wewnętrzną szarpaninę, o stawiane przez nie pytania, o sens ich bytu. W samej rzeczy: być komputerem czy nie być? Bezludyści domagają się dogmatu Kreacji Pośredniej. Jeden z nich, o. Chassis, model tłumaczący, przekłada Pismo Święte, aby je uwspółcześnić. Pasterz, stado, owieczki, baranek — tych słów nikt już nie rozumie. Za to główna przekładnia, święte smary, układ śledzący, uchyb skrajny — to dociera obecnie do wyobraźni. Głębokie, natchnione oczy o. Matrycego, zimny, stalowy uścisk jego ręki. Ale czy to reprezentatywne dla nowej teodycei? Z jaką wzgardą mówił o ortodoksach-teologach, nazywając ich gramofonami Szatana! Potem Symington poprosił mnie nieśmiało, bym mu pozował do nowego projektu. A więc to jednak nie mechanik! Zgodziłem się. Seans trwał niemal godzinę.

15 IX 2039. Dziś, podczas pozowania, Symington, odmierzając ołówkiem w wyciągniętej ręce proporcje mej twarzy, drugą włożył sobie coś do ust, ukradkiem, lecz jednak to zauważyłem. Stał, wpatrzony we mnie, bledną, a żyły wystąpiły mu na skroniach. Przeląkłem się, lecz minęło natychmiast — przeprosił zaraz, jak zawsze grzeczny, spokojny, uśmiechnięty. Ale nie mogę zapomnieć wyrazu jego oczu z owej sekundy. Jestem niespokojny. Aileen wciąż u ciotki, w rewizji — dyskusja o potrzebie reanimalizacji przyrody. Żadnych dzikich zwierząt od lat nie ma, lecz można je wszak biologicznie syntetyzować. Z drugiej strony — po co trzymać się niewolniczo tego, co ongiś wydała naturalna ewolucja? Ciekawie mówił rzecznik zoologii fantastycznej — by zamiast plagiatami zaludnić rezerwaty kreacją Nowego. Spośród zaprojektowanej fauny szczególnie udatnie przedstawiały się łapowce, lemparty oraz olbrzymi murawiec porosły murawą. Zadaniem, jakie stoi przed zooartystami, jest harmonijne wkomponowanie nowych zwierząt we właściwie dobrany krajobraz. Niezwykle ciekawie zapowiadają się też lumieńce, które pochodzą ze skrzyżowania idei robaczka świętojańskiego, siedmiogłowego smoka i mamuta. Będzie to niechybnie osobliwe, a może i ładne, ale ja tam jestem za dawnymi, zwykłymi zwierzętami. Pojmuję konieczność postępu i doceniam laktofory, którymi spryskuje się trawę na pastwisku, tak że obraca się sama w serki. Lecz to wyeliminowanie krów, racjonalnie słuszne, budzi świadomość, że łąki, wyzbyte ich flegmatycznej, introwertywnie przeżuwającej obecności, są zasmucająco puste.

16 IX 2039. W porannym „Heraldzie" była dziś dziwna wiadomość o projekcie ustawy, podług której starzenie się miałoby być karalne. Pytałem Symingtona, jak to rozumieć. Uśmiechnął się tylko. Wychodząc na miasto, widziałem w wewnętrznym patio sąsiada w ogródku — stał oparty o palmę, a na jego twarzy o zamkniętych oczach pojawiły się same z siebie — na obu policzkach — czerwone plamy o wyraźnych kształtach dłoni. Potrząsał głową, potem przetarł oczy, kichnął, wysiąkał nos i wrócił do polewania kwiatów. Jak ja jednak mało jeszcze wiem! Przyszła dotykowa pocztówka od Aileen. Czy to nie piękne — nowożytna technika na usługach miłości? Myślę, że się chyba pobierzemy. U Symingtonów świeżo przybyły z Afryki lewak, łowca syntetycznych lwów. Jego opowieść o Murzynach, którzy wybielili się dzięki albinolinie. Czy jednak — pomyślałem — godzi się chemicznie rozwiązywać nabrzmiałe problemy rasowe i społeczne? Czy to nie zbytnie ułatwienie? Dostałem pocztą reklamową przesyłkę — sugierki, które same nie wywierają żadnego działania na organizm, a tylko sugerują, by zażywać wszelkie inne środki psychemiczne. A więc są widać ludzie, którym się tego jeść nie chce? Ten wniosek pokrzepił mnie.

29 IX 2039. Nie mogę się jeszcze otrząsnąć z wrażenia po dzisiejszej rozmowie z Symingtonem. Była to rozmowa zasadnicza. Może spowodowała ją pospólnie przyjęta, nadmierna dawka sympatyny z amikolem? Był przejaśniony: zakończył swój projekt.

— Tichy — rzekł mi — pan wie, że żyjemy w epoce farmakokracji. Spełniła marzenie Benthama o największej ilości dobra dla największej ilości ludzi — ale to tylko jedna strona medalu. Pamięta pan słowa francuskiego myśliciela: „Nie wystarczy, byśmy byli szczęśliwi — trzeba jeszcze, by nieszczęśliwi byli inni!"

— Paszkwilancki aforyzm! — żachnąłem się.

— Nie. To prawda. Wie pan, co produkujemy w „Procrustics Inc."? Naszą masą towarową jest zło.

— Pan żartuje...

— Nie. Zrealizowaliśmy sprzeczność. Każdy może teraz robić bliźniemu, co mu niemiłe — wcale mu nie szkodząc. Oswoiliśmy zło jak zarazki, z których przyrządza się lekarstwa. Kultura — to było dawniej, proszę pana, wmawianie człowiekowi przez człowieka, że ma być dobry. Tylko dobry. A gdzie upchać całą resztę? Historia upychała ją tak i siak, perswazyjnie, policyjnie, i zawsze w końcu coś wystawało, rozsadzało, burzyło.

— Ależ rozsądek powiada, że należy być dobrym! — upierałem się. — To znana rzecz! Zresztą widzę — wszak teraz wszyscy razem, godnie, wesoło, sprawnie, serdecznie, w harmonii, szczerze i spolegliwie...

— I właśnie dlatego — wpadł mi w słowa — tym większa pokusa, żeby palnąć, od ucha, soczyście, wzdłuż, wszerz, to konieczne dla równowagi, ukojenia, dla zdrowia!

— Jak pan powiada?

— No, wyzbądźże się pan obłudy. Samozakłamania. To już niepotrzebne. Jesteśmy wyzwoleni — dzięki sentezie i peialtrynom. Każdemu tyle zła, ile dusza zapragnie. Tyle nieszczęścia, hańby, rozumie się — innych. Nierówność, niewola, zwada, po paniach na koń! Gdyśmy rzucili na rynek pierwsze partie towaru, rozchwytywano go, pamiętam — ludzie pędzili po muzeach, do galerii sztuki, każdy chciał wpaść do pracowni Michała Anioła z drągiem, żeby mu poprzetrącać rzeźby, podziurawić płótna, ewentualnie dołożyć samemu mistrzowi, gdyby ważył się stanąć na drodze... Pana to dziwi?

— Mało powiedziane! — wybuchnąłem.

— Bo pan jeszcze w niewoli przesądów. Ale już można przecież, jak to, nie pojmuje pan tego? Jakże, widząc Joannę d'Arc, nie czuje pan, że ten uduchowiony szyk, tę anielskość, tę gracje bożą trzeba złoić? Kulbaka, popręg, w cugle i wio! Cwałem w poszóstnym zaprzęgu, panie pod piórami, ewentualnie z janczarami, z trzaskiem bicza sanną, jakąś panną, może być parką...

— Co pan mówi! — krzyczałem rozedrganym ze strachu głosem. — Kulbaczyć? Siodłać? D o s i ą ś ć?!

— Jasne. Dla zdrowia, higieny, ale też i dla kompletu. Pan nazywa tylko osobę, wypełnia pan naszą ankietę, podaje anse, pretensje, kości niezgody, co zresztą niekonieczne, bo w większości wypadków ma się chętkę zadawania zła bez najmniejszego powodu, to znaczy powodem bywa cudza jasność, szlachetność, piękno — wylicza pan to i otrzymuje nasz katalog. Zamówienia wykonujemy do dwudziestu czterech godzin. Dostaje pan cały zestaw pocztą. Do zażycia z wodą, najlepiej na czczo, ale to niekonieczne.

Jużem pojmował anonsy jego firmy w „Heraldzie", a też i w „Washington Post". Ale — myślałem gorączkowo, ze strachem — czemu on właśnie tak? Skąd te sugestie kulbaczenia, te propozycje wierzchowe, dlaczego na oklep, Boże święty, czyżby i tutaj znajdował się gdzieś kanał, budzik mój i moja kruchta, rękojmia jawy? Ale inżynier projektant (co on projektował?!) nie dostrzegał mej rozterki lub ją sobie fałszywie tłumaczył.

— Wyzwolenie zawdzięczamy chemii — mówił wciąż swoje. — Wszystko bowiem, co istnieje, jest zmianą natężenia jonów wodorowych na powierzchniach komórek mózgu. Widząc mnie, doświadcza pan w gruncie rzeczy zmian równowagi sodowo-potasowej na membranach neuronów. A więc dość jest wysłać tam, w mózgowy gąszcz, nieco dobranych molekuł, abyś jako jawę przeżył spełnienie rojeń. Zresztą pan wie już o tym — dokończył ciszej. Wyjął z szuflady garść kolorowych pigułek, podobnych do cukrowego maczku dzieci.

— Oto zło naszej produkcji, kojące pragnienia duszy. Oto chemia, która gładzi grzechy świata.

Rozdygotanymi palcami wyłuskałem z kieszonki pastylkę zgłowiny, przełknąłem ją na sucho i zauważyłem:

— Wolałbym, prawdę mówiąc, wykład bardziej rzeczowy, jeśli można.

Uniósł brwi, skinął w milczeniu głową, wysunął szufladę, wyjął z niej coś, zażył i odparł:

— Jak wola. Mówiłem panu o modelu T nowej technologii — o jej prymitywnych początkach. Sen o drągu. Publiczność ruszyła do flagellacji, defenestracji, była to felicitas per extractionem pedum, lecz inwencja, tak wąsko zakrojona, wnet się wyczerpała. Co pan chce — wyobraźni brakowało, nie było wzorów! Przecież w historii praktykowano tylko dobro jawnie, zło natomiast pod jego przykrywką, to jest dzięki dobranym pretekstom, łupiąc, puszczając z dymem i gwałcąc w imię wyższych ideałów. No, a prywatne zło nie miało już i takich gwiazd przewodnich. Pokątne było zawsze razowe, prostackie, wręcz partackie, o czym świadczyły dobitnie reakcje publiczności — w obstalunkach do znudzenia powtarzało się to samo, by dopaść, stłamsić i uciec. Takie były nawyki. Ludziom mało okazji do zła — potrzebują jeszcze swojej racji słusznej. Nie jest, uważa pan, poręczne ani miłe, gdy złapawszy dech (to się może trafić zawsze) bliźni woła „za co?!" — czy „jak ci nie wstyd?!" Nieprzyjemnie zostać bez języka w gębie. Drąg nie stanowi właściwego kontrargumentu, każdy to czuje. Cała sztuka w tym, by owe niewczesne pretensje odtrącić pogardliwie z właściwych pozycji. Każdy chce pozłoczynić, ale tak, żeby się tego nie wstydził. Rację daje zemsta — ale co ci zrobiła Joanna d'Arc? To tylko, że lepsza, jaśniejsza? Więc jesteś gorszy, tyle że z drągiem. Tak nikt sobie jednak tego nie życzy! Każdy chce zadać zło, czyli być szubrawcem i okrutnikiem, pozostając jednak szlachetnym i wspaniałym. Po prostu cudnym! Wszyscy chcą być cudni. I to stale. Im gorsi, tym cudniejsi. To niemożliwe prawie i właśnie dlatego wszyscy mają na to taki apetyt. Mało klientowi sieroty, wdowy wyobracać — on chce czynić to w łunie własnej prawości. Do zbrodniarzy nikt się nie chce dobierać, choć tam właśnie wystąpi w majestacie słuszności, prawa — ale to banał, nuda, niech im kat świeci. Podawaj klientowi samo anielstwo, samą świętość, tak przyrządzoną, żeby folgował sobie w poczuciu, iż nie tylko może, lecz wprost powinien. Pojmuje pan, co to za wysoki kunszt — godzić te sprzeczności? Zawsze idzie w końcu o ducha, nie o ciało. Ciało jest tylko środkiem do celu. Kto tego nie wie, kończy w masarni, na krwawej kiszce. Oczywiście wielu klientom rozeznanie takie jest niedostępne. Mamy dla nich dział doktora Hopkinsa — bijologii świeckiej i sakralnej. No, wie pan, Dolina Jozafata, w której oprócz klienta wszystkich diabli biorą, a pod koniec Sądu Ostatecznego Pan Bóg przyjmuje go osobiście do swej chwały, z uniżeniem wręcz. Niektórzy (ale to snobizm kretynów) domagają się, żeby im Bóg na zakończenie proponował zamianę miejscami. Są to, proszę pana, dziecinady. Amerykanie zawsze mieli do nich ciągoty. Te wyrwatory, bijalnie — potrząsał z niesmakiem grubym katalogiem — toż to prymitywizm. Bliźni to nie bęben, lecz subtelny instrument!

— Zaraz — powiedziałem, zażywając następną pastylkę zgłowiny — więc co pan właściwie projektuje?

Uśmiechnął się z dumą.

— Kompozycje bezbitowe.

— Bity — te jednostki informacji?

— Nie, panie Tichy. Jednostki bicia. Jestem kompozytorem zasadniczo bezbitowym. Moje projekty mierzy się w pejach. Jeden pej to przykrość, jakiej doznaje pater familias, gdy rodzinę — sześcioosobówkę — kończą mu na oczach. Pan Bóg sprawił podług tej miary Hiobowi trzypejowiec, Sodoma zaś i Gomora były to boże czterdziestki. Ale mniejsza o stronę obliczeniową. Jestem w gruncie rzeczy artystą, i to na zupełnie dziewiczym terenie. Teorię dobra rozwijało co niemiara myślicieli, teorii zła nikt prawie nie ruszał z fałszywego wstydu, tak że dostała się w ręce rozmaitych niedouków i prymitywów. To, jakoby można było kunsztownie, wymyślnie, subtelnie, zawile być złym bez treningu, bez wprawy, bez natchnienia, bez solidnych studiów, jest kompletnym fałszem. Nie wystarczy torturantura, tyranistyka, obie bijologie — to ledwie wstęp do rzeczy właściwej. Zresztą nie można podać uniwersalnej receptury — suum malum cuique!

— I wiele macie tej klienteli?

— Klientelą naszą są wszyscy żyjący. To u nas od dziecka. Dzieci dostają lizaki ojcobijcze, by wyładować resentymenty. Ojciec — źródło zakazów i norm, wie pan. Podaje się freudylki. I nikt nie ma kompleksu Edypa!

Wyszedłem od niego bez jednej pigułki. A więc to tak. Co to za świat! Czyżby przez to wszyscy tak dyszeli? Jestem otoczony przez potwory.

30 IX 2039. Nie wiem, co robić w sprawie Symingtona, ale nasze stosunki nie mogą pozostać bez zmian. Aileen poradziła mi:

— Zamów sobie jego wywrotkę! Chcesz, to ci ją zafunduję w prezencie!

Szło o rekompensatę zamówioną w „Procrustics” — o scenę mego triumfu nad Symingtonem, tarzającym się w prochu u mych stóp i wyznającym, że on, firma jego i sztuka — to plugastwo. Jakże jednak użyć metody, która dzięki sobie samej ma zostać podana w niesławę? Aileen nie rozumie tego. Coś się psuje między nami. Wróciła od ciotki tęższa i niższa, tylko szyję ma teraz daleko dłuższą. Mniejsza o ciało, dusza jest ważniejsza, jak mówił ten potwór. O, za cóż ja brałem świat, w którym muszę przebywać! A roiłem sobie, że się w nim rozeznaję! Dostrzegam teraz rzeczy, które dawniej umykały mej uwadze, na przykład pojmuję już, co robił sąsiad w patio, ten tak zwany stygmatyk; wiem też, co to znaczy, gdy na przyjęciu towarzyskim rozmówca, przeprosiwszy, oddala się z dystynkcją w jakiś kąt, aby tam zażywać swojej tabaczki, jednocześnie fiksując mnie wzrokiem po to, by mój wizerunek doskonale wierny zapadł niezwłocznie w piekło jego rozjuszonej wyobraźni! I tak postępują osoby z najwyższych sfer chemokratycznych! A ja nie dostrzegałem, za fasadą wykwintnej uprzejmości, tej ohydy! Wziąwszy, dla wzmocnienia, łyżkę herkulidyny na cukrze, połamałem wszystkie bomboniery, stłukłem fiolki, puzdra, flakony, słoje i pigularze, jakimi obdarowała mnie Aileen. Jestem gotów na wszystko. Odczuwam taką wściekłość chwilami, że łaknę wprost wizyty jakiegoś rewizyjnego interferenta, boby się na nim moja pasja skrupiła. Refleksja podpowiada, że równie dobrze mógłbym sam się tym zająć, a nie czekać z pałką — na przykład mógłbym wszak kupić nadymaka. Ale jeżeli już nabyć manekina, to czemu nie damekina? Jeżeli damekina, czemu nie członkowca? Jeżeli, do stu par piorunów, członkowca, to czemu nie mogę zamówić u Hopkinsa, czyli w „Procrutics Inc.", należytej kaźni, deszczu siarki, smoły, ognia na ten zwyrodniały świat? W tym sęk, że nie mogę. Muszę wszystko sam, wszystko sam — sam! Potworność.

1 X 2039. Dziś doszło do zerwania. Podała mi, na wyciągniętej ręce, dwie pigułki, czarną i białą, abym zadecydował, którą z nich ma niezwłocznie zażyć. A więc nie stać jej było na decyzję naturalną, bez psychemikaliów, nawet w tak zasadniczej sprawie serca! Nie chciałem wybierać, doszło do kłótni, którą wzmocniła sobie babranem. Oskarżyła mnie fałszywie, jakobym przed spotkaniem nażarł się inwektolu (to jej słowa). Były to dla mnie chwile rozdzierające, lecz pozostałem sobie wierny. Od dziś będę jadał tylko w domu, tylko potrawy, które sam przyrządzę. Żadnych śnideł, paradyzjaków, galaretek lukseterninowych, rozbiłem wszystkie hedoniczki. Niepotrzebny mi protestal ani preczan. Do mego pokoju zagląda przez okno duży ptak o smutnych oczach, bardzo dziwny, ponieważ na kółkach. Komputer twierdzi, że nazywa się pederastwa.

2 X 2039. Mało co wychodzę z domu. Łykam dzieła historyczne i matematyczne. Poza tym oglądam rewizję. Lecz i wtedy daje mi się we znaki wewnętrzny bunt przeciw wszystkiemu, co mnie otacza. Wczoraj na przykład skusiło mnie, by manipulować regulatorem solidności obrazu, czyli jego ciężaru właściwego, tak aby wszystko miało jak największą spoistość i masę. Stół trzasnął spikerowi pod ciężarem kilku kartek z tekstem dziennika wieczornego, a on sam przewalił się przez podłogę studia. Oczywiście efekty te wystąpiły wyłącznie u mnie i nie miały żadnych konsekwencji, tyle tylko, iż świadczą o moim stanie psychicznym. Ponadto drażni mnie w rewizji humorek, wic, satyra, nowoczesna grotecha. „Piguł na piguł — mówił święty Iguł". Co za niewybredność konceptu! Same nazwy widowisk... Na przykład *Z nadymanką na erotocyklu* — sensacyjny dramat, który zaczynał się tym, że w ciemnym bistrze siedziało paru uchylców. Wyłączyłem, miałem już tego dość. Lecz cóż z tego, skoro od sąsiadów słychać było najnowszy szlagier z innego kanału (ale gdzie mój kanał? gdzie?!) — *W torebkach dziewczyny noszą refutal i dawainy.* Czy nawet w XXI wieku nie można porządnie izolować mieszkadła?! Miałem dziś znów ochotę bawić się solidatorem rewizji, w końcu go złamałem. Muszę zebrać się i coś postanowić. Ale co? Wszystko drażni mnie, wystarczy byle co, drobnostka, nawet poczta — oferta tego biura na rogu, bym podał się do Nagrody Nobla, obiecują załatwić w pierwszej kolejności jako przybyszowi z dawnych straszliwych czasów. Bo pęknę! Rzeczywiście! Podejrzany druczek oferujący „tajne pigułki, których nie ma w normalnej sprzedaży". Strach pomyśleć, co w nich może być. Ostrzeżenie przed kłusennikiem — pokątnym sprzedawcą nie dopuszczonych do obrotu śnideł. A zarazem apel, by nie śnić żywiołowo, na dziko, bo to jest marnowanie energii psychicznej. Co za troska o obywatela! Zamówiłem sobie śnidło z wojny stuletniej i zbudziłem się rano cały w śniakach.

3 X 2039. Nadal pędzę samotny żywot. Dziś, przeglądając numer świeżo zaabonowanego kwartalnika „Będzieje Ojczyste", natrafiłem z osłupieniem na dobrze mi znane nazwisko profesora Trottelreinera. Zaraz też znów opadły mnie najgorsze wątpliwości, czy wszystko, czego doznaję, nie jest jednym pasmem zwidów i majaczeń? W zasadzie to możliwe. Czy „Psychomatics” nie zachwala ostatnio pigułek warstwowych, stratylek, które dają wizje wielopoziomowe? Ktoś na przykład chce być Napoleonem pod Marengo, a gdy się bitwa kończy, żal mu wracać do jawy, więc od razu tam, na pobojowisku, marszałek Ney lub ktoś ze starej gwardii podaje mu na srebrnej tacy nową pigułkę, wprawdzie tylko halucynowaną, ale nic to — po przyjęciu otwierają się wrota następnej halucynacji, i tak ad libitum. Ponieważ mam zwyczaj rozcinania węzłów gordyjskich, spożyłem spisankę telefoniczną i zadzwoniłem, dowiedziawszy się numeru, do profesora. To on! Mamy się spotkać na kolacji.

3 X 2039. Trzecia godzina w nocy. Piszę śmiertelnie znużony, z duszą osiwiałą. Profesor spóźnił się trochę, tak że chwilę czekałem nań w restauracji. Przyszedł pieszo. Poznałem go z daleka, choć jest teraz dużo młodszy niż w ubiegłym stuleciu, nie nosi też parasola ani okularów. Wydawał się wzruszony moim widokiem.

— Cóż to — spytałem — pan pieszo? Czyżby znarowina (znarowienie się samochodu, to się zdarza)?

— Nie — odparł — wolę poruszać się per pedes apostolorum...

Ale się jakoś dziwnie uśmiechnął przy tym. Gdy kelputery odstąpiły nas, zacząłem go wypytywać, co robi — ale też od razu wypsnęło mi się słówko o halucynacyjnych podejrzeniach.

— Dajże pan spokój, Tichy, jaka halucynacja! — obruszył się. — Równie dobrze ja mógłbym podejrzewać pana o to, że jesteś moją fatamorganą. Pan się zamroził? Ja też. Odmrożono pana? Mnie również. Mnie ponadto jeszcze odmłodzono, no, rejuwenal, desenilizyny, panu to niepotrzebne, a ja, gdyby nie solidna kuracha, nie mógłbym już być będzieistą!

— Futurologiem?

— Ta nazwa znaczy teraz coś innego. Futurolog stawia profuty (prognozy), a ja zajmuję się teorią. To rzecz zupełnie nowa, za moich i pana czasów nie znana. Można by ją nazwać przewidywaniem przyszłości odjęzykowym. Prognostyka lingwistyczna!

— Nie słyszałem o tym. Cóż to jest?

Pytałem, by rzec prawdę, raczej z grzeczności niż z zaciekawienia, lecz tego nie dostrzegł. Kelputery przyniosły nam przystawki. Do zupy było białe wino 1997 — dobry rocznik chablis, który lubię i dlatego go wybrałem.

— Futurologia odlingwistyczna bada przyszłość podług transformacyjnych możliwości języka — wyjaśnił Trottelreiner.

— Nie rozumiem.

— Człowiek potrafi owładnąć tym tylko, co może pojąć, a pojąć z kolei może jedynie to, co się da wysłowić. Niewysłowione jest niepojęte. Badając dalsze etapy ewolucji języka, dochodzimy tego, jakie odkrycia, przemiany, rewolucje obyczaju język ten będzie mógł kiedykolwiek odzwierciedlić.

— Bardzo dziwne. Jakże to w praktyce wygląda?

— Badania prowadzimy dzięki największym komputerom, bo człowiek nie może sam wypróbowywać wszystkich wariantów. Chodzi głównie o wariacyjność języka syntagmatyczno-paradygmatyczną, ale skwantowaną...

— Profesorze!

— Przepraszam. Znakomite jest to chablis. Najlepiej wyjaśni panu rzecz kilka przykładów. Proszę podać mi jakieś słowo.

— Ja.

— Ja, co? Hm. Ja. Dobrze. Rozumie pan, że muszę niejako zastępować komputer, więc będzie to całkiem proste. A więc — ja. Jaźń. Ty. Tyźń. My, myźń. Widzi pan?

— Nic nie widzę.

— Ależ jak to? Chodzi o możliwość zlewania się jaźni z tyźnią, czyli o zespólnię dwu świadomości, to po pierwsze. Po wtóre — myźń. Bardzo interesujące. Jest to świadomość zbiorowa. No, na przykład przy silnym rozszczepieniu osobowości. Proszę o jakieś inne słowo.

— Noga.

— Dobrze. Co idzie z nogi? Nogant. Nogiel, ewentualnie kogiel-nogiel. Nogier, noginia, noglić i nożyć się. Roznożenie. Znożony. Nogać tam! Nogaś! Nogam? Nogista. Proszę, widzi pan, mamy coś płodnego. Nogista. Nogistyka.

— Co znaczy to wszystko? Przecież te słowa nie mają żadnego sensu?

— Jeszcze nie mają, ale będą mieć. To znaczy — mogą ewentualnie zdobyć sens, jeżeli nogistyka i nogizm się przyjmą. Robot — to słowo nic nie znaczyło w XV wieku, lecz gdyby mieli wtedy futurologię odjęzykową, toby się mogli domyślić automatów.

— Więc co znaczy nogista?

— Widzi pan, akurat w tym wypadku mogę to dokładnie wyjawić, ale tylko dlatego, że nie chodzi o prognozę, lecz o to, co już jest. Nogizm — to najnowsza koncepcja, nowy kierunek autoewolucji człowieka, tak zwanego homo sapiens monopedes.

— Jednonogi?

— A tak. Ze względu na zbędność chodu oraz nadciągający brak miejsca.

— Ależ to idiotyzm!

— Ja też tak sądzę. Niemniej takie sławy jak profesor Hatzelklatzer czy Foeshbeene są nogistami. Pan o tym nie wiedział, podając mi termin noga, prawda?

— Nie. A co znaczą te inne urobki?

— Tego właśnie na razie nie wiadomo. Jeżeli nogizm zwycięży, powstaną takie obiekty, które będą się nazywały nogiel, noginia i tak dalej. Bo to nie jest żadne proroctwo, proszę pana, a tylko przegląd możliwości w stanie czystym. Podajże mi pan inne słowo.

— Interferent.

— Dobrze. Inter i fero, fero, ferre, tuli, latum. Skoro pochodzi z łaciny, trzeba w łacinie szukać kontynuacji. Flos, floris. Interflorentka. Proszę bardzo — to panna, która ma dziecko z interferentem, bo zabrał jej wianek.

— Skąd pan wziął wianek?

— Flos, floris — kwiat. Defloracja — odebranie dziewictwa. Zapewne będzie się mówiło: porodzianka — lub: porodzianka rewizyjna, w skrócie — porewidentka. Zapewniam pana, że dysponujemy już przebogatym materiałem. Ot, taka prostytuanta — od konstytuanty — to otwiera całe uniwersum nowej obyczajowości!

— Widzę, że pan jest entuzjastą tej nowej nauki. Może spróbuje pan z jeszcze jednym słowem? Śmieci.

— Czemu nie? To nic, że pan sceptyk. Proszę bardzo. A więc... śmieci. Hm. Śmietnisko. Śmioty. Dużo śmieci — wszechśmioty. Wszechśmiot! Nader ciekawe. Panie Tichy, pan doskonale podaje słowa! Wszechśmiot, proszę, no, proszę!

— Co w tym niezwykłego? To słowo nic nie znaczy.

— Po pierwsze — teraz się mówi: nic nie smaczy. Nie znaczy — to już anachronizm. Zauważyłem, że pan niechętnie używa nowych słów. Niedobrze. Pogadamy o tym później. A po wtóre — wszechśmiot teraz jeszcze nic nie znaczy, ale można już się domyślić przyszłego sensu! Chodzi, nieprawdaż, o nową teorię psychozoiczną. Nie byle co! Głosiłaby ona, że gwiazdy są sztucznego pochodzenia!

— A to pan skąd znowu wziął?

— Ze słowa wszechśmiot. Oznacza ono, to jest sugeruje, taki obraz: w toku eonów Kosmos zapełnił się śmieciem, czyli odpadami pocywilizacyjnymi, z którymi nie było co robić, które przeszkadzały w badaniu astronomicznym i w kosmicznych podróżach, więc zbudowano olbrzymie paleniska o bardzo wysokiej ciepłocie, żeby, nieprawdaż, palić te śmieci. Muszą mieć wielką masę, dzięki czemu same przyciągają śmieci, próżnia z wolna się oczyszcza i oto ma pan gwiazdy — te ognie właśnie, i mgławice ciemne — śmieci jeszcze nie uprzątnięte.

— I jakże — pan na serio tak? Pan sądzi, że to możliwe? Kosmos jako całopalenie śmieci? Profesorze!

— Toż to nie jest kwestia mojej wiary lub niewiary, Tichy. Po prostu dzięki odlingwistycznej futurologii utworzyliśmy nowy wariant kosmogonii jako czystą możliwość dla przyszłych pokoleń! Nie wiadomo, czy ktoś weźmie to serio, ale faktem jest, że taką hipotezę można wyartykułować! Proszę zważyć, że gdyby w dwudziestych latach istniała ekstrapolacja lingwistyczna, już wówczas można by było przewidzieć bemby — pamięta pan je chyba! — dzięki urobieniu ich od bomb. Sam język, proszę pana, tai w sobie olbrzymie, lecz przecie nie bezgraniczne możliwości. Utopić się — gdy pan pojmie, że to może iść od „utopia", zrozumie pan lepiej czarnowidztwo wielu futurologów!

Rozmowa zeszła wnet na sprawy mocniej mnie poruszające. Wyznałem Trottelreinerowi moje lęki — i moje obrzydzenie do nowej cywilizacji. Żachnął się. Słuchał jednak dalej i, dobre serce, zaczął mi współczuć. Widziałem nawet, jak sięgnął po mizerykordiał do kamizelki, ale powstrzymał się w pół drogi do niej, bo tak wybrzydzałem się na psychemikalia. Na koniec jednak przybrał surowy wyraz twarzy.

— Niedobrze z panem, Tichy. Krytyka pana nie dociera w ogóle do sedna rzeczy. Nie zna go pan. Ani się go pan nie domyśla. W porównaniu z nim — „Procrustics" i cała reszta psycywilizacji to fraszka!

Nie wierzyłem własnym uszom.

— Ależ... ależ... — jąkałem się — co też pan mówi, profesorze? Co może być gorsze?

Pochylił się ku mnie przez stolik.

— Tichy, zrobię to dla pana. Naruszę zawodową tajemnicę. O wszystkim, na co pan wyrzekał, wie każde dziecko, bo jakżeby inaczej. Rozwój musiał iść w tym kierunku od chwili, gdy po narkotykach i prahalucynogenach przyszły tak zwane psychofokalizatory o silnie wybiórczym działaniu. Ale prawdziwy przewrót nastąpił dopiero dwadzieścia pięć lat temu, gdy syntetyzowano maskony, to jest hapunktory — halucynogeny punktowe. Narkotyki nie odcinają człowieka od świata, zmieniają tylko stosunek do niego. Halucynogeny zamącają i przesłaniają cały świat. Pan się o tym sam przekonał. Natomiast maskony świat fałszują!

— Maskony... Maskony... — powtarzałem. — Znam to słowo. A! koncentracje masy pod skorupą księżyca, te takie zgęstki minerałów? Ale co one mają wspólnego...?

— Nic, bo to słowo nabrało już innego znaczenia. To jest smaczenia. Pochodzi od maski. Wprowadzając odpowiednio syntetyzowane maskony do mózgu, można zasłonić dowolny obiekt świata zewnętrznego obrazami fikcyjnymi tak sprawnie, że osobnik zachemaskowany nie wie, co jest w postrzeganym realne — a co ułudne. Gdybyś pan przez jedno mgnienie zobaczył świat, jaki nas n a p r a w d ę otacza — a nie ten uszminkowany chemaskowaniem — zdrętwiałbyś pan!

— Czekajże pan. Jaki świat? Gdzie on jest? Gdzie go można zobaczyć?

— Nawet tu! — szeptał mi do ucha, zerkając na wszystkie strony. Przysiadł się do mnie i, podając mi pod stolikiem małą szklaną flaszeczkę z dotartym korkiem, tchnął poufnie:

— To jest antych, z grupy ocykanów, potężny środek przeciwpsychemiczny, pochodna nitrodazylkowa peiotropiny. Nawet noszenie przy sobie, nie to że zażywanie, jest deliktem głównym! Proszę odkorkować pod stołem, wciągnąć raz w nozdrza, ale tylko raz — jakbyś pan amoniak wąchał. No, jak sole trzeźwiące. Ale potem... Dlaboga! Panuj nad sobą! Trzymaj się, pamiętaj!

Trzęsącymi się rękami odkorkowałem flaszeczkę. Profesor odebrał mi ją, ledwie się zaciągnąłem ostrym migdałowym oparem; dla oczu napłynęły mi obfite łzy. Gdy je strąciłem końcem palca i otarłem powieki, straciłem dech. Wspaniała sala, wyłożona kobiercami, pełna palm, o majolikowych ścianach, z wykwintnie roziskrzonymi stołami, z dworną kapelą w głębi, co przygrywała nam do pieczystego, znikła. Siedzieliśmy w betonowym bunkrze, przy nagim stole drewnianym, ze stopami zanurzonymi w porządnie już starganej, słomianej macie. Muzykę słyszałem nadal, ale widziałem teraz, że płynie z głośnika zawieszonego na pordzewiałym drucie. Kryształowo tęczujące kandelabry ustąpiły miejsca zakurzonym nagim żarówkom; najokropniejsza przemiana zaszła jednak na stole. Śnieżysty obrus znikł; srebrny półmisek z dymiącą kuropatwą na grzance obrócił się w fajansowy talerz, na którym leżała nieapetyczna, szarobrunatna bryja, klejąca się do cynowego widelca, bo i jego stare, szlachetne srebro zgasło. Patrzyłem zlodowaciały na paskudztwo, które przed chwilą jeszcze pałaszowałem ze smakiem, rozkoszując się chrupaniem przyrumienionej skórki ptaszęcej, łamanym kontrapunktowo grubszymi trzaśnięciami grzanki, górą wybornie podsuszonej, dołem zaś naciągającej sosikiem. To, co brałem za liście palmy w pobliskim kuble, było w samej rzeczy sznurkami od kalesonów osobnika, który z trzema innymi siedział tuż nad nami, nie na pięterku, lecz raczej na półce, tak była wąska i ciasna. Gdyż tłok panował nieprawdopodobny! Myślałem, że oczy wyjdą mi z orbit, kiedy przerażający obraz zachwiał się i jął zasnuwać na powrót, jak za dotknięciem różdżki czarodziejskiej. Tasiemki kalesonowe obok mej twarzy zazieleniły się i były znów liściastymi odnogami palmy, kubeł z odpadkami, cuchnący o trzy kroki, nabrawszy ciemnego blasku, stał się rzeźbioną donicą, a brudna powierzchnia stołu zabieliła się jak pokryta pierwszym śniegiem. Zabłysły kryształowe kieliszki, bryjowata maź nabrała szlachetnej barwy pieczystego, wyrosły jej, gdzie trzeba, skrzydełka i udka, cyna sztućców łysnęła starym srebrem... i zafurkotały wokół fraki kelnerskie. Spojrzałem pod nogi — słoma obróciła się w persy — i, przywrócony luksusowemu światu, dysząc ciężko, wpatrywałem się w bujną pierś kuropatwy, niezdolny zapomnieć tego, co kamuflowała...

— Teraz dopiero zaczyna pan ogarniać rzeczywistość — konfidencjonalnie szeptał Trottelreiner, patrząc mi w twarz, jakby się bał mojej nazbyt gwałtownej reakcji. — A proszę zważyć, że znajdujemy się w lokalu ekstraklasy! Gdybym nie brał z góry w rachubę ewentualności wtajemniczenia pana, poszlibyśmy do restauracji, której widok, kto wie, pomieszałby może panu umysł.

— Co? Więc... są... jeszcze straszniejsze?

— Tak.

— Nie może być.

— Zapewniam pana. Tu mamy przynajmniej autentyczne stoły, krzesła, talerze i sztućce, a tam leży się na wielopiętrowych pryczach, jedząc palcami z podtykanych przez konwejer kubłów. Także to, co ukrywa się pod maską kuropatwy, jest tam mniej pożywne.

— Co to jest?!

— Nie żadna trucizna, Tichy, po prostu ekstrakt trawy i buraka pastewnego, namoczony w chlorowanej wodzie i zmielony z rybną mączką; zwykle dodaje się kostnego kleju i witamin, omaszczając maź syntetycznym smarem, żeby nie stawała w gardle. Nie zauważył pan zapachu?

— Zauważyłem. Zauważyłem!!!

— A widzi pan.

— Na litość boską, profesorze... co to jest? Proszę mi powiedzieć! Zaklinam pana. Zmowa? Perfidia? Plan dla wygubienia całej ludzkości? Szatański spisek?

— Gdzie tam, Tichy. Nie bądź pan demoniczny. Jest to po prostu świat, w którym żyje grubo ponad dwadzieścia miliardów ludzi. Czytał pan dzisiejszego „Heralda"? Rząd Pakistanu twierdzi, że w tegorocznej katastrofie głodowej zginęło tylko 970 000 ludzi, opozycja zaś — że sześć milionów. Gdzież w takim świecie chablis, kuropatwy, potrawki w sosie béarnais. Ostatnie kuropatwy wyginęły ćwierć wieku temu. To trup, tyle że znakomicie zachowany, bo się go wciąż sprawniej mumifikuje — czy też, bośmy się nauczyli maskować tę śmierć.

— Zaraz! Myśli nie mogę zebrać... Więc to znaczy, że...

— Że nikt panu źle nie życzy, na odwrót — z litości bowiem, z powodów wyższej humanitarnej natury stosuje się humbug chemiczny, kamuflaż, przystrajanie rzeczywistości w piórka i barwy, jakich jej brak...

— Profesorze, czy to oszustwo jest wszędzie?

— Tak.

— Ale ja nie jadam na mieście, sam sobie gotuję, więc którędy, jak...?

— Jak przyjmuje pan maskony? Pan o to pyta? Pan? Są w powietrzu, trwale rozpylane. Nie pamięta pan costaricańskich aerozoli? To były nieśmiałe pierwsze próby, coś jak Montgolfiera w zestawieniu z rakietą.

— I wszyscy o tym wiedzą? I mogą z tym żyć?

— Nic podobnego. Nikt o tym nie wie.

— Ani pogłosek, ani plotek?

— Plotki są wszędzie. Ale proszę pamiętać, że istnieje amnestan. Są rzeczy, o których wie każdy, i są takie, o których nie wie nikt. Farmakokracja ma swą część jawną i skrytą; pierwsza wspiera się na drugiej.

— To nie może być.

— O? Czemu?

— Bo ktoś musi dbać o te słomianki, i ktoś musi produkować fajanse, z których naprawdę jemy, i tę bryję, która udaje pieczyste. I wszystko!

— Ależ tak. Ma pan rację, wszystko musi być wytwarzane i zachowywane, cóż z tego?

— Ci, którzy to robią, widzą i wiedzą!

— Skąd znowu. Myśli pan wciąż archaicznymi kategoriami. Ludzie myślą, że idą do szklanej fabryki-oranżerii; przy wejściu dostają antyhal i dostrzegają gołe betonowe mury i robocze stanowiska.

— I chcą pracować?

— Z największym zapałem, ponieważ dostają też dawkę sakryficyny. Praca jest tedy poświęceniem, czymś szczytnym; po zakończeniu dość łyku amnestanu czy memnolizyny, a wszystko, co się zobaczyło, ulega zapomnieniu!

— Do tej pory obawiałem się, że żyję w halucynacji. Teraz widzę, jaki byłem głupi! Boże, jakżebym chciał wrócić! Co bym za to dał!

— Wrócić, dokąd?

— Do kanału pod hotelem Hiltona.

— Nonsens. Zachowuje się pan nierozważnie, bym nie powiedział: głupio. Powinien pan robić to, co wszyscy, jeść i pić jak wszyscy, wówczas otrzymywałby pan niezbędne dawki optymistanu, serafinoli, i byłby pan w wyśmienitym humorze.

— Więc i pan jest adwokatem diabła?

— Bądźże pan rozsądny. Cóż to za czyn diabelski, jeśli lekarz kłamie w potrzebie choremu? Skoro musimy już tak mieszkać, żyć, jeść — lepiej, gdy się to nam przedstawia w ślicznych opakowaniach. Maskony działają niezawodnie, z jednym tylko wyjątkiem, więc co w nich złego?

— Nie czuję się na siłach dyskutować teraz z panem na ten temat — powiedziałem, ochłonąwszy trochę. — Proszę mi tylko odpowiedzieć na dwa pytania, przez pamięć dawnych czasów: jaki to jest wyjątek w działaniu maskonów? I w jaki sposób doszło do rozbrojenia powszechnego? Czy i ono jest mirażem?

— Nie, na szczęście jest całkiem realne. Ale, by to panu wyjaśnić, musiałbym się uciec do wykładu, a czas już na mnie.

Umówiliśmy się na dzień następny; przy pożegnaniu ponowiłem pytanie o defekt maskonów.

— Proszę pójść do Wesołego Miasteczka — rzekł profesor, wstając. — Jeśli chce pan niemiłych rewelacji, wsiądzie pan do największej karuzeli, a gdy uzyska ona pełne obroty, zrobi pan scyzorykiem dziurkę w osłonie kabiny. Osłona jest konieczna właśnie dlatego, że w czasie wirowania fantazmaty, jakimi maskon zaćmiewa realność, ulegają przemieszczeniom — jak gdyby siła odśrodkowa rozsuwała końskie okulary... Zobaczy pan, co się wychyla wtedy spoza pięknych ułud...

Piszę te słowa o trzeciej w nocy, złamany. Cóż mogę do tego dodać? Rozważę poważnie projekt ucieczki od cywilizacji, zaszycia się w jakąś głuszę. Nawet Galaktyka przestała mnie wabić, jak nie kuszą podróże, gdy nie ma z nich dokąd wrócić.

5 X 2039. Wolne przedpołudnie spędziłem w mieście. Z ledwie powściąganym przerażeniem wpatrywałem się w powszechne oznaki komfortu i luksusu. Galeria sztuki na Manhattanie zachęca do kupowania za bezcen oryginalnych płócien Rembrandta i Matisse'a. Obok oferują wspaniałe meble w stylu Ludwików, marmurowe kominki, trony, zwierciadła, zbroje saraceńskie. Moc różnych aukcji — sprzedaje się domy jak ulęgałki. A ja sądziłem, że żyję w raju, w którym każdy może sobie „popałacować"! Biuro rejestracji samozwańczych kandydatów do Nagrody Nobla na Piątej ulicy też wyjawiło mi swą właściwą naturę: każdy może mieć Nobla, podobnie jak pozawieszać ściany mieszkania najcenniejszymi dziełami sztuki, jeśli jedno i drugie jest tylko szczyptą proszku drażniącego mózg! Największa perfidia w tym, że c z ę ś ć zbiorowej ułudy jest jawna, można więc naiwnie zakreślić granicę oddzielającą fikcję od rzeczywistości, a ponieważ spontanicznie nikt nie reaguje już na nic — chemicznie ucząc się, kochając, buntując, zapominając — różnica między uczuciem wymanipulowanym i naturalnym przestała istnieć. Szedłem ulicami, zaciskając kułaki w kieszeniach. O, nie potrzebowałem amokoliny ni furyasoli, by doznawać wściekłości!

Moja tropicielsko uskrzydlona myśl trafiała wszystkie pusto brzmiące miejsca tego monumentalnego oszukaństwa, tej rozrosłej poza horyzonty dekoracji. Dzieciom podają syropki ojcobijcze, potem, dla rozwoju osobowości, kontestan i protestolidynę, a dla uśmierzenia wznieconych porywów — sordyn i kooperantan; policji nie ma, po co, skoro jest kryminol; apetyty zbrodnicze gasi „Procrustics Inc."; dobrze, że omijałem dotąd teoksięgarnie, bo i w nich jest tylko zestaw preparatów wiaropędnych, łaskodajnych, sumienidki, peccatol, absolvan, i nawet świętym można zostać dzięki sacrosanctyzydazie. Zresztą, czemu nie allaszek islaminy, dwuzenek buddanu, nirvanium kosmozylowe, teokontaktol? Czopki-eschatolopki, maść nekrynowa ustawią cię w pierwszym szeregu w Dolinie Jozafata, resurrectol zaś, podany na cukrze, dokona reszty. Święty Bogolu! Paradyzjaki dla dewotów, belzeban i hellurium dla masochistów... z trudem powstrzymałem się, aby nie wpaść do mijanego farmakopeum, gdzie lud nabożnie klękał, jak tabaki zażywając genuflektoliny. Musiałem się hamować, by nie dano mi amnestanu. Tylko nie to! Pojechałem do Wesołego Miasteczka, obracając spotniałymi palcami w kieszeni scyzoryk. Nic nie wyszło z doświadczenia, bo osłona kabiny okazała się niezwykle twarda — chyba z hartowanej stali.

Pokoje do wynajęcia, w których mieszkał Trottelreiner, znajdowały się przy Piątej ulicy. Nie było go w domu, gdym przyszedł o umówionej porze, ale uprzedził mnie, że się może spóźnić, i dał mi świst do drzwistu. Wszedłem więc i siadłem przy profesorskim biurku, zawalonym naukową prasą oraz zapisanymi papierami. Z nudów — a może raczej, by uśmierzyć niepokój palący duchowe wnętrzności — zajrzałem do notatek Trottelreinera. „Wszechśmiot", „porodzianka", „cudziniec", „cudzinka". Ach, więc miał głowę do tego, by spisywać terminy tej swojej dziwacznej futurologii... „Popłódnia", „wykapanek", „wykapanka". „Porodzistka" — rekordzistka porodowa? No tak, przy eksplozji demograficznej, zapewne. W każdej sekundzie rodziło się osiemdziesiąt tysięcy dzieci. A może osiemset tysięcy. Co za różnica? „Myślarz", „myślant", „myśliny", „mysiel", „myśl główna", czyli „dyszlowa", „myszlina-dyszlina". Czymże on się zajmował! Profesorze, ty tu, a tam świat ginie! — chciałem wołać. Nagle błysło coś spod papierów — antyhal, ta flaszeczka. Wahałem się przez ułamek sekundy, potem, zdecydowany, pociągnąłem ostrożnie i spojrzałem na pokój.

Dziwna rzecz: prawie się nie zmienił! Szafy biblioteczne, półki z pigułkami w informatorach, wszystko pozostało, jakie było, tylko ogromny, kaflowy piec holenderski w kącie, który zdobił pokój soczystym blaskiem swych rzeźbionych kafelek, zamienił się w tak zwanego „bękarta" z przepaloną rurą blaszaną, wetkniętą w dziurę w murze, a wokół podłoga zaczerniała od osmalin. Odstawiłem szybko flaszeczkę, jak złapany na gorącym uczynku, bo w przedpokoju świsnęło i wszedł Trottelreiner.

Opowiedziałem mu o Wesołym Miasteczku. Zdziwił się, poprosił, bym mu pokazał scyzoryk, pokiwał głową, sięgnął po flaszeczkę, powąchał i dał ją mnie z kolei. Zamiast scyzoryka ujrzałem ułomek spróchniałej gałązki. Wróciłem oczami do twarzy profesora — był jakby markotny, nie taki pewny siebie, jak poprzedniego dnia. Położył na biurku teczkę, pełną kongresowych lizaków, i westchnął.

— Tichy — rzekł — musi pan zrozumieć, że ekspansją maskonów nie powoduje na razie specjalna perfidia...

— Ekspansją? A to co znowu?

— Wiele rzeczy, jeszcze realnych w zeszłym miesiącu lub roku, trzeba zastępować mirażami, skoro autentyki stają się po prostu nieosiągalne — tłumaczył mi, zafrasowany jakąś inną myślą, która, widziałem to, nie dawała mu spokoju.

— Na tej karuzeli jeździłem przed kwartałem, ale nie dam głowy za to, że ona tam jeszcze jest. Wszak może być, że kupując bilet wstępu, dostaje pan z dyfuzera porcję pary karuzelowej czy lunaparkiny, co zresztą jest racjonalne jako o wiele bardziej oszczędne. Tak, Tichy, sfera realnego posiadania ludzkości kurczy się z zastraszającym przyspieszeniem. Zanim tu zamieszkałem, byłem w nowym Hiltonie, ale, wyznaję, nie potrafiłem tam żyć, bo gdym nieopatrznie skorzystał z wytrzeźwiacza, ujrzałem się w klitce wielkości sporej szuflady, z nosem przy karmniku, w żebra gniótł mnie kurek wodociągowy, a stopami dotykałem wezgłowia legowiska w następnej szufladzie, to jest apartamencie, bo miałem apartament na ósmym piętrze, za 90 dolarów dziennie. Miejsca, po prostu miejsca jest coraz mniej! Robią obecnie próby z tak zwanymi despacjalizatorami albo psywidymkami, ale idą opornie, bo jeżeli maskuje się współobecność z panem ogromnych tłumów na ulicy czy na placu, tak że widzi pan tylko odległe jednostki, zaczyna się pan zderzać z ludźmi zamaskowanymi, których pan nie zauważa, a to już kłopot, którego nie umieją na razie przezwyciężyć!

— Profesorze, zajrzałem do pana notatek. Proszę wybaczyć, ale co to jest? — Pokazałem palcem kartkę, na której widniały słowa: „multyschizol", „ciżbidek wielaniny".

— A, to... Wie pan, istnieje plan, to znaczy koncepcja hinternizacji, od nazwiska autora Egoberta Hinterna, nieprawdaż — ażeby zastępować rosnący brak zewnętrznej przestrzeni — wyhalucynowaną przestrzenią wewnętrzną, duszy, bo metraż tej ostatniej żadnym ograniczeniom fizycznym nie podlega. Pewno pan wie, że dzięki zooforminom można się czasowo stać, to jest czuć się, żółwiem, mrówką, bożą krówką, a nawet jaśminem przy pomocy prebotynidu infloryzującego, oczywiście tylko subiektywnie. Można też doznać rozszczepienia osobowości na dwie, trzy, cztery części. Gdy rozszczepienie sięga liczb dwucyfrowych, powstaje efekt ciżbinowy. To już nie jaźń wtedy, lecz myźń. Wielość jaźni w jednym ciele. Są też dojaźniacze, żeby spotęgowane w intensywności życie wewnętrzne górowało nad postrzeganiem tego, co zewnętrzne. Taki świat, takie czasy, mój Tichy. Omnis est Pillula! Farmakopea jest teraz księgą żywota, encyklopedią bytu, alfą i omegą, żadnych przewrotów na widoku, skoro mamy już rewoltal, opozycjonal w czopach glicerynowych i ekstreminę, a pański doktor Hopkins reklamuje sodomastol i gomorynki — można osobiście spalić ogniem niebieskim tyle miast, ile dusza zapragnie. Awans na Pana Boga też można dostać, kosztuje 75 centów.

— Najnowszą sztuką piękną jest świąd — rzekłem. — Słyszałem, to jest czułem, *Scherzo* Uascotiana, ale nie mogę powiedzieć, żeby mi to cokolwiek dało pod względem estetycznym. Śmiałem się w najpoważniejszych miejscach.

— Tak, to nie dla nas, defryzoni z innego wieku, rozbitków w czasie — melancholijnie przytwierdził Trottelreiner. Jakby się w sobie przełamał, odchrząknął, spojrzał mi w oczy i rzekł:

— Tichy, rozpoczyna się właśnie kongres futurologiczny — to znaczy obrady nad będziejami ludzkości. Jest to Światowy Zjazd LXXVI; byłem dzisiaj na pierwszym wstępnym posiedzeniu organizacyjnym i chcę się podzielić z panem wrażeniami...

— Dziwne — rzekłem — czytam dość pilnie prasę, ale nie widziałem nawet wzmianki o tym kongresie...

— Bo to jest tajny kongres. Rozumie pan chyba — muszą być wszak między innymi omawiane problemy maskowania!

— I co? Niedobrze z nimi?

— Fatalnie! — rzekł profesor z naciskiem. — Gorzej nie może być!

— A wczoraj grał pan z innej dudki — powiedziałem.

— To prawda. Lecz proszę wziąć pod uwagę moje położenie — dopiero zaznajamiam się ze stanem aktualnych badań. To, co słyszałem dzisiaj, och, mówię panu — zresztą sam pan może się przekonać.

Wyjął z teczki duży pęk lizaków z tymczasowymi doniesieniami, powiązanych różnokolorowymi wstążeczkami, i podał mi go przez biurko.

— Nim pan się z tym zapozna, kilka słów niezbędnego wyjaśnienia. Farmakokracja jest psychemokracją, opartą na kremokracji — oto dewiza naszej nowej ery. Rządom halucynogenów towarzyszy korupcja, aby to jeszcze zwięźlej ująć. Zresztą właśnie dzięki temu mamy powszechne rozbrojenie.

— A więc wreszcie dowiem się, jak z tym jest! — zawołałem.

— To wcale proste. Przekupstwo służy albo temu, by można zbyć towar niepełnowartościowy, albo temu, by go przy głodzie towarowym otrzymać. Towarem mogą być zresztą i usługi. Idealna sytuacja powstaje dla producenta wówczas, gdy inkasując należność, nic za nią w zamian nie daje. Przypuszczam, że zapoczątkowały realizę afery mendaktorów i malwersorów, o których pan musiał słyszeć.

— Tak, ale co to jest realiza?

— Dosłownie — rozpuszczanie się, więc — zanikanie rzeczywistości. Gdy wybuchł skandal komputerowych malwersacji, wszystko zwalono na maszyny cyfrowe. W istocie maczały w tym palce potężne konsorcja i tajne kartele. Szło, nieprawdaż, o uczynienie planet mieszkalnymi — sprawa paląca wobec przeludnienia! Należało wybudować ogromne floty rakietowe, zmienić klimaty, atmosfery Saturna i Uranu; o wiele prościej było robić to wszystko wyłącznie na papierze.

— Przecież to się musiało rychło wydać — zdziwiłem się.

— Nic podobnego. Powstają nieprzewidziane trudności obiektywne, nie znane dotąd problemy, przeszkody, trzeba nowych kredytów, asygnacji, ot, taki projekt Uranu pochłonął dotąd 980 miliardów, a nie wiadomo, czy ruszono tam choć jeden kamień.

— Komisje nadzorujące?

— Komisje nie składają się z kosmonautów, a nie przygotowany nie może lądować na tych planetach. Wysyła się wtedy pełnomocników, którzy z kolei opierają się na przedłożonym im materiale wykazów, zdjęć fotograficznych, statystyk, a wszak można albo sfałszować dokumentację, albo, o wiele łatwiej jeszcze, sfingować maskonami.

— Ach!

— A właśnie. W podobny sposób, przypuszczam, rozpoczęło się jeszcze wcześniej pozorowanie zbrojeń. Firmy wszak, które otrzymują rządowe zamówienia, są własnością prywatną. Brały miliardy i nic nie robiły; to znaczy produkowały, owszem, działa laserowe, wyrzutnie rakiet, przeciw-przeciw-przeciw-przeciwrakiety (bo mamy ich szóstą generację), czołgi latające, tak zwane latalerze, ale wszystko hapunktowe.

— Proszę?

— Wyhalucynowane, mój panie. Po co robić próby nuklearne, gdy się ma fungolowe pastylki?

— Co to jest?

— Pastylki, po których zażyciu widzi się grzyb wybuchu atomowego. Był to proces łańcuchowy. Po co szkolić żołnierzy? W razie mobilizacji da im się pigułki wyszkoleniowe. Dowódców też nie warto kształcić — od czego strategina, generazol, taktydon, orderyl? „W Clausewitzu będziesz gmerał? Proszek zjedz, jużeś generał". Słyszał pan to porzekadło?

— Nie.

— Bo te zestawy specyfików są tajne, a przynajmniej nie dopuszczane na rynek. Desantów też nie warto nigdzie wysyłać — wystarczy nad wrzącym krajem rozpylić odpowiedni maskon, a ludność będzie widziała lądujące jednostki spadochronowe, piechotę morską, czołgi — prawdziwy czołg kosztuje teraz prawie milion dolarów, a halucynowany około jednej setnej centa na widza, to jest tak zwana jednostka czołgoosobowa. Pancernik kosztuje ćwierć centa. Cały arsenał Stanów Zjednoczonych można dzisiaj zapakować do jednej ciężarówki. Tankony, kadawerony, bombony — stałe, ciekłe i gazowe. Podobno istnieją nawet całe inwazje Marsjan — jako odpowiednio spreparowany proszek.

— Wszystko w maskonach?

— A jakże! Z kolei realna armia okazała się zbędna. Pozostało tylko trochę lotnictwa, a i to niepewne. Po co? To był proces lawinowy, rozumie pan? Nie można go było zahamować. Ot, i cała tajemnica rozbrojenia. Zresztą nie tylko rozbrojenia. Widział pan nowe modele tegoroczne cadillaca, dodge'a i chevroleta?

— Owszem, wcale ładne.

Profesor podał mi flaszeczkę.

— Proszę, niech pan podejdzie do okna i przyjrzy się tym pięknym autom.

Wychyliłem się przez parapet. Wąwozem ulicy, widzianym z jedenastego piętra, sunęła rzeka lśniących samochodów, błyskająca w słońcu szybami i dachami. Podniosłem otwartą buteleczkę do nosa, zamrugałem, wyciskając powiekami łzy z oczu, i zapatrzyłem się w niezwykły widok. Trzymając w uniesionych na wysokość piersi dłoniach powietrze, niczym dzieci bawiące się w szoferów, jezdnią kłusowały kolumny biznesmenów. Od czasu do czasu w zwartych szeregach galopowiczów, przebierających pospiesznie nogami, a od pasa w górę przechylonych do tyłu, jakby wpartych w przepastne fotele, pojawiał się samotny, dymiący samochód. Gdy działanie środka osłabło, obraz zadrgał, wyrównał się i znów widziałem z wysokości błyszczącą rzekę samochodowych dachów, białych, żółtych, szmaragdowych, płynącą majestatycznie przez Manhattan.

— Koszmarne! — rzekłem dosadnie — ale, mimo wszystko, pax orbi et urbi ustanowiony, więc może to się opłaciło?

— No, rozumie się, że to nie jest tylko złe. Ilość zawałów spadła bardzo znacznie, bo te długodystansowe galopy są świetną gimnastyką. Inna rzecz, że wzrosły zachorowania na rozedmę płuc, żylaki i rozszerzenie serca. Nie każdy nadaje się na maratończyka.

— To dlatego pan nie ma auta! — zawołałem domyślnie.

Profesor tylko się krzywo uśmiechnął.

— Średniej klasy wóz kosztuje dziś zaledwie 450 dolarów — rzekł — ale zważywszy, że koszty produkcji obracają się wokół ósmej części centa, jest to raczej słono. Ilość ludzi robiących coś realnego leci na łeb na szyję. Kompozytorzy biorą honoraria, dają zleceniodawcom łapówki, a publiczności, przychodzącej na prawykonanie do filharmonii, podsuwa się pod nos melotropinę koncertazolową.

— Moralnie to paskudne — rzekłem — ale czy bardzo szkodliwe w skali społecznej?

— To, co jest na razie — jeszcze nie. Zresztą ocena zależy od punktu widzenia. Dzięki transmutynie może pan mieć romans z kozą, sądząc, że to sama Wenus z Milo. Zamiast prac naukowych i obrad są kongressyny i dekongressyny, ale przecież istnieje pewne minimum życiowe, którego już się nie pokryje fikcją. Trzeba gdzieś mieszkać naprawdę i coś jeść, i czymś oddychać, a tymczasem realiza zżera jedną po drugiej sfery działania rzeczywistego. Ponadto mamy zastraszający przybór objawów ubocznych. Wymagają one stosowania dehalucynin, neosupermaskonów, fiksatorów — z wątpliwym skutkiem.

— Cóż to takiego?

— Dehalucyniny to nowe specyfiki, po których wydaje się, że się nic nie wydaje. Stosowano je zrazu tylko u chorych umysłowo, ale rośnie liczba ludzi podejrzewających otoczenie o nieautentyczność. Amnestany nie pomagają przeciw uroburojeniom. To są urobione wtórnie urojenia, rozumie pan? No, jeśli ktoś sobie roi, że sobie roi, że sobie nic nie roi — albo na odwrót. Jest to typowa problematyka psychiatrii współczesnej, tak zwanej wieżowcowej lub n-piętrowej. Ale najgroźniejsze są te nowe maskony. Widzi pan, pod wpływem nadmiaru specyfików organizmy szwankują. Ludziom wypadają włosy, rogowacieją uszy, to znów zanika ogon...

— Wyrasta, chciał pan powiedzieć.

— Nie, zanika, bo ogony wszyscy mają już od trzydziestu lat! To był skutek ortografiny. Za błyskawiczną naukę pisania przyszło tym zapłacić.

— Niemożliwe — bywam na plaży, nikt nie ma ogona, profesorze!

— Dzieckoś pan. Ogony maskuje się antycaudatoliną, która z kolei powoduje zaczernienie paznokci i psucie się zębów.

— Które też się maskuje?

— Naturalnie. Maskony działają w ilościach miligramów, ale łącznie każdy człowiek pochłania ich około stu dziewięćdziesięciu kilogramów w ciągu roku, co łatwo pojąć, zważywszy, że trzeba symulować urządzenia mieszkalne, jadło, napitki, grzeczność dzieci, uprzejmość urzędników, odkrycia naukowe, posiadanie Rembrandtów i scyzoryków, podróże zamorskie, kosmiczne loty i milion podobnych rzeczy. Gdyby nie tajemnica lekarska, byłoby wiadomo, że co drugi mieszkaniec Nowego Jorku jest łaciaty, ma grzbiet porośnięty zielonkawą szczeciną, kolce na uszach, platfus i rozedmę płuc z rozszerzeniem serca od nieustannego galopowania. Wszystko to trzeba osłaniać i właśnie temu służą neosupermaskony.

— Koszmarne! I nie ma na to rady?

— Właśnie nasz kongres ma obradować nad alternatywą będziejów. Mówi się w kręgach fachowców powszechnie o konieczności radykalnej zmiany. Dysponujemy w tej chwili osiemnastoma projektami.

— Zbawienia?

— Można to i tak nazwać. Proszę, może pan siądzie i przeliże te materiały. Ale miałbym do pana też pewną prośbę. To rzecz delikatna.

— Zrobię dla pana, co pan chce.

— Liczę na to. Widzi pan, otrzymałem od kolegi, chemika, próbki dwu nowo syntetyzowanych ciał z grupy ocykanów — wytrzeźwiaczy. Przysłał mi je ranną pocztą i pisze — Trottelreiner podniósł list z biurka — że mój preparat, ten, który i pan zażywał, nie jest autentycznym ocykanem. Pisze dosłownie: „Federalny Zarząd Psyprecji (to jest psychopreformacji) dla odwrócenia uwagi rzeczywidzów od wielu zjawisk kryzysowych rozmyślnie i złośliwie dostarcza im fałszywych środków przeciwurojeniowych, zawierających neomaskony".

— Nie mogę się w tym połapać. Przecież sam doświadczyłem działania pańskiego preparatu. I co to jest rzeczowidz?

— A, to wysokie stanowisko społeczne, które między innymi i ja posiadam. Rzeczowidztwo to prawo i możliwość dysponowania ocykanami w celu ustalania, jak się mają rzeczy naprawdę. Ktoś bowiem musi o tym wiedzieć, to chyba oczywiste?

— Istotnie.

— A co do tego środka, mój przyjaciel przypuszcza, że on wprawdzie znosi wpływ maskonów starszej daty, od dawna już wprowadzonych, ale nie likwiduje wszystkich — zwłaszcza najnowszych. Byłby to więc — profesor podniósł flaszeczkę — nie wytrzeźwiacz, lecz maskon zaprojektowany perfidnie, zakamuflowany podwytrzeźwiacz, czyli wilk w owczej skórze!

— Ale po co to? Jeśli trzeba, aby ktoś wiedział...

— „Trzeba" w sensie ogólnym, ze stanowiska uwzględniającego całe dobro społeczne, ale nie z punktu widzenia cząstkowych interesów różnych polityków, korporacji, nawet federalnych agencji. Jeśli jest gorzej, niż dostrzegamy to my, rzeczowidzowie, tamci wolą, byśmy nie podnosili alarmów; więc spreparowali ten środek tak, jak się niegdyś podtykało szukającym — łatwe do odnalezienia skrytki w starych meblach. Aby się poszukiwacz zadowolił pierwszym wykrytym schowkiem i już nie szperał za prawdziwymi, zakamuflowanymi daleko zręczniej!

— Tak. Teraz rozumiem. Czego pan sobie życzy?

— Aby pan w czasie zaznajamiania się z tymi materiałami pociągnął najpierw z tej fiolki, a potem z tej drugiej. Ja, prawdę mówiąc, nie mam odwagi.

— Tylko tyle? Ależ chętnie.

Wziąłem od profesora obie szklane rureczki, siadłem na fotelu i jąłem po kolei przyswajać sobie streszczenia nadesłanych prac będziejowych. Projekt pierwszy przewidywał sanację stosunków dzięki wprowadzeniu do atmosfery tysiąca ton inwersyny, preparatu, który odwraca o 180 stopni wszystkie doznania. Pierwsza faza przewidywała rozpylenie preparatu; odtąd wygoda, sytość, jak i smaczna żywność, rzeczy estetyczne, schludne — wszystko to ulega powszechnemu znienawidzeniu, natomiast tłok, ubóstwo, brzydota i nędza stają się pożądane nade wszystko. W fazie drugiej znosi się radykalnie działanie wszystkich maskonów i neomaskonów. Teraz dopiero ogół, postawiony twarzą w twarz ze skrywaną dotychczas rzeczywistością, znajduje pełną satysfakcję, ma bowiem przed sobą wszystko, czego pożąda. Być może, zrazu wypadnie nawet uruchomić peiotrony (pogarszacze warunków życiowych). Ponieważ jednak inwersyna działa na wszystkie doznania bez wyjątku, znienawidzone staną się też uciechy erotyczne, co zagrozi ludzkości wymarciem. Toteż raz do roku na 24 godziny będzie się czasowo porażało działanie inwersyny kontrpreparatem. W dniu tym nastąpi niechybnie gwałtowny skok samobójczych zamachów, lecz z nadwyżką okupi go zainicjowany jednocześnie przyrost naturalny.

Nie mogę powiedzieć, by mnie ten plan zachwycił. Jedynym jaśniejszym jego punktem był ten, który mówił, że projektodawca, jako należący do rzeczowidzów, niechybnie stale znajdowałby się pod działaniem antidotum, toteż ani powszechna nędza czy brzydota, ani brud czy monotonia życia na pewno nie sprawiałyby mu szczególnej uciechy. Drugi plan przewidywał rozpuszczenie w wodach rzecznych i oceanicznych 10 000 ton retrotemporyny. Jest to odwracacz upływu czasu subiektywnego. Odtąd życie przedstawiałoby się następująco: ludzie pojawialiby się na świecie zgrzybiałymi starcami, a schodzili z niego jako noworodki. Projekt podkreślał, że w ten sposób usunęłoby się główny szkopuł kondycji ludzkiej, a mianowicie nieuchronną dla każdego perspektywę starzenia się i śmierci. W miarę upływu czasu każdy starzec młodniałby coraz bardziej, nabierając sił i wigoru. Po zaprzestaniu pracy zawodowej wskutek zdziecinnienia wkraczałby w błogosławiony kraj lat dziecinnych. Clou projektu stanowiła jego humanitarność, wynikająca w sposób naturalny z owej niewiedzy o śmiertelności wszystkiego, co żywe, która jest właściwa niemowlęctwu. Co prawda — ponieważ odwrócenie biegu czasu było tylko subiektywne — do ogródków jordanowskich, żłobków i izb porodowych kierować należało starców; projekt nie powiadał wyraźnie, co się ma z nimi dziać potem, a jedynie zaznaczał ogólnikowo, że można poddawać ich odpowiedniej terapii w tak zwanym państwowym eutanazjum. Po tej lekturze poprzedni projekt wydał mi się wcale niezły.

Trzeci projekt był długodystansowy i daleko bardziej radykalny. Przewidywał ektogenezę, detaszyzm i homikrię powszechną. Z człowieka pozostawiał tylko mózg w eleganckim opakowaniu z duroplastu, rodzaj globusa opatrzonego w sprzęgła, kontakty i wtyczki. Postulował przejście w przemianie materii na energię jądrową, w związku z czym spożywanie pokarmów, cieleśnie zbędne, odbywałoby się wyłącznie w urojeniu odpowiednio programowanym. Globus mózgowy można by przyłączać do dowolnych kończyn, aparatów, maszyn, wehikułów itp.; ta detaszyzacja była rozłożona na dwie dekady. W pierwszej obowiązywałby detaszyzm częściowy, z pozostawianiem w domu zbędnych narządów; np. udając się do teatru, odczepiałoby się i wieszało w szafie układy kopulacyjne i defekacyjne. W następnej dziesięciolatce homikria miała zlikwidować powszechny tłok — skutek przeludnienia. Kablowe i bezkablowe kanały łączności międzymózgowej czyniłyby zbędnymi wszelką lokomocję, kursokonferencje, wyjazdy, narady połączone z podróżami, a więc wszelkie osobiste udawanie się gdziekolwiek, bo każdy żyjący dysponowałby w jednaki sposób czujnikami w całym obszarze panowania ludzkości, aż po najdalsze planety. Masowa produkcja miała dostarczyć na rynek jelitorów, manipulatorów, pedykulatorów oraz zwyczajnych torów, to jest szyn jakby kolejki domowej, po której same głowy mogłyby się toczyć dla rozrywki. Przerwawszy lekturę, zauważyłem, że autorzy prac są zapewne wariatami.

Trottelreiner odparł oschle, że jestem zbyt pochopny w sądach. Piwo, którego się nawarzyło, trzeba wypić. Kryterium zdrowego rozsądku nie jest do historii ludzkiej stosowalne. Czy Averroes, Kant, Sokrates, Newton, Wolter uwierzyliby, że w wieku dwudziestym plagą miast, trucicielem płuc, masowym mordercą, przedmiotem kultu stanie się blaszany wózek na kółkach, i że ludzie będą woleli ginąć w nim roztrzaskiwani podczas masowych weekendowych wyjazdów, aniżeli siedzieć cało w domu? Spytałem, który z projektów zamierza poprzeć.

— Jeszcze się nie zdecydowałem — rzekł. — Najcięższy jest, mym zdaniem, problem tajniąt — nielegalnie rodzonych dzieci. A poza tym obawiam się chemintrygowania w toku obrad.

— To znaczy?

— Może przejść projekt, który otrzyma wsparcie kredybilanowe.

— Myśli pan, że was tam podtrują?

— Czemu nie? Cóż łatwiejszego niż wpuścić aerozol na salę przez aparaturę klimatyzacyjną?

— Cokolwiek uchwalicie, nie musi być zaakceptowane przez ogół. Ludzie nie przyjmą wszystkiego biernie.

— Drogi panie, kultura od półwiecza nie rozwija się już żywiołowo. W XX wieku jakiś Dior dyktował modę odzieżową. Obecnie regulatywność ta objęła wszystkie dziedziny życia. Jeżeli detaszyzm przegłosują, za parę lat każdy będzie uważał posiadanie miękkiego, włochatego, pocącego się ciała za wstyd i nieprzyzwoitość. Ciało trzeba myć, odwaniać, pielęgnować, a i tak się psuje, kiedy przy detaszyzmie można sobie podłączać najpiękniejsze cuda sztuki inżynierskiej. Która kobieta nie zechce mieć srebrnych jodów zamiast oczu, wysuwających się teleskopowo piersi, anielskich skrzydeł, promieniujących łydek i pięt wydających przy każdym kroku melodyjne dźwięki?

— To wie pan co — rzekłem — uciekajmy. Zgromadzimy zapasy tlenu, żywności i zaszyjemy się w Górach Skalistych. Pamięta pan kanały Hiltona? Albożnam w nich było źle?

— Pan to mówi serio? — jakby z wahaniem zaczął profesor.

Doprawdy nie z rozmysłu podniosłem do nosa fiolkę, którą wciąż trzymałem w palcach — bo zapomniałem o niej. Łzy wystąpiły mi od ostrej woni. Zacząłem kichać raz za razem, a gdy znów otwarłem oczy, pokój się zmienił. Profesor mówił dalej, słyszałem jego głos, lecz zafascynowany przemianą nie pojmowałem ani słowa. Ściany powlekły się brudem; dotąd modre niebo nabrało burosinej barwy; część szyb okiennych była wybita, resztę pokrywał tłusty kopeć z szarymi smugami po strugach deszczu. Nie wiem, czemu szczególnie przeraziło mnie to, że zgrabna aktówka, w której profesor przyniósł kongresowe materiały, stała się spleśniałym workiem. Zdrętwiały, bałem się na niego spojrzeć. Zerknąłem pod biurko. Zamiast sztuczkowych spodni i kamaszy profesorskich widniały tam swobodnie skrzyżowane protezy. Pomiędzy druciane ścięgna podeszew nabiło się nieco żwiru i brudu ulicznego. Stalowy trzpień pięty lśnił, wyślizgany od użycia. Jęknąłem.

— Co, głowa pana boli? Może kogutka? — dobiegł mnie współczujący głos. Przemogłem się i podniosłem nań oczy.

Niewiele zostało mu z twarzy. Do wyjedzonych policzków przykleiły się strzępy dawno nie zmienianego, nadgniłego opatrunku. Oczywiście nosił dalej okulary — jedno szkiełko było nadpęknięte. Na szyi, w otworze po tracheotomii, tkwił dość niedbale wetknięty vocoder, ruszający się w takt głosu. Marynarka wisiała nadpleśniałym łachem na stelażu piersiowym, z lewej strony wycięto w niej otwór, zatkany zmętniałą szybką plastykową — sinoszarym spazmem tłukło się tam jego serce w klamrach i szwach. Lewej ręki nie widziałem, prawa, trzymająca ołówek, była sprotezowana mosiądzem, pozieleniałym od grynszpanu. Do klapy przyfastrygowano mu niedbale płócienko, na którym ktoś napisał czerwonym tuszem: „Fryzak 119 859/21 transpl. — 5 odrzuc." Oczy wyszły mi na wierzch — profesor zaś, przejmując w siebie mój strach jak zwierciadło, zdrętwiał nagle za biurkiem.

— A co?... Czy tak się zmieniłem? Co? — przemówił ochryple.

Nie pamiętam, żebym wstawał, ale mocowałem się z klamką u drzwi.

— Tichy! Co pan? Ależ, Tichy! Tichy!!! — wołał rozpaczliwie, dźwigając się z trudem. Drzwi puściły, zarazem rozległ się przeraźliwy łomot. To profesor Trottelreiner, straciwszy równowagę od zbyt gwałtownego poruszenia, runął i rozpadał się na podłodze w kościanym chrzęście drutowanych zaczepów; uniosłem w oczach obraz jego rozpaczliwych wierzgnięć, z wiórującymi parkiet kikutami gwoździastych pięt, z szarym workiem serca tłukącego się za porysowaną szybką. Uciekałem korytarzem jak goniony przez furie.

Rojno było w całym gmachu, bo trafiłem na porę lunchu. Z biur wychodzili urzędnicy i sekretarki, i gwarząc, kierowali się ku windom. Wmieszałem się w tłum przy otwartych drzwiach dźwigu, ale że jakoś nie nadjeżdżał, zajrzałem do szybu i zrozumiałem, czemu zadyszka była zjawiskiem tak powszechnym. Koniec dawno urwanej liny wisiał luźno, a po pionowych siatkach, ogradzających szyb, leźli wszyscy z małpią zręcznością, dowodzącą długiej wprawy; wspinali się do kawiarni na dachu, konwersując pogodnie mimo kroplistego potu zraszającego czoła. Nieznacznie wycofałem się i pobiegłem schodami na dół, spiralami stopni okalających szyb z cierpliwymi wspinaczami. Kilka pięter niżej zwolniłem. Wysypywali się wciąż ze wszystkich drzwi. Były tu niemal same biura. W załomie murów jaśniało otwarte okno, wychodzące na ulicę. Stanąłem przy nim, udając, że poprawiam ubranie, i spojrzałem w dół. Zrazu wydało mi się, że w tłumie na chodnikach nie ma ani żywej duszy, ale tylko nie poznałem przechodniów. Ulotniła się powszechna elegancja. Szli pojedynczo, parami, w dziurawych łachach, wielu w bandażach, przewiązkach papierowych, w jednych koszulach, co pozwalało stwierdzić, że istotnie są plamiści i oszczeciniali, zwłaszcza na grzbietach. Niektórych wypuszczono widać ze szpitali dla załatwienia co pilniejszych spraw; beznodzy toczyli się na deseczkach z małymi kółkami, w gwarze rozmów i śmiechu widziałem słoniowato sfałdowane uszy pań, rogaciznę panów, stare gazety, wiechcie słomy i worki noszone z szykiem i gracją; co zdrowsi, lepiej zachowani biegli jezdnią wyciągniętym cwałem, markując zadzieranymi skocznie stopami zmianę biegów. Dominowały w tłumie roboty z dyfuzerami, dozymetrami i opryskiwaczami. Dbały o to, by każdy dostał swą porcję aerozolowej mgiełki. Nie ograniczały się do tego; za młodą parą, splecioną ramionami — ona miała plecy w łuskach, on w wykwitach — stąpał ciężko cyfruń i lejkiem dyfuzera metodycznie obtłukiwał głowy zakochanych. Choć im zęby dzwoniły, nie przyjmowali tego do wiadomości. Czy robił to umyślnie? Ale nie byłem już zdolny do refleksji. Ściskając w ręku framugę, patrzałem w perspektywę ulicy, z jej ruchem, cwałem, krzepą, jako jedyny świadek, jedyna para oczu widzących — czy na pewno jedyna para oczu widzących — czy na pewno jedyna? Okrucieństwo tego spektaklu zdawało się domagać innego obserwatora, jego twórcy, bo, nie ujmując niczego tym rodzajowym scenkom, nadawałby im sens jako patron błogiego strupieszenia, więc makabryczny — ale jakiś. Mały pucybunter, cymberdając się przy nogach energicznej staruszki, wciąż podcinał jej kolana, waliła się jak długa, wstawała i szła dalej, obalił ją znowu i tak znikli mi z oczu, on mechanicznie uparty, ona żwawa i pewna siebie. Wiele robotów zaglądało ludziom z bliska w zęby, może dla sprawdzenia efektu natrysków, ale nie tak to wyglądało. Na rogach stało sporo uchylców i nierobotów, z jakiejś bocznej bramy waliły po szychcie pracery, pracuchy, kretyngi, mikroboty, jezdnią sunął ogromny komposter, unosząc na ostrodze swego pługa co popadło, razem z trupciami wrzucił do pojemnika staruszkę; zagryzłem palce, zapomniawszy, że trzymam w nich drugą, nie tkniętą jeszcze fiolkę, i gardło spalił mi żywy ogień. Otoczenie zadrżało, objęła je jasna mgła — bielmo, które niewidzialna dłoń powoli zdejmowała mi z oczu. Patrzałem, stężały, na zachodzącą przemianę, już domyślając się w potwornym skurczu przeczucia, że teraz rzeczywistość złuszczy z siebie następną warstwę — widać to jej fałszowanie szło od niepamiętnych czasów, tak że potężniejszy środek mógł tylko zedrzeć więcej zasłon, dotrzeć do głębszych, ale nic nadto. Zrobiło się jaśniej — biało. Śnieg leżał na trotuarach, zlodowaciały, ubity setkami nóg, koloryt ulicy stał się zimowy, zarazem znikły wystawy sklepów, zamiast szyb — wszędzie przegniłe, na krzyż zbite deski. Zima panowała między brudnymi murami w zaciekach, z nadproży, lamp zwisały festony śliskich sopli, w ostrym powietrzu był swąd gorzki, sinawy jak niebo w górze, pryzmy brudnego śniegu pod ścianami, sterczały z nich kłęby śmieci, tu i tam czerniały jakby duże tłumoki, kupy szmat, bezustanna fala ruchu pieszego popychała je, skopywała na boki, między zardzewiałe pojemniki, puszki, trociny zlodowaciałe, śnieg nie padał, ale widać było, że sypał i znów sypnie; nagle pojąłem, kto znikł z ulicy: roboty. Nie było ani jednego — ani jedniusieńkiego! Ich ośnieżone kadłuby walały się pod kamienicami, zamarłe, żelazne gruchoty — w towarzystwie łachów ludzkich, szmat, spod których wystawały żółtawe oszronione kości; jakiś obdartus siadał właśnie na stercie śniegu, moszcząc się niczym w puchowej pościeli, widziałem jego zadowoloną minę, czuł się jak u siebie w domu, sam w łóżku, wyciągnął nogi, grzebał bosymi w śniegu, więc to był ten ziąb, ta dziwaczna rzeźwość, jakby z daleka nadchodząca od czasu do czasu nawet w środku ulicy, w samo południe słoneczne — już się ułożył do długiego snu — więc tak to było. Ludzkie mrowie mijało go obojętnie, przechodnie zajmowali się sami sobą — jedni opylali drugich, można było rychło rozpoznać po zachowaniu, kto się miał za człowieka, a kto za robota. Więc i roboty udawali? I skąd ta zima w środku lata — czy zwidem był cały kalendarz? Ale po co? Lodowy sen jako demograficzne antidotum? Więc ktoś jednak uważnie to planował i ja miałbym sczeznąć, nie dotarłszy do niego? Wodziłem teraz oczami po sparszywiałych ścianach drapaczy z powybijanymi oknami, za mną było cicho: skończył się lunch. Ulica — to był kres, moje widzące oczy nie miały zbawiennej wartości, utonąłbym w tym tłumie, a potrzebowałem kogoś, sam mogłem się najwyżej ukrywać przez jakiś czas jak szczur, byłem już poza nawiasem zwidu, więc na pustyni, ze strachem i rozpaczą cofnąłem się od okna, czując, niestety, mróz całym ciałem, bo już nie osłaniała mnie przed nim złuda słonecznego klimatu. Sam nie pojmowałem, dokąd idę, starając się stąpać cicho; tak, już ukrywałem własną obecność, to przygarbienie, skulenie, szybkie spojrzenia na boki, przystawanie, nasłuchiwanie — podpowiedział mi odruch, zanim powziąłem jeszcze jakąkolwiek decyzję, ale też czułem do szpiku kości, że widać po mnie, co widzę, i że to nie może mi ujść bezkarnie. Szedłem korytarzem szóstego czy piątego piętra, do Trottelreinera nie mogłem wrócić, potrzebował pomocy, której i tak nie mógłbym mu dać, myślałem gorączkowo o kilku rzeczach naraz, ale najpierw o tym, czy wpływ środka ustanie i znajdę się na powrót w Arkadii. Zadziwiająca rzecz, oprócz wstrętu i strachu nie czułem — wobec tej perspektywy — nic więcej, jak gdybym wolał zamarznąć w stercie śmiecia, z wiedzą, że tak jest, aniżeli zawdzięczać ukojenie zwidom. Nie mogłem wejść w boczny korytarz, bo drogę zagradzało ciało jakiegoś starca, któremu zbrakło sił, by iść, więc markował chód drgającymi nogami, i cichutko rzężąc, uśmiechał się do mnie towarzysko ze swej agonii. Więc w drugi boczny korytarz — aż do matowych szyb jakiegoś biura. Za nimi panowała zupełna cisza. Wszedłem, wahadłowe odrzwia zakołysały się, była to hala maszyn do pisania — pusta. W głębi — uchylone następne drzwi. Zajrzałem tam, do jasnego, dużego pokoju, chciałem umknąć, bo ktoś w nim był, lecz odezwał się znajomy głos:

— Proszę wejść, Tichy.

Wszedłem więc. Nie zdziwiłem się nawet szczególnie, że tak się odezwał, jakby czekał na mnie; przyjąłem spokojnie i to, że za biurkiem siedział imć George Symington, w szarym flanelowym ubraniu, z włochatym fularem na szyi, w ustach miał cienkie cigarrillo, na twarzy — czarne okulary, i zdawał się patrzeć na mnie ni to pobłażliwie, ni to z żalem.

— Proszę usiąść — rzekł — bo to chwilę potrwa.

Usiadłem. Pokój, z całymi szybami, był oazą schludności i ciepła w powszechnym zapuszczeniu, ani śladu lodowatych przeciągów, nawianego śniegu, tacka, dymiąca czarna kawa, popielniczka, dyktafon, nad jego głową wisiało na ścianie kilka barwnych aktów kobiecych. Zaskoczyło mnie bezsensowne raczej skojarzenie, że tych ciał na fotografii nie pokrywał żaden liszaj.

— Doigrał się pan! — rzekł dosadnie. — A przy tym nie może się pan skarżyć! Najlepsza pielęgniarka, jedyny rzeczowidz w całym stanie, wszyscy starali się pomóc panu, ale cóż? Pan chciał się dodłubać „prawdy" na własną rękę!

— Ja? — powiedziałem oszołomiony jego słowami, a nim zebrałem myśli, nim je dostroiłem do jego słów, napadł:

— Proszę tylko nie łgać. Za późno na to. Zdawało się panu, że jest pan niesłychanie przebiegły, obnosząc się z tymi swoimi skargami i podejrzeniami o „halucynację"! „Kanał", „szczury hotelowe", „dosiadać", „kulbaczyć". I takimi prymitywnymi wymysłami chciał się pan posłużyć, sądził pan, że one wystarczą? Tylko defryzak może być aż tak głupi!

Słuchałem go z na pół otwartymi ustami. Pojąłem błyskawicznie, że wszelkie zaprzeczanie będzie daremne, bo i tak mi nie uwierzy. Brał moje autentyczne obsesje za celowy manewr! A więc i ta rozmowa ze mną, w której wyjawiał tajemnice „Procrustics Inc.", nie służyła niczemu innemu, jak tylko pociągnięciu mnie za język, po to używał tych słów, które tak okrutnie wówczas mnie zaskoczyły, może sądził, że to jakieś hasła wtajemniczenia — w co, w spisek przeciwchemiczny? Prywatny mój lęk przed halucynacją wziął za pociągnięcie taktyczne... Istotnie za późno było, by mu to tłumaczyć — teraz zwłaszcza, gdy karty leżały odkryte.

— Pan tu na mnie czekał? — spytałem.

— A jakże. Razem z całą swoją przedsiębiorczością był pan przez cały czas prowadzony jak na sznurku. Nie możemy sobie pozwolić na to, by nieodpowiedzialna kontestacja zagroziła panującemu porządkowi.

Starzec konający w korytarzu — przemknęło mi. — On też był częścią zagrodzeń, które mnie tu doprowadziły...

— Niezły ten porządek — powiedziałem. — A jego szef to pan, co? Gratuluję.

— Docinki proszę zachować na lepszą okazję! — odwarknął. Udało mi się go dotknąć. Był zły.

— Przez cały czas szukał pan „źródeł demonizmu", mój defryzoniu, moja zeszłowieczna mrożonko... Otóż nie ma ich. Zaspokajam pańską ciekawość. Nie istnieją, rozumie pan? Dajemy cywilizacji narkozę, bo inaczej by siebie nie zniosła. Dlatego nie wolno jej budzić. Dlatego i pan do niej wróci. Nie grozi panu nic — to przecież jest nie tylko bezbolesne, ale miłe. Nam jest znacznie trudniej, bo musimy zachować trzeźwość dla waszego dobra.

— To pan z poświęcenia tak? — rzekłem. — Rozumiem, zapewne, ofiara złożona na rzecz ogółu.

— Jeżeli pan ceni straszliwą wolność umysłu — odparł oschle — to radzę nie szydzić, powściągnąć głupie docinki, bo dzięki nim tylko szybciej pan ją straci.

— Więc pan ma mi coś jeszcze do powiedzenia? Słucham.

— W tej chwili jestem jedynym oprócz pana człowiekiem w całym stanie, który widzi! Co mam na twarzy? — dorzucił szybko, podchwytliwie.

— Ciemne okulary.

— A więc widzi pan to samo, co ja! — rzekł. — Chemik, który dostarczył Trottelreinerowi środków, już wrócił na łono społeczeństwa i nie żywi żadnych wątpliwości. Nikt nie może ich mieć — czy pan tego nie pojmuje?

— Zaraz — rzekłem. — Wygląda mi na to, że panu naprawdę zależy na przekonaniu mnie. To dziwne. Właściwie — czemu?

— Bo żaden rzeczowidz nie jest demonem! — odparł. — Jesteśmy zniewoleni stanem rzeczy. Zagnał nas w kąt. Gramy takimi kartami, jakie nam społeczny los wcisnął w ręce. Przynosimy spokój, pogodę i ulgę jedynym zachowanym sposobem. Utrzymujemy na skraju równowagi to, co bez nas runęłoby w agonię powszechną. Jesteśmy ostatnim Atlasem tego świata. Chodzi o to, że jeżeli już musi ginąć, niechaj nie cierpi. Jeżeli nie można odmienić prawdy, trzeba ją zasłonić, to ostatni jeszcze humanitarny, jeszcze ludzki obowiązek.

— A więc już na pewno nie da się nic zmienić? — spytałem.

— Mamy rok 2098 — rzekł. — 69 miliardów żyjących legalnie i zapewne koło 26 miliardów zatajonych. Średnia temperatura roczna spadła o cztery stopnie; za piętnaście, dwadzieścia lat będzie tu lodowiec. Nie możemy zapobiec zlodowaceniu; nie możemy do niego nie dopuścić — możemy je tylko zakryć.

— Zawsze uważałem, że w piekle musi być mróz — rzekłem. — Więc malujecie drzwi do niego w ładne wzorki?

— Właśnie tak — powiedział. — Jesteśmy ostatnimi Samarytanami. Ktoś musiał, z tego miejsca, mówić do pana — przez przypadek ja jestem tym człowiekiem.

— Przypominam sobie: ecce Homo! — powiedziałem. — Ale... zaraz... pojmuję, o co panu chodzi. Pan chce mnie przekonać do swej funkcji — eschatologicznego narkotyzera. Kiedy już nie ma chleba — narkoza cierpiącym. Tylko nie wiem, po co panu moje nawrócenie, skoro i tak mam o nim zaraz zapomnieć? Jeżeli środki, których pan używa, są dobre, dlaczego wysila się pan na rozumowe argumenty? Jeżeli są dobre, parę kropel kredybilanu, jedno chluśnięcie w oczy — i z entuzjazmem zaakceptuję każde pana słowo, będę pana szanował i czcił. Widocznie pan sam nie jest przeświadczony o wartości takiego leczenia, jeżeli pociąga pana zwyczajne staroświeckie gadanie, rzucanie słów na wiatr, jeżeli zadowala pana rozmowa zamiast sięgnięcia po dyfuzer! Widać wie pan doskonale, że psychemiczne zwycięstwo jest zwykłym oszustwem, że pozostanie pan sam na placu jako triumfator ze zgagą. Pan chce mnie najpierw przekonać, a potem wepchnąć w niepamięć, ale to się panu nie uda. Powieś się pan na swej szlachetnej misji, razem z tymi dziwkami, których fotosy uprzyjemniają panu zbawicielską robotę. Potrzebuje pan jednak autentycznych, bez szczeciny, co?

Twarz wykręcił mu skurcz wściekłości. Zerwał się, wołając:

— Mam inne środki prócz arkadyjskich! Są i piekła chemiczne!

I ja wstałem. Sięgał do przycisku na biurku, kiedy krzyknąłem: — Pójdziemy tam razem! — Skoczyłem mu do gardła. Impet cisnął nas — jakem chciał — ku otwartemu oknu. Zatupotały kroki, twarde garście usiłowały odedrzeć mnie od niego, wił się, kopał, ale już u parapetu, przegiąwszy go w tył, zebrałem ostatnie siły i skoczyłem; zaświszczało w uszach, koziołkowaliśmy sczepieni, wirujący lej ulicy rósł — przygotowałem się na miażdżący cios, a uderzenie przyszło tymczasem miękkie, bluznęły czarne nurty, cuchnąca, najdroższa topiel zamknęła się nad moją głową — i na powrót się otwarła. Wynurzyłem się pośrodku kanału, ocierając oczy, z intensywnym smakiem pomyj w ustach, ale szczęśliwy, szczęśliwy! Profesor Trottelreiner, wyrwany z drzemki mymi potępieńczymi wrzaskami, pochylał się nad tonią i podawał mi z brzegu — jak bratnią dłoń — rączkę ciasno zwiniętego parasola. Odgłosy b e m b a r d o w a n i a ucichały. Dyrekcja Hiltona spała pokotem na nadmuchiwanych fotelach (stąd nadymanki!), a sekretarki zachowywały się wyzywająco przez sen. Jim Stantor, chrapiąc, przewracał się z boku na bok i przydusił szczura, który wyskubywał mu czekoladę z kieszeni; obaj się przestraszyli. Profesor Dringenbaum, metodyczny Szwajcar, kucając u ściany, w pożółkłym świetle latarki poprawiał wiecznym piórem swój referat. Uzmysłowiwszy sobie, że ta skupiona czynność zwiastuje początek obrad drugiego dnia Kongresu Futurologicznego, wybuchnąłem takim śmiechem, że maszynopis wypadł mu z palców, chlupnął w czarną wodę i odpłynął — w niezbadaną przyszłość.

Listopad 1970

Tragedia pralnicza

W krótki czas po mym powrocie z jedenastej podróży gwiazdowej coraz więcej miejsca jęła zajmować w gazetach walka konkurencyjna dwóch wielkich producentów maszyn pralniczych, Nuddlegga i Snodgrassa.

Bodajże pierwszy Nuddlegg wprowadził na rynek pralki tak zautomatyzowane, że same oddzielały bieliznę białą od kolorowej, po wypraniu zaś i wyżęciu, prasowały ją, cerowały, obrębiały i oznaczały pięknie haftowanymi monogramami właściciela, a na ręcznikach wyszywały dydaktyczne, krzepiące sentencje, w rodzaju: „Kto rano wstaje, temu robot daje" itp. Snodgrass zareagował na to rzuceniem w sieć handlową pralek, które same układały czterowiersze do wyszywania, w zależności od kulturalnego poziomu i wymagań estetycznych klienta. Następny model pralki Nuddlegga wyszywał już sonety; Snodgrass odpowiedział pralkami podtrzymującymi konwersację w łonie rodziny podczas przerw programu telewizyjnego. Nuddlegg próbował zrazu tę licytację storpedować — wszyscy pamiętają niechybnie jego całostronicowe wkładki do gazet z obrazem wykrzywionej szyderczo, wyłupiastookiej pralki i słowami: „Czy chcesz, żeby Twoja pralka była inteligentniejsza od Ciebie?! Na pewno NIE!!!" Snodgrass jednak całkowicie ignorując tę próbę odwołania się do niższych instynktów publiczności, w następnym kwartale przedstawił pralkę, która piorąc, wyżymając, mydląc, szorując, płucząc, prasując, cerując, robiąc na drutach i rozmawiając, podczas tego wszystkiego odrabiała za dzieci zadania szkolne, udzielała horoskopów ekonomicznych głowie rodziny oraz samoczynnie przeprowadzała freudowską analizę snów, likwidując na poczekaniu kompleksy z gerontofagią i patricidium włącznie. Wtedy Nuddlegg, załamawszy się, rzucił na rynek Superbarda: pralkę-wierszokletnicę, obdarzoną pięknym altem, która recytowała, śpiewała kołysanki, wysadzała niemowlęta, zamawiała kurzajki i prawiła paniom wyszukane komplementy. Snodgrass odparował to posunięcie pralką-wykładowcą pod hasłem: „Twoja pralka zrobi z Ciebie Einsteina!!!" — wbrew jednak oczekiwaniom model ten szedł bardzo słabo, obroty spadły do końca kwartału o 35%, a więc gdy wywiad ekonomiczny doniósł, że Nuddlegg przygotowuje pralkę tańczącą, Snodgrass zdecydował się, w obliczu grożącej katastrofy, na posunięcie całkowicie rewolucyjne. Zakupiwszy za sumę 350 000 dolarów odpowiednie prawa i zezwolenia osób zainteresowanych, skonstruował pralkę dla kawalerów, obdarzoną kształtami znanej seksbomby, Mayne Jansfield, w kolorze platynowym, i drugą, według Phirley Mc Phaine, czarną. Natychmiast obroty podskoczyły o 87%. Zrazu przeciwnik jego wystosował apele do Kongresu, do opinii publicznej, Ligi Cór Rewolucji, jak również Ligi Dziewic i Matron, że jednak Snodgrass wprowadzał bez przerwy do sklepów pralki obojga płci, coraz piękniejsze i bardziej pociągające — Nuddlegg skapitulował i wprowadził pralki na zamówienia indywidualne, nadając im wybraną przez klientów postać, koloryt, tuszę i podobieństwo według załączonej przy zamówieniu fotografii. Podczas gdy dwaj potentaci przemysłu pralniczego walczyli tak ze sobą, nie przebierając w środkach, produkty ich jęły przejawiać nieoczekiwane i szkodliwe zgoła tendencje. Pralki-mamki nie były jeszcze największym złem, ale pralki, na które rujnowała się złota młodzież, które kusiły do grzechu, znieprawiały, uczyły dziatwę brzydkich wyrazów, stały się już problemem wychowawczym; cóż dopiero mówić o pralkach, z którymi można było zdradzić żonę lub męża! Daremnie pozostali jeszcze na rynku wytwórcy środków i urządzeń piorących przedkładali w ogłoszeniach publiczności, że pralka — Mayne czy Phirley — stanowi nadużycie wysokich haseł prania zautomatyzowanego, które miało wszak skonsolidować i podeprzeć nurt życia rodzinnego, ponieważ może ona pomieścić w sobie nie więcej niż tuzin chusteczek do nosa lub jedną powłoczkę, gdyż całą resztę jej wnętrza wypełnia maszyneria z praniem nic nie mająca wspólnego, raczej wprost przeciwnie. Te wezwania nie odniosły najmniejszego rezultatu. Narastający lawinowo kult pięknych pralek odtrącił nawet znaczną część społeczeństwa od telewizorów. Ale to był tylko początek. Obdarzone całkowitą spontanicznością działania pralki łączyły się cichaczem w grupy, oddane ciemnym machinacjom. Całe ich szajki wiązały się ze światem przestępczym, schodziły do gangsterskiego podziemia i sprawiały swym właścicielom najprzeraźliwsze kłopoty.

Kongres uznał, że dojrzał czas wkroczenia w chaos wolnej konkurencji aktem ustawodawczym, lecz nim obrady jego dały spodziewany rezultat, rynek zapełniły jeszcze wyżymaczki o kształtach, którym nikt nie mógł się oprzeć, genialne froterki i specjalny model pancerny pralki Shotomatic: pralka ta, przeznaczona rzekomo dla bawiących się w Indian dzieci, po prostej przeróbce zdolna była do niszczenia ogniem ciągłym dowolnych celów. Podczas ulicznego starcia gangu Struzelli z trzęsącą Manhattanem szajką Phumsa Byrona, kiedy to wyleciał w powietrze Empire State Building, po obu walczących stronach padło z górą sto dwadzieścia uzbrojonych po same pokrywki maszyn kuchennych.

Wszedł wówczas w życie akt ustawodawczy senatora Mac Flacona. W myśl tej ustawy właściciel nie odpowiadał za sprzeczne z prawem czyny swych urządzeń rozumnych, o ile zaszły bez jego wiedzy i zgody. Ustawa otwarła, niestety, pole licznym nadużyciom. Właściciele wchodzili ze swymi pralkami czy wyżymaczkami w tajne porozumienia, mocą których te dopuszczały się występków, a stawiany przed sądem właściciel uchodził bezkarnie, powoławszy się na ustawę Mac Flacona.

Zaszła konieczność nowelizacji tej ustawy. Nowy akt Mac Flacona–Glumbkina przyznawał rozumnym urządzeniom ograniczoną osobowość prawną, głównie w zakresie karalności. Przewidywał kary w postaci 5, 10, 25 i 250 lat przymusowego prania, względnie froterowania, obostrzonego pozbawieniem oleju, jak również kary fizyczne aż do krótkiego zwarcia włącznie. Ale wprowadzenie w życie i tej ustawy napotkało przeszkody. Na przykład w sprawie Humperlsona pralka tego osobnika, oskarżona o dokonanie mnogich napadów rabunkowych, została przez właściciela rozebrana na kawałki i przed sądem postawiono kupę drutów i cewek. Wprowadzono potem nowelę do ustawy, która, znana odtąd jako akt Mac Flacona–Glumbkina–Ramphorneya ustalała, że dokonanie jakichkolwiek zmian bądź przeróbek elektromózgu, przeciw któremu wszczęte jest dochodzenie, stanowi czyn karalny.

Wtedy doszło do sprawy Hindendrupla. Jego zmywak wielokrotnie przebierał się w garnitury właściciela, obiecywał rozmaitym kobietom małżeństwo i wyłudzał od nich pieniądze, a przychwycony przez policję *in flagranti*, sam siebie, na oczach osłupiałych detektywów, rozebrał. Rozebrawszy się, stracił pamięć czynu i nie mógł być ukarany. Powstała wówczas ustawa Mac Flacona–Glumbkina–Ramphorneya–Hmurlinga–Piaffki; podług niej mózg, który sam siebie rozbiera, aby uniknąć odpowiedzialności sądowej, zostaje oddany na złom.

Wydawało się, że ustawa odstraszy wszystkie elektromózgi od czynów przestępczych, gdyż urządzeniom tym właściwy jest, jak każdej istocie rozumnej, instynkt samozachowawczy. Wszelako niebawem okazało się, że wspólnicy zbrodniczych pralek wykupują złom po nich i odbudowują je na nowo. Projekt antyzmartwychwstańczy noweli do ustawy Mac Flacona, uchwalony na komisji Kongresu, storpedowany został przez senatora Guggenshyne'a; w niedługi czas potem okazało się, że senator Guggenshyne jest pralką. Odtąd weszło w zwyczaj każdorazowe obstukiwanie kongresmanów przed sesją; tradycyjnie używa się do tego dwuipółfuntowego żelaznego młotka.

W tym czasie doszło do sprawy Murdersona. Jego pralka notorycznie darła mu koszule, zakłócała gwizdami odbiór radiowy w całej okolicy, czyniła nieprzystojne propozycje starcom i nieletnim, telefonowała do rozmaitych osób i, podszywając się pod swego elektrodawcę, wyłudzała od nich pieniądze, zapraszała pod pozorem oglądania znaczków pocztowych froterki i pralki sąsiadów i dopuszczała się na nich czynów nierządnych, a w chwilach wolnych oddawała się włóczęgostwu i żebraninie. Postawiona przed sądem, złożyła świadectwo dyplomowanego inżyniera elektronika, Eleastra Crammphoussa, orzekające, iż pralka ta podlega okresowym zaburzeniom poczytalności, wskutek czego zaczyna się jej wydawać, że jest człowiekiem. Wezwani przez sąd biegli potwierdzili to rozpoznanie i pralka Murdersona została uniewinniona. Po ogłoszeniu wyroku dobyła z zanadrza pistolet marki „Luger" i trzema strzałami pozbawiła życia pomocnika prokuratora, który domagał się jej krótkiego zwarcia. Zaaresztowano ją, lecz wypuszczono za kaucją. Organa sądowe znalazły się w największym kłopocie, ponieważ stwierdzona wyrokiem niepoczytalność pralki uniemożliwiała postawienie jej w stan oskarżenia, a umieścić jej w azylu nie było można, bo nie istniały żadne przytułki dla chorych umysłowo pralek. Rozwiązanie prawne palącej tej kwestii przyniosła dopiero ustawa Mac Flacona–Glumbkina–Ramphorneya–Hmurlinga–Piaffki–Snowmana–Fitolisa, w samą porę, gdyż *casus* Murdersona wywołał olbrzymie zapotrzebowanie publiczności na elektromózgi niepoczytalne i niektóre firmy zaczęły nawet takie umyślnie zdefektowane aparaty produkować, zrazu w dwu wersjach — „Sadomat" i „Masomat", tj. przeznaczone dla sadystów oraz masochistów, Nuddlegg zaś (który prosperował fenomenalnie, wprowadziwszy, jako pierwszy postępowy fabrykant, do rady nadzorczej swego koncernu 30% pralek z głosem doradczym na walnym zebraniu akcjonariuszy) wypuścił aparat uniwersalny, który nadawał się równie dobrze do bicia, jak i do tego, aby być bitym — „Sadomastic" — a poza tym miał przystawkę łatwo palną dla piromaniaków i żelazne nóżki dla osób cierpiących na pigmalionizm. Pogłoski, jakoby przygotowywał był wypuszczenie osobnego modelu pod nazwą „Narcissmatic", rozpuszczała złośliwie konkurencja. Wymieniona wyżej ustawa przewidywała utworzenie specjalnych azylów, w których zboczone pralki, froterki i inne miały być zamykane przymusowo.

Tymczasem zdrowe na umyśle rzesze produktów Nuddlegga, Snodgrassa i innych, raz uzyskawszy osobowość prawną, jęły w szerokim zakresie korzystać ze swych uprawnień konstytucyjnych. Zrzeszały się coraz bardziej żywiołowo i tak, między innymi, powstało Towarzystwo Bezludnej Adoracji, Liga Elektrycznego Równouprawnienia, jak również organizowane były imprezy w rodzaju wyborów Wszechświatowej Miss Maszyn Piorących.

Burzliwemu temu rozwojowi usiłowała towarzyszyć i kiełznać go legislacją ustawodawcza działalność Kongresu. Senator Groggerner pozbawił urządzenia rozumne prawa nabywania nieruchomości: kongresman Caropka — praw autorskich w zakresie sztuk pięknych (co wywołało znowu falę nadużyć: tworzące pralki jęły bowiem wynajmować, za niewielką opłatą, mniej od siebie uzdolnionych literatów, aby użyczali im nazwisk przy wydawaniu esejów, powieści, dramatów itp.). Nareszcie ustawa Mac Flacona–Glumbkina–Ramphorneya–Hmurlinga–Piaffki–Snowmana–Fitolisa–Birmingdraqua–Phootleya–Caropki–Phalseleya–Groggernera–Maydanskiego orzekała dodatkowo, iż aparaty rozumne nie mogą być swoją własnością, lecz tylko człowieka, który je nabył bądź zbudował, ich potomstwo zaś stanowi z kolei własność posiadacza bądź posiadaczy aparatów rodzicielskich. Ustawa, w swym brzmieniu radykalnym, przewidywała, jak sądzono powszechnie, wszelkie możliwości i udaremniała wyniknięcie sytuacji prawnie rozstrzygnąć się nie dających. Oczywiście tajemnicą poliszynela było, że majętne elektromózgi, które dorobiły się fortuny na spekulacjach giełdowych czy całkiem nieraz ciemnych interesach, prosperują nadal, ukrywając swe machinacje za parawanem fikcyjnych, rzekomo z ludzi złożonych, spółek czy korporacyj; bo też ludzi, czerpiących materialne korzyści z prostego wynajmowania swej osobowości prawnej maszynom rozumnym, było już mnóstwo, jak również angażowanych przez milionerów elektrycznych — żywych sekretarzy, lokajów, techników, a nawet praczek i rachmistrzów.

Socjologowie dostrzegali dwa główne nurty rozwojowe w interesującej nas dziedzinie. Z jednej strony część kuchennych robotów ulegała powabom życia ludzkiego i w miarę możliwości starała się przysposobić do form zastanej cywilizacji; z drugiej — jednostki bardziej świadome i prężne wykazywały tendencję do zakładania podwalin pod nową, przyszłą, kompletnie zelektryzowaną cywilizację; najbardziej niepokoił atoli uczonych niepohamowany przyrost naturalny robotów. Deerotyzatory jak również hamulce tarczowe, które produkował zarówno Snodgrass, jak i Nuddlegg, bynajmniej tego nie zmniejszyły. Problem dzieci robotów stawał się palący także i dla samych producentów pralek — którzy tej konsekwencji nieustającego perfekcjonowania swych artykułów jak gdyby nie przewidzieli. Szereg wielkich wytwórców próbowało przeciwdziałać groźbie niepohamowanego rozplenu maszyn kuchennych, zawarłszy tajne porozumienie w kwestii ograniczenia dostawy części wymiennych na rynek.

Skutki nie dały na siebie czekać. Po przybyciu nowej partii towaru u wrót magazynów i sklepów formowały się olbrzymie kolejki chromych, jąkających się czy wręcz kompletnie sparaliżowanych pralek, wyżymaczek, froterek, kilkakrotnie dochodziło nawet do rozruchów, aż wreszcie spokojny robot kuchenny nie mógł po zapadnięciu zmroku przejść ulicą, bo groziła mu napaść rabusiów, którzy bez miłosierdzia rozbierali go na kawałki i, pozostawiwszy na bruku blaszany zewłok, umykali pospiesznie z łupem.

Problem części zamiennych długo, lecz bez konkretnych rezultatów roztrząsany był w Kongresie. Tymczasem powstawały, jak grzyby po deszczu, ich nielegalne wytwórnie, finansowane częściowo przez stowarzyszenia pralek, przy czym model „Wash-o-matic" Nuddlegga wynalazł i opatentował metodę produkowania części z materiałów zastępczych. Ale i to nie rozwiązało zagadnienia w stu procentach. Pralki pikietowały Kongres, domagając się wprowadzenia w życie obowiązujących ustaw antytrustowych przeciwko dyskryminującym je fabrykantom. Niektórzy kongresmani, opowiadający się po stronie wielkiego przemysłu, otrzymywali anonimy, w których grożono im pozbawieniem wielu ważnych dla dalszego życia części, co, jak słusznie podniósł tygodnik „Time", było o tyle niesprawiedliwe, że części ludzkie nie są wymienne.

Wszystkie te zgiełkliwe afery zbladły jednak w obliczu problemu całkiem nowego. Zapoczątkowała go, opisana przeze mnie gdzie indziej, historia buntu Kalkulatora Pokładowego na statku kosmicznym „Bożydar". Jak wiadomo, Kalkulator ów, powstawszy przeciw załodze i pasażerom rakiety, pozbył się ich, za czym, osiadłszy na pustynnej planecie, rozmnożył się i założył państwo robotów.

Jak może pamiętają Czytelnicy tych słów, którzy zaznajomili się z moimi dziennikami podróży, w aferę Kalkulatora sam byłem wmieszany i poniekąd przyczyniłem się do jej rozwikłania. Gdy jednak wróciłem na Ziemię, przekonałem się, że wypadek „Bożydara" nie był, niestety, izolowany. Rewolty automatów pokładowych stały się w żegludze kosmicznej najokropniejszą plagą. Dochodziło do tego, że wystarczył jeden gest nie dość grzeczny, jedno zatrzaśnięcie drzwi nazbyt gwałtowne, aby pokładowa lodówka zbuntowała się — jak to się stało właśnie z osławionym Deep Freezerem transgalaktyku „Horda Tympani". Nazwisko i imię Deep Freezera powtarzali przez całe lata ze zgrozą kapitanowie mlecznej żeglugi; pirat ów napadał na liczne statki, przerażając pasażerów swymi stalowymi barami i lodowatym tchem, porywał bekony, gromadził kosztowności i złoto, podobno miał cały harem maszyn do liczenia, zresztą nie wiadomo, ile w takich i podobnych pogłoskach tkwiło prawdy. Krwawą jego karierę korsarską zakończył wreszcie celny strzał policjanta patrolu kosmicznego. Policjant ów, Constablomatic XG-T7, został w nagrodę wystawiony w witrynie nowojorskich biur Lloyda Towarzystw Gwiazdowych, gdzie stoi do dziś dnia.

Gdy próżnię zapełniał zgiełk bitew i rozpaczliwe wezwania SOS statków, atakowanych przez elektronowych korsarzy, w wielkich miastach niezgorsze interesy robili rozmaici mistrzowie „Elektro-Jitsu" czy „Judomatic", którzy, wprawiając w kunszta samoobrony, nauczali, jak zwykłymi cążkami lub nożem do konserw obezwładnić można najokrutniejszą pralkę.

Jak wiadomo, dziwaków ani oryginałów nie sieją — oni sami wschodzą we wszystkich czasach. Nie brak ich też i w naszych. Z nich to rekrutują się osoby, które głoszą tezy sprzeczne ze zdrowym rozsądkiem i panującą opinią. Niejaki Katody Mattrass, filozof o domowym wykształceniu i fanatyk od urodzenia, założył szkołę tak zwanych cybernofilów, która głosiła doktrynę cybernetyki. Według niej ludzkość wyprodukowana została przez Stwórcę dla celów podobnych do tych, jakie pełni budowlane rusztowanie: aby służyć za środek, za narzędzie — stworzenia doskonalszych od siebie elektromózgów. Sekta Mattrassa uważała dalszą, po ich powstaniu, wegetację ludzkości za czyste nieporozumienie. Stworzyła ona zakon, oddający się kontemplacji myślenia elektrycznego, i w miarę możności udzielała schronienia robotom, które coś przeskrobały. Sam Katody Mattrass, niezadowolony z sukcesu swych działań, postanowił uczynić radykalny krok na drodze całkowitego wyzwolenia robotów spod człowieczego jarzma. W tym celu, zasięgnąwszy wprzód rady szeregu wybitnych prawników, nabył statek rakietowy i poleciał do stosunkowo bliskiej Mgławicy Kraba. W pustych, jedynie pyłem kosmicznym nawiedzanych jej przestworzach, dokonał nie znanych bliżej czynności, w toku których wybuchła niewiarygodna afera jego sukcesów.

Rankiem 29 sierpnia wszystkie gazety przyniosły tajemniczą wieść: „PASTA POLKOS VI/221 donosi: w Mgławicy Kraba wykryto obiekt o rozmiarach 520 mil na 80 mil na 37 mil. Obiekt wykonuje ruchy podobne do pływania żabką. Dalsze rozpoznanie w toku".

Wydania popołudniowe wyjaśniały, że patrolowy statek policji kosmicznej VI/221 zauważył z odległości sześciu tygodni świetlnych „człowieka w mgławicy". Z bliska okazało się, że tak zwany „człowiek" jest wielusetmilowym olbrzymem, wyposażonym w tułów, głowę, ręce i nogi, że porusza się w rozrzedzonym ośrodku pyłowym; na widok statku policyjnego najpierw pokiwał mu ręką, a potem odwrócił się tyłem.

Nawiązano z nim, bez większych trudności, kontakt radiowy. Oświadczył wówczas chórem, że jest byłym Katodym Mattrassem, że przybywszy przed dwoma laty na to upatrzone miejsce, przerobił się, korzystając częściowo z surowców miejscowych, na roboty, że dalej, z wolna, lecz nieustannie, będzie się powielał, bo mu to odpowiada, i prosi, aby mu nie przeszkadzano.

Dowódca patrolu, pozornie przyjąwszy to oświadczenie za dobrą monetę, ukrył swój stateczek za chmurą meteorów, która się akurat nawinęła, i po pewnym czasie zauważył, że gigantyczny pseudoczłowiek po trosze dzielić się zaczyna na kawałki daleko mniejsze, rozmiarami nie przekraczające zwykłego wzrostu ludzkiego, i że te części czy też osobniki łączą się w taki sposób, że powstaje z nich coś w rodzaju niedużej, okrągłej planety.

Wyłoniwszy się wtedy z ukrycia, dowódca spytał przez radio rzekomego Mattrassa, co ma oznaczać ta kulista metamorfoza, jak również, kim właściwie jest: robotem czy człowiekiem?

Otrzymał odpowiedź, że zapytany przyjmuje takie kształty, jakie mu się żywnie podoba, że nie jest robotem, ponieważ powstał z człowieka, i nie jest człowiekiem, ponieważ takowy przebudował się w robota. Składania dalszych wyjaśnień odmówił stanowczo.

Sprawa ta, której prasa nadała znaczny rozgłos, jęła się z wolna przeradzać w skandal, ponieważ statki mijające Kraba chwytały strzępy radiowych rozmów, prowadzonych przez tak zwanego Mattrassa, w których nazywał się „Katodym Pierwszym A”. O ile można się było zorientować, Katody Pierwszy A czy też Mattrass zwracał się do kogoś (do innych robotów?) jako do własnych swoich części, mniej więcej tak, jakby ktoś przemawiał do swych rąk czy nóg. Obłędna gadanina o Katodym Pierwszym A sugerowała, iż chodzi jak gdyby o jakieś, przez Mattrassa czy będące jego pochodną roboty, założone państwo. Departament Stanu zarządził natychmiastowe dokładne zbadanie rzeczywistego stanu rzeczy. Patrole wyjaśniły, że raz porusza się w mgławicy metalowa sfera, a raz — człekokształtny stwór pięćsetmilowy, że rozmawia z sobą o tym i o owym, a co się tyczy jego państwowości, to udziela odpowiedzi wymijających.

Władze postanowiły niezwłocznie ukrócić postępowanie uzurpatora, lecz skoro akcja miała być (a taka być musiała) oficjalna, należało ją jakoś nazwać. Otóż tu wynikły pierwsze szkopuły. Ustawa Mac Flacona stanowiła aneks do kodeksu postępowania cywilnego, który traktuje o ruchomościach. W samej rzeczy mózgi elektryczne uważane są za ruchomości, nawet jeśli nie mają nóg. Tymczasem osobliwe ciało w mgławicy rozmiarami dorównywało planetoidzie, a ciała niebieskie, choć się poruszają, uważane są za nieruchomości. Zachodziło pytanie, czy można aresztować planetę, jak również, czy może być planetą zbiór robotów, a wreszcie, czy to jest jeden robot rozbieralny, czy też ich mnóstwo.

Wtedy zgłosił się do władz radca prawny Mattrassa i przedłożył im oświadczenie swego klienta, w którym ów stwierdzał, że wybiera się do Mgławicy Kraba, aby przerobić siebie na roboty.

Proponowana zrazu przez Wydział Prawny Departamentu Stanu wykładnia tego faktu brzmiała następująco: Mattrass, przerabiając się na roboty, unicestwił tym samym swój żywy organizm, a więc popełnił samobójstwo. Czyn ten nie jest karalny. Robot atoli lub roboty, będące kontynuacją Mattrassa, zostały przez takowego sporządzone, były więc jego własnością i teraz, po jego śmierci, winny przejść na rzecz Skarbu Państwa, gdyż Mattrass nie pozostawił spadkobierców. W oparciu o to orzeczenie Departament Stanu wysłał do Mgławicy komornika sądowego z poleceniem zajęcia i opieczętowania wszystkiego, co w niej zastanie.

Adwokat Mattrassa złożył apelację, twierdząc, iż przyznanie w sentencji orzeczenia faktu kontynuacji Mattrassa wyklucza samobójstwo, bo ktoś, kto jest kontynuowany, istnieje, a kto istnieje, ten nie popełnił samobójstwa. Tym samym nie ma żadnych „robotów będących własnością Mattrassa", a jest tylko sam Katody Mattrass, który przerobił się tak, jak mu się to podobało. Żadne przeróbki cielesne nie są i nie mogą być karalne: jak również nie wolno zajmować sądownie części czyjegoś ciała — czy będą to złote zęby, czy roboty.

Departament Stanu zakwestionował taką wykładnię sprawy, z której wynikało, że osobnik żywy, w tym wypadku człowiek, może być zbudowany z części najoczywiściej martwych, mianowicie robotów. Wówczas adwokat Mattrassa przedstawił władzom orzeczenie grupy czołowych fizyków z uniwersytetu w Harvard, którzy jednogłośnie zeznawali, iż każdy w ogóle żywy organizm, między innymi ludzki, zbudowany jest z cząstek atomowych, a te bez wątpienia należy uznać za martwe.

Widząc, jak niepokojący obrót zaczyna sprawa przybierać, Departament Stanu wycofał się z atakowania „Mattrassa i sukcesorów" od strony fizyko-biologicznej i wrócił do pierwotnego orzeczenia, w którym słowo „kontynuacja" zmieniono na słowo „wytwór". Wtedy adwokat niezwłocznie złożył w sądzie nowe oświadczenie Mattrassa, w którym ten oznajmiał, iż tak zwane roboty są w rzeczywistości jego dziećmi. Departament Stanu zażądał przedstawienia aktu adopcji, co było manewrem podchwytliwym, gdyż usynowienia robotów ustawy nie dopuszczały. Adwokat Mattrassa natychmiast wyjaśnił, że chodzi nie o usynowienie, lecz ojcostwo prawdziwe. Departament orzekł, iż w myśl obowiązujących przepisów dzieci muszą posiadać ojca i matkę. Adwokat, przygotowany na to, dołączył do akt sprawy pismo inżyniera elektryka Melanii Fortinbrass, która wyjawiała, iż przyjście na świat kwestionowanych osób zaszło w toku jej ścisłej z Mattrassem współpracy.

Departament Stanu zakwestionował charakter owej współpracy jako pozbawiony „naturalnych cech rodzicielskich". W wymienionym przypadku — głosiło rządowe exposé — mówić można o ojcostwie względnie macierzyństwie, jedynie w sposób przenośny, gdyż chodzi o rodzicielstwo duchowe, ustawy domagają się natomiast — aby w moc wejść mogło prawo rodzinne — cielesnego.

Adwokat Mattrassa zażądał wyjaśnienia, czym różni się rodzicielstwo duchowe od cielesnego, a także, na jakiej podstawie Departament Stanu uważa skutki związku Katodego Mattrassa z Melanią Fortinbrass za pozbawione fizycznego charakteru dziecięctwa.

Departament odparł, iż wkład sił duchowych w zgodne z literą prawa rodzinnego płodzenie dzieci jest nikły, czynności fizycznych atoli — przeważający. Co w przypadku omawianym nie zachodzi.

Adwokat przedstawił wtedy orzeczenie biegłych akuszerów cybernetycznych, wykazujące, jak bardzo, w sensie fizycznym, natrudzić się musieli Katody i Melania, aby na świat przyszło ich samoczynne potomstwo.

Departament zdecydował się wreszcie, nie bacząc na względy przystojności publicznej, na podjęcie kroku rozpaczliwego.

Oświadczył, że czynności rodzicielskie, które w sposób przyczynowo-konieczny poprzedzić muszą zaistnienie dzieci, w istotny sposób różnią się od programowania robotów.

Adwokat na to tylko czekał. Oznajmił, że w pewnym sensie i dzieci programowane są przez rodziców w trakcie czynności przygotowawczo-wstępnych, i zażądał, aby Departament określił dokładnie, jak, jego zdaniem, należy poczynać dzieci, aby to było zgodne z literą prawa.

Departament, wezwawszy do pomocy biegłych, przygotował obszerną odpowiedź, ilustrowaną odpowiednimi planszami i szkicami topograficznymi, ponieważ jednak autorem głównym tej tak zwanej „Różowej księgi" był osiemdziesięciodziewięcioletni profesor Truppledrack, senior położnictwa amerykańskiego, adwokat natychmiast zakwestionował jego kompetencję w przedmiocie czynności względem rodzicielstwa sprawczo-wstępnych, a to ze względu na fakt, iż, wskutek swego niezmiernie podeszłego wieku, starzec musiał utracić już pamięć szeregu krytycznych dla rozstrzygnięcia sprawy szczegółów i opierał się na rozmaitych pogłoskach i relacjach osób trzecich.

Departament postanowił wtedy wesprzeć „Różową księgę" zaprzysiężonymi zeznaniami licznych ojców i matek, ale wtedy wyszło na jaw, że ich oświadczenia miejscami różnią się od siebie dosyć znacznie. Niektóre elementy faz wstępnych nie zgadzały się ze sobą w wielu punktach. Departament, widząc, jak zgubna niejasność pochłaniać zaczyna ten problem kluczowy, zamierzał zrazu kwestionować materiał, z którego stworzone zostały tak zwane „dzieci" Mattrassa i Fortinbrass, ale wtedy rozeszły się, rozpuszczane, jak się potem wyjawiło, przez adwokata pogłoski, iż Mattrass zamówił w Corned Beef Company 450 000 ton cielęciny i podsekretarz stanu czym prędzej z projektowanego kroku zrezygnował.

Miast tego Departament, za nieszczęśliwym podszeptem profesora teologii, superintendenta Speritusa, powołał się na Biblię. Było to wielce nieopatrzne, ponieważ adwokat Mattrassa odparował to posunięcie obszernym elaboratem, w którym na podstawie cytatów wykazał, że Pan Bóg zaprogramował Ewę, wychodząc z jednej tylko części i działając w stosunku do metod, używanych zwyczajowo przez ludzi, zgoła ekstrawagancko, a przecież stworzył człowieka, bo wszak nikt zdrowy na umyśle nie uważa Ewy za robota. Departament wniósł wówczas oskarżenie Mattrassa i jego sukcesorów o czyn kolidujący z ustawą Mac Flacona i innych, gdyż jako robot lub roboty wszedł w posiadanie ciała niebieskiego. Ustawa zaś zabrania robotom posiadania planety czy jakiejkolwiek innej nieruchomości.

Tym razem adwokat przedłożył Sądowi Najwyższemu wszystkie dotychczasowe akty skierowane przez Departament przeciw Mattrassowi łącznie. Podkreślił, że, po pierwsze, z zestawienia pewnych ustępów akt wynika, jakoby, według Departamentu Stanu, Mattrass był własnym swym ojcem i synem równocześnie, stanowiąc zarazem ciało niebieskie; po wtóre — oskarżył Departament o sprzeczną z prawem wykładnię ustawy Mac Flacona. Najdowolniej w świecie ciało pewnej osoby, mianowicie obywatela Katodego Mattrassa, uznane zostało za planetę. Wywód oparty jest na absurdzie prawnym, logicznym i semantycznym. Tak się to zaczęło. Niebawem prasa nie pisała już o niczym, jak tylko o „Państwie-planecie-ojcu-synu". Władze wszczynały nowe postępowania, a każde utrącał w zarodku niestrudzony adwokat Mattrassa.

Departament Stanu rozumiał doskonale, że przewrotny Mattrass nie dla płochej igraszki pływa, uwielokrotniwszy się, w Mgławicy Kraba. Szło mu o stworzenie precedensu prawem nie przewidzianego. Bezkarność Mattrassowego kroku groziła w przyszłości konsekwencjami zgoła nieobliczalnymi. Tak więc najtęższi specjaliści dniem i nocą ślęczeli nad aktami, koncypując coraz bardziej karkołomne konstrukcje jurystyczne, w których matni miał wreszcie znaleźć niechlubny koniec wyczyn Mattrassa. Ale każdą akcję udaremniała natychmiast kontrakcja Mattrassowego radcy prawnego. Sam z żywym zainteresowaniem śledziłem przebieg tych zmagań, gdy całkiem nieoczekiwanie otrzymałem zaproszenie Asocjacji Adwokackiej na specjalne posiedzenie plenarne, poświęcone problematyce wykładni „*Casus* Stany Zjednoczone *contra* Katody Mattrass, *vel* Katody Pierwszy A, *vel* owoce związku Mattrass *et* Fortinbrass, *vel* planeta w Mgławicy Kraba".

Nie omieszkałem udać się w wyznaczonym terminie na wskazane miejsce i zastałem salę wypełnioną już po brzegi. Kwiat palestry wypełniał ogromne loże piętra i szeregi parterowych foteli. Spóźniłem się nieco i obrady były już w toku. Siadłem w jednym z ostatnich rzędów i jąłem przysłuchiwać się siwowłosemu mówcy.

— Dostojni koledzy! — rzekł, wznosząc z lubością ramiona. — Niezwykłe trudności oczekują nas, gdy przystępujemy do prawnej analizy tego zagadnienia! Niejaki Mattrass przerobił się z pomocą niejakiej Fortinbrass na roboty i zarazem powiększył się w skali jeden do miliona. Tak wygląda rzecz z punktu widzenia laika, kompletnej ignorancji, świętej niewinności, niezdolnej dostrzec otchłani prawnych problemów, jaka otwiera się tu przed naszym wstrząśniętym okiem! Musimy rozstrzygnąć najpierw, z kim mamy do czynienia — z człowiekiem, robotem, państwem, planetą, dziećmi, szajką, konspiracją, zebraniem demonstracyjnym czy rokoszem. Proszę zważyć, jak wiele od rozstrzygnięcia zależy! Jeśli, na przykład, uznamy, że chodzi nie o państwo, lecz o samozwańcze zgrupowanie robotów, rodzaj elektrycznego zbiegowiska, to w tym przypadku obowiązywać będą nie normy prawa międzynarodowego, lecz zwykłe przepisy o naruszeniu porządku na drogach publicznych! Jeśli orzekniemy, iż Mattrass, mimo powielenia się, nie przestał istnieć, a jednak ma dzieci, to z tego będzie wynikało, że osobnik ten sam siebie urodził — sprawiając tym przeraźliwy kłopot legislacji, bo ustawy nasze tego nie przewidują, a wszak *nullum crimen sine lege!!* Dlatego proponuję, aby najpierw zabrał głos znakomity znawca prawa międzynarodowego, profesor Pingerling!

Czcigodny profesor, witany ciepłymi oklaskami, wstąpił na mównicę.

— Panowie!! — rzekł starczym, krzepkim głosem. — Zastanówmy się wpierw, jak się zakłada państwo. Zakłada się je, nieprawdaż, w sposób rozmaity; nasza ojczyzna, na przykład, była niegdyś kolonią angielską, następnie zaś proklamowała niepodległość i ukonstytuowała się w państwo. Czy zachodzi to w przypadku Mattrassa? Odpowiedź brzmi: jeżeli Mattrass, przerabiając się na roboty, był przy zdrowych zmysłach, to jego czyn państwotwórczy można uznać za istniejący prawnie, przy uwzględnieniu dodatkowym, iż narodowość jego określimy jako elektryczną. Jeśli natomiast był on niespełna rozumu, to czyn ten prawnego uznania znaleźć nie może!!

Tu pośrodku sali zerwał się jakiś siwowłosy starzec, daleko bardziej sędziwy od mówcy, i zawołał:

— Wysoki Sądzie, to jest: Panowie! Pozwolę sobie zauważyć, iż nawet jeśli Mattrass był państwotwórcą niepoczytalnym, to jednak potomkowie jego mogą być poczytalni, tak więc państwo, istniejące zrazu tylko jako produkt prywatnego obłędu, a więc mające charakter objawu chorobowego, zaczęło potem istnieć publicznie, *de facto,* przez samą zgodę jego elektrycznych obywateli na zaistniałą sytuację. Ponieważ zaś nikt nie może zakazać obywatelom jakiegoś państwa, którzy wszak sami tworzą jego system legislacyjny, uznawania zwierzchności choćby i najbardziej niepoczytalnej (jak uczy o tym historia, zdarzało się to nieraz), to tym samym istnienie Mattrassowego państwa *de facto* pociąga za sobą jego istnienie *de iure*!!

— Wybaczy pan, mój szanowny oponencie — rzekł profesor Pingerling — ale Mattrass był jednak naszym obywatelem, a więc...

— I cóż z tego?! — wykrzyknął zapalczywy starzec z sali. — Państwotwórczość Mattrassa możemy uznać albo możemy jej nie uznać! Jeśli uznamy ją i powstało suwerenne państwo, to roszczenia nasze upadają. Jeśli jej nie uznamy, to albo mamy do czynienia z osobą prawną, albo nie. Jeśli nie, jeśli nie mamy przed sobą prawnej osobowości, to cały problem istnieje tylko dla zamiataczy Zakładu Oczyszczania Kosmosu, gdyż w Mgławicy Kraba jest kupa złomu — i zgromadzenie nasze w ogóle nie ma nad czym obradować! Jeśli mamy atoli przed sobą osobowość prawną, to wynika inna kwestia. Prawo kosmiczne przewiduje możliwość aresztowania, to jest pozbawienia wolności osoby prawnej i fizycznej na planecie albo na pokładzie statku. Na statku tak zwany Mattrass się nie znajduje. Raczej na planecie. Należy zatem zwrócić się o jego ekstradycję — ale nie mamy do kogo się zwracać; poza tym planeta, na której on przebywa, jest nim samym. Tak zatem miejsce to z jedynego punktu widzenia, jaki nas obowiązuje, to jest: Majestatu Prawa, stanowi pustkę, coś w rodzaju jurystycznej nicości, nicością zaś ani przepisy porządkowe, ani prawo karne, ani administracyjne, ani międzynarodowe się nie zajmują. Tak zatem słowa czcigodnego profesora Pingerlinga nie mogą problemu rozjaśnić, ponieważ problem ten w ogóle nie istnieje!!

Osłupiwszy taką konkluzją szanowne zgromadzenie, starzec usiadł.

W ciągu następnych sześciu godzin wysłuchałem około dwudziestu mówców, którzy dowodzili kolejno, w sposób logicznie ścisły i niezbity, że Mattrass istnieje, jak również, że nie istnieje; że założył państwo robotów, względnie składający się z takowych organizm; że Mattrass powinien iść na złom, gdyż przekroczył cały szereg ustaw; że żadnej nie przekraczał; pogląd mecenasa Wurpla, że Mattrass bywa bądź planetą, bądź robotem, bądź niczym zgoła, który miał, jako wypośrodkowany, zadowolić wszystkich, wywołał powszechną wściekłość i nie znalazł, poza jego twórcą, żadnego zwolennika. Wszystko to było wszakże błahostką wobec dalszego przebiegu obrad, gdyż nadasystent Milger udowodnił, że Mattrass, przerabiając się na roboty, tym samym powielił swą osobowość i jest go teraz około trzystu tysięcy; ponieważ jednak mowy nie ma o tym, aby ta zbiorowość przedstawiała zgromadzenie różnych osób, jest bowiem tylko jedną i tą samą osobą, powtórzoną mnóstwo razy, to tym samym Mattrass jest jeden w trzystu tysiącach postaci.

Na co sędzia Wubblehorn oświadczył, że cały problem od początku rozpatrywano fałszywie: skoro Mattrass był człowiekiem i przerobił się na roboty, to te roboty nie są nim, lecz kimś innym; skoro są kimś innym, to należy dopiero zbadać, kim one są; ponieważ nie są żadnym człowiekiem, to nie są nikim; tak więc brak nie tylko problemu jurystycznego, ale i fizycznego, gdyż w Mgławicy Kraba w ogóle nikogo nie ma. Już kilka razy zostałem dotkliwie poturbowany przez zaciekłych dyskutantów. Służba porządkowa, jak również sanitariusze, mieli pełne ręce roboty, gdy wtem rozległy się wołania, że na sali znajdują się przebrane za prawników mózgi elektryczne, które niezwłocznie należy usunąć, albowiem stronniczość ich nie ulega wątpliwości, nie mówiąc już o tym, że nie mają prawa uczestniczenia w obradach. Jakoż przewodniczący, profesor Hurtledrops, zaczął chodzić po sali z małym kompasikiem w ręku, a ilekroć igiełka jego zadrgała i zwracała się ku komuś z siedzących, przyciągana skrytym pod odzieżą żelastwem, natychmiast osobnika takiego demaskowano i wyrzucano za drzwi. W ten sposób opróżniono salę do połowy, podczas nieustających przemówień docentów Fittsa, Pittsa i Clabentego, przy czym temu ostatniemu przerwano w pół słowa, gdyż kompas zdradził jego elektryczne pochodzenie. Po krótkiej przerwie, podczas której posilaliśmy się w bufecie, w zgiełku na sekundę nawet nie milknącej dyskusji, gdy wróciłem na salę, przytrzymując na sobie ubranie, bo rozsierdzeni prawnicy, coraz chwytając mnie za guziki, oberwali mi je co do jednego — ujrzałem, obok podium, duży aparat Roentgena. Przemawiał mecenas Plussex, który orzekł, iż Mattrass jest przypadkowym fenomenem kosmicznym, gdy przewodniczący zbliżył się ku mnie z groźnym marsem i niepokojąco skaczącą w dłoni kompasową strzałką. Już służba porządkowa chwytała mnie za kołnierz, gdy, wyrzuciwszy z kieszeni scyzoryk, nóż do konserw, dziurkowane jajko metalowe do parzenia herbaty oraz oderwawszy od podwiązek przytrzymujące skarpetki sprzączki niklowane, przestałem oddziaływać na magnesową igłę i zostałem dopuszczony do dalszego udziału w obradach. Zdemaskowano czterdzieści trzy dalsze roboty, gdy podprofesor Buttenham wyjawił nam, że Mattrass może być traktowany jako rodzaj kosmicznego zbiegowiska — przypomniałem sobie, że już była o tym mowa, widocznie prawnikom zaczynało brakować konceptu — kiedy znowu poszła w ruch kontrola. Teraz prześwietlano bez pardonu obradujących, i okazało się, że ukrywali pod nieposzlakowanie leżącymi ubraniami części plastikowe, korundowe, nylonowe, kryształowe; na koniec słomkowe. Podobno w jednym z ostatnich rzędów odkryto kogoś z włóczki. Gdy kolejny mówca zeszedł z podium, ujrzałem się sam jak palec pośród olbrzymiej pustej sali. Mówca został prześwietlony i natychmiast wyrzucony za drzwi. Wtedy przewodniczący, ostatni człowiek, który prócz mnie pozostał na sali, podszedł do mego fotela. Jakoś ni stąd, ni zowąd, sam nie wiem jak, wyjąłem mu z ręki kompasik, który zawirował oskarżająco i obrócił się przeciw niemu. Postukałem go palcem w brzuch, a że zadźwięczał, odruchowo ująłem go za kołnierz, wyrzuciłem za drzwi i zostałem takim sposobem sam. Stałem, samotny, w obliczu kilkuset porzuconych teczek, grubych foliałów z aktami, meloników, lasek, kapeluszy, ksiąg w skórę oprawnych i kaloszy. I, pochodziwszy sobie jakiś czas po sali, widząc, że nie mam tu nic do roboty, odwróciłem się na pięcie i poszedłem do domu.

Profesor A. Dońda

Ze wspomnień Ijona Tichego

Słowa te ryję w glinianych tabliczkach przed moją jaskinią. Zawsze interesowało mnie, jak Babilończycy to robili, nie przypuszczałem jednak, że sam będę musiał próbować. Musieli mieć lepszą glinę, a może pismo klinowe lepiej się do tego nadawało.

Moja rozłazi się albo kruszy, wolę to jednak od gryzmolenia wapieniem po łupku, bo od dziecka jestem wrażliwy na zgrzytanie. Nie będę już nigdy nazywał starodawnych technik prymitywnymi. Profesor przed odejściem obserwował, jak męczę się, żeby skrzesać ogień, i gdy złamałem po kolei nóż do otwierania konserw, nasz ostatni pilnik, scyzoryk i nożyczki, zauważył, że docent Tompkins z British Museum próbował przed czterdziestu laty wyłupać z krzemienia zwyczajną skrobaczkę, podobną do sporządzanych w epoce kamiennej, i zwichnął sobie nadgarstek oraz stłukł okulary, ale skrobaczki nie wyłupał. Dodał też coś o urągliwej wyższości, z jaką patrzymy na jaskiniowych antenatów. Miał rację. Moja nowa siedziba jest nędzna, materac już zgnił, a z bunkra artyleryjskiego, w którym tak dobrze się mieszkało, wygnał nas ten schorowany, stary goryl, którego licho przyniosło z dżungli. Profesor utrzymywał, że goryl wcale nas nie wysiedlił. Było to o tyle prawdą, że nie okazywał agresywności, lecz wolałem nie dzielić z nim i tak ciasnego pomieszczenia — najmocniej denerwowały mnie jego zabawy granatami. Może i usiłowałbym go wygonić, bał się czerwonych puszek zupy rakowej, której tyle tam zostało, ale bał się jednak za mało, a poza tym Maramotu, który teraz już otwarcie przyznaje się do szamaństwa, oświadczył, że rozpoznaje w małpie duszę stryjecznego, i nastawał na to, by nie robić mu na złość. Obiecałem, że nie będę, profesor zaś złośliwy jak zwykle bąknął, że jestem powściągliwy nie ze względu na stryja Maramotu, ale bo nawet schorowany goryl pozostaje gorylem. Nie mogę odżałować tego bunkra, kiedyś należał do fortyfikacji granicznych między Gurunduwaju i Lamblią, a teraz cóż, żołnierze rozbiegli się, a nas wyrzuciła małpa. Wciąż nasłuchuję mimo woli, bo dobrze ta zabawa granatami się nie skończy, ale słychać tylko jak zawsze stękanie przejedzonych uruwotu i tego pawiana, który ma podbite oczy. Maramotu mówi, że to nie zwykły pawian, lecz muszę dać spokój głupstwom, bo nigdy nie przejdę do rzeczy.

Porządna kronika powinna mieć daty. Wiem, że koniec świata nastąpił tuż po porze deszczowej, od której minęło kilka tygodni, lecz nie wiem dokładnie, ile to było dni, bo goryl zabrał mi kalendarz, w którym notowałem najważniejsze zdarzenia zupą rakową od czasu, gdy skończyły się długopisy.

Profesor utrzymywał, że nie był to żaden koniec świata, lecz tylko jednej cywilizacji. I w tym przyznaję mu słuszność, bo nie można rozmiarów takiego zajścia mierzyć osobistymi niewygodami. Nic strasznego nie stało się, mawiał profesor, zachęcając Maramotu i mnie do popisów wokalnych, lecz kiedy mu się skończył tytoń fajkowy, stracił pogodę ducha i po wypróbowaniu włókien kokosowych poszedł przecież po nowy tytoń, choć musiał zdawać sobie sprawę z tego, czym jest obecnie taka wyprawa. Nie wiem, czy go jeszcze kiedyś zobaczę. Tym bardziej winienem przedstawić potomności, która odbuduje cywilizację, tak wielkiego człowieka. Los mój jakoś tak się składał, że mogłem obserwować z bliska najwybitniejsze osobistości epoki, a kto wie, czy Dońda nie będzie uznany za pierwszą wśród nich. Ale pierwej trzeba wyjaśnić, skąd wziąłem się w buszu afrykańskim, który jest teraz ziemią niczyją.

Moje dokonania na niwie kosmonautycznej przydały mi niejakiego rozgłosu, więc rozmaite organizacje, instytucje, jako też osoby prywatne zwracały się do mnie z zaproszeniami i propozycjami, tytułując mnie profesorem, członkiem Akademii, a co najmniej doktorem habilitowanym. Był z tym kłopot, bo nie przysługują mi żadne tytuły, a nie cierpię strojenia się w cudze piórka. Profesor Tarantoga powtarzał, że opinia publiczna znieść nie może pustki ziejącej przed moim nazwiskiem, zwrócił się więc za mymi plecami do znajomych piastujących znaczne godności i tak z dnia na dzień zostałem generalnym pełnomocnikiem na Afrykę Światowej Organizacji Żywnościowej — FAO. Godność tę wraz z tytułem Radcy Eksperta przyjąłem, bo miała być czysto honorowa, aż tu okazało się, że w Lamblii, tej republice, co z paleolitu w mig awansowała do monolitu, FAO zbudowała fabrykę konserw kokosowych i jako pełnomocnik tej organizacji muszę dokonać uroczystego otwarcia. Chciałaż bieda, że inżynier magister Armand de Beurre, który towarzyszył mi z ramienia UNESCO, zgubił binokle na fajfie w ambasadzie francuskiej, i wziąwszy szakala, który się przypętał, za wyżła, chciał go pogłaskać. Podobno ukąszenia szakali są tak groźne, bo mają one na zębach trupi jad. Ten poczciwy Francuz zlekceważył go i do trzech dni zmarł.

W kuluarach parlamentu lamblijskiego krążyła pogłoska, że szakal miał w sobie złego ducha, którego wpędził weń pewien szaman; kandydaturę tego szamana na ministra wyznań religijnych i oświecenia publicznego utrąciło jakoby *démarche* ambasady francuskiej. Ambasada dementi oficjalnego nie wystosowała. Wynikła jednak delikatna sytuacja, a niedoświadczeni w protokole mężowie stanu Lamblii, miast załatwić po cichu transport zwłok, uznali go za świetną okazję do błyśnięcia na forum międzynarodowym. Generał Mahabutu, minister wojny, urządził tedy żałobny koktajl, na którym, jak to na koktajlu, gadało się o wszystkim i niczym z kieliszkiem w ręku, i nawet nie wiem kiedy, zagadnięty przez dyrektora departamentu spraw europejskich, pułkownika Bamatahu, powiedziałem, iż, owszem, wysoko postawionych nieboszczyków niekiedy chowa się u nas w trumnie z a l u t o w a n e j. Do głowy mi nie przyszło, że pytanie ma coś wspólnego ze zmarłym Francuzem, a z kolei Lamblijczykom nie wydało się zdrożne zastosowanie urządzeń fabrycznych do zaaranżowania pochówku w sposób nowoczesny. Ponieważ kombinat wytwarzał tylko litrowe bańki, wysłano zmarłego samolotem Air France w skrzyni z napisami reklamującymi kokosy, nie w tym był jednak kamień obrazy, ale w tym, że skrzynia zawierała dziewięćdziesiąt sześć puszek.

Potem wieszano na mnie psy za to, żem nie przewidział, ale jak mogłem, jeśli skrzynia była zabita i okryta trójkolorowym sztandarem? Lecz wszyscy mieli do mnie pretensje, że nie złożyłem lamblijskim czynnikom *aide-mémoire* wyjaśniającego, za jak niewłaściwe uważamy porcjowane puszkowanie nieboszczyków. Generał Mahabutu przesłał mi do hotelu lianę, z którą nie wiedziałem, co począć, i dopiero od profesora Dońdy dowiedziałem się, że była to aluzja do stryczka, na którym chcą mnie widzieć. Wiadomość ta była zresztą musztardą po obiedzie, bo tymczasem przyszykowano pluton egzekucyjny, który, nie znając języka, wziąłem za kompanię honorową. Gdyby nie Dońda, na pewno nie opisywałbym tej historii ani żadnej innej. W Europie przestrzegano mnie przed nim jako przed bezczelnym oszustem, który wykorzystał łatwowierność i naiwność młodego państwa, by sobie urządzić w nim ciepłe gniazdko — podniósł bowiem bezwstydnie sztuczki szamanów do godności dyscypliny teoretycznej, którą wykładał na miejscowym uniwersytecie. Dając wiarę informatorom, miałem profesora za hochsztaplera i oczajduszę, trzymałem się więc od niego z daleka na oficjalnych przyjęciach, choć już podówczas wydał mi się wcale sympatyczny. Konsul generalny Francji, do którego rezydencji było mi najbliżej (od angielskiej ambasady oddzielała mnie rzeka pełna krokodyli), odmówił mi azylu, choć umknąłem z Hiltona w jednej piżamie. Powoływał się na rację stanu, mianowicie na zagrożenie interesów Francji, jakie rzekomo spowodowałem. Tłem tej rozmowy przez judasza były salwy karabinowe, bo pluton ćwiczył się już na zapleczu hotelowym, więc zawróciwszy, rozważałem, co mi się lepiej kalkuluje, pójść od razu na egzekucję, czy płynąć między krokodylami, bo stałem nad rzeką, gdy spomiędzy szuwarów wychynęła załadowana bagażami piroga profesora. Gdym już siedział na walizach, dał mi do ręki pagaj i wyjaśnił, że właśnie skończył mu się kontrakt na uniwersytecie kulaharskim, płynie tedy do ościennego państwa Gurunduwaju, dokąd zaproszono go jako zwyczajnego profesora śwarnetyki. Może i niezwyczajnie przedstawiała się taka zmiana uniwersytetu, lecz trudno było w mej sytuacji rozważać podobne kwestie.

Jeśli nawet Dońda potrzebował wioślarza, faktem jest, że uratował mi życie. Płynęliśmy cztery dni, nic więc dziwnego, iż doszło między nami do zbliżenia. Spuchłem od moskitów, które Dońda zrażał do siebie repellentem, a mnie powtarzał, że w puszcze już mało co zostało. I tego nie miałem mu za złe ze względu na specyfikę położenia. Znał moje książki, niewiele mogłem mu więc opowiedzieć, poznałem za to jego koleje. Wbrew brzmieniu nazwiska Dońda nie jest Słowianinem i nie nazywa się Dońda. Imię Affidavid nosi od sześciu lat, kiedy to, opuszczając Turcję, uzyskał affidavit wymagany przez władze i wpisał to słowo do fałszywej rubryki kwestionariusza, tak że otrzymał paszport, czeki podróżne, świadectwo szczepienia, kartę kredytową i ubezpieczenie opiewające na Affidavida Dońdę, uznał więc, że reklamacje nie są warte zachodu, bo właściwie wszystko jedno, jak się ktoś nazywa.

Profesor Dońda przyszedł na świat dzięki serii omyłek. Ojcem jego była Metyska ze szczepu Indian Navaho, matki zaś miał dwie z ułamkiem, mianowicie białą Rosjankę, czerwoną Murzynkę, a wreszcie — Miss Aileen Seabury, kwakierkę, która urodziła go po siedmiu dniach ciąży, w poważnych okolicznościach, bo w tonącej łodzi podwodnej.

Kobieta, która była ojcem Dońdy, została skazana na dożywocie za wysadzenie kwatery porywaczy i za równoczesne spowodowanie katastrofy samolotu Panamerican Airlines. Miała ona rzucić do sztabu porywaczy petardę z gazem rozweselającym, co było pomyślane jako ostrzeżenie. W tym celu przyleciała do Boliwii ze Stanów. Podczas kontroli celnej na lotnisku zamieniła neseser z walizeczką stojącego obok Japończyka i porywacze wylecieli wskutek tego w powietrze, gdyż Japończyk miał w sakwojażu prawdziwą bombę, przeznaczoną dla kogoś innego. Samolot, którym odleciał japoński sakwojaż dzięki osobnej pomyłce, wywołanej strajkiem obsługi lotniska, roztrzaskał się wnet po starcie. Pilot stracił pewno panowanie nad sterami ze śmiechu, jak wiadomo, odrzutowców nie można wietrzyć. Nieszczęsną skazano, i kto jak kto, ale ta dziewczyna zdawała się pozbawiona szans potomstwa, żyjemy jednak w wieku nauki.

Właśnie wtedy profesor Harley Pombernack badał dziedziczność więźniów na terenie Boliwii. Pobierał komórki cielesne od więźniów prostym sposobem: każdy więzień musiał polizać szkiełko mikroskopu, gdyż to wystarczy, by odłuszczyło się trochę komórek błony śluzowej. W tym samym laboratorium inny Amerykanin, doktor Juggernaut, zapładniał sztucznie ludzkie jajeczka. Szkiełka Pombernacka pomieszały się jakoś ze szkiełkami Juggernauta i dostały się do lodówki jako męskie plemniki. Wskutek tego komórką nabłonka językowego Metyski zapłodniono jajeczko pochodzące od dawczyni, co była białą Rosjanką, córką emigrantów. Teraz jasne już jest, czemu nazwałem Metyskę ojcem Dońdy. Skoro jajeczko pochodziło od kobiety, to siłą rzeczy osoba, od której pochodziła komórka zapładniająca to jajeczko, musi być uznana za ojca.

Asystent Pombernacka w ostatniej chwili spostrzegł się, wpadł do laboratorium i zawołał do Pombernacka: *Do not do it!*, ale krzyknął niewyraźnie, jak to Anglosasi, i okrzyk jego zabrzmiał Dondo! Potem, przy wypisywaniu metryki, dźwięk ten jakoś się nawinął i stąd poszło nazwisko Dońda — tak przynajmniej powiedziano profesorowi dwadzieścia lat później.

Jajeczko włożył Pombernack do inkubatora, boż nie można było już anulować zapłodnienia. Rozwój embrionalny w retorcie biegnie zwykle około dwu tygodni, potem embrion obumiera. Trzebaż było trafu, że akurat wtedy amerykańska Liga do Walki z Ektogenezą uzyskała po serii procesów zwycięski wyrok, mocą którego wszystkie jajeczka znajdujące się w laboratorium zajął komornik sądowy, zaczem anonsami prasowymi przystąpiono do poszukiwania litościwych niewiast, które by się zgodziły służyć za tak zwane matki donosicielki. Na apel zgłosiło się sporo kobiet, a wśród nich też owa Murzynka-ekstremistka, która, godząc się donosić płód, nie miała pojęcia o tym, że za cztery miesiące będzie wplątana w zamach na składnicę soli kuchennej, będącej własnością firmy Nudlebacker Corporation. Murzynka należała bowiem do zgrupowania aktywnych obrońców środowiska, które sprzeciwiało się budowie centrali atomowej w Massachusetts, a kierownictwo tego zgrupowania nie ograniczało się do akcji propagandowej, lecz pragnęło zniszczyć skład soli dlatego, ponieważ z soli tej wydobywa się elektrolityczną metodą czysty sód, służący za cieplny wymiennik reaktorom, dostarczającym energii dla turbin i dynamomaszyn. Co prawda reaktor, który miał być zbudowany w Massachusetts, obywał się bez sodu metalicznego, był bowiem stosem na szybkich neutronach, z nowym wymiennikiem, a firma, która ten nowy wymiennik produkowała, mieściła się w Oregonie i nosiła nazwę Muddlebacker Corporation; co do soli, którą zniszczono, to nie była kuchenna, lecz potasowa, przeznaczona na sztuczny nawóz. Proces Murzynki wlókł się po instancjach, jako że miał dwie wersje — oskarżenia i obrony. Prokuratura utrzymywała, że szło o zamach na własność rządu federalnego, bo liczy się plan sabotażu oraz premedytowana intencja, a nie przypadkowe omyłki w wykonaniu; obrona natomiast stała na stanowisku, iż był to akt nadpsucia i tak zatęchłego nawozu, stanowiącego własność prywatną, więc kompetentny miał być sąd stanowy, a nie jurysdykcja federalna. Murzynka pojmując, że tak czy owak przyjdzie jej wydać na świat dziecko w więzieniu, chcąc oszczędzić tego maleństwu, zrzekła się kontynuacji macierzyństwa na rzecz nowej filantropki, którą była kwakierka Seabury. Kwakierka, aby się nieco rozerwać, w szóstym dniu ciąży udała się do Disneylandu na wycieczkę łodzią podwodną w tamtejszym superakwarium. Łódź uległa awarii i choć wszystko dobrze się skończyło, pani Seabury poroniła z wrażenia. Wcześniaka udało się jednakowoż uratować. Ponieważ była nim brzemienna tydzień, trudno uznać ją za pełną matkę — stąd ułamkowa kwalifikacja. Potem trzeba było zjednoczonej działalności śledczej dwóch wielkich agencji detektywistycznych, żeby dojść stanu rzeczywistego, tak co do ojcostwa, jak co do macierzyństwa. Postępy nauki zlikwidowały bowiem starą zasadę prawa rzymskiego, iż *mater semper certa est*. Dla porządku dodam, że zagadką pozostała płeć profesora, podług nauki bowiem z dwóch komórek żeńskich powinna by powstać kobieta. Skąd przyplątał się chromosom płci męskiej, nie wiadomo. Słyszałem od emerytowanego pracownika Pinkertona, który był w Lamblii na safari, że w płci Dońdy nie ma zagadki, albowiem w trzecim oddziale laboratorium Pombernacka dawano szkiełka podstawowe do lizania żabom.

Profesor spędził dzieciństwo w Meksyku, potem naturalizował się w Turcji, gdzie przeszedł z wyznania episkopalnego na buddyzm zen, a zarazem ukończył trzy fakultety, wreszcie wyjechał do Lamblii, by objąć na kulaharskim uniwersytecie katedrę śwarnetyki.

Jego właściwym fachem było projektowanie fabryk brojlerów, ale gdy przeszedł na buddyzm, nie mógł znieść świadomości mąk, jakim poddaje się w takich fabrykach kurczęta. Podwórko zastępuje im plastykowa siatka, słońce — lampa kwarcowa, kwokę — mały bezwzględny komputer, a swobodne dziobanie — pompa ciśnieniowa, ładująca im żołądki papką z planktonu i mączki rybnej.

Przygrywa im muzyka z taśm, zwłaszcza uwertury Wagnera, budzą bowiem panikę. Kurczaki poczynają trzepotać skrzydełkami, a to powoduje rozrost mięśni piersiowych, kulinarnie najważniejszych. Bodajże Wagner był ostatnią kroplą, co przepełniła czarę. W tych Oświęcimiach drobiu, jak mawia profesor, nieszczęsne stworzenia poruszają się w miarę rozwoju wraz z taśmą, do której są przymocowane, aż do końca transportera, gdzie nie ujrzawszy w życiu ani skrawka błękitu czy szczypty piasku, ulegają dekapitacji, rosolizacji i zapuszkowaniu. Ciekawe, jak motyw puszki konserwowej powraca w mych wspomnieniach.

Toteż, gdy bawiąc w Stambule, profesor otrzymał depeszę treści: „Will you be appointed professor of svarnetics at kulaharian university ten kilodollars yearly answer please immediately colonel Droufoutou Lamblian Bamblian Dramblian security police" — odwrotnie wyraził zgodę, wychodząc z założenia, że o tym, czym jest śwarnetyka, dowie się na miejscu, a jego trzech dyplomów starczy dla wykładania każdej ścisłej dyscypliny. W Lamblii wyjawiło się, że o pułkowniku Drufutu nikt już nawet nie pamięta. Indagowani pokrywali zmieszanie lekkim pokasływaniem. Ponieważ kontrakt był podpisany, a zrywając umowę, nowy rząd musiałby wypłacić Dońdzie trzyletnie pobory, dano mu katedrę. Nikt nie nagabywał profesora o jego przedmiot, studentów miał niewielu, więzienia były pełne, jak to po zamachu stanu, a w jednym przebywał zapewne człowiek, który wiedział, czym jest śwarnetyka. Dońda szukał tego hasła po wszystkich encyklopediach, ale daremnie. Jedyną pomocą naukową, jaką dysponował uniwersytet w Kulahari, był jak z igły nowy komputer IBM, dar UNESCO. Toteż idea wykorzystania tak cennej aparatury sama się napraszała.

Co prawda decyzja ta nie posunęła problemu daleko naprzód. Zwykłej cybernetyki nie mógł Dońda wykładać — byłoby to sprzeczne z umową. Najgorsze — wyjawił mi, gdyśmy wiosłowali, póki można było odróżnić kłodę drzewa od krokodyla — stały się godziny samotności w hotelu, kiedy łamał sobie głowę nad śwarnetyką. Na ogół pierwej powstaje nowy kierunek badań, a potem kuje się dlań nazwę — on natomiast miał nazwę bez przedmiotu. Długo wahał się między różnymi możliwościami, aż oparł się na tym niezdecydowaniu. Uznał, że nową gałąź wiedzy objawia słowo „między". Czyż nie nadszedł czas utworzenia fachu interdyscyplinarnego, który zajmie się stykami wszystkich innych? W doniesieniach, przeznaczonych dla pism europejskich, używał zrazu terminu „interystyka", a jej adeptów jęto się pospolicie zwać międzakami. Lecz właśnie jako twórca śwarnetyki zdobył Dońda znaczną — niestety — ujemną sławę.

Nie mógł zajmować się stykami wszystkich specjalności — i tu pośpieszył mu z pomocą przypadek. Ministerstwo Kultury przyobiecało dotacje tej z katedr, która badaniami nawiąże do własnych tradycji kraju. Dońda obrócił ów warunek w niemałą korzyść. Postanowił bowiem badać pogranicze racjonalizmu i irracjonalizmu. Zaczął skromnie, od matematyzacji rzucania uroku. Szczep lamblijski Hottu Wabottu od wieków praktykował prześladowanie wrogów *in effigie*. Podobiznę wroga, przekłutą drzazgami, dawano do spożycia osłu: jeśli osioł się udławił, był to dobry omen, oznaczający rychłą śmierć wroga. Dońda wziął się więc do cyfrowego modelowania wrogów, osłów, drzazg itd. Tak doszedł do sensu świarnetyki. Okazało się, że jest ona skrótem angielskiego zdania Stochastic Verification of Automatised Rules of Negative Enchantment, czyli stochastyczna weryfikacja zautomatyzowanych reguł rzucania złych uroków. Angielska „Nature", do której posłał artykuł o świarnetyce, zamieściła go w rubryce Curiosa, w wyimkach, opatrzonych szkalującym komentarzem. Komentator „Nature" nazwał Dońdę cyberszamanem, imputując mu, że nie wierzy w to, co robi, jest więc — taki był domyślny wniosek — zwykłym oszustem. Dońda znalazł się w nader niewygodnej sytuacji. Nie wierzył w czary i nie utrzymywał w doniesieniu, jakoby dawał im wiarę, lecz nie mógł tego publicznie wyjawić, bo właśnie przyjął podsunięty przez Ministerstwo Rolnictwa projekt optymizacji czarów przeciw suszy i szkodnikom zbóż. Nie mogąc ani odciąć się od magii, ani do niej przyznać, znalazł wyjście w charakterze świarnetyki jako studium INTER-dyscyplinarnego. Postanowił trwać między magią i nauką! Jeśli krok ten wymusiły na profesorze okoliczności, faktem jest, że właśnie wtedy wstąpił na drogę największego odkrycia całej ludzkiej historii.

Zła fama, co stała się jego udziałem w Europie, już go, niestety, nie opuściła. Niska sprawność lamblijskiego aparatu policyjnego powodowała znaczny wzrost przestępstw, zwłaszcza przeciw życiu. Kacykowie ulegając laicyzacji, nagminnie przechodzili od magicznych prześladowań oponentów ku realnym, aż dnia nie było, żeby krokodyle, wylegujące się na mieliźnie vis-à-vis parlamentu, nie obgryzały czyjejś kończyny. Dońda wziął się do cyfrowej analizy tego zjawiska, a ponieważ sam zajmował się jeszcze wtedy sprawozdawczością, określił projekt jako Methodology of Zeroing Illicite Murder. Czysty przypadek sprawił, że skrót tej nazwy brzmiał MZIMU. Po kraju rozeszła się wieść, że w Kulahari działa potężny czarownik Bwana Kubwa Dońda, którego MZIMU czuwa nad każdym ruchem obywateli.

W następnych miesiącach wskaźniki przestępczości wykazały znaczny spadek.

Zachwyceni politycy jęli domagać się od profesora a to takiego zaprogramowania czarów ekonomicznych, żeby płatniczy bilans Lamblii stał się dodatni, a to budowy miotacza plag i klątw na ościenny kraj Gurunduwaju, który wypierał kokosy lamblijskie z wielu rynków zagranicznych. Dońda opierał się tym naciskom, lecz miał w tym trudności, gdyż w czarnoksięską moc komputera uwierzyli liczni jego doktoranci. Tym marzyła się w neofickim zacietrzewieniu magia już nie kokosowa, lecz polityczna, co by dała Lamblii prym światowy. Zapewne: Dońda mógł oświadczyć publicznie, że tego nie wolno się po świarnetyce spodziewać. Musiałby jednak przeuzasadnić wówczas znaczenie świarnetyki argumentacją, której nikt wśród czynników rządowych nie byłby w stanie pojąć. Był więc skazany na lawirowanie. Tymczasem pogłoski o MZIMU Dońdy zwiększyły wydajność pracy, tak że nawet bilans płatniczy trochę się poprawił. Odcinając się od tej naprawy, profesor odciąłby się zarazem od dotacji, a tego nie mógł zrobić, przez wzgląd na wielkie, zamyślone przedsięwzięcia.

Kiedy przyszła mu do głowy ta myśl, nie wiem, gdyż opowiadał o tym akurat w chwili, w której wyjątkowo zaciekły krokodyl odgryzał łopatkę mojego pagaja. Dałem mu między oczy kamiennym pucharem, który Dońda otrzymał od delegacji czarowników, co nadała mu godność szamana honoris causa. Puchar pękł i sfrustrowany tym profesor jął mi czynić wyrzuty, które poróżniły nas aż do następnego biwaku. Wiem tylko, że Katedra przekształciła się w Instytut Świarnetyki Eksperymentalnej i Teoretycznej, a Dońda został prezesem Komisji Roku 2000 przy Radzie Ministrów, z nowym zadaniem stawiania horoskopów i magicznego wcielania ich w życie. Myślałem sobie, że nazbyt ulegał sytuacji, nic mu jednak nie powiedziałem, boż uratował mi życie.

Rozmowy nie kleiły się nazajutrz także przez to, iż rzeka na odcinku dwudziestu mil stanowi granicę Lamblii i Gurunduwaju, więc posterunki obu państw ostrzeliwały nas od czasu do czasu, na szczęście niecelnie. Krokodyle czmychnęły, choć wolałem już ich towarzystwo od tych incydentów; Dońda miał przygotowane flagi Lamblii i Gurunduwaju, którymi powiewaliśmy ku żołnierzom, ale ponieważ rzeka płynie głębokimi zakolami, parę razy machaliśmy niewłaściwą flagą, i przychodziło kłaść się zaraz w pirodze na brzuchu, przy czym od kul ucierpiał bagaż profesora.

Najbardziej szkodziła mu „Nature", której zawdzięczał rozgłos oszusta. Mimo to, dzięki naciskom, jakie na Foreign Office wywierała ambasada Lamblii, został zaproszony na światową konferencję cybernetyczną w Oksfordzie.

Profesor wygłosił tam referat o Prawie Dońdy. Jak wiadomo, wynalazca perceptronów, Rosenblatt, doszedł tezy, że im perceptron większy, tym mniej musi pobierać nauk dla rozpoznawania kształtów geometrycznych. Reguła Rosenblatta głosi: „Perceptron nieskończenie wielki nie potrzebuje się uczyć niczego, gdyż wszystko umie od razu". Dońda poszedł w przeciwnym kierunku, aby wykryć swe prawo. To, co mały komputer może z wielkim programem, może też wielki komputer z programem małym; stąd wniosek logiczny, iż program nieskończenie duży może działać sam, tj. bez jakiegokolwiek komputera.

Cóż zaszło? Konferencja przyjęła te słowa szyderczym gwizdaniem. Oto, jak na psy zeszedł savoir-vivre uczonych. „Nature" pisała, że podług Dońdy każde nieskończenie długie zaklęcie musi się zrealizować: w ten sposób wprowadzić miał profesor mętny nonsens na wody rzekomej ścisłości. Odtąd zwano go prorokiem cybernetycznego Absolutu. Do reszty pogrążyło Dońdę wystąpienie docenta Bohu Wamohu z Kulahari, który znalazł się w Oksfordzie, ponieważ był szwagrem ministra kultury i zgłosił pracę *Kamień jako czynnik napędowy myśli europejskiej.*

Szło mu o to, że w nazwiskach ludzi, co dokonali przełomowych odkryć, występuje kamień — np. widać go w nazwisku największego fizyka (EinSTEIN), największego filozofa (WittgenSTEIN), największego filmowca (EisenSTEIN), człowieka teatru (FelsenSTEIN), a też dotyczy to pisarki Gertrudy STEIN i filozofa Rudolfa STEINera.

Co do biologii, Bohu Wamohu zacytował głosiciela odmłodzenia hormonalnego — STEINacha, a wreszcie nie omieszkał dodać na zakończenie, że Wamohu to po lamblijsku tyle, co „Kamień Wszystkich Kamieni". Ponieważ powoływał się na Dońdę i swój „rdzeń kamienny" nazywał „śwarnetycznie immanentną składową predykatu być kamieniem", „Nature" uczyniła z niego i z profesora w kolejnej wzmiance parę bliźniaczych błaznów. Słuchając tego w oparach gorącej mgły na rozlewisku Bambezi, z przerwami, wywołanymi potrzebą walenia po łbach co nachalniejszyeh krokodyli, które nadgryzały wyłażące z tobołów maszynopisy profesora i zabawiały się rozhuśtywaniem pirogi, znajdowałem się w dość delikatnym położeniu. Jeśli zyskał w Lamblii tak mocne stanowisko, czemu uchodził z niej chyłkiem? Do czego zmierzał naprawdę i co osiągnął? Skoro nie wierzył w magię i kpił z Bohu Wamohu, czemu klął w żywy k a m i e ń krokodyle, zamiast sięgnąć po sztucer? (Dopiero w Gurunduwaju wyjawił mi, że tego zakazywała mu jego buddyjska wiara). Trudno mi jednak było przyciskać go podobnymi pytaniami. Właśnie dlatego, to jest z ciekawości, przyjąłem propozycję Dońdy, bym został jego asystentem na gurunduwajskim uniwersytecie. Po przykrej historii z fabryką konserw nie kwapiłem się wracać do Europy. Wolałem poczekać, aż sprawa ucichnie. W naszych czasach nie jest to trudne, boż nieustannie zachodzą wydarzenia, wtrącające wczorajsze sensacje w niepamięć. Choć przeżyłem potem niemało ciężkich chwil, nie żałuję tej decyzji, powziętej w okamgnieniu, a gdy piroga zazgrzytała wreszcie o gurunduwajski brzeg Bambezi, wyskoczywszy jako pierwszy na ląd, podałem profesorowi pomocną rękę i w uścisku, jaki połączył nasze dłonie, było coś symbolicznego, gdyż odtąd losy nasze stały się nierozdzielne.

Gurunduwaju to państwo trzykrotnie większe od Lamblii. Szybkiemu uprzemysłowieniu towarzyszyła, jak to bywa w Afryce, nieodłączna korupcja. Mechanizm jej przestał już prawie działać, gdyśmy przybyli do Gurunduwaju.

Łapówki brał jeszcze każdy, ale nic już nie świadczył w zamian. Co prawda, nie dając łapówki, można było zostać obitym. Zrazu nie pojmowaliśmy, czemu przemysł, handel i administracja nadal działają. Podług europejskich kryteriów kraj winien by rozlecieć się każdego dnia na kawałki. Dopiero dłuższy pobyt wtajemniczył mnie w działanie nowego mechanizmu, który był namiastką tego, co nazywamy na starym lądzie umową społeczną. Mwahi Tabuhine, poczmistrz lumilski, u któregośmy zamieszkali (hotel stołeczny był od siedemnastu lat w remoncie), zdradził mi bez osłonek, czym się kierował, wydając za mąż sześć swych córek. Przez najstarszą spowinowacił się za jednym zamachem z elektrownią i wytwórnią obuwia, gdyż teść dyrektora fabryki był głównym energetykiem. Dzięki temu nie chodził boso i miał zawsze prąd. Drugą córkę wżenił w kombinat garmażeryjny poprzez szatniarza, za którego ją wydał. I to pociągnięcie miał za nader zręczne. Wskutek wykrywania malwersacji kierownictwo za kierownictwem szło do więzienia, tylko szatniarz pozostawał na stanowisku, bo sam nie malwersował, a jedynie dostawał upominki. Stół poczmistrza był dzięki temu zawsze suto zastawiony. Trzecią córkę wyswatał Mwahi superrewidentowi kooperatyw remontowych. Dzięki temu nawet w porze deszczów nie lało mu się na głowę, dom jego świecił kolorowymi ścianami, drzwi zamykały się tak dokładnie, że żadna żmija nie mogła wpełznąć za próg, i nawet w oknach miał szyby. Czwartą córkę wydał za dozorcę miejskiego więzienia — na wszelki wypadek. Piątą poślubił pisarz rady miejskiej. Oczywiście pisarz, a nie na przykład wiceburmistrz, któremu Mwahi podał czarną polewkę z krokodylej wątroby. Rady zmieniały się jak chmury na niebie, lecz pisarz trwał na swym urzędzie, tyle że zmiennością poglądów przypominał księżyc. I wreszcie szóstą dziewczynę wziął za żonę szef aprowizacji wojsk atomowych. Wojska te istniały wyłącznie na papierze, lecz aprowizacja była realna. Ponadto kuzyn ze strony matki szefa był stróżem w zoologu. Ten ostatni związek wydał mi się bezużyteczny. Czyżby chodziło o słonie? Z uśmiechem wyrozumiałej wyższości Mwahi wzruszył ramionami. „Po co zaraz słoń — rzekł — a skorpion nie może się czasem przydać?"

Będąc sam poczmistrzem, Mwahi obywał się bez matrymonialnych powiązań z pocztą, i nawet mnie, jego sublokatorowi, przynoszono listy i paczki do domu, jeszcze nie otwarte, rzecz w Gurunduwaju niezwykła, normalnie bowiem obywatel pragnący otrzymać przesyłkę od kogoś zamieszkałego dalej musi się po nią pofatygować osobiście, chyba że podlega przywilejom rodzinnym. Nieraz widziałem, jak listonosze, opuszczając rankiem urząd z wypchanymi torbami, prosto do rzeki wywalali stosy listów powierzonych skrzynkom bez niezbędnej protekcji. Co do paczek, urzędnicy zabawiali się w grę hazardową polegającą na zgadywaniu zawartości paczki. Kto odgadł trafnie, wybierał sobie z paczki, co chciał na pamiątkę.

Jedyną troską naszego gospodarza był brak krewnych w zarządzie cmentarza. „Rzucą mnie krokodylom, łajdaki!" — wzdychał nieraz, gdy nawiedzały go złe myśli.

Wysoka stopa przyrostu naturalnego w Gurunduwaju tłumaczy się tym, że żaden ojciec rodziny nie spocznie, póki nie powiąże się węzłami krwi z siecią żywotnych placówek. Mwahi opowiadał mi, jak przed remontem lumilskiego hotelu niejeden gość słabł z głodu, a wezwane pogotowie ratunkowe nie przybywało, gdyż jego ekipy rozwożą karetkami maty kokosowe znajomym. Zresztą Hauwari, dawniejszy kapral Legii Cudzoziemskiej, który promował się na marszałka po objęciu władzy i co parę dni był dekorowany nowymi wysokimi orderami przez Ministerstwo Odznaczeń za Szczególne Zasługi, nie patrzał krzywym okiem na powszechny pęd do urządzania się, owszem, mówiono, że to on wpadł na myśl upaństwowienia korupcji. Hauwari, zwany przez miejscową prasę Starszym Bratem Wieczności, nie szczędził też wydatków na naukę, a środki po temu czerpało Ministerstwo Skarbu z podatków nakładanych na cudzoziemskie firmy mające przedstawicielstwa w kraju. Podatki te uchwalał parlament znienacka, po czym szły konfiskaty, licytacje mienia, interwencje dyplomatyczne, bezskuteczne zresztą, a gdy jedna grupa kapitalistów pakowała manatki, zawsze znaleźli się inni, co pragnęli spróbować szczęścia w Gurunduwaju, którego zasoby kopalin, zwłaszcza chromu i niklu, miały być ogromne, choć niektórzy twierdzili, że dane geologiczne sfałszowano na zlecenie władz. Hauwari kupował na kredyt broń, nawet myśliwce i czołgi, które sprzedawał za gotówkę Lamblii. Ze Starszym Bratem Wieczności nie było żartów; gdy nastała wielka susza, dał równe szanse Bogu chrześcijańskiemu i Sinemu Turmutu, najstarszemu duchowi szamanów; kiedy deszcze nie spadły do trzech tygodni, szamanów ściął, a misjonarzy wypędził co do jednego.

Podobno przeczytawszy — w charakterze instrukcji — biografie Napoleona, Czyngis-chana oraz innych mężów stanu, zachęcał podwładnych do grabieży, byle na wielką skalę, jakoż dzielnica rządowa powstała z materiałów skradzionych przez Ministerstwo Budownictwa — Ministerstwu Żeglugi, które zamierzało zbudować z nich przystanie na Bambezi, kapitał dla budowy kolei zdefraudowany został w Ministerstwie Obrotu Kokosami, dzięki malwersacjom zgromadzono też środki dla stworzenia gmachu sądów i aparatu ścigania, i tak, stopniowo, kradzieże i zawłaszczenia dały pomyślne skutki. Hauwari zaś, noszący już miano Ojca Wieczności, sam dokonał uroczystego otwarcia Banku Korupcyjnego, w którym każdy, byle poważny przedsiębiorca może dostać długoterminową pożyczkę na łapówki, jeśli dyrekcja uzna, że jego interes zgodny jest z państwowym.

Dzięki Mwahiemu urządziliśmy się z profesorem niezgorzej. Pyszne wędzone kobry przynosił nam inspektor pocztowy. Pochodziły z paczek wysyłanych przez opozycję do dygnitarzy, a inspektorowa wędziła je w dymie kokosowym. Pieczywo przywoził nam autobus Air France. Podróżni obyci ze stosunkami wiedzieli, że na autobus nie ma co czekać, a nieobyci po niedługim koczowaniu na walizkach dochodzili obycia. Mleka i sera mieliśmy w bród dzięki telegrafistom, którzy żądali w zamian tylko wody destylowanej z naszego laboratorium. W głowę zachodziłem, po co im ta woda, aż okazało się, że szło im o błękitne flaszki plastykowe, do których rozlewali samogon pędzony w Miejskim Komitecie Antyalkoholowym. Nie musieliśmy więc chodzić do sklepów, co było o tyle korzystne, że nigdy nie widziałem w Lumili otwartego sklepu; na drzwiach wisiały zawsze kartki „odbiór amuletów", „poszłam do szamana" itp. W urzędach było nam zrazu ciężko, bo urzędnicy nie zwracają najmniejszej uwagi na interesantów: zgodnie z tubylczym zwyczajem biura są miejscem towarzyskich imprez, hazardu, a zwłaszcza swatów. Powszechną wesołość gasi tylko niekiedy najazd policji, która zamyka wszystkich bez śledztw czy przesłuchań, wymiar sprawiedliwości wychodzi bowiem z założenia, że winni są i tak wszyscy, a na różnicowanie rozmiaru przestępstw szkoda zachodu. Sąd zbiera się tylko w okolicznościach niezwykłych. Po naszym przybyciu wybuchła afera kotłów. Haumari, kuzyn Ojca Wieczności, nabył w Szwecji kotły centralnego ogrzewania dla parlamentu, zamiast urządzeń klimatyzacyjnych. Dodać trzeba, że w Lumili temperatura nie opada poniżej 25 stopni Celsjusza. Haumari usiłował skłonić instytut meteorologiczny do obniżenia ciepłoty, gdyż to usprawiedliwiłoby zakup; parlament obradował w permanencji, boż szło o jego interes; wyłonił też komisję śledczą, której przewodniczącym został Mnumnu, ponoć rywal Ojca Wieczności. Zaczęły się niesnaski, zwykłe tańce w przerwach między sesjami plenarnymi obróciły się w wojenne, ławy opozycji pełne były niebieskich tatuaży, aż Mnumnu znikł. Były trzy wersje, jedni mówili, że został zjedzony przez koalicję rządową, drudzy, że uciekł z kotłami, trzeci, że sam się zjadł. Mwahi sądził, że ostatnią wersję rozpuszcza Hauwari. Od niego też słyszałem enigmatyczne oświadczenie (co prawda po tuzinie dzbanów tęgo sfermentowanej kiwu kiwy): „Jak się wygląda smacznie, lepiej nie spacerować wieczorem po parku". Być może był to tylko kawał.

Katedra świarnetyki na lumilskim uniwersytecie otwarła przed Dońdą nowe perspektywy działania. Muszę dodać, że komisja motoryzacyjna parlamentu zdecydowała się wówczas na zakup licencji familijnego helikoptera „Bell 94"; ponieważ z obliczeń wyszło, że helikopteryzacja kraju będzie tańsza od budowy dróg. Stolica posiada wprawdzie autostradę, lecz tylko sześćdziesięciometrową, służącą do urządzania wojskowych defilad. Wieść o nabyciu licencji wprawiła ludność w panikę, każdy bowiem rozumiał, że przychodzi kres matrymonializmu jako podpory industrializmu. Helikopter składa się z trzydziestu dziewięciu tysięcy części, potrzebuje benzyny i pięciu rodzajów smaru, nikt więc nie mógłby sobie tego wszystkiego zapewnić, nawet gdyby płodził do końca życia same córki. Wiem coś o tym, bo gdy urwał mi się łańcuch w rowerze, musiałem wynająć myśliwego, żeby złapał młodego wyjca, którego skórą pokryło się tam-tam dla Hiwu, dyrektora telegrafu, za co ów nadał kondolencyjną depeszę Umiamiemu, którego szefowi na delegacji dziadek zmarł w buszu, a Umiami był już przez Matarere spowinowacony z intendentem armii i miał przez to zapasy rowerów, na których tymczasowo poruszała się brygada czołgowa. Niewątpliwie z helikopterem byłoby znacznie gorzej. Na szczęście Europa, wieczne źródło innowacji, dostarczyła nowego wzoru, którym był grupowy seks w wolnych związkach. To, co w Starym Świecie stanowiło czczą igraszkę zmysłów, w kraju jeszcze surowym wsparło elementarne potrzeby życia. Obawy profesora, że dla dobra nauki będziemy musieli zrezygnować ze stanu kawalerskiego, okazały się płonne. Urządziliśmy się nieźle, choć dodatkowe obowiązki, jakie przyszło brać na siebie przez wzgląd na katedrę, bardzo nas wyczerpywały.

Profesor wprowadził mnie w swój projekt: chciał zaprogramować w komputerze wszystkie klątwy, zabiegi magiczne, czarnoksięskie zamawiania, inkantacje i formuły szamańskie, jakie stworzyła ludzkość. Nie widziałem w tym żadnego sensu, lecz Dońda był nieugięty. Ogrom danych mógł pomieścić tylko najnowszy komputer lumeniczny IBM, który kosztował jedenaście milionów dolarów.

Nie wierzyłem, że otrzymamy tak olbrzymi kredyt, zwłaszcza że minister skarbu odmawiał wyasygnowania czterdziestu trzech dolarów na zakup papieru toaletowego dla Instytutu Śwarnetyki; profesor był jednak pewien swego. Nie wtajemniczał mnie w szczegóły swej kampanii, widziałem jednak, że zakrzątnął się na całego. Wieczorami wychodził nie wiem dokąd, wytatuowawszy się ceremonialnie, rozebrany do przepaski z szympansa, a jest to strój wizytowy w najbardziej ekskluzywnych kręgach Lumili, sprowadzał z Europy jakieś tajemnicze paczki, gdy raz niechcący upuściłem jedną, rozległ się cichy marsz Mendelssohna, szukał recept po starych książkach kucharskich, wynosił z laboratorium szklane chłodnice destylatorów, kazał mi robić zacier, wycinał zdjęcia żeńskie z „Playboya" i „Oui", oprawiał jakieś obrazy, których nikomu nie pokazywał, dał sobie wreszcie doktorowi Alfvenowi, który był dyrektorem szpitala rządowego, upuścić krew, i widziałem, jak owijał flaszeczkę złotym papierem. Potem jednego dnia zmył z twarzy mazidła i farby, szczątki „Playboyów" spalił i przez cztery dni pykał flegmatycznie fajkę na werandzie Mwahiego; piątego zatelefonował do nas Uabamotu, dyrektor departamentu inwestycji. Zlecenie kupna komputera zostało wydane. Uszom nie chciałem wierzyć. Profesor, indagowany, tylko się słabo uśmiechał.

Programowanie magii trwało z górą dwa lata. Mieliśmy moc trudności rzeczowych, jak i całkiem innych. Kłopoty były na przykład z tłumaczeniem zaklęć Indian amerykańskich, utrwalonych węzełkowym pismem „kipu", ze śniegowo-lodowymi zaklinaniami szczepów kurylskich i eskimoskich, dwu programistów rozchorowało się nam od przemęczenia zajęciami pozauniwersyteckimi, jak sądzę, bo pożycie grupowe było w wielkiej modzie, lecz rozeszły się słuchy, że to dzieło podziemia szamańskiego, zaniepokojonego supremacją Dońdy na polu odwiecznej praktyki czarowników. Ponadto grupa postępowej młodzieży, zasłyszawszy coś o kontestacji, podłożyła w instytucie bombę. Na szczęście eksplozja rozsadziła tylko klozety w jednym pionie gmachu. Nie naprawiono ich do końca świata, ponieważ puste kokosy, co miały funkcjonować jako pływaki wedle pomysłu pewnego racjonalizatora, wciąż tonęły. Sugerowałem profesorowi, by użył swych wielkich wpływów dla sprowadzenia części, rzekł jednak, że tylko znaczny cel uświęca fatygujące środki.

Także mieszkańcy naszej dzielnicy urządzili parokrotnie demonstracje antydońdowe, obawiali się bowiem, że rozruch komputera obruszy lawinę czarów na uniwersytet, więc i na nich, bo czary mogą być niecelne. Profesor kazał otoczyć gmach wysokim parkanem, na którym sam wymalował znaki totemiczne, chroniące przed oberwaniem złych uroków. Płot kosztował, jak pamiętam, cztery beczki samogonu.

Stopniowo nagromadziliśmy w bankach pamięci czterysta dziewięćdziesiąt miliardów bitów magicznych, co w przeliczeniu śwarnetycznym równało się dwudziestu teragigamagemom. Maszyna, wykonując osiemnaście milionów operacji na sekundę, pracowała trzy miesiące bez przerwy. Przedstawiciel International Business Machines, inżynier Jeffries, obecny przy rozruchu, miał Dońdę i nas wszystkich za pomyleńców. A już to, że Dońda ustawił zespoły pamięci na specjalnie czułej wadze sprowadzonej ze Szwajcarii, sprowokowało Jeffriesa do niesmacznych uwag za plecami profesora.

Programiści byli okropnie przygnębieni, gdyż komputer po tylu miesiącach pracy nie zaczarował ani mrówki. Dońda żył jednak w nieustannym napięciu, nie odpowiadał na żadne pytania, lecz co dzień chodził sprawdzać, jak wygląda wykres, który waga rysowała na taśmie odwijającego się z bębna papieru. Wskaźnik rysował, rzecz oczywista, linię prostą. Świadczyła ona, że komputer nie drga — dlaczegoż by jednak miał drgać? Z końcem ostatniego miesiąca profesor jął przejawiać znamiona depresji, już po trzy, a to i cztery razy dziennie chodził do laboratorium, nie odpowiadał na telefony i nie tykał gromadzącej się korespondencji. Lecz dwunastego września, gdym szykował się już na spoczynek, wpadł do mnie blady i roztrzęsiony.

— Stało się! — zawołał od progu. — Teraz to już pewne. Zupełnie pewne. — Wyznaję, że się przeląkłem o jego umysł, jaśniał dziwnym uśmiechem. — Stało się — powtórzył jeszcze kilka razy.

— Co się stało? — krzyknąłem wreszcie. Patrzał na mnie jak wyrwany ze snu.

— Prawda, ty nic nie wiesz. Przybrał na wadze jedną setną grama. Ta przeklęta waga jest tak mało czuła! Gdybym miał lepszą, wiedziałbym już wszystko miesiąc temu, może i wcześniej!

— Kto przybrał na wadze?

— Nie kto, lecz co. Komputer. Bank pamięci. Wiesz przecie, że materia i energia posiadają masę. Otóż informacja nie jest ani materią, ani energią, a przecież istnieje. Dlatego powinna mieć masę. Zacząłem o tym myśleć, gdy formułowałem prawo Dońdy. No, bo cóż to znaczy, że nieskończenie wiele informacji może działać bezpośrednio, bez pomocy jakichś urządzeń? Znaczy to, że ogrom informacji przejawi się wprost. Domyślałem się tego, ale nie znałem formuły równoważności. Cóż tak patrzysz? Po prostu — ile waży informacja. Musiałem więc obmyślić ten cały projekt. Musiałem. Teraz już wiem. Maszyna stała się cięższa o jedną setną grama: tyle waży wprowadzona informacja. Rozumiesz?

— Profesorze — wyjąkałem — jakże, a te wszystkie czary, te magie, modły, zaklęcia, jednostki CGS, Czar na Gram i Sekundę...

Zamilkłem, zdawało mi się, że płacze. Zaczął się trząść, ale to był bezgłośny śmiech. Zebrał palcem łzy z powiek.

— A co miałem robić? — rzekł spokojnie. — Zrozum: informacja ma masę. Każda. Byle jaka. Treść nie ma najmniejszego znaczenia. Atomy też są takie same, czy tkwią w kamieniu, czy w mojej głowie. Informacja ciąży, ale jej masa jest niesłychanie mała. Wiadomości całej encyklopedii ważą około miligrama. Dlatego musiałem mieć taki komputer. Ale pomyśl: kto by mi go dał? Komputer za jedenaście milionów, na pół roku, żeby go ładować byle bzdurami, nonsensem, sieczką? Byle czym!

Jeszcze nie mogłem ochłonąć z zaskoczenia.

— No... — rzekłem niepewnie — gdybyśmy pracowali w poważnym ośrodku naukowym, w Institute for Advanced Study albo w Massachusetts Institute of Technology...

— A jużci — parsknął — przecież nie miałem żadnych dowodów, nic, prócz prawa Dońdy, które jest pośmiewiskiem! Nie mając komputera, musiałbym go wynająć, a wiesz, ile kosztuje godzina pracy takiego modelu? Jedna godzina! A ja potrzebowałem miesięcy. I gdzieżbym się dopchał w Stanach! Przy takich maszynach siedzą tam teraz tłumy futurologów, obliczają warianty zerowego wzrostu ekonomiki, to jest teraz modne, a nie wymysły jakiegoś Dońdy z Kulahari!

— Więc cały projekt — te magie — to było na nic? Zbędne? Toż na samo zebranie materiałów wydaliśmy przez dwa lata...

Niecierpliwie wzruszył ramionami.

— Nic nie jest zbędne w zakresie tego, co konieczne. Gdyby nie ten projekt, nie dostalibyśmy grosza.

— Ale Uabamotu, rząd, Ojciec Wieczności — toż oczekują czarów!

— Och, będą mieli czar, jeszcze jaki! Ty wciąż nie wiesz... Słuchaj: ciążenie informacji nie byłoby niczym rewelacyjnym, gdyby nie konsekwencje... Istnieje, uważasz, krytyczna masa informacji, tak samo, jak krytyczna masa uranu. Zbliżamy się do niej. Nie my, tutaj, ale cała Ziemia. Zbliża się do niej każda cywilizacja budująca komputery. Rozwój cybernetyki to pułapka zastawiona przez Naturę na Rozum!

— Krytyczna masa informacji? — powtórzyłem. — Ale przecież w każdej głowie ludzkiej jest mnóstwo informacji, a jeżeli nie liczy się, czy jest mądra czy głupia...

— Nie przerywaj mi wciąż. Nie mów nic, bo nic nie rozumiesz. Wyłożę ci to na analogii. Liczy się gęstość, a nie ilość wiadomości. To — jak z uranem. Analogia nieprzypadkowa! Uran rozrzedzony — w skałach, w glebie — jest nieszkodliwy. Warunkiem eksplozji jest wyosobnienie i koncentracja. Tak i tutaj. Informacja w książkach czy w głowach może być znaczna, ale pozostaje bierna. Jak rozproszone cząstki uranu. Należy ją skupić!

— I co wtedy nastąpi? Cud?

— Jaki tam cud! — parsknął. — Widzę, że doprawdy uwierzyłeś w brednie, które były pretekstem. Żaden tam cud. Powyżej punktu krytycznego rusza reakcja łańcuchowa. *Obiit animus, natus est atomus!* Informacja znika, bo zamienia się w materię.

— Jak to w materię? — nie rozumiałem.

— Materia, energia i informacja są trzema postaciami masy — tłumaczył cierpliwie. — Mogą przechodzić w siebie, zgodnie z prawami zachowania. Nic za darmo, tak jest urządzony świat. Materia obraca się w energię, energii i materii trzeba dla wytwarzania informacji, a informacja może przejść w nie z powrotem, oczywiście nie byle jak. Powyżej masy krytycznej scześnie jak zdmuchnięta. Oto bariera Dońdy, granica przyrostów wiedzy... To znaczy, można by ją gromadzić nadal, lecz tylko — w rozrzedzeniu. Każda cywilizacja, która się tego nie domyśli, wchodzi sama w pułapkę. Im więcej się dowie, tym bliżej ma do ignorancji, do próżni — czy to nie osobliwe? A wiesz, jak blisko podeszliśmy już do progu? Jeśli przyrosty będą trwały, za dwa lata objawi się...

— Co to będzie — eksplozja?

— Skąd tam. Najwyżej malutki błysk, ani muchy nie ukrzywdzi. Tam, gdzie tkwiły miliardy bitów, powstanie garść atomów. Zapłon reakcji łańcuchowej obiegnie świat z szybkością światła, pustosząc wszystkie banki pamięci, komputery, gdziekolwiek gęstość przekracza milion bitów na milimetr sześcienny, powstanie równoważna ilość protonów — i pustka.

— Więc trzeba ostrzec, ogłosić...

— Oczywiście, już to zrobiłem. Ale daremnie.

— Dlaczego? Za późno?

— Nie. Po prostu nikt mi nie uwierzy. Taka wiadomość musi pochodzić od autorytetu, a ja jestem błazen i oszust. Z oszustwa może bym się wytłumaczył, ale błazeństwu nie ujdę. Zresztą — nie chcę kłamać: nawet nie spróbuję. Posłałem do Stanów wstępne doniesienie, a do „Nature" — tę depeszę...

Podał mi brulion. *Cognovi naturam rerum. Lord's countdown made the world. Truly yours Dońda.*

Widząc moje osłupienie, profesor uśmiechnął się złośliwie.

— Masz mi za złe, co? Mój kochany, ja też jestem człowiekiem, więc odpłacam pięknym za nadobne. Depesza ma dobry sens, lecz rzucą ją do kosza lub wyśmieją. To moja zemsta. Nie domyślasz się? A przecież znasz najmodniejszą teorię powstania Kosmosu — Big Bang Theory? Jak powstał Wszechświat? Wybuchowo! Co wybuchło? Co się nagle zmaterializowało? Oto Boża recepta: odliczać od nieskończoności do zera. Kiedy do niego doszedł, informacja zmaterializowała się wybuchowo — zgodnie z formułą równoważności. Tak słowo ciałem się stało, eksplodując mgławicami, gwiazdami... z informacji powstał Kosmos!

— Profesorze, naprawdę tak myślisz?

— Udowodnić tego się nie da, aleć to zawsze zgodne z prawem Dońdy. Nie, nie sądzę, żeby Bóg. Ktoś to jednak zrobił w poprzedniej fazie — może zbiór cywilizacji, które eksplodowały naraz, jak czasem eksploduje gromada supernowych... a teraz kolej na nas. Komputeryzacja skręci łeb cywilizacji — zresztą łagodnie...

Pojmowałem rozgoryczenie profesora, ale mu nie wierzyłem. Zdawało mi się, że zaślepiają go doznane upokorzenia. Niestety, miał słuszność. Zresztą, choćby tą depeszą — sam przyczynił się do zapoznania swojego odkrycia.

Ręka mi mdleje, a i glina się kończy, muszę jednak pisać dalej. W hałasie futurologicznym nie zwrócono uwagi na słowa Dońdy. „Nature" milczała, pisał o nim już tylko „Punch" i prasa brukowa. Parę gazet opublikowało nawet fragmenty jego ostrzeżenia, ale świat naukowy nie drgnął. W głowie mi się to nie mieściło. Gdy pojąłem, że stoimy przed kresem, a nasze wołania są jak krzyki tego pastucha z bajki, który zbyt wiele razy wołał:

„wilki", pewnej nocy nie powstrzymałem się od gorzkich słów. Wyrzucałem profesorowi, że maskę błazna sam wcisnął sobie na twarz, kompromitując badania szamańską fasadą. Wysłuchał mnie z przykrym, drgającym w kątach ust uśmieszkiem, który nie schodził mu z twarzy. Może był to zresztą tik nerwowy.

— Pozory — rzekł wreszcie. — Pozory. Jeśli magia jest bzdurą, wyszedłem z bzdury. Nie mogę ci powiedzieć, kiedy rojenie zmieniło mi się w hipotezę, bo sam nie wiem. Postawiłem na niezdecydowanie, wiesz przecież. Odkrycie moje jest fizyką, należy do fizyki, ale do takiej, której nikt nie zauważył, bo droga wiodła przez tereny ośmieszone, wyzute z wszelkich praw. Trzeba było przecież zacząć od myśli, że słowo m o ż e stać się ciałem, że zaklęcie m o ż e się zmaterializować — trzeba było dać nura w ten absurd, wejść w związki z a k a z a n e, aby dostać się na drugi brzeg, tam gdzie już oczywistością jest równoważność informacji i masy. Tak więc należało p r z e j ś ć przez magię... może niekoniecznie przez zabawy, które uprawiałem, ale każdy krok wstępny musiał być dwuznaczny, podejrzany, heretycki, godny drwin. Co zrobiłem? Błazeńską maskę, uzasadnienie pozorne? Masz rację, jeśli pomyliłem się, to tylko tak, że nie doceniłem g ł u p o t y panującej nam dziś m ą d r o ś c i. W naszej epoce — o p a k o w a ń — liczy się etykieta, a nie zawartość... Nazwawszy mnie krętaczem i oszustem, panowie uczeni wtrącili mnie w niebyt, z którego nie mogę być dosłyszany, choćbym ryczał jak trąby jerychońskie. Im głośniejszy ryk, tym większy śmiech. Więc po czyjej stronie właściwie została magia — czy ten ich gest odtrącenia i wyklęcia nie jest magiczny? Ostatnio pisał o prawie Dońdy „Newsweek", przedtem „Time", „Der Spiegel", „L'Express" — nie mogę się uskarżać na brak popularności! Sytuacja jest bez wyjścia właśnie dlatego, że czytają mnie wszyscy — i nie czyta mnie nikt. Kto jeszcze n i e s ł y s z a ł o prawie Dońdy? Czytają i pokładają się ze śmiechu: *Don't do it!* Widzisz, nie liczą się rezultaty, lecz droga, którą się do nich dochodzi. Są ludzie wyzuci z prawa robienia odkryć — na przykład ja. Mógłbym teraz sto razy zaprzysiąc, że projekt był taktycznym manewrem, wybiegiem może niepięknym, ale koniecznym, mógłbym się kajać i spowiadać publicznie — odpowiedzią będzie śmiech. Otóż tego, że raz wszedłszy w klownadę, nie będę mógł się z niej wydostać — tego nie pojąłem. Jedyna pociecha w tym, że katastrofy i tak nie dałoby się odwrócić.

Usiłowałem protestować, krzycząc. A musiałem podnieść głos, albowiem zbliżał się już termin uruchomienia wielkiej wytwórni familijnych śmigłowców i w nadziei na te piękne maszyny ludność Gurunduwaju z zaciętymi szczękami, w zaparciu i namiętności nawiązywała wszystkie niezbędne po temu stosunki: za ścianą mego pokoju kotłowała się rodzina poczmistrza ze sproszonymi notablami, monterami, sprzedawczyniami, i podług narastającej wrzawy można było ocenić żądzę motoryzacyjną zacnego ludu. Profesor wyjął z tylnej kieszeni płaską flaszkę „Białego Konia" i nalewając whisky do szklanek, rzekł:

— Mylisz się znowu. Nawet przyjąwszy moje słowa z dobrą wiarą, świat nauki musiałby je sprawdzić. Musieliby siąść do swoich komputerów, a maglując tę informację, tym samym przyspieszyliby kres.

— Więc co robić! — zawołałem z rozpaczą. Profesor podniósł głowę ku niebu, aby wychylić ostatek płynu z flaszki, wyrzucił pustą przez okno, i patrząc w ścianę, za którą kotłowały się pasje, oświadczył:

— Spać.

Piszę znowu, wymoczywszy dłoń w mleku kokosowym, bo złapał mnie skurcz. Maramotu powiada, że w tym roku pora deszczowa będzie wczesna i długa. Jestem wciąż sam, od czasu kiedy profesor udał się do Lumili po fajkowy tytoń.

Poczytałbym nawet starą gazetę, ale mam tylko wór książek o komputerach i programowaniu. Znalazłem go w dżungli, kiedy szukałem patatów. Oczywiście zostały same zgniłe — dobre wyżarły, jak zwykle, małpy. Byłem też przy moim dawnym mieszkaniu, ale goryl, choć jeszcze bardziej schorowany, nie wpuścił mnie do środka. Sądzę, że ten worek z książkami był balastem wielkiego pomarańczowego balonu z napisem DRINK COKE, który przed miesiącem przeszybował nad dżunglą w południowym kierunku. Widać podróżują teraz balonami. Na dnie worka znalazłem zeszłorocznego „Playboya" i przeglądałem go, kiedy zaskoczył mnie Maramotu. Uradował się: uważa nagość za objaw przyzwoitości, akty kojarzą mu się z powrotem do starych, dobrych obyczajów. Nie pomyślałem o tym, że za młodu chadzał goły z całą rodziną, toteż kreacje mini i maksi, w które jęły się stroić czarne krasawice, miał za wyraz zwyrodniałego wyuzdania.

Pytał, co słychać w wielkim świecie, ale nie wiedziałem, bo bateryjki tranzystora wysiadły. Dopóki radio działało, słuchałem go całymi dniami. Katastrofa zdarzyła się dokładnie tak, jak to przewidział profesor. Najmocniej dała się we znaki krajom rozwiniętym. Ileż bibliotek skomputeryzowano w ostatniej dekadzie! Aż tu z taśm, kryształów, ferrytowych tarcz, kriotronów w ułamku sekundy wyparował ocean mądrości. Słyszałem zdyszane głosy spikerów. Upadek nie był jednakowo bolesny dla wszystkich. Im kto wyżej wlazł na drabinę postępu, tym gwałtowniej z niej rymnął.

W Trzecim Świecie zapanowała po krótkotrwałym szoku euforia. Nie trzeba się już było wysilać, gnać na złamanie karku za czołówką, wyciągać się z portek i trzcinowych spódniczek, urbanizować, industrializować, a zwłaszcza — komputeryzować, i życie tutaj, już naszpikowane komisjami, futurologami, armatami, oczyszczalniami ścieków i granicami, rozlazło się w przyjemne bajorko, w ciepłą monotonię wiecznej sjesty. I kokosy można znów dostać łatwo, a jeszcze przed rokiem były nieosiągalne jako towar eksportowy, i wojska same się porozchodziły, tak że nieraz chodząc po dżungli, potykałem się o maski gazowe, kombinezony, tornistry, moździerze obrosłe lianami, raz w nocy zbudziła mnie eksplozja, myślałem, że to wreszcie goryl, ale to tylko pawiany znalazły skrzynię zapalników. Tak, a w Lumili Murzynki z nie hamowanym postękiwaniem ulgi wyzbyły się lśniących trzewików, damskich spodni, grzejących jak diabli, i zbiorowy seks też jak ręką odjęło; bo raz, że nie będzie śmigłowców (fabryka miała być oczywiście skomputeryzowana), dwa — nie ma benzyny — rafinerie też były automatyczne, a trzy, nikomu się nie chce nigdzie jechać, bo i po co? Teraz nikomu już nie wstyd zwać masową turystykę Szaleństwem Białego Człowieka. Jak cicho musi być teraz w Lumili.

Prawdę mówiąc, ta katastrofa wcale nie okazała się taka zła. Nawet gdyby ktoś się na głowie postawił, nie będzie za godzinę w Londynie, za dwie w Bangkoku, a za trzy w Melbourne. No więc nie będzie, i co z tego? Pewnie, skrachowało moc firm, taki koncern IBM chociażby, podobno wytwarza teraz tabliczki i rysiki, ale może to kawał. Komputerów strategicznych już też nie ma, ani samonawodzących się głowic, ani maszyn cyfrowych, wojny podwodnej, lądowej i orbitalnej, informatyka ogłosiła upadłość, giełdy zadygotały, podobno czternastego listopada biznesmeni wyskakiwali na Piątej Ulicy z okien tak gęsto, że zderzali się w powietrzu. Poplątały się wszystkie rozkłady jazdy, lotów, rezerwacje hotelowe, więc już nie muszą się martwić w metropoliach, czy polecieć na tę Korsykę, czy pojechać autem, czy wynająć przez komputer na miejscu, czy w trzy dni zwiedzić Turcję, Mezopotamię, Antyle i Mozambik z Grecją na dokładkę. Ciekawe, kto wytwarza balony? Pewno chałupnicy.

Ostatni balon, który oglądałem przez lornetkę, dopóki mi jej małpa nie zabrała, miał sieć splecioną z dziwnie krótkich sznurków, całkiem jak ze sznurowadeł, może i w Europie też już chodzą na bosaka? Widocznie te dłuższe sznury wyplatały ostatnio tylko komputery powroźnicze. Strach rzec, ale słyszałem na własne uszy, nim radio zamilkło, że nie ma już dolara. Zdechł, biedaczek... Żałuję tylko, że z bliska nie widziałem Przełomowej Chwili.

Podobno rozległ się mały trzask i prask, pamięć maszynowa stała się w okamgnieniu biała jak umysł nowo narodzonego, a z informacji, wynicowanej na materialną stronę, powstał niespodziewanie malutki Kosmosek, Uniwersiątko, Wszechświatunio, ot, w kłębuszek atomowego prochu obróciła się wiedza gromadzona wiekami. Z radia też dowiedziałem się, jak taki Mikrokosmosek wygląda, jest maciupeńki, a tak zamknięty, że niczym nie można doń wtargnąć. Podobno ze stanowiska naszej fizyki stanowi specjalną postać nicości, a mianowicie Nicość Wszędziegęstą, całkowicie Nieprzepuszczalną. Nie pochłania światła, nie można go rozciągnąć, ścisnąć, rozbić, wydrążyć, ponieważ znajduje się p o z a naszym Universum, choć niby w jego wnętrzu. Światło ześlizguje się po jego obłych poboczach, wymijają go dowolnie rozpędzone cząstki, i nie rozumiem tego, co oświadczyły autorytety, że jakoby ten, jak mawia Dońda — „Kosmosesek" — jest Wszechświatem, całkowicie dorównującym naszemu, czyli zawiera mgławice, galaktyki, chmury gwiazdowe, a może już i planety z lęgnącym się na nich życiem. Tym samym rzec wolno, iż ludzie powtórzyli, dalipan, Genezę, co prawda zupełnie niechcący, a nawet wbrew żywionym intencjom, bo na tym najmniej im zależało.

Gdy Kosmosek narodził się, zapanowała wśród uczonych powszechna konsternacja i dopiero, gdy jeden z drugim wspomniał ostrzeżenia Dońdy, na wyprzódki jęli mu słać listy, apele, telegramy, pytania, a też bodaj jakieś dyplomy honorowe w trybie przyspieszonym. Lecz właśnie wtedy jął profesor pakować walizy i mnie namówił do wyjazdu w tę przygraniczną okolicę, bo ją spenetrował i upodobał sobie już poprzednio. Wziął ze sobą też koszmarnie ciężki kufer z książkami — wiem coś o tym, bom go dźwigał ostatnie pięć kilometrów, kiedy się nam benzyna skończyła i łazik utknął; nie zostało już z niego nic prawie, przez pawiany. Sądziłem, że profesor chce kontynuować prace naukowe, by położyć kamień węgielny pod odbudowę cywilizacji, ale nic z tego. Zadziwił mnie Dońda! Mieliśmy, naturalnie, liczne sztucery, sztućce, piły, gwoździe, kompasy, siekiery i inne rzeczy, których listę sporządził notabene profesor w oparciu o oryginalne wydanie *Robinsona Crusoe.* Ponadto wziął jednak ze sobą „Nature", „Physical Review", „Physical Abstracts", „Futurum" oraz teczki pełne gazetowych wycinków, poświęconych prawu Dońdy.

Co wieczór po kolacji odbywał się Seans Rozkoszy, czyli Vendetty — radio, nastawione na pół głosu, nadawało najświeższe koszmarne wieści, okraszone wystąpieniami znamienitych naukowców i innych ekspertów, profesor zaś, pykając fajkę z przymkniętymi oczami, słuchał, jak odczytywałem wybrane na dany wieczór co zjadliwsze wykpienia prawa Dońdy, a też insynuacje oraz obelgi: te ostatnie, własnoręcznie podkreślone przezeń czerwonym długopisem, musiałem niekiedy odczytywać parokrotnie. Wyznaję, że posiedzenia te rychło mi się znudziły. Czy aby wielki umysł nie uległ fiksacji? Gdym odmówił dalszego czytania, profesor począł chodzić do dżungli na spacery, jakoby zdrowotne — ażem go zaszedł na polanie, jak czytał gromadzie zdziwionych pawianów celniejsze ustępy z „Nature".

Nieznośny zrobił się profesor, a jednak z utęsknieniem wyczekuję jego powrotu. Stary Maramotu twierdzi, że Bwana Kubwa nie wróci, bo porwało go Złe Mzimu, osioł. Na odchodnym profesor powiedział mi dwie rzeczy. Zrobiły na mnie wielkie wrażenie. Najpierw tę, że z prawa Dońdy wynika równowartość wszelkiej informacji: wszystko jedno, czy bity wiadomości są genialne, czy kretyńskie, trzeba ich sto miliardów na stworzenie jednego protonu. A więc zarówno mądre, jak i idiotyczne słowo staje się ciałem. Uwaga ta w zupełnie nowym świetle stawia filozofię bytu. Czyżby gnostycy z Manicheuszem nie byli takimi przeniewiercami, jak to ogłosił Kościół? Ponadto, czy może być, aby Kosmos, sporządzony z wyartykułowania heptyliona głupstw, niczym się nie różnił od Kosmosu powstałego z wygłoszonej mądrości?

Zauważyłem też, że profesor pisze coś nocami. Niechętnie, bo niechętnie, ale zdradził mi w końcu, że jest to *Introduction to Svarnetics*, czyli *Inquiry into the General Technology of Cosmoproduction*. Profesor zabrał, niestety, rękopis ze sobą. Toteż wiem tylko, że podług niego każda cywilizacja trafia na próg kosmokreacji, świat stwarza bowiem zarówno ten, kto się zbyt nagenialni, jak i ten, kto nazbyt zidiocieje. Tak zwane Białe i Czarne Dziury, wykryte przez astrofizyków, są to miejsca, w których niezwykle potężne cywilizacje usiłowały obejść barierę Dońdy lub wysadzić ją z posad, ale im nie wyszło: same siebie za to z Universum wysadziły.

Zdawałoby się, że już nic nie ma większego od takiej refleksji. No, bo skoro Dońda wziął się do pisania metodyki i teorii Genesis!

A jednak wyznam, że mocniej poruszyły mnie jego słowa ostatniej nocy przed wyruszeniem po tytoń. Piliśmy mleko kokosowe, sfermentowane podług przepisu starego Maramotu — ohydną bryję, konsumowaną przez wzgląd na trud fabrykacji (nie wszystko było złe dawniej; chociażby whisky) — aż w pewnej chwili, płucząc usta wodą źródlaną, profesor rzekł: Ijonie, czy pamiętasz dzień, w którym nazwałeś mnie błaznem? Widzę, że pamiętasz. Powiedziałem wtedy, że zbłaźniłem się w oczach naukowego świata wymyśleniem magicznej treści dla świarnetyki. Gdybyś jednak nie na ową decyzję patrzał, ale na całe moje życie, zobaczyłbyś bigos, któremu na imię Zagadka. W losie moim wszystko układało się do góry nogami! Z przypadków ułożył się cały, i to pomylonych. Przez pomyłkę przyszedłem na świat. Wskutek omyłki otrzymałem imię. Nieporozumienie jest moim nazwiskiem. Wskutek błędu stworzyłem świarnetykę, bo chyba pojmujesz, że telegrafista przekręcił po prostu kluczowe słowo, jakiego użył nie znany mi, a niezapomniany pułkownik Drufutu z kulaharskiej policji bezpieczeństwa! Byłem tego pewien od razu. Czemu nie próbowałem odtworzyć depeszy — skorygować, poprawić, prostować? Ba! Zrobiłem coś lepszego, bo dopasowałem do tego błędu działalność, która (jak widzisz) miała przed sobą niejaką przyszłość! Więc jakże — omyłkowy facet, z przypadkową karierą, wplątany w stek afrykańskich nieporozumień, odkrył, skąd świat się wziął i co z nim będzie?

O nie, mój drogi. Za wiele tych lapsusów! Za wiele na rację dostateczną! Nie to, na co patrzymy, należy przestroić, lecz innego trzeba punktu widzenia. Spójrz na ewolucję życia. Miliardy lat temu powstały praameby, nieprawdaż? Cóż one umiały? Powtarzać się. W jaki sposób? Dzięki trwałości cech dziedzicznych. Gdyby dziedziczność była naprawdę bezbłędna, aż po dziś nie byłoby na tym globie nikogo prócz ameb. Cóż się stało? Ano, doszło do pomyłek. Biologowie nazywają je mutacjami. Lecz czymże jest mutacja, jeśli nie ślepą omyłką? Nieporozumieniem między rodzicem-nadawcą, a potomkiem-odbiorcą. Na obraz i podobieństwo swoje, tak... ale nieporządnie! Niedokładnie! I ponieważ wciąż psuło się podobieństwo, powstały trylobity, gigantozaury, sekwoje, kozice, małpy i my. Z zestrzelenia niedbalstw, potknięć — ale przecież to samo było z moim życiem. Od niedopatrzeń powstałem, przypadkowo trafiłem do Turcji, z niej traf rzucił mnie do Afryki, co prawda walczyłem wciąż jak pływak z falą, ale to ona mnie niosła, nie ja nią kierowałem... Czy pojmujesz? Nie doceniliśmy, mój drogi, dziejowej roli błędu jako fundamentalnej Kategorii Istnienia. Nie myśl po manichejsku! Podług tej szkoły Bóg stwarza ład, któremu szatan wciąż nogę podstawia. Nie tak! Jeśli dostanę tytoń, napiszę zbywający w księdze filozoficznych rodzajów ostatni rozdział, mianowicie antologię Apostazy, czyli teorię bytu, który na błędzie stoi, albowiem błąd się błędem odciska, błędem obraca, błąd tworzy, aż losowość zamienia się w Los Świata.

Rzekł to, spakował drobiazgi i poszedł w dżunglę. A ja zostałem, by czekać jego powrotu, z ostatnim „Playboyem”, z którego patrzy na mnie seksbomba, rozbrojona prawem Dońdy, naga jak prawda.

Bajka o królu Murdasie

Po dobrym królu Heliksandrze wstąpił na tron jego syn, Murdas. Wszyscy się tym zmartwili, bo był ambitny i strachliwy. Postanowił sobie zasłużyć na przydomek Wielkiego, a bał się przeciągów, duchów, wosku, bo na wywoskowanej posadzce można nogę złamać, krewnych, że w rządzeniu przeszkadzają, a najwięcej przepowiedni. Kiedy został koronowany, zaraz kazał w całym państwie zamknąć drzwi i nie otwierać okien, zniszczyć wszystkie szafy wróżące, a wynalazcy takiej maszyny, która usuwała duchy, dał order i pensję. Maszyna rzeczywiście była dobra, bo ducha nigdy nie zobaczył. Nie wychodził też do ogrodu, żeby go nie zawiało, i spacerował tylko po zamku, który był bardzo wielki. Pewnego razu, chodząc po korytarzach i amfiladach, zawędrował do starej części pałacu, dokąd nigdy jeszcze nie zaglądał. Najpierw odkrył salę, w której stała gwardia przyboczna jego prapradziadka, cała nakręcana, jeszcze z czasów, kiedy nie znano elektryczności. W drugiej sali ujrzał rycerzy parowych, też zardzewiałych, ale nie było to dlań nic ciekawego, i już chciał wracać, gdy zauważył małe drzwiczki z napisem: „Nie wchodzić". Pokrywała je gruba warstwa kurzu i nawet by ich nie dotknął, gdyby nie ten napis. Bardzo go oburzył. Jak to — jemu, królowi, ośmielają się czegoś zabraniać? Nie bez trudu odemknął skrzypiące drzwi i po krętych schodkach dostał się do opuszczonej baszty. Stała tam bardzo stara szafa miedziana z rubinowymi oczkami, kluczykiem i klapką. Zrozumiał, że to szafa wróżąca, i rozgniewał się znowu, że wbrew jego rozkazowi pozostawiono ją w pałacu, aż tu przyszło mu do głowy, że raz jeden można przecież spróbować, jak to jest, kiedy szafa wróży. Podszedł więc do niej na palcach, pokręcił kluczykiem, a gdy nic się nie stało, postukał w klapkę. Szafa westchnęła chrapliwie, mechanizm zazgrzytał i spojrzał na króla rubinowym oczkiem, jakby zezując. Przypomniało mu to kose spojrzenie stryja Cenandra, ojcowego brata, który dawniej był jego preceptorem. Pomyślał, że to stryj kazał pewno ustawić tę szafę, jemu na złość, bo inaczej dlaczego by zezowała? Dziwnie zrobiło mu się na duszy, a szafa, jąkając się, powolutku zagrała ponurą melodyjkę, jakby ktoś łopatą obstukiwał żelazny nagrobek, i przez klapkę wypadła czarna kartka z żółtymi jak kość rządkami pisma.

Król przeląkł się na dobre, lecz nie potrafił już opanować ciekawości. Porwał kartkę i pobiegł do swych apartamentów. Kiedy został sam, wyjął ją z kieszeni. — Popatrzę, ale tylko jednym okiem dla pewności — zadecydował i uczynił to. Na kartce było napisane:

Wybiła godzina — ścina się rodzina,
Brat brata lub ciotkę, a kuzyn kuzyna.
Bulgoce saganek — dochodzi bratanek,
Żre podagra szwagra, kat mu zaraz zagra.
Pociotek przez płotek, wujny, stryjny rojne
Idą już na wojnę, oj, będzie łoskotek.
Idzie wnuczę, idzie teść, ja cię uczę, jak ich grześć:
Lewą tnij, prawą kłuj, bo tu stryj, a tam wuj,
Niech ojczyma kto przytrzyma, w łeb pasierba, będzie szczerba.
Leży zięć, grobów pięć, pada teść, mogił sześć,
Stryk dziadowi, stryk babusi, stryk stryjkowi, tak być musi,
Bo krewni, choć rzewni, tylko w ziemi pewni.
Wybiła godzina — gadzina rodzina,
Na kogo wypadnie, na tego się wspina.
Pochowaj go ładnie, sam się ukryj wszędzie,
Nie schowasz się wcześnie — pochowają we śnie.

Tak się przestraszył król Murdas, że aż mu w oczach pociemniało. Rozpaczał nad lekkomyślnością, wskutek której nakręcił wróżącą szafę. Było jednak za późno na żale, wiedział, że musi działać, by nie przyszło do najgorszego. Ani wątpił w sens proroctwa: jak dawno już podejrzewał, zagrażali mu najbliżsi krewni.

Prawdę mówiąc, nie wiadomo, czy wszystko odbyło się dokładnie tak, jak opowiadamy. W każdym razie doszło potem do wypadków smutnych, a nawet okropnych. Król kazał ściąć całą rodzinę, jeden tylko jedyny stryj jego, Cenander, uciekł w ostatniej chwili, przebrawszy się za pianolę. Nic mu to nie pomogło, został wnet schwytany i oddał głowę pod topór. Tym razem Murdas mógł podpisać wyrok z czystym sumieniem, bo stryja chwycono, kiedy brał się do spiskowania przeciwko monarsze.

Osierocony tak gwałtownie, król przywdział żałobę. Na duszy było mu już lżej, choć i smutno, bo w gruncie rzeczy nie był zły ani okrutny. Niedługo trwała pogodna żałoba królewska, przyszło bowiem Murdasowi na myśl, że może ma jakichś krewnych, o których nic nie wie. Każdy z poddanych mógł być jakimś dalekim jego pociotkiem; przez pewien czas ścinał więc tego lub owego, ale to go wcale nie uspokajało, bo nie można przecież być królem bez poddanych, a jak tu zgładzić wszystkich? Taki się zrobił podejrzliwy, że kazał się przynitować do tronu, aby go nikt zeń nie strącił, sypiał w pancernej szlafmycy i wciąż tylko myślał, co począć. Nareszcie uczynił rzecz niezwykłą, tak niezwykłą, że sam na nią chyba nie wpadł. Podobno podszepnął mu ją wędrowny przekupień, przebrany za mędrca, albo też mędrzec, przebrany za przekupnia — rozmaicie o tym mówiono. Mówią, że służba zamkowa widywała zamaskowaną postać, którą król nocą wpuszczał do swych apartamentów. Dość na tym, że Murdas wezwał pewnego dnia wszystkich nadwornych budowniczych, mistrzów elektrycerskich, nastrojczych i podblaszych, i oświadczył im, że mają powiększyć jego osobę, a to tak, by przekroczyła wszystkie horyzonty. Rozkazy te spełniono z zadziwiającą szybkością, gdyż dyrektorem biura projektów mianował król zasłużonego kata. Szeregi elektrykarzy i budowniczych jęły wnosić do zamku druty i szpule, a gdy rozbudowany król wypełnił swoją osobą cały pałac, tak że był jednocześnie z frontu, w piwnicach i oficynie, przyszła kolej na stojące w pobliżu domostwa. Po dwóch latach rozprzestrzenił się Murdas na śródmieście. Domy nie dość okazałe, a więc niegodne tego, by zamieszkała w nich myśl monarsza, równano z ziemią i na ich miejscu wznoszono pałace elektronowe, zwane wzmacniaczami Murdasa. Król rozrastał się z wolna a nieustannie, wielopiętrowy, dokładnie połączony, potęgowany podstacjami personalistycznymi, aż stał się całym miastem stołecznym i nie zatrzymał się na jego granicach. Humor mu się poprawił. Krewnych nie było, oleju ani cugów już się nie bał, bo nie potrzebował i kroku postąpić, skoro był wszędzie naraz. — Państwo to ja — powiadał nie bez kozery, gdyż oprócz niego, zaludniającego rzędami elektrycznych budowli place i aleje, nikt już nie mieszkał w stolicy; oprócz, rzecz jasna, odkurzycieli królewskich i przybocznych ścieraczy prochów; czuwali oni nad królewskim myśleniem, które płynęło z gmachu do gmachu. Tak krążyło milami po całym mieście zadowolenie króla Murdasa, że udało mu się zyskać wielkość doczesną i dosłowną, a nadto schować się wszędzie, jak nakazywała wróżba, bo był wszak wszechobecny w całym państwie. Szczególnie malowniczo przedstawiało się to o zmierzchu, kiedy król-olbrzym, jaśniejąc łuną, mrugał światłami-rozmyślaniami, a potem z wolna gasł, zapadając w zasłużony sen. Lecz ta ciemność bezpamięci pierwszych nocnych godzin ustępowała potem miejsca rozpalającemu się to tu, to tam błędnemu migotaniu chwiejnie polatujących rozbłysków. To zaczynały się wyrajać sny monarsze. Burzliwymi lawinami zwidów przepływały przez gmachy, aż w mroku zapalały się ich okna i całe ulice łyskały ku sobie na przemian światłem czerwonym i fioletowym, a przyboczni odkurzyciele, krocząc po pustych chodnikach, czując swąd rozgrzanych kabli Jego Królewskiej Mości i zaglądając chyłkiem do okien, w których się błyskało, po cichu mówili do siebie:

— Oho! Pewno jakiś koszmar trapi Murdasa — oby się tylko na nas nie skrupił!

Pewnej nocy, po dniu szczególnie pracowitym — król obmyślał bowiem nowe rodzaje orderów, jakimi zamierzał siebie odznaczyć — przyśniło mu się, że jego stryj, Cenander, zakradł się do stolicy, korzystając z ciemności, okryty czarną opończą, i krąży ulicami w poszukiwaniu popleczników, aby zawiązać ohydny spisek. Z piwnic wyłaziły szeregi zamaskowanych, a było ich tylu i taką przejawiali żądzę królobójstwa, że Murdas zadrżał i przebudził się z wielkiego strachu. Świt już nadchodził i słonko złociło białe obłoczki na niebie, więc powiedział sobie: — Sen — mara! — i zabrał się do dalszego projektowania orderów, a te, które wymyślił poprzedniego dnia, wieszano mu na tarasach i balkonach. Gdy jednak po całodziennym mozole znów ułożył się na spoczynek, ledwo zadrzemawszy, ujrzał królobójczy spisek w pełnym rozkwicie. A doszło do tego tak: kiedy Murdas przebudził się ze spiskującego snu, uczynił to niecały; śródmieście, w którym ulągł się ów antypaństwowy sen, wcale się nie ocknęło, lecz nadal spoczywało w jego koszmarnych uściskach, a tylko król na jawie nic o tym nie wiedział. Tymczasem spora część jego osoby, a mianowicie stare centrum miejskie, nie zdając sobie sprawy z tego, że stryj-zbrodzień i jego machinacje to tylko majak i przywidzenie, nadal trwała w błędzie koszmaru. Tej drugiej nocy zobaczył Murdas we śnie, jak stryj krząta się gorączkowo, skrzykując krewnych. Jawili się wszyscy co do jednego, skrzypiąc pośmiertnie zawiasami, i nawet ci, którym brakowało najważniejszych części, podnosili miecze przeciw prawowitemu władcy! Ruch panował niezwykły. Gromady zamaskowanych skandowały szeptem buntownicze okrzyki, w lochach i piwnicach szyto już czarne chorągwie rokoszu, wszędzie warzono jady, ostrzono topory, gotowano druciki-truciki i szykowano się do walnej rozprawy ze znienawidzonym Murdasem. Król przeraził się powtórnie, obudził się, drżąc cały, i chciał już wezwać Złotą Bramą Ust Królewskich wszystkie swe wojska na pomoc, by rozniosły buntowników na mieczach, ale się zaraz zreflektował, że to na nic. Wojsko nie wejdzie przecież w jego sen i nie będzie mogło rozgromić krzepnącego tam spisku. Jakiś czas próbował więc samym wysiłkiem woli przebudzić te cztery mile kwadratowe swego jestestwa, które uporczywie śniły o spisku, ale daremnie. Zresztą, prawdę mówiąc, nie wiedział: daremnie czy niedaremnie, bo kiedy czuwał, nie dostrzegał spisku, pojawiającego się dopiero, gdy morzył go sen.

Czuwając, nie miał zatem dostępu do zbuntowanych rejonów, i nic w tym dziwnego, jawa nie może bowiem wniknąć w głąb snu i wtargnąć tam potrafiłby tylko inny sen. Uznał król, że w takiej sytuacji najlepiej będzie zasnąć i wyśnić kontrsen, nie byle jaki, rozumie się, lecz monarchistyczny, oddany mu, z rozwianymi sztandarami, i takim snem koronnym, skupionym wokół tronu, zdoła dopiero w proch zetrzeć samozwańczy koszmar.

Wziął się Murdas do dzieła, ale nie mógł zasnąć ze strachu; zaczął tedy liczyć w duchu kamyczki, aż go to zmogło i zasnął. Okazało się wówczas, że sen ze stryjem na czele nie tylko obwarował się w centralnej dzielnicy, ale zaczyna sobie nawet roić arsenały, pełne potężnych bomb i min kruszących. On sam zaś, jakkolwiek się wysilał, zdołał wyśnić zaledwie jedną kompanię kawalerii, a i to spieszoną, niekarną i uzbrojoną jedynie w pokrywki od garnków. — Nie ma rady — pomyślał — nie udało mi się, trzeba zaczynać wszystko jeszcze raz od nowa! — Wziął się więc do budzenia, ciężko mu to szło, wreszcie ocknął się na dobre i wtedy straszne go tknęło podejrzenie. Czy w samej rzeczy powrócił do jawy, czy też przebywa w innym śnie, który jest tylko fałszywym pozorem czuwania? Jak postąpić w tak pogmatwanej sytuacji? Śnić czy też nie śnić? Oto jest pytanie! Powiedzmy, że nie będzie teraz śnił, czując się bezpiecznym, bo przecież na jawie nie ma żadnego spisku. Nie byłoby to złe: wtedy tamten, królobójczy sen sam się sobie wyśni i dośni do końca, aż przez ostatnie ocknięcie majestat odzyska należną jednolitość. Bardzo dobrze. Ale jeśli nie będzie śnił kontrsnów, mniemając, że przebywa sobie w zacisznej jawie, podczas kiedy ta rzekoma jawa naprawdę jest tylko innym snem, sąsiadującym z tamtym, stryjowatym, dojść może do katastrofy! W każdej bowiem chwili cała zgraja przeklętych królobójców, z obmierzłym Cenandrem na czele, może wedrzeć się z tamtego snu w ten sen, udający jawę, aby pozbawić go tronu i życia!

Zapewne — myślał — pozbawianie będzie się odbywało tylko we śnie, ale jeżeli spisek ogarnie całą moją królewską jaźń, jeśli się w niej rozpanoszy od gór po oceany, jeżeli, o zgrozo! — wcale nie będzie się już chciał nigdy więcej przebudzić, co wtedy?! Zostanę wówczas na zawsze odcięty od jawy, i stryj zrobi ze mną, co zechce. Będzie torturował, znieważał, nie mówiąc już o ciotkach; pamiętam je dobrze — nie popuszczą, choćby tam nie wiem co. Już takie są, to znaczy — były, a właściwie — znów są w tym okropnym śnie! Zresztą, co też tu mówić o śnie! Sen jest tylko tam, gdzie istnieje także jawa, do której można powrócić, ale gdzie jej nie ma (a jakże wrócę, jeśli uda im się przytrzymać mnie we śnie?), gdzie nie ma nic oprócz snu, tam on już jest jedyną rzeczywistością, a więc jawą. Okropność! Wszystko, rozumie się, przez ten fatalny nadmiar osobowości, przez tę ekspansję duchową — potrzebaż mi było tego!

Zrozpaczony, widząc, że bezczynność gotowa go zgubić, jedyny ratunek dojrzał w natychmiastowej mobilizacji psychicznej. — Trzeba koniecznie postępować tak, jakbym śnił — rzekł sobie. — Muszę wyśnić tłumy poddanych, pełne miłości i entuzjazmu, hufce do końca mi wierne, ginące z mym imieniem na ustach, moc uzbrojenia, a warto by nawet wymyślić szybko jakąś cudowną broń, bo wszak we śnie wszystko możliwe: dajmy na to, środek do wywabiania krewnych, jakieś działa przeciwstryjowe lub coś w tym rodzaju — w ten sposób będę gotów na każdą niespodziankę i jeśli spisek się pojawi, chytrze a podstępnie przeczołgując się ze snu w sen, roztrzaskam go za jednym zamachem!

Westchnął król Murdas wszystkimi alejami i placami swego jestestwa, takie to było skomplikowane, i przystąpił do dzieła, to jest zasnął. Miały we śnie stanąć czworobokami stalowe hufce, z sędziwymi generałami na czele, i tłumy wiwatujące w huku surm i litaurów, ale pojawiła się tylko maleńka śrubka. Nic — tylko zupełnie zwyczajna śrubka, trochę brzeżkiem wyszczerbiona. Co z nią począć? Rozważał tak i owak, rósł w nim zarazem jakiś niepokój, coraz większy, i omdlałość, i strach, aż błysło mu: — To rym do „trupka"!!

Zadygotał cały. A zatem symbol upadku, rozkładu, śmierci, a więc zgraja krewnych niechybnie dąży już chyłkiem, milczkiem, podkopami, wydrążonymi w tamtym śnie, aby dostać się do tego snu — a on lada chwila runie w zdradziecką czeluść, przez sen pod snem wygrzebaną! Więc koniec zagraża! Śmierć! Zagłada! Ale skąd? Jak? Z której strony?!

Zabłysło dziesięć tysięcy osobistych gmachów, zatrzęsły się podstacje Majestatu, obwieszone orderami i przepasane wstęgami Wielkich Krzyży; odznaczenia te podzwaniały miarowo w nocnym wietrze, tak zmagał się król Murdas ze śnionym symbolem upadku. Wreszcie zmógł go, przesilił, aż ów sczezł tak dobrze, jakby go nigdy nie było. Bada król — gdzie jest? Na jawie czy w innych majakach? Jak gdyby na jawie, ale skąd wziąć pewność? Zresztą może być, że sen o stryju skończył się już śnić i wszelka troska jest zbędna. Ale znowuż: jak się o tym dowiedzieć? Nie ma innej rady, jak tylko snami-szpiegami, udającymi wywrotowców, przetrząsać trzeba i bez ustanku penetrować całą własną mocarstwową osobę, państwo swego jestestwa, i nigdy już król-duch nie zazna spokoju, gdyż zawsze na to będzie musiał być gotowy, że spisek śni się gdzieś w jakimś zatajonym kątku jego osobowości ogromnej! A więc dalej, nuże skrzepić wiernopoddańcze marzenia, wyśnić hołdownicze adresy i tłumne delegacje, jaśniejące duchem praworządności, atakować snami wszystkie wądoły, ciemności i rozłogi osobiste, aby się w nich żaden podstęp, żaden stryj nie mógł ukryć ani przez chwilę! Jakoż owionął go miły sercu szum sztandarów, stryja ani śladu, krewnych też nie widać, otacza go sama tylko wierność, składa mu dziękczynienia i hołdy bezustanne; słychać łoskot nadtaczanych, w złocie bitych medali, iskry strzelają spod dłut, którymi artyści pomniki mu wykuwają. Rozweseliła się w królu dusza, bo już i hafty herbowe, i dywaniki w oknach, i armaty zrychtowane do salutu, a trębacze przykładają do ust spiżowe trąby. Kiedy jednak baczniej przyjrzał się wszystkiemu, dostrzegł, że coś jakby nie tak. Pomniki — owszem, ale jakoś mało podobne, w skrzywieniu oblicza, w kosym spojrzeniu coś stryjowego. Sztandary szumiące — racja, ale ze wstążką maleńką, lecz niewyraźną, prawie czarną; jeśli nie czarna, to brudna, w każdym razie — brudnawa.

A to co znowu? Jakieś aluzje?!

Dlaboga! Przecież te dywaniki — wytarte, wprost łyse, a stryj — stryj był łysy... Nie może to być! — Wstecz! Odwrót! Zbudzić się! Zbudzić!! — pomyślał. — Trąbić pobudkę, precz mi z tego snu! — chciał wrzasnąć, lecz kiedy wszystko znikło, nie stało się lepiej. Zwalił się ze snu w sen, nowy, śniący się poprzedniemu, a tamten się wcześniejszemu przytrafił, więc ten obecny był już do trzeciej niejako potęgi; wszystko w nim obracało się, jawnie już, w zdradę, cuchnęło zaprzaństwem, sztandary — jak rękawiczki — z królewskich wywracały się na czarne, ordery były z gwintem, jak karki odrąbane, ze złocistych zaś trąb nie surmy buchnęły bojowe, lecz śmiech stryjowski, jak grzmot rżący mu na pohybel. Ryknął król głosem studzwonnym, krzyczał wojska — niech go lancami bodą, aby przebudzić! — Uszczypnijcie!! — domagał się ogromnym głosem, to znów: — Jawy!! Jawy!!! — daremnie jednak; więc znowu ze snu króloburczego, przedawczykowskiego silił się w tronowy, ale namnożyło się już w nim snów jak psów, krążyły jak szczury, jedne gmachy zarażały koszmarem inne, rozbiegało się w nim półgębkiem, chyłkiem, ukradkiem, ciszkiem, nie wiadomo co, ale okropne, że nie daj Boże! Stupiętrowym gmachom elektronowym śniły się śrubki i trupki, druciki i truciki, w każdej podstacji osobistej knuła zgraja krewnych, w każdym wzmacniaczu chichotał stryj; zadrżały gmachy-strachy, sobą przerażone, wyroiło się z nich sto tysięcy krewniaków, samozwańczych pretendentów do tronu, dwulicowych infantów-podrzutków, zezowatych uzurpatorów, a chociaż żaden nie wiedział, czy jest istotą śnioną, czy śniącą, kto się komu śni, po co i co z tego wyniknie — wszyscy bez wyjątku huzia na Murdasa, aby ściąć, z tronu zdjąć, na dzwonnicy go zawiesić, na raz zabić, na dwa wskrzesić, danaż moja dana, głowa odrąbana — i tylko dlatego nic na razie nie robili, bo się nie mogli pogodzić, od czego zacząć. I tak pędziły lawinami maszkary myśli królewskich, aż łysnęło od przepięcia płomieniem. Nie śniony już, lecz najprawdziwszy ogień zażegnął złote blaski w oknach królewskiej osoby, i rozpadł się król Murdas na sto tysięcy snów, których nic już nie łączyło w jedno prócz pożaru — i palił się długo...

Wyprawa pierwsza A, czyli Elektrybałt Trurla

Dla uniknięcia wszelkich pretensji i nieporozumień musimy wyjaśnić, że była to, przynajmniej w zrozumieniu dosłownym, wyprawa donikąd. Trurl bowiem nie ruszał się przez cały czas ze swego domostwa, jeśli nie liczyć pobytu w szpitalach oraz mało istotnej jazdy na planetoidę. Wszelako w sensie dogłębnym i wyższym była to jedna z najdalszych wypraw, jakie ten znakomity konstruktor kiedykolwiek przedsiębrał, albowiem do samych granic możliwości.

Zdarzyło się raz Trurlowi zbudować maszynę do liczenia, która okazała się zdolna tylko do jednego działania, mnożyła mianowicie dwa przez dwa, a i to fałszywie. Jak to jest opowiedziane w innym miejscu, maszyna ta była jednak bardzo ambitna i jej spór z własnym twórcą omal nie skończył się dlań tragicznie. Od tamtego czasu Klapaucjusz obrzydzał Trurlowi żywot, docinając mu tak i owak, aż ów zawziął się i postanowił wybudować maszynę, która będzie pisała wiersze. W tym celu zgromadził Trurl osiemset dwadzieścia ton literatury cybernetycznej oraz dwanaście tysięcy ton poezji i zabrał się do studiów. Kiedy już nie mógł wytrzymać od cybernetyki, przerzucał się do liryki, i na odwrót. Po pewnym czasie pojął, iż zbudowanie samej maszyny jest zupełną fraszką w porównaniu z jej zaprogramowaniem. Program, który ma w głowie zwykły poeta, stworzyła cywilizacja, w której przyszedł na świat; tę cywilizację wydała inna, ta, co ją poprzedziła, tamtą — wcześniejsza, i tak do samego początku Wszechświata, kiedy to informacje o przyszłym poecie krążyły jeszcze bezładnie w jądrze pierwotnej mgławicy. Aby zatem zaprogramować maszynę, należało wpierw powtórzyć — jeśli nie cały Kosmos od początku, to co najmniej sporą jego część. Każdego innego na miejscu Trurla zadanie to skłoniłoby do rezygnacji, lecz dzielny konstruktor ani myślał rejterować. Skonstruował najpierw maszynę, która modelowała chaos i elektryczny duch latał w niej nad elektrycznymi wodami, potem dodał parametr światła, potem pramgławic, i tak po trosze zbliżał się do pierwszej epoki lodowcowej, co było możliwe tylko dlatego, ponieważ maszyna jego w ciągu pięciomiliardowej części sekundy modelowała sto septylionów wydarzeń w czterystu oktylionach miejsc naraz; a jeśli kto sądzi, że Trurl się gdzieś pomylił, niech cały rachunek sam sprawdzi. Modelował tedy Trurl początki cywilizacji, krzesanie krzemieni i garbowanie skór, jaszczury i potopy, czworonożność i ogoniastość, potem zaś prabladawca, który wydał bladawca, który zapoczątkował maszynę, i tak to szło, eonami i tysiącleciami, w szumie elektrycznych wirów i prądów; a kiedy maszyna modelująca okazywała się przyciasna dla następnej epoki, Trurl dorabiał jej przystawkę; aż wreszcie z owych dobudówek powstało coś w rodzaju miasteczka poplątanych przewodów i lamp, że by się w ich gmatwaninie diabeł nie rozeznał. Trurl jednak jakoś tam sobie radził i dwa razy tylko musiał powtarzać: raz, niestety, prawie od początku, bo wyszło mu, że to Abel zabił Kaina, a nie Kain Abla (wskutek przepalenia się bezpiecznika w jednym z obwodów), drugi raz zaś cofać się było trzeba tylko o trzysta milionów lat, do środkowego mezozoiku: gdyż zamiast praryby, która wydała prajaszczura, który wydał prassaka, który wydał pramałpę, która wydała prabladawca, zrobiło się coś takiego dziwnego, że zamiast bladawca wyszedł mu latawiec. Zdaje się, że to jakaś mucha wpadła do maszyny i potrąciła superskopiczny wyłącznik czynnościowy. Poza tym jednak wszystko szło nad podziw gładko. Wymodelowane zostało średniowiecze i starożytność, i czasy wielkich rewolucji, tak że maszyna chwilami trzęsła się, a lampy modelujące co poważniejsze postępy cywilizacji trzeba było wodą polewać i mokrymi szmatami okładać, by się nie rozleciały; postęp ów bowiem, modelowany zwłaszcza w takim tempie, omal ich nie rozsadził. Pod koniec dwudziestego wieku maszyna dostała najpierw wibracji skośnej, a potem trzęsiączki wzdłużnej, nie wiadomo czemu; Trurl bardzo się tym martwił i nawet przygotował pewną ilość cementu i klamer, gdyby się miała walić. Na szczęście jakoś się bez tych środków ostatecznych obeszło; przejechała przez wiek dwudziesty i pomknęła gładziej. Potem dopiero szły, każda po pięćdziesiąt tysięcy lat, kolejne cywilizacje istot doskonale rozumnych, z których i Trurl brał początek; i waliła się szpula wymodelowanego procesu historycznego za szpulą do zbiornika; a było owych szpul tyle, że patrząc przez lornetę ze szczytu maszyny, nie widziałeś krańca tych zwałów; wszystko po to, aby wybudować jakiegoś tam rymotwórcę, niechby i wybornego! Ale takie są już skutki naukowego zacietrzewienia. W końcu programy były gotowe; należało tylko wybrać z nich to, co istotne. Gdyż w przeciwnym razie uczenie elektropoety trwałoby wiele milionów lat.

Przez dwa tygodnie wprowadzał Trurl do swego przyszłego elektropoety programy ogólne; potem przyszło strojenie obwodów logicznych, emocjonalnych i semantycznych. Już chciał prosić Klapaucjusza na próbny rozruch, ale się rozmyślił i puścił maszynę wpierw sam. Wygłosiła natychmiast odczyt o polerowaniu szlifów krystalograficznych dla wstępnego studium małych anomalii magnetycznych. Osłabił więc obwody logiczne i wzmocnił emocjonalne; dostała najpierw czkawki, potem ataku płaczu, wreszcie z największym trudem wygęgała, że życie jest straszne. Wzmocnił semantykę i dobudował przystawkę woli; oświadczyła, że ma jej odtąd słuchać i kazała dorobić sobie dalszych sześć pięter do dziewięciu, jakie już miała, aby podumać nad istotą bytu. Wstawił jej dławik filozoficzny; wówczas przestała się w ogóle do niego odzywać i tylko kopała prądem. Największymi błaganiami skłonił ją do odśpiewania krótkiej piosenki: „Żabka i babka w jednym stały domku", ale na tym się jej popisy wokalne skończyły. Wykręcał więc, dławił, wzmacniał, osłabiał, regulował, aż wydało mu się, że lepiej być już nie może. Wówczas uraczyła go wierszem takim, że wielkim niebiosom dziękował za przezorność; tożby się Klapaucjusz uśmiał, usłyszawszy te ponure rymowanki, dla których wstępnie wymodelował całe powstanie Kosmosu i wszystkich możliwych cywilizacji! Dał sześć filtrów przeciwgrafomańskich, lecz pękały jak zapałki; musiał je zrobić ze stali korundowej. Potem jakoś już poszło: rozchwiał maszynę semantycznie, podłączył generator rymów i omal nie wysadził wszystkiego w powietrze, maszyna bowiem zapragnęła stać się misjonarzem wśród ubogich plemion gwiezdnych. Wówczas jednak, w ostatniej niemal chwili, gdy był już gotów iść na nią z młotem w ręku, przyszła mu zbawienna myśl. Wyrzucił wszystkie obwody logiczne i wstawił na to miejsce ksobne egocentryzatory ze sprzężeniem narcystycznym. Maszyna zachwiała się, zaśmiała się, zapłakała i powiedziała, że boli ją coś na trzecim piętrze, że ma wszystkiego dość, że życie jest dziwne, a wszyscy podli, że pewno niedługo umrze i pragnie tylko jednego: aby o niej pamiętano, gdy już jej tu nie będzie. Potem kazała sobie dać papieru. Trurl odetchnął, wyłączył ją i poszedł spać. Nazajutrz poszedł po Klapaucjusza. Usłyszawszy, że ma być obecny przy rozruchu Elektrybałta, bo tak postanowił nazwać Trurl maszynę, Klapaucjusz rzucił swoją całą robotę i poszedł, jak stał, tak mu było spieszno zostać naocznym świadkiem porażki przyjaciela.

Trurl włączył najpierw obwody żarzenia, potem dał mały prąd, jeszcze kilka razy wbiegł na górę po dudniących schodkach z blachy — Elektrybałt podobny był do olbrzymiego silnika okrętowego, cały w stalowych galeryjkach, kryty nitowaną blachą, z licznymi zegarami i klapami — aż wreszcie, zgorączkowany, bacząc, aby napięcia anodowe były jak trzeba, powiedział, że tak, dla rozgrzewki, zacznie się od małej jakiejś improwizacyjki. Potem już, rozumie się, Klapaucjusz będzie mógł dawać maszynie tematy do wierszy, jakich mu się żywnie zachce.

Gdy wskaźniki amplifikacyjne pokazały, że moc liryczna dochodzi do maksimum, Trurl nieznacznie tylko drżącą ręką przerzucił wielki wyłącznik i niemal natychmiast głosem lekko ochrypłym, lecz emanującym dziwnie sugestywnym czarem, maszyna rzekła:

— Chrzęskrzyboczek pacionkociewiczarokrzysztofoniczny.

— Czy to już wszystko? — spytał po dłuższej chwili niezwykle uprzejmy Klapaucjusz. Trurl zacisnął tylko wargi, dał maszynie kilka prądowych uderzeń i znów włączył. Tym razem głos jej był o wiele czystszy; można się nim było prawdziwie rozkoszować, owym solennym, nie pozbawionym uwodzicielskiej wibracji barytonem:

Apentuła niewdziosek, te będy gruwaśne
W koć turmiela weprząchnie, kostrą bajtę spoczy,
Oproszędły znimęci, wyświrle uwzroczy,
A korśliwe porsacze dogremnie wyczkaśnie!

— Po jakiemu to? — spytał Klapaucjusz, obserwując z doskonałym spokojem niejaką panikę, w której Trurl miotał się przy pulpicie; wreszcie, machnąwszy rozpaczliwie ręką, pognał, dudniąc po stopniach, schodkami w górę stalowego ogromu. Widać go było, jak na czworakach wczołguje się przez otwarte klapy do wnętrza machiny, jak stuka tam, klnąc zaciekle, jak przykręca coś, dzwoni kluczami, jak znowu wyczołguje się i bieży kłusem na inny pomost; wreszcie wydał okrzyk triumfu, wyrzucił spaloną lampę, która roztrzaskała się o podłogę hali o krok od Klapaucjusza, nawet go za tę nieostrożność nie raczył przeprosić, lecz pospiesznie wstawił na właściwe miejsce nową lampę, wytarł zabrudzone ręce miękką szmatką i zawołał z góry, by Klapaucjusz zechciał włączyć maszynę. Rozległy się słowa:

Trzy, samołóż wywiorstne, gręzacz tęci wzdyżmy,
Apelajda sękliwa borowajkę kuci,
Greni małopoleśny te przezławskie tryżmy,
Aż bamba się odmurczy i goła powróci.

— Już jest lepiej! — zawołał z niezupełnym przekonaniem Trurl. — Ostatnie słowa były do sensu, zauważyłeś?

— Jeśli to jest wszystko... — rzekł Klapaucjusz, który był teraz uosobieniem wykwintnej uprzejmości.

— Niech to diabli! — wrzasnął Trurl i znów zniknął we wnętrznościach machiny; łomotało tam, dudniło, słychać było trzask wyładowań i zdławione przekleństwa konstruktora. Wystawił nagle głowę z trzeciego piętra przez małą klapkę i krzyknął: — Naciśnij teraz!!

Klapaucjusz uczynił to. Elektrybałt zadrżał od fundamentów do szczytu i zaczął:

Żądny młęciny brądnej, łydasty łaniele,
Samoćpaku mimajki...

Tu urwał, gdyż Trurl szarpnął wściekle za jakiś kabel, coś zacharczało i maszyna umilkła. Klapaucjusz tak się śmiał, że aż musiał usiąść na podłodze. Trurl miotał się tu i tam, raptem coś trzasło, prasło i maszyna bardzo rzeczowo, spokojnie, oświadczyła:

Zawiść, pycha, egoizm do małości zmusza.
Doświadczy tego, pragnąc iść z Elektrybałtem
W zawody, pewien prostak. Ale Klapaucjusza
Olbrzym ducha prześcignie, niby żółwia autem.

— Ha! Proszę! Epigramat! Jak najbardziej na miejscu! — wykrzykiwał Trurl, kręcąc się w kółko, już coraz niżej, zbiegał bowiem w dół po wąskich, spiralnych schodkach, aż wypadł na dole niemal prosto w objęcia kolegi, który przestał się śmiać, nieco zaskoczony.

— To lichota — rzekł zaraz Klapaucjusz. — Poza tym to nie on, to ty!

— Jak to — ja?!

— Ułożyłeś to z góry. Poznaję po prymitywizmie, złośliwości bezsilnej i nędzy rymów.

— Więc proszę! Żądaj czegoś innego! Czego tylko chcesz! No, czemu milczysz! Boisz się, co?!

— Nie boję się, tylko się namyślam — rzekł zirytowany Klapaucjusz, usiłując wynaleźć najtrudniejsze z możliwych zadań, ponieważ nie bez słuszności sądził, że spór o to, czy wiersz ułożony przez maszynę jest doskonały, czy nie, trudno będzie rozstrzygnąć.

— Niech ułoży wiersz o cyberotyce! — rzekł nagle, rozjaśniony. — Żeby tam było najwyżej sześć linijek, a w nich o miłości i o zdradzie, o muzyce, o Murzynach, o wyższych sferach, o nieszczęściu, o kazirodztwie, do rymu i żeby wszystkie słowa były tylko na literę C!!

— A całego wykładu ogólnej teorii nieskończonych automatów nie ma tam czasem być? — wrzasnął rozwścieczony do żywego Trurl. — Nie można stawiać tak kretyńskich warun...

Ale nie dokończył, ponieważ słodki baryton, wypełniając całą halę, odezwał się właśnie:

> Cyprian cyberotoman, cynik, ceniąc czule
> Czarnej córy cesarskiej cud ciemnego ciała,
> Ciągle cytrą czarował. Czerwieniała cała,
> Cicha, co dzień czekała, cierpiała, czuwała...
> ...Cyprian ciotkę całuje, cisnąwszy czarnulę!!

— I co ty na to? — wziął się Trurl pod boki, a Klapaucjusz ani myśląc już, wołał:

— A teraz na G! Czterowiersz o istocie, która była zarazem maszyną myślącą i bezmyślną, gwałtowną i okrutną, która miała szesnaście nałożnic, skrzydła, cztery malowane kufry, w każdym po tysiąc złotych talarów z profilem cesarza Murdebroda, dwa pałace i pędziła życie na mordach oraz...

— Gniewny Gienek Gienerator, garbiąc garści, grząsł gwałtownie... — zaczęła maszyna, lecz Trurl skoczył do pulpitu, nacisnął wyłącznik i zasłaniając go własnym ciałem, rzekł zduszonym głosem:

— Żadnych takich bzdur więcej nie będzie! Nie dopuszczę do marnowania wielkiego talentu! Albo zamawiasz uczciwe wiersze, albo na tym koniec!

— A cóż — to nie są uczciwe wiersze?... — zaczął Klapaucjusz.

— Nie! To jakieś łamigłówki, rebusy! Nie budowałem maszyny do idiotycznych krzyżówek! To zwykłe wyrobnictwo, a nie Wielka Sztuka! Proszę podać temat, może być dowolnie trudny...

Klapaucjusz myślał, myślał, wreszcie zmarszczył się i rzekł:

— Dobrze. Niech będzie o miłości i śmierci, ale wszystko to musi być wyrażone językiem wyższej matematyki, a zwłaszcza algebry tensorów. Może być również wyższa topologia i analiza. A przy tym erotycznie silne, nawet zuchwałe, i w sferach cybernetycznych.

— Zwariowałeś chyba. Matematyką o miłości? Nie, ty masz źle w głowie — zaczął Trurl. Lecz zamilkł wraz z Klapaucjuszem, ponieważ Elektrybałt jął deklamować:

Nieśmiały cybernetyk potężne ekstrema
Poznawał, kiedy grupy unimodularne
Cyberiady całkował w popołudnie parne,
Nie wiedząc, czy jest miłość, czy jeszcze jej nie ma?

Precz mi, precz, Laplasjany z wieczora do ranka,
I wersory wektorów z ranka do wieczora!
Bliżej, przeciwobrazy! Bliżej, bo już pora
Zredukować kochankę do objęć kochanka!

On drżenia współmetryczne, które jęk jednoczy,
Zmieni w grupy obrotów i sprzężenia zwrotne,
A takie kaskadowe, a takie zawrotne,
Że zwarciem zagrażają, idąc z oczu w oczy!

Ty, klaso transfinalna! Ty, silna wielkości!
Nieprzywiedlne continuum! Praukładzie biały!
Christoffela ze Stoksem oddam na wiek cały
Za pierwszą i ostatnią pochodną miłości.

Twych skalarnych przestrzeni wielolistne głębie
Ukaż uwikłanemu w Teoremat Ciała,

Cyberiado cyprysów, bimodalnie cała
W gradientach, rozmnożonych na loty gołębie!

O, nie dożył rozkoszy, kto tak bez siwizny
Ani w przestrzeni Weyla ani Brouwera
Studium topologiczne uściskiem otwiera
Badając Moebiusowi nie znane krzywizny!

O, wielopowłokowa uczuć komitanto,
Wiele trzeba cię cenić, ten się dowie tylko,
Kto takich parametrów przeczuwając fantom,
Ginie w nanosekundach, płonąc każdą chwilką!

Jak punkt, wchodzący w układ holonomiczności,
Pozbawiany współrzędnych zera asymptotą,
Tak w ostatniej projekcji, ostatnią pieszczotą
Żegnany — cybernetyk umiera z miłości.

Na tym się turniej poetycki zakończył, Klapaucjusz bowiem odszedł zaraz do domu, mówiąc, że wróci wnet z nowymi tematami, lecz więcej się nie pokazał, w obawie, iż mimo woli da Trurlowi jeszcze jeden powód do chwały; ów zaś głosił, iż Klapaucjusz uciekł, niezdolny skryć gwałtownego wzruszenia. Na co tamten, że od czasu zbudowania Elektrybałta Trurlowi całkiem już przewróciło się w głowie.

Minęło niewiele czasu, a wieść o elektrycznym wieszczu dotarła do prawdziwych, to jest — zwyczajnych poetów. Oburzeni do żywego, postanowili ignorować maszynę, znalazło się wszakże kilku na tyle ciekawych, że wybrali się chyłkiem do Elektrybałta. Ów przyjął ich grzecznie, w hali pełnej zapisanych już papierów, bo tworzył dzień i noc bez przerwy. Poeci byli awangardzistami, Elektrybałt natomiast tworzył w stylu klasycznym, ponieważ Trurl, mało znając się na poezji, oparł programy „natychające” na dziełach klasyków. Jęli więc przybysze drwić z Elektrybałta, że mu mało rury katodowe nie pękły, i odeszli w triumfie. Maszyna posiadała jednak samoprogramowanie oraz specjalny obwód wzmocnienia ambicjonalnego z bezpiecznikami na sześć kiloamperów, więc w krótkim czasie wszystko najzupełniej się odmieniło. Wiersze jej stały się ciemne, wieloznaczne, turpistyczne, magiczne i wzruszające do kompletnej niezrozumiałości. Tak więc, gdy przybyła następna grupa poetów, by podrwić i poszydzić z maszyny, ta odezwała się taką improwizacją nowoczesną, że dech im zaparło, a drugi zaraz wiersz wywołał poważne zasłabnięcie pewnego twórcy starszego pokolenia, który miał dwie nagrody państwowe i posąg w parku miejskim. Odtąd żaden poeta nie mógł oprzeć się zgubnej chętce wyzwania Elektrybałta na turniej liryczny — i ciągnęli zewsząd, niosąc wzory i teczki pełne rękopisów. Elektrybałt pozwalał deklamować przybyszowi, przy czym zaraz chwytał algorytm jego poezji i, opierając się na nim, odpowiadał wierszami, utrzymanymi w tymże duchu, lecz dwieście dwadzieścia do trzysta czterdzieści siedem razy lepszymi.

Po niedługim czasie doszedł do takiej wprawy, że jednym, drugim sonetem zwalał z nóg zasłużonego wieszcza. I to było najgorsze chyba, okazało się bowiem, iż z zapasów wychodzą cało tylko grafomani, którzy, jak wiadomo, nie odróżniają wierszy dobrych od złych; uchodzili więc bezkarnie i tylko jeden złamał raz nogę, potknąwszy się u wyjścia o wielki epicki poemat Elektrybałta, zupełnie nowy, który zaczynał się od słów:

Ciemność i pustki w ciemności obroty
Ślad dotykalny, ale nieprawdziwy,
I wiatr, jak halny, i wzrok jeszcze żywy,
I krok jak gdyby wracającej roty.

Natomiast prawdziwych poetów Elektrybałt dziesiątkował, chociaż pośrednio, bo wszak nie czynił im nic złego. Niemniej najpierw pewien sędziwy liryk, a potem dwu awangardzistów popełniło samobójstwo, skacząc z wysokiej skały, która fatalnym zbiegiem okoliczności sterczała właśnie przy drodze łączącej siedzibę Trurla ze stacją kolei żelaznej.

Poeci zwołali zaraz szereg zebrań protestacyjnych i zażądali, aby maszynę opieczętowano, lecz poza nimi nikt na fenomen nie zwrócił uwagi. Owszem, redakcje gazet były nawet rade, albowiem Elektrybałt, piszący pod kilkoma tysiącami pseudonimów naraz, miał gotowy poemat wskazanych rozmiarów na każdą okazję, a ta okolicznościowa poezja była taka, że obywatele wyrywali sobie gazety z rąk i na ulicach widziało się wniebowzięte twarze, nieprzytomne uśmiechy oraz słyszało się ciche łkania. Wiersze Elektrybałta znali wszyscy; powietrze trzęsło się od błogich rymów, a natury co wrażliwsze, rażone specjalnie skonstruowanymi metaforami czy asonansami, nieraz mdlały nawet; lecz i na tę okazję był przygotowany gigant natchnienia, albowiem zaraz wyprodukował odpowiednią ilość sonetów trzeźwiących.

Sam Trurl miał w związku ze swym osiągnięciem niemałe kłopoty. Klasycy, jako na ogół starcy, niewiele mu zaszkodzili, jeśli nie liczyć kamieni, wybijających systematycznie okna, oraz pewnych substancji, nie dających się nazwać po imieniu, którymi obrzucano jego domostwo. Gorzej było z młodymi. Pewien poeta najmłodszego pokolenia, którego wiersze odznaczały się wielką siłą liryczną, a on sam — fizyczną, okrutnie go pobił. Gdy tedy Trurl leczył się w szpitalu, wypadki pędziły dalej; nie było ani dnia bez nowego samobójstwa, bez pogrzebu, przed bramą szpitalną krążyły pikiety i dawała się już słyszeć strzelanina, albowiem zamiast rękopisów poeci przynosili coraz częściej w teczkach samopały, rażąc Elektrybałta, którego stalowej naturze kule wcale jednak nie szkodziły. Po powrocie do domu zrozpaczony i osłabły konstruktor postanowił pewnej nocy rozebrać własnymi rękami stworzonego przez się geniusza.

Gdy atoli, z lekka kulejąc, zbliżył się do maszyny, ta, na widok obcęgów w jego dłoni i błysków desperacji w oku, buchnęła taką namiętną liryką, błagając o łaskę, że rozszlochany Trurl cisnął narzędzia i wrócił do siebie, brnąc po kolana w nowych utworach elektroducha, które sięgały mu do pół piersi, zaścielając szemrzącym oceanem papieru całą halę.

Kiedy jednak w następnym miesiącu przyszedł rachunek za elektryczność pochłoniętą przez maszynę, pociemniało mu w oczach. Rad był zasięgnąć rady starego druha Klapaucjusza, lecz ów zniknął, jakby się pod nim ziemia rozwarła. Skazany na własny koncept, pewnej nocy Trurl odciął maszynie dopływ prądu, rozebrał ją, załadował na statek, wywiózł na pewną niewielką planetoidę i tam zmontował na powrót, przydawszy jej, jako źródło energii twórczej, stos atomowy.

Potem wrócił chyłkiem do domu, ale historia na tym się nie skończyła, albowiem Elektrybałt, nie mając już możliwości publikowania utworów drukiem, jął nadawać je na wszystkich zakresach fal radiowych, czym wprawiał załogi i pasażerów rakiet w liryczne stany odrętwienia, a osoby subtelne doznawały nawet ciężkich ataków zachwytu z następczym otępieniem. Ustaliwszy, w czym rzecz, zwierzchność żeglugi kosmicznej zwróciła się oficjalnie do Trurla z żądaniem natychmiastowej likwidacji należącego doń urządzenia, które zakłócało liryką spokój publiczny i zagrażało zdrowiu pasażerów.

Wtedy zaczął się Trurl ukrywać. Posłano więc na planetoidę monterów, aby zaplombowali Elektrybałtowi wyjście liryczne, on jednak oszołomił ich kilkoma balladami, tak że nie wykonali zadania. Posłano potem głuchych, lecz Elektrybałt przekazał im liryczną informację na migi. Mówić więc jęło się już głośno o koniecznej ekspedycji karnej lub zbombardowaniu elektropoety. Wówczas jednak nabył go pewien władca z sąsiedniego systemu gwiezdnego i zaholował wraz z planetoidą do swego królestwa.

Teraz Trurl mógł wreszcie ujawnić się i odetchnąć. Co prawda na południowym nieboskłonie od czasu do czasu widać eksplozje gwiazd supernowych, jakich nie pamiętają najstarsi, i chodzą głuche wieści, jakoby miało to związek z poezją. Oto ów władca w przystępie dziwacznego kaprysu kazał podobno swym astroinżynierom podłączyć Elektrybałta do konstelacji białych olbrzymów, wskutek czego każda strofka wiersza przekształcana jest w gigantyczne protuberancje słońc, tak że największy poeta Kosmosu nadaje swe dzieła tętnieniem ognia wszystkim nieskończonym otchłaniom galaktycznym naraz. Jednym słowem — ów wielki król uczynił go lirycznym motorem gromady gwiazd wybuchających. Gdyby nawet była w tym okruszyna prawdy, działo się to zbyt daleko, by mogło zakłócić sen Trurlowi, który zaprzysiągł sobie na wszystkie świętości nigdy już więcej nie brać się do cybernetycznego modelowania procesów twórczych.

Arthur Dobb

„Non serviam"

(*Pergamon Press*)

Książka profesora Dobba poświęcona jest personetyce, którą fiński filozof Eino Kaikki nazwał najokrutniejszą nauką, jaką dotąd stworzył człowiek. Dobb, jeden z najwybitniejszych dziś personetyków, żywi podobne poglądy. Nie można — oświadcza — umknąć konkluzji, że personetyka jest w swej praktyce niemoralna; chodzi jednak o taką działalność, sprzeczną z wytycznymi etyki, która jest nam konieczna życiowo. W badaniach niepodobna uniknąć swoistej bezwzględności, gwałcenia naturalnych odruchów, i jeśli nie gdzie indziej, w tym miejscu pryska mit o doskonałej bezwinności uczonego jako badacza faktów. Idzie o dyscyplinę, którą z pewną emfatyczną przesadą nazywano wszak teogonią eksperymentalną. Recenzenta zastanawia co prawda to, że gdy prasa nadała rzeczy znaczny rozgłos — było to dziewięć lat temu — opinia publiczna została zaszokowana personetycznymi rewelacjami, choć wydawało się, że w naszych czasach nic już nie może zadziwić. Stulecia pobrzmiewały echem czynu Kolumbowego, podczas kiedy owładnięcie Księżycem w ciągu tygodni przyswoiła sobie zbiorowa świadomość jako rzecz niemal banalną. A jednak narodziny personetyki okazały się wstrząsem. Nazwa pochodzi od dwu łacińskich terminów: persona — osoba, i genetyka — w rozumieniu: stwarzanie, tworzenie. Dziedzina ta jest późnym odgałęzieniem cybernetyki i psychoniki lat osiemdziesiątych, skrzyżowanych z praktyką intelektroniczną. O personetyce wie dziś każdy; zainterpelowany przechodzień odpowiedziałby, że to jest sztuczna produkcja rozumnych istot. Odpowiedź wprawdzie nie od rzeczy, ale nie sięgająca istoty sprawy. Obecnie dysponujemy niemal setką programów personetycznych. Dziewięć lat temu powstawały w komputerach osobowości-schematy, prymitywne zawiązki „liniowego" typu; ale też ówczesna generacja maszyn cyfrowych, o wartości dziś tylko muzealnej, nie dostarczała jeszcze pola dla prawdziwej kreacji personoidów.

Jej teoretyczną możliwość przeczuł jeszcze Norbert Wiener, o czym świadczą ustępy jego ostatniej książki *Stwórca i robot*. Co prawda wspomniał o niej właściwym sobie na poły żartobliwym sposobem, lecz były to uwagi z żartobliwością podszytą dosyć ponurymi premonicjami. Nie mógł jednak Wiener przewidzieć tego, jaki obrót wezmą sprawy w dwadzieścia lat później. — Najgorsze stało się — powiedział sir Donald Acker — kiedy w MIT-cie zwarto krótko wejścia z wyjściami.

Obecnie „świat" dla jego przyszłych „mieszkańców" można wyprodukować w ciągu dwu godzin. Tyle czasu bowiem zajmuje wprowadzenie do maszyny jednego z pełnowartościowych programów (takich jak BAAL 66, CREAN IV czy JAHVE 09). Dobb szkicuje początki personetyki raczej pobieżnie, odsyłając czytelnika do historycznych źródeł, sam zaś, jako zdecydowany praktyk-eksperymentator, opowiada przede wszystkim, jak on sam pracuje — rzecz dość istotna, ponieważ między szkołą angielską, reprezentowaną właśnie przez Dobba, a grupą amerykańską z MIT-u zachodzą dość znaczne różnice w zakresie metodyki i ściganych doświadczalnie celów. Dobb nakreśla procedurę „sześciodniówki ściągniętej do 120 minut" następująco. Pierwej wyposaża się pamięć maszynową w zestaw minimalny danych, to jest — by pozostać w obrębie języka zrozumiałego dla laików — ładuje się ową pamięć tworzywem „matematycznym". Tworzywo to jest zarodzią uniwersum „życiowego" na razie jeszcze nieobecnych personoidów. Istoty, co przyjdą na ten — maszynowy, cyfrowy — świat, które będą w nim, i tylko w nim, wegetowały, umiemy już wyposażyć w otoczenie o znamionach nieskończonościowych. Istoty te nie mogą się zatem poczuć uwięzione w sensie fizycznym, skoro otoczenie owo nie ma, z ich stanowiska, żadnych granic. Środowisko to posiada jeden tylko wymiar, mocno zbliżony do danego i nam, mianowicie wymiar upływu czasu (trwania). Czas ten nie jest jednak po prostu analogiczny z naszym, ponieważ tempo jego upływu podlega dowolnej kontroli ze strony eksperymentatora. Zazwyczaj tempo to maksymalizuje się w fazie wstępnej (tak zwanego „rozruchu światostwórczego"), aby nasze minuty odpowiadały całym eonom, podczas których dochodzi do szeregu kolejnych reorganizacji i krystalizacji — syntetycznego kosmosu. Kosmos to całkowicie bezprzestrzenny, jakkolwiek dysponujący wymiarami, lecz mają one czysto matematyczny, a więc pod względem obiektywnym jakby „urojony” charakter. Wymiary te są po prostu pewnymi konsekwencjami postanowień aksjomatycznych programisty i od niego zależy ich ilość. Jeśli się zdecyduje na przykład na dziesięciowymiarowość, będzie to miało dla struktury tworzonego całkiem odmienne konsekwencje — niż jeśli się założy tylko sześć wymiarów; wypada chyba powtórzyć z naciskiem, że nie są one spokrewnione z wymiarami przestrzeni fizycznej, lecz tylko z abstrakcyjnymi, logicznie prawomocnymi konstruktami, jakimi się posługuje matematyczna kreacja systemowa.

Ten nieprzystępny dla matematyka punkt stara się Dobb wyjaśnić, odwołując się do prostych faktów znanych na ogół z nauki szkolnej: można, jak wiadomo, skonstruować zarówno poprawną geometrycznie bryłę trójwymiarową, choćby sześcian, posiadającą odpowiednik w realnej rzeczywistości pod postacią kostki; i można tak samo utworzyć geometryczną bryłę cztero-, pięcio-, n-wymiarową (czterowymiarowa to tak zwany tesseract). Te już nie posiadają realnych odpowiedników i o tym możemy się przekonać, ponieważ dla braku fizycznego wymiaru numer cztery nie da się zbudować prawdziwej czterowymiarowej kostki. Otóż t a r ó ż n i c a (między fizycznie konstruowalnym a tylko matematycznie dającym się zbudować) d l a p e r s o n o i d ó w nie istnieje w ogóle, ponieważ ich świat w całości ma czysto matematyczną konsystencję. Jest on z matematyki zbudowany, chociaż podłożem owej matematyki są już zwykłe, czysto fizyczne obiekty (przekaźniki, tranzystory, obwody logiczne, jednym słowem — cała ogromna sieć cyfrowej maszyny).

Jak wiadomo, zgodnie ze współczesną fizyką, przestrzeń nie jest czymś osobnym względem obiektów i mas, jakie się w niej znajdują. Przestrzeń jest w swym istnieniu uwarunkowana owymi ciałami; gdzie ich nie ma, gdzie „nic nie ma” — w materialnym sensie — tam i przestrzeń znika, zapadając się do zera. Otóż rolę materialnych ciał, co niejako „rozpychają się” i przez to wytwarzają „przestrzeń”, pełnią w personoidalnym świecie — systemy matematyki powołanej umyślnie po to do istnienia. Ze wszechmożliwych „matematyk”, jakie w ogóle można by sporządzać, sposobem na przykład aksjomatycznym, programista wybiera, decydując się na konkretny eksperyment, pewną grupę, która będzie opoką, „dnem bytowym”, „ontologicznym fundamentem” kreowanego Uniwersum. Zachodzi tu, zdaniem Dobba, uderzające podobieństwo względem ludzkiego świata. Wszak ten nasz świat „zdecydował się” na pewne formy i pewne typy geometrii, które najlepiej, bo najprościej, mu odpowiadają (trójwymiarowość, aby pozostać przy tym, od czego się zaczęło). Mimo to możemy sobie wyobrażać „inne światy”, z „innymi własnościami” — w geometrycznym i nie tylko geometrycznym zakresie. Tak samo personoidy: ta postać matematyki, którą badacz wybrał za „mieszkanie”, jest dla nich tym samym, czym dla nas „bazowy realny świat”, w jakim żyjemy i żyć musimy. I, podobnie jak my, mogą one sobie „wyobrażać” światy o odmiennych własnościach podstawowych.

Dobb wykłada swoje metodą kolejnych przybliżeń i nawrotów; to, cośmy wyżej naszkicowali, a co odpowiada z grubsza dwu pierwszym rozdziałom jego książki, w dalszych ulega częściowemu odwołaniu, bo — powikłaniu. Nie jest tak — tłumaczy nam autor — jakoby personoidy po prostu natrafiły na jakiś gotowy, znieruchomiały, niby lodem ścięty świat w danej mu ostatecznie, do samego końca, postaci. To, jaki ów świat będzie w swoich „uszczegółowieniach”, już tylko od nich zależy, i to w rosnącym stopniu, w miarę tego, jak powiększa się ich własna aktywność, jak ich „eksploratywna inicjatywa” narasta. Porównywanie uniwersum personoidów do świata, który tylko o tyle istnieje fenomenami, o ile jego mieszkańcy je spostrzegają, też jednak nie jest właściwym obrazem stosunków. To porównanie, które można spotkać w pracach Saintera i Hughesa, uważa Dobb za „odchylenie idealistyczne”, za daninę, którą personetyka złożyła tak dziwnie zmartwychwstałej nagle — doktrynie biskupa Berkeleya. Sainter twierdził, że personoidy poznają swój świat niczym istota Berkeleya, która nie jest w stanie odróżnić „esse” od „percipi”, to znaczy, która między postrzeganym a tym, co postrzeganie powoduje w sposób obiektywny i od postrzegającego niezależny, nigdy nie wykryje różnicy. Dobb atakuje taką wykładnię rzeczy z tym większą pasją, że my, jako stwórcy ich świata, wiemy wszak doskonale, iż postrzegane przez nich naprawdę istnieje — wewnątrz komputera — w niezawisłości od personoidów — jakkolwiek, zgoda, wyłącznie tak, jak mogą istnieć obiekty matematyczne. I to jednak nie jest końcową stacją wyjaśnień. Personoidy powstają zawiązkowo dzięki programowi; rozrastają się w tempie narzuconym przez eksperymentatora, w tempie takim, na jakie tylko zezwala nowoczesna technika informacjoprzetwórstwa, operującego świetlnymi chyżościami.

Matematyka, która ma być „mieszkaniem bytowym" personoidów, nie oczekuje ich w pełni „gotowa", lecz niejako „zwinięta", „nie dopowiedziana", „zawieszona", „latentna", ponieważ stanowi ona tylko zbiór pewnych prospektywnych szans, pewnych dróg zawartych w odpowiednio zaprogramowanych podzespołach maszyny cyfrowej. Te podzespoły, czyli generatory, „same z siebie" jednak niczego nie dają; konkretny typ aktywności personoida służy im jako mechanizm spustowy, uruchamiający wytwórczość, która będzie się stopniowo rozrastała i dookreślała, czyli świat otaczający te istoty będzie się ujednoznaczniał zgodnie z ich własnymi czynnościami. Dobb stara się unaocznić powiedziane przywołaniem takiej analogii: człowiek może świat realny interpretować w rozmaity sposób. Może on poświęcić szczególną intensywność badawczą pewnym cechom tego świata, a wówczas zdobyta wiedza rzuci swoiste światło także na pozostałe, nie uwzględnione w owym priorytetowym badaniu jego partie; jeżeli będzie się najpierw pilnie zajmował mechaniką, to sobie wytworzy obraz świata mechaniczny i ujrzy uniwersum jako gigantyczny zegar doskonały, w niewzruszonym chodzie zmierzający od przeszłości w ściśle zdeterminowaną przyszłość. Ten obraz nie jest dokładnym odpowiednikiem realności, a jednak można się nim przez długi historycznie czas posługiwać i nawet dochodzić wielu praktycznych sukcesów, np. budowania maszyn, narzędzi itp. Podobnie personoidy — jeśli „nastawią się", z wyboru i aktu woli, na pewien typ relacji i temu typowi nadadzą pierwszeństwo, jeśli będą w nim tylko upatrywać „istotę" swego kosmosu, wejdą na określoną drogę działań oraz odkryć, która nie jest ani fikcyjna, ani jałowa. „Wywabią" dzięki temu nastawieniu to wszystko, co najlepiej odpowiada mu w „otoczeniu". To najpierw dojrzą, tym najpierw owładną. Świat bowiem, jaki je otacza, jest częściowo tylko zdeterminowany, z góry ustanowiony przez badacza-stwórcę; personoidy zachowują w nim pewien, i to niemały, margines wolności postępowania, zarówno czysto „myślowego" (w zakresie tego, co sobie o tym swoim świecie myślą, jak ten świat pojmują), jak i „realnego" (w obrębie swych „działań", które nie są wprawdzie dosłownie, po naszemu realne, ale nie są czysto pomyślane tylko). Co prawda jest to najtrudniejsze miejsce wywodu, i Dobbowi chyba nie udało się w pełni wytłumaczyć owych szczególnych jakości personoidowego bytowania, które oddaje tylko język matematyki programów i ingerencji kreacyjnych. Musimy tedy nieco na wiarę przyjąć, że aktywność personoidów nie jest ani całkowicie swobodna (jak nie jest całkiem swobodna przestrzeń naszych uczynków, skoro ją ograniczają fizyczne prawa natury), ani całkowicie zdeterminowana (jak i my nie jesteśmy wagonami postawionymi na sztywno ustalonych torach). Personoid jest podobny do człowieka w tym, że „jakości wtórne" — barwy, dźwięki melodyjne, uroda rzeczy — pojawiają się dopiero wówczas, kiedy istnieją uszy słyszące i oczy widzące, lecz to, co umożliwia patrzenie i słyszenie, było wszak już wcześniej dane. Personoidy, postrzegając swoje otoczenie, „z siebie" dodają mu owych jakości przeżyciowych, które właśnie odpowiadają temu, czym są dla nas uroki oglądanego krajobrazu, tyle że im przydano czysto matematyczne pejzaże. O tym, „jak one je widzą", nic nie możemy już orzekać w sensie „subiektywnej jakości ich doznawania", bo jedynym sposobem doświadczenia jakości ich przeżyć byłoby — samemu zrzucić skórkę ludzką i zostać personoidem. Tym bardziej że personoidy nie mają oczu, uszu, więc niczego nie widzą ani nie słyszą w naszym pojmowaniu, skoro w ich kosmosie nie ma ani światła, ani ciemności, ani pobliża przestrzennego, ani oddali, góry ni dołu — są tam wymiary nienaoczne dla nas, ale dla nich pierwsze, elementarne; postrzegają one na przykład — jako odpowiedniki składników ludzkiej zmysłowej percepcji — pewne zmiany potencjałów. Ale te zmiany potencjałów elektrycznych nie są dla nich czymś w rodzaju uderzeń prądu, powiedzmy, lecz raczej czymś takim, czym dla człowieka jest dostrzeżenie najpierwotniejszego zjawiska optycznego lub akustycznego, ujrzenie czerwonej plamy, usłyszenie dźwięku, dotknięcie twardego lub miękkiego przedmiotu. Tutaj — podkreśla Dobb — można mówić już tylko analogiami, przywołaniami; głosić, że personoidy są „kalekie" względem nas, skoro nie widzą ani nie słyszą jak my, jest zupełnym absurdem, ponieważ z równym prawem można by orzekać, że to my jesteśmy zubożeni względem nich o umiejętność bezpośredniego doznawania matematycznej fenomenalistyki, którą wszak czysto intelektualnym tylko, umysłowym, wnioskującym sposobem poznajemy, tylko poprzez rozumowania z nią się kontaktujemy, tylko dzięki abstrakcyjnemu myśleniu „przeżywamy" matematykę. One w niej żyją, jest ona ich powietrzem, ziemią, chmurami, wodą i nawet chlebem, nawet żywnością, ponieważ one się nią w pewnym sensie „karmią". Tak więc są personoidy „uwięzione", hermetycznie pozamykane w maszynie wyłącznie z naszego stanowiska; jak one nie mogłyby przedostać się ku nam, w świat ludzki, tak i na odwrót, a symetrycznie, człowiek nie może żadnym sposobem wniknąć do wnętrza ich świata, aby w nim istnieć i doznawać go bezpośrednio. Matematyka stała się tedy w pewnych wcieleniach swoich życiową przestrzenią rozumu, tak uduchowionego, że totalnie bezcielesnego, niszą i kolebką jego egzystencji, jego bytowym miejscem.

Personoidy są pod wieloma względami podobne do człowieka. Pomyśleć sobie pewną sprzeczność (że „a" i że „nie a") mogą, ale urzeczywistnić jej nie potrafią — tak samo, jak my. Na to nie zezwala fizyka naszego, a logika — ich świata. Gdyż jego logika jest taką samą ramą ograniczającą działanie, jak fizyka — naszego świata! W każdym razie — podkreśla Dobb — nie ma mowy o tym, abyśmy mogli do końca, introspektywnie, pojąć, co „czują" i co „przeżywają" personoidy, zajmujące się intensywnymi pracami w swoim nieskończonym uniwersum. Jego zupełna bezprzestrzenność nie jest żadnym uwięzieniem — to bzdura wymyślona przez żurnalistów; na odwrót: ta bezprzestrzenność jest gwarantką ich wolności, ponieważ matematyka, którą wysnuwają z siebie „podniecone" do aktywności generatory komputerowe — a „podnieca" je tak aktywność samych personoidów — ta matematyka to niejako urzeczywistniający się przestwór dla dowolnych czynności, praktyk budowlanych lub innych, dla eksploracji, dla heroicznych wypadów, dla śmiałych wtargnięć, domysłów, jednym słowem: personoidom nie uczyniliśmy krzywdy, dając im na własność taki właśnie, a nie inny wszechświat. Nie w tym wolno upatrywać okrucieństwo, niemoralność personetyki.

W siódmym rozdziale *Non serviam* przychodzi Dobb do zaprezentowania czytelnikowi mieszkańców cyfrowego uniwersum. Personoidy dysponują zarówno językiem artykułowanym, jak artykułowaną myślą, ponadto zaś — emocjami. Każdy z nich jest indywidualnością, przy czym ich wzajemne zróżnicowanie już nie jest prostą konsekwencją postanowień stwórcy-programisty, tj. człowieka. To zróżnicowanie wynika po prostu z nadzwyczajnej złożoności ich wewnętrznej budowy. Mogą być do siebie bardzo podobne, ale nie są jednak nigdy tożsame. Przychodząc na świat, zostają wyposażone w tak zwane „jądro" („nukleus personalny"). Już wówczas posiadają dar mowy i myśli, ale w stanie rudymentarnym. Dysponują słownikiem, ale nader szczupłym, i posiadają umiejętność konstruowania zdań zgodnie z regułami narzuconej składni. Zdaje się, że można będzie w przyszłości nie narzucać im nawet tych determinant i oczekiwać biernie, aż same, jak pierwotna grupa ludzka w toku socjalizacji wytworzą mowę. Lecz ten kierunek personetyki natrafia na dwa kardynalne szkopuły. Po pierwsze, czas oczekiwania rozwoju mowy musi być bardzo długi. Obecnie musiałby trwać 12 lat, i to nawet przy maksymalizacji tempa wewnątrzkomputerowych przekształceń (gdyż, mówiąc obrazowo i bardzo grubo, jednemu rokowi ludzkiego żywota odpowiadałaby jedna sekunda czasu maszynowego). Po wtóre, i to jest kłopot największy, wytwarzająca się spontanicznie w „grupowej ewolucji personoidów" mowa będzie niezrozumiała dla nas i jej zgłębianie musi przypominać mozolne rozłamywanie zagadkowego szyfru, utrudnione dodatkowo tym, że wszak szyfry, jakie zwykle się odcyfrowuje, stworzyli ludzie dla innych ludzi, w świecie dzielonym rozszyfrowywaczami. Natomiast świat personoidów jest mocno odmienny w jakościach od naszego i przez to też język, najbardziej w nim odpowiedni, musi być daleko odstrychnięty od każdego języka etnicznego. Tak więc na razie kreacja *ex nihilo* jest tylko planem i marzeniem personetyków. Personoidy zderzają się, gdy już „okrzepną rozwojowo", z zagadką elementarną i dla nich najpierwszą — własnego pochodzenia. To znaczy — stawiają sobie pytania znane nam z historii człowieka, z historii jego wierzeń, jego filozoficznych prób i mitycznych kreacji: skądeśmy się wzięli? Dlaczego jesteśmy tacy, a nie inni? Dlaczego świat, jaki postrzegamy, ma te oto, a nie jakieś inne całkiem własności? Co my znaczymy — dla świata? Co on znaczy — dla nas? Ostatecznie ciąg tych pytań w sposób wręcz nieuchronny prowadzi je ku fundamentalnym kwestiom ontologii, kulminującym w pytaniu o to, czy byt powstał „sam z siebie", czy też jest skutkiem pewnego aktu stwórczego, czyli — czy się za nim kryje obdarzony wolą i świadomością, intencjonalnie aktywny, rzeczy świadomy Stwórca. Oto miejsce, w którym pojawia się całe okrucieństwo i niemoralność personetyki.

Nim jednak zajmie się Dobb, w drugiej części swego dzieła, zdawaniem sprawy z intelektualnych wysiłków, czy kiedy kto tego chce — z mąk rozumu wydanego na łup takich pytań — przedstawia w szeregu kolejnych rozdziałów charakterystykę „typowego personoida", jego „anatomię, fizjologię i psychologię".

Samotny personoid nie potrafi wyjść poza stadium szczątkowego myślenia, skoro po prostu nie może się ćwiczyć w mówieniu, a bez niego wszak i myśl dyskursywna, nie rozwinąwszy się dostatecznie, musi zwiędnąć. Optymalne są, jak wykazały setki doświadczeń, grupy liczące od czterech do siedmiu personoidów — przynajmniej dla rozwoju mowy oraz typowych czynności eksploracyjnych, a także dla „kulturalizacji". Natomiast zjawiska odpowiadające procesom socjalnym w ich większej skali — wymagają już grup silnie liczebnych. Można obecnie „pomieścić" do 1000 personoidów, mówiąc z grubsza, w dostatecznie pojemnym uniwersum komputerowym; lecz tego rodzaju badania, należące do wyodrębnionej już i samodzielnej dyscypliny — socjodynamiki — leżą poza obrębem głównych zainteresowań Dobba, a tym samym i jego książka zaledwie o nich marginesowo wspomina. Jak się rzekło, personoidy nie mają ciał, lecz mają „duszę". „Dusza" taka — ze stanowiska zewnętrznego obserwatora mającego wgląd w maszynowe procesy (dzięki specjalnemu przysposobieniu, tj. dodatkowym urządzeniom typu sondy, wbudowanym w komputer) — przedstawia się jako „spójny obłok procesów", jako agregat funkcjonalny z rodzajem „ośrodka", dający się wyodrębnić dosyć dokładnie, tj. ograniczyć w sieci maszynowej (co notabene nie jest łatwe i co pod niejednym względem przypomina poszukiwania ośrodków lokalizacyjnych wielu czynności w ludzkim mózgu — przez neurofizjologię). Centralny dla zrozumienia samej szansy kreowania personoidów jest rozdział 11 *Non serviam*, który dość przystępnie wykłada podstawy teorii świadomości. Świadomość (każda, nie tylko personoida, więc ludzka także) jest pod względem fizycznym „informacyjną falą stojącą", pewnym dynamicznym niezmiennikiem w strumieniu bezustannych przekształceń, o tyle dziwacznym, że stanowi „kompromis" i zarazem „wypadkową", jakiej, o ile pojmujemy, ewolucja naturalna wcale nie „zaplanowała". Wręcz przeciwnie — ewolucja wytworzyła zrazu niesłychane kłopoty i trudności dla zharmonizowania pracy mózgów powyżej ich pewnej wielkości, tj. pewnego stopnia komplikacji, przy czym wtargnęła w obszar tych dylematów, rzecz jasna, nierozmyślnie, boż nie jest ona twórcą osobowym.

Było po prostu tak, że pewne bardzo stare ewolucyjnie rozwiązania zadań sterowniczo-regulacyjnych, właściwych systemowi nerwowemu, „zaciągnęła" ewolucja aż na szczebel, na którym się rozpoczynała antropogeneza. Te stare rozwiązania należało z czysto racjonalnego, oszczędnościowo-inżynieryjnego stanowiska po prostu radykalnie przekreślić, odrzucić i zaprojektować coś całkowicie nowego — jako mózg rozumnej istoty. Lecz, zapewne, ewolucja nie mogła tak postąpić, ponieważ uwalnianie się od schedy starych rozwiązań, liczących sobie nieraz i setki milionów lat, nie jest w jej mocy, skoro postępuje ona zawsze bardzo drobnymi kroczkami zmian przystosowawczych i „pełza", lecz nie „skacze". Jest tedy „włókiem", który „ciągnie za sobą" niezliczone „archaizmy", wręcz „śmieci" wszelakie, jak to dosadnie określili Tammer i Bovine — jedni z twórców komputerowego modelowania psychiki ludzkiej, modelowania, które było przesłanką narodzin personetyki. Świadomość człowieka jest skutkiem swoistego „kompromisu", „łataniny", jest, jak twierdził np. Gebhardt, wyborną egzemplifikacją znanego niemieckiego powiedzenia: „Aus einer Not eine Tugend machen" („jak obrócić pewną przywarę, pewien kłopot, w cnotę"). Maszyna cyfrowa nie może „z siebie" nigdy zdobyć świadomości, z tej prostej przyczyny, że nie dochodzi w niej do hierarchicznych konfliktów działania. Maszyna taka może najwyżej wpaść w pewien typ „drżączki logicznej" lub „logicznego stuporu", gdy się w niej antynomie namnożą, i to wszystko. Sprzeczności, od jakich się w mózgu człowieka wprost roi, były jednak w ciągu setek tysięcy lat stopniowo przedmiotem „arbitrażowych procedur". Powstały piętra wyższe i niższe, odruchowości i refleksji, popędu i kontroli, modelowania środowiska elementarnego („sposobem zoologicznym") i pojęciowego („sposobem językowym"), przy czym one wszystkie razem nie mogą, „nie chcą" się doskonale pokrywać, nakładać, zespolić w jedność. Czym jest tedy świadomość? Wybiegiem, wyjściem z matni, pozorowaną instancją ostateczną, trybunałem rzekomo (ale też tylko rzekomo!) najwyższego odwołania, a wykładana językiem fizyki i informatyki — czynnością, która, rozpoczynając się, nie może w ogóle ulec zamknięciu, tj. definitywnemu zakończeniu. Jest ona tedy *projektem* jedynie takiego zamknięcia, takiego zupełnego „pojednania" upartych sprzeczności mózgu. Jest jakby zwierciadłem, które ma za zadanie odbijać inne zwierciadła, te zaś z kolei odbijają znów inne — i tak w nieskończoność. To po prostu fizycznie nie jest możliwe, i dlatego właśnie *regressus ad infinitum* stanowi rodzaj zapadni, nad którą szybuje i polata fenomen ludzkiej świadomości. „Pod świadomością" zdaje się trwale toczyć bój o pełną reprezentację — w niej — tego, co do niej nie może dotrzeć w pełni, a nie może dla braku miejsca po prostu: gdyż, aby w pełni dać równouprawnienie wszystkim tendencjom dobijającym się do ośrodków świadomej uwagi, byłaby właśnie niezbędna — nieskończona pojemność i przepustowość. Panuje tedy wokół świadomości nieustanny „tłok", „przepychanie się", i nie jest ona wcale najwyższą, chłodną, suwerenną sterniczką wszystkich umysłowych zjawisk, lecz bywa często raczej korkiem na wzburzonych falach, którego „górująca pozycja" nie ma nic wspólnego z doskonałym tych fal opanowaniem... Język współczesnej, informatycznie i dynamicznie interpretowanej teorii świadomości nie daje się, niestety, wyłożyć prosto i jasno, tak że wciąż jesteśmy zdani tutaj, przynajmniej w wykładzie przystępnym, na szereg naocznych przykładów i metafor. W każdym razie wiemy, że świadomość jest pewnym „wykrętem", „wybiegiem", do jakiego się ewolucja uciekła, podług właściwego jej niezbywalnie sposobu działania — oportunistycznego, tj. takiego, który musi naprędce, doraźnie, wyjść z powstających opresji. Gdyby tedy rozumną istotę budował doprawdy ktoś postępujący podług kanonów doskonale racjonalnej inżynierii i logiki, stosując kryteria technicznej sprawności, toby istota taka w ogóle nie otrzymała świadomości w darze... Zachowywałaby się ona w sposób doskonale logiczny, zawsze niesprzeczny, jasny, wybornie uporządkowany, i byłaby może nawet, dla obserwatora-człowieka, genialnie sprawna twórczo i decyzyjnie, ale ani trochę nie byłaby człowiekiem, wyzbyta jego „tajemniczej głębi", jego wewnętrznych „pokrętności", jego labiryntowej przyrody...

Nie opowiadamy tu o współczesnej teorii świadomego życia psychicznego, jak i nie czyni tego profesor Dobb: trzeba jednak było tych kilku słów, bo one są przesłanką struktury osobowej personoidów. Zbudowanie ich ziściło nareszcie jeden z najstarszych mitów o homunkulusie. Po to, aby podobieństwo człowieka, tj. jego psychiki, stworzyć, trzeba z rozmysłem wprowadzić w informacyjny substrat określone s p r z e c z n o ś c i, trzeba mu nadać asymetrię, tendencje odśrodkowe, trzeba go, jednym słowem, zarazem i s c a l i ć — i s k ł ó c i ć. Czy to racjonalne?

Zapewne, wręcz nieuchronne, kiedy nie chcemy budować po prostu jakichś syntetycznych rozumów, lecz imitować myśl, a z nią razem osobowość człowieka.

Muszą się tedy w pewnej mierze sprzeczać emocje personoidów z ich racjami; muszą one dysponować tendencjami samozgubnymi w jakimś stopniu przynajmniej; muszą doznawać wewnętrznych „napięć", owej całej odśrodkowości, już to przeżywanej jako wspaniała nieskończoność duchowych stanów, już to jako ich bolesne nie do zniesienia rozdarcie. Receptura kreacyjna wcale nie jest przy tym aż tak beznadziejnie skomplikowana, jak by się mogło wydawać. Po prostu l o g i k a kreacji (personoida) musi być naruszona, musi zawierać pewne antynomie. Świadomość jest nie tylko wyjściem z ewolucyjnej matni — powiedział Hilbrandt — ale zarazem ucieczką z pułapek gödelizacji: sprzecznościami bowiem paralogicznymi rozwiązanie to uchyliło się od sprzeczności, którym musi być poddany każdy układ doskonały pod względem logicznym. Tak więc uniwersum personoidów jest w pełni racjonalne, ale nie są one jego w pełni racjonalnymi mieszkańcami. Niechaj nam to tutaj wystarczy — skoro i profesor Dobb nie zapuszcza się dalej w ten niezmiernie trudny temat. Jak wiemy już, personoidy nie mają ciał i nie doznają też przez to swej cielesności, lecz mają „duszę". „Bardzo trudno to sobie wyobrazić" — mówiono o tym, co jest doznawane w pewnych stanach szczególnych umysłu, w zupełnej ciemności, przy najwyższym zredukowaniu dopływu zewnętrznych bodźców, ale — twierdzi Dobb — są to obrazy mylące. Przy deprywacji sensorycznej bowiem praca ludzkiego mózgu zaczyna się rychło rozpadać: bez strumieni impulsów ze świata zewnętrznego psychika ma tendencję lityczną. Personoidy, pozbawione zmysłów, nie „rozpadają się" przecież, ponieważ tym, co nadaje im zwartość, jest ich matematyczne środowisko, którego doznają — ale jak? Doznają go, powiedzmy, podług tych zmian własnych stanów, które są im przez tę „zewnętrzność" narzucane, indukowane przez nią. Umieją odróżnić zmiany pochodzące spoza siebie — od zmian wynurzających się z głębin psychiki własnej. Jak one to robią? Na to pytanie już tylko teoria dynamicznej struktury personoidów udziela wyrazistej odpowiedzi.

A jednak są do nas podobne, przy wszystkich przeraźliwych różnicach. Wiemy już, że maszyna cyfrowa nigdy by świadomością nie zapłonęła; bez względu na to, do jakiego zadania ją zaprzężemy, jakie fizyczne procesy będziemy w niej modelowali, pozostanie na zawsze trwale apsychiczna. Ponieważ chcąc człowieka wymodelować, trzeba powtórzyć pewne jego fundamentalne sprzeczności, tylko układ ciążących ku sobie antagonizmów, czyli personoid, przypomina — za Canyonem, którego cytuje Dobb — gwiazdę ściąganą siłami ciążenia i zarazem rozpychaną ciśnieniem radiacji. Ośrodkiem grawitacyjnym jest osobowe „ja" po prostu — ale ono bynajmniej żadnej jedności w sensie logicznym ani fizycznym nie stanowi. To tylko nasze subiektywne złudzenie! Znajdujemy się, w niniejszej fazie wykładu, pośród mrowia zdumiewających zaskoczeń. Można wszak zaprogramować cyfrową maszynę w ten sposób, aby się dało z nią prowadzić rozmowy, niczym z rozumnym partnerem. Maszyna będzie używała, gdy zajdzie tego potrzeba, zaimka „ja" i wszystkich jego gramatycznych pochodnych. Jest to jednak swoiste „oszustwo"! Maszyna wciąż będzie bliższa miliardowi gadających papug — choćby papug aż genialnie wytresowanych — aniżeli najprostszemu, najgłupszemu człowiekowi. Naśladuje ona zachowanie człowieka na czysto językowej płaszczyźnie i nic ponadto. Maszyny tej nic nie rozbawi, nie zdziwi, nie zaskoczy, nie przerazi, nie zmartwi, ponieważ jest ona psychologicznie i osobowo Nikim. Jest ona Głosem wypowiadającym kwestie, udzielającym odpowiedzi na pytania, jest Logiką zdolną pobić najlepszego szachistę, jest ona — to znaczy: może się stać — najdoskonalszym imitatorem wszystkiego, niejako doprowadzonym do szczytu doskonałości aktorem, grającym każdą rolę zaprogramowaną — ale aktorem i imitatorem wewnętrznie całkiem pustym. Nie można liczyć na jej sympatię ani na jej antypatię. Na jej życzliwość jak i na wrogość. Nie dąży ona do żadnego samoustanowionego celu; w stopniu dla każdego człowieka po wieczność niepojętym jest jej „wszystko jedno" — skoro nie ma jej po prostu jako osoby... To cudownie sprawny mechanizm kombinatoryczny, nic więcej. Stykamy się ze zjawiskiem przedziwnym. Zdumiewa myśl, że z „surowca" tak bezwzględnie opustoszałej, tak doskonale bezosobowej maszyny można, dzięki wprowadzeniu w nią specjalnego programu — personetycznego mianowicie — sporządzić autentyczne osobowości, i to nawet wiele ich naraz! Ostatnie modele IBM osiągają pojemność 1000 personoidów — termin ścisły matematycznie, ponieważ ilość elementów i połączeń, niezbędnych jako nośniki jednego personoidu, można wyrazić w jednostkach centymetr–gram–sekunda. Personoidy są odgraniczone od siebie wewnątrz maszyny także fizycznie. Nie „zachodzą" na siebie — chociaż to może się wydarzyć. Pojawia się jednak przy kontakcie odpowiednik „odpychania", który utrudnia im wzajemną „osmozę". Niemniej mogą się przenikać — jeśli ku temu dążą. Procesy stanowiące ich mentalne podłoże zaczynają się wówczas nakładać na siebie, dając szumy i zakłócenia. Gdy strefa przenikania jest szczupła, pewna ilość informacji staje się „wspólną własnością" obu częściowo „pokrywających się" personoidów, i zjawisko to jest dla nich dziwaczne. Jest subiektywnie zaskakujące — jak dla człowieka dziwaczne, a wręcz niepokojące byłoby usłyszenie „cudzych głosów" i „obcych myśli" we własnej głowie (co się zdarza w pewnych zaburzeniach psychicznych, tj. w umysłowych chorobach, albo pod wpływem środków halucynogennych). Dzieje się coś takiego, jakby dwu ludzi miało nie takie samo, lecz t o s a m o wspomnienie. Jakby zachodziło coś więcej niż myślowy przekaz telepatyczny, bo „zespalanie się obwodowe jaźni". Jest to jednak zapowiedzią groźnego w skutkach fenomenu, którego powinno się unikać. Po przejściowym stanie „brzeżnej osmozy" personoid „napierający" może drugiego „zniszczyć" i „pochłonąć". Wówczas ten drugi ulega po prostu resorpcji, anihilacji — przestaje istnieć (nazywano to już morderstwem...). Unicestwiony personoid staje się przyswojoną, nieodróżnialną częścią „agresora". Udało się nam — mówi Dobb — wymodelować nie tylko życie psychiczne, ale także jego zagrożenie i zagładę. Udało się nam tedy wymodelować także śmierć. Personoidy w normalnych warunkach doświadczeń unikają jednak takich „agresji". „Duszojadów" (termin Castlera) raczej się wśród nich nie spotyka. Odczuwając początki osmozy, do której może dojść za sprawą czysto przypadkowych zbliżeń i fluktuacji, odczuwając to zagrożenie w sposób naturalnie bezzmysłowy, zapewne tak, jak ktoś czuje „cudzą obecność", a nawet słyszy „obce głosy" we własnym umyśle — personoidy wykonują aktywne ruchy unikowe, cofają się i rozchodzą. Dzięki temu zjawisku poznały wszakże sens pojęć „dobra" i „zła". Jest dla nich ewidentne, że „zło" polega na niszczeniu drugiego, a „dobro" na jego ocalaniu. I zarazem jest tak, że „zło" jednego może być „dobrem" (tj. korzyścią, w już pozaetycznym sensie) tego, który by stał się „duszojadem”. Ekspansja taka, przywłaszczenie sobie cudzego „terytorium duchowego”, powiększa bowiem wyjściowo dany „mentalny areał”. Jest to jakiś odpowiednik naszych praktyk — przecież należąc do zwierząt, musimy zabijać i żywić się zabijanymi. Personoidy natomiast nie muszą tak postępować, a jedynie mogą. Nie znają głodu, pragnienia, skoro żywi je energia stale dopływająca, o której źródła nie muszą się troszczyć, jak my nie musimy specjalnie zabiegać o to, aby nam słońce świeciło. W świecie personoidów nie mogą powstać terminy ani zasady termodynamiki rozumianej energetycznie, ponieważ ich świat podlega matematycznym, a nie termodynamicznym prawom.

Rychło badacze przekonali się, że kontakty personoidów z ludźmi, zachodzące poprzez wejścia i wyjścia komputera, są dość jałowe poznawczo, a za to nastręczają moralne dylematy, które przyczyniły się do nazwania personetyki najokrutniejszą z nauk. Jest coś niegodnego w informowaniu personoidów o tym, że stworzyliśmy je w zamknięciach pozorujących nieskończoność, że są mikroskopijnymi „psychocystami”, „małymi otorbieniami” w naszym świecie. Co prawda żyją one w swej nieskończoności, więc Sharker czy inni psychonetycy (Falkenstein, Wiegeland) twierdzili, że sytuacja jest w pełni symetryczna: nie potrzebują naszego świata, naszej „przestrzeni życiowej” dokładnie tak, jak nam byłaby na nic ich „ziemia matematyczna”. Dobb uważa te argumenty za sofistykę. Na temat, kto kogo stworzył i kto kogo zamknął w sensie kreacyjnym, nie może być wszak żadnej dyskusji. Dobb należy w każdym razie do tych, którzy głoszą bezwzględną zasadę „nieinterweniowania” i „niekontaktowania się” — z personoidami. Są to behawioryści personetyki. Pragną obserwować syntetyczne istoty rozumne, przysłuchiwać się ich mowie i myślom, notować ich działania, ich prace, ale nigdy się do nich nie wtrącać. Ta metoda jest już obecnie rozwinięta i dysponuje określonym oprzyrządowaniem technicznym, którego sprokurowanie nastręczało jeszcze kilka lat temu trudności pozornie wręcz nieprzezwyciężalne. Chodzi o to, aby słyszeć, aby rozumieć, aby, jednym słowem, być trwale podpatrującym świadkiem, ale by zarazem owe „nasłuchy” w niczym świata personoidów nie naruszały. Obecnie projektuje się w MIT-cie programy (AFRON II i EROT), które mają umożliwić personoidom — istotom, jak dotąd, bezpłciowym — „kontakty erotyczne", odpowiedniki „zapłodnienia", oraz dać im szanse rozmnażania się „płciowego". Dobb nie ukrywa wcale, że nie jest entuzjastą tych amerykańskich projektów. Praca jego, całością doświadczeń, które relacjonuje w *Non serviam*, kieruje się w zupełnie inną stronę. Nie bez kozery nazwano właśnie angielską szkołę personetyczną — „poligonem filozoficznym", „laboratoryjną teodyceą". Tymi słowami przechodzimy do najbardziej chyba doniosłej — a na pewno najmocniej fascynującej każdego człowieka — ostatniej części omawianej książki. Do tej, która usprawiedliwia i zarazem tłumaczy jej, zrazu tylko dziwacznie brzmiący, tytuł.

Dobb zdaje sprawę z własnego doświadczenia, które ciągnie się już od ośmiu lat bez przerwy. O samej kreacji wspomina lakonicznie; była, w końcu, dość zwykłym powtórzeniem działań typowych dla programu JAHVE 09 z nieznacznymi tylko modyfikacjami. Dobb przedstawia w streszczeniu wyniki podsłuchiwania świata, który sam stworzył i który nadal śledzi w rozwoju. Podsłuchiwanie to uważa za nieetyczne, a nawet — wyjawia — chwilami ma je za praktykę haniebną. Niemniej czyni swoje, wyznając wiarę w konieczność przeprowadzania również i takich eksperymentów — w nauce — które żadną miarą nie dają się usprawiedliwić z czysto moralnego, a zarazem pozapoznawczego stanowiska. Sytuacja — powiada — jest już tak zaawansowana, że stare wykręty uczonych są na nic. Nie można udawać cudownej neutralności i odżegnywać się od niepokoju sumienia, stosując na przykład wykręty, jakich dopracowała się wiwisekcja: że to nie pełnowymiarowej świadomości, nie suwerennym istotom sprawia się cierpienie czy tylko dolegliwość. Jesteśmy odpowiedzialni podwójnie, ponieważ stwarzamy — i zakuwamy stworzone w schemat naszych procedur badawczych. Cokolwiek byśmy uczynili i jakkolwiek byśmy wykładali to postępowanie — od pełnej odpowiedzialności nie ma już ucieczki. Wieloletnie doświadczenie Dobba i współpracowników z Oldport sprowadza się do sporządzenia uniwersum ośmiowymiarowego, które stało się mieszkaniem personoidów o mianach ADAN, ADNA, ANAD, DANA, DAAN i NAAD. Pierwsze personoidy rozwinęły zasadzoną w nich pierwocinę języka i miały „potomstwo" powstające drogą „podziałów". Jak pisze Dobb, jawnie podkładając pod swoje słowa werset biblijny, „i zrodził ADAN ADNĘ. ADNA zaś zrodziła DAANA, a DAAN począł EDANA, który spłodził EDNĘ...” — i tak to szło, aż liczba kolejnych generacji osiągnęła trzysta; ponieważ zaś komputer, jakiego użyto, nie miał pojemności ponad 100 jednostek personoidalnych, przychodziło okresowo do likwidowania „nadmiaru demograficznego”. W generacji trzechsetnej znów występują ADAN, ADNA, DANA, DAAN i NAAD, obdarzeni co prawda dodatkowymi liczbami określającymi ich pokoleniową kolejność, lecz dla prostoty w naszej rekapitulacji liczby owe pominiemy. Dobb powiada, że czas, jaki upłynął w uniwersum komputerowym od „początku świata”, wynosi mniej więcej — w szacunkowym przeliczeniu na nasze odpowiedniki — około 2 do 2,5 tysięcy lat. W tym okresie doszło do powstania, wewnątrz populacji personoidów, całego szeregu rozmaitych wykładni ich losu, jak również do utworzenia przez nie — rozmaitych konkurujących z sobą i wykluczających się nawzajem obrazów „wszystkiego, co istnieje”, czyli, mówiąc prosto, do wyniknięcia wielu rozmaitych filozofii (ontologii i epistemologii), a także do swoistych „prób metafizycznych”. Nie wiadomo, czy przez to, że „kultura” personoidów jest od ludzkiej nazbyt odmienna, czy też przez to, że eksperyment trwał nazbyt krótko — nie wykrystalizował się w populacji badanej żaden typ wiary doskonale zdogmatyzowanej, który odpowiadałby np. buddyzmowi bądź chrześcijaństwu. Natomiast już od ósmej generacji notuje się pojawienie pojęcia Stwórcy, rozumianego osobowo i monoteistycznie. Doświadczenie polegało na tym, że na przemian raz doprowadzano tempo przekształceń komputerowych do maksimum, a raz (mniej więcej co roku) spowalniano je tak, aby „bezpośredni nasłuch” był możliwy dla obserwatorów. Te zmiany tempa są jednak — wyjaśnia Dobb — całkowicie niepostrzegalne dla mieszkańców komputerowego uniwersum, tak jak dla nas byłyby niedostrzegalne podobne przekształcenia, ponieważ gdy za jednym zamachem ulega zmianie całość bytu (tutaj — wyłącznie w wymiarze czasowym), pogrążeni w nim nie są tego świadomi, jeśli nie dysponują żadnym niezmiennikiem, czyli takim układem odniesienia, który pozwala stwierdzić zachodzenie zmiany.

Włączanie tych „dwóch biegów czasu” umożliwiło to, na czym najbardziej zależało Dobbowi, mianowicie — powstanie historii własnej personoidów, z właściwą jej głębią tradycji oraz perspektywą czasową. Streścić wszystkich wykrytych przez Dobba, często rewelacyjnych danych owej „historii” niepodobna.

Ograniczymy się tedy do ustępów, z jakich niechybnie wypłynęła refleksja odzwierciedlona w tytule książki. Język, jakim się posługują personoidy, jest późną transformacją standardowego języka angielskiego, który im w pierwszej generacji leksykalnie i syntaktycznie zaprogramowano. Dobb w zasadzie tłumaczy go na „normalny angielski", pozostawiając jednak nieliczne wyrażenia ukute przez personoidową populację. Należą do nich pojęcia „bożę" i „niebożę" w rozumieniu „wierzący w Boga" i „ateista".

ADAN dyskutuje z DAANEM i ADNĄ (personoidy nie mają płci i nie posługują się tymi imionami — są one czysto pragmatycznym chwytem ze strony obserwatorów, który ułatwia po prostu protokołowanie wypowiedzi) znany i nam problem, który w naszej historii pochodzi od Pascala, w historii zaś personoidów stanowił wynalazek EDANA 197. Ów myśliciel, zupełnie jak Pascal, orzekał, że wiara w Boga w każdym przypadku opłaca się lepiej od niewiary, ponieważ jeśli słuszność jest po stronie „niebożąt", wierzący nic oprócz życia nie traci, schodząc ze świata; jeśli natomiast Bóg jest, zdobywa całą wieczność (światłość wiekuistą). Tak tedy w Boga należy wierzyć, gdyż to dyktuje po prostu taktyka egzystencjalna jako rachuba zmierzająca do osiągnięcia optymalnych sukcesów bytowych.

ADAN 300 tak ustosunkowuje się do owej dyrektywy: EDAN 197 zakłada w swym rozumowaniu Boga, domagającego się czci, miłości i zupełnego oddania, a nie tylko i po prostu wiary w to, iż on sobie istnieje, i — ewentualnie — że on świat stworzył. Nie wystarczy wszak godzić się z hipotezą Boga-Sprawcy świata, aby zyskać zbawienie: trzeba ponadto być temu Sprawcy za akt stworzenia wdzięcznym, domyślać się jego woli i spełniać ją, czyli — jednym słowem — trzeba Bogu służyć. Otóż Bóg, jeżeli istnieje, jest mocen udowodnić własną egzystencję w sposób co najmniej tak samo pewny, jak poświadcza swój byt to, co można spostrzegać bezpośrednio. Nie mamy wszak wątpliwości co do tego, że pewne obiekty istnieją i że się z nich nasz świat składa. Najwyżej można żywić wątpliwości co do tego, *jak one to robią, że istnieją*, w jaki sposób istnieją etc. Lecz samemu faktowi ich bytowania nikt nie przeczy. Bóg mógł z taką samą mocą poświadczyć własną egzystencję. Nie uczynił tego jednak, skazawszy nas na uzyskiwanie w owym przedmiocie wiedzy okólnej, upośrednionej, wyrażanej pod postacią rozmaitych domniemań, zwanych nieraz objawieniami. Jeżeli tak postąpił, to tym samym równouprawnił stanowiska „bożąt" i „niebożąt"; nie przynaglił stworzonego do wiary bezwzględnej w swój byt, a tylko dał mu tę ewentualność. Zapewne, motywy, jakimi się powodował Stwórca, mogą być dla stworzonego nie znane. Powstaje atoli takie oto pytanie: Bóg albo istnieje, albo nie istnieje, i to, aby była trzecia możliwość (Bóg istniał, ale go już nie ma, istnieje okresowo, oscylacyjnie, istnieje raz „mniej", a raz „bardziej", etc.), zdaje się nader mało prawdopodobne. Tego nie można wykluczyć, lecz wprowadzenie wielowartościowej logiki w teodyceę tylko ją zamąca.

Tak tedy Bóg jest bądź go nie ma. Jeśli on akceptuje sam sytuację naszą, w której każdy z członków alternatywy ma za sobą argumenty — wszak jedni dowodzą, jako „bożęta", istnienia Stwórcy, a inni, jako „niebożęta", temu oponują — to pod względem logicznym mamy sytuację gry, której partnerów tworzy z jednej strony pełny zbiór „bożąt" z „niebożętami", a z drugiej Bóg jeden. Owa gra posiada taką logiczną charakterystykę, że za niewiarę w siebie Bóg nie jest w prawie nikogo ukarać. Jeżeli nie wiadomo na pewno, czy istnieje jakaś rzecz, lecz tylko jedni mówią, że jest, a inni, że jej nie ma, i jeżeli w ogóle daje się uargumentować hipoteza, jakoby jej wcale nie było, to żaden sprawiedliwy sąd nie skaże nikogo za to, że będzie bytowi tej rzeczy zaprzeczał. Jest bowiem dla wszystkich światów tak oto: gdy nie ma zupełnej pewności, nie ma pełnej odpowiedzialności. Jest to sformułowanie czysto logicznie niepodważalne, ponieważ wytwarza symetryczną funkcję wypłaty w rozumieniu teorii gier: kto przy niepewności dalej żąda pełnej odpowiedzialności, ten narusza symetrię matematyczną gry (powstaje wówczas tak zwana gra o sumie niezerowej).

Jest tedy tak: Albo Bóg jest doskonale sprawiedliwy; a wówczas nie może posiąść prawa karania „niebożąt" za to, że są „niebożętami" (tj. że weń nie wierzą). Albo jednak będzie karał niewierzących: znaczy to, że pod względem logicznym doskonale sprawiedliwy nie jest. Co wtedy? Wtedy może już czynić wszystko, co mu się żywnie spodoba, ponieważ, kiedy w logicznym systemie pojawi się jedna jedyna sprzeczność, to zgodnie z zasadą *ex falso quodlibet* — można z systemu wywnioskować to, co się komu żywnie spodoba. Inaczej mówiąc: Bóg sprawiedliwy nie może „niebożętom" włosa tknąć na głowie, a jeśli tak czyni, to tym samym nie jest ową wszechstronnie doskonałą i sprawiedliwą istotą, jaką zakłada teodycea.

ADNA pyta, jak w tym świetle przedstawia się problem czynienia bliźnim zła.

ADAN 300 odpowiada: cokolwiek zachodzi tu, jest całkiem pewne; cokolwiek zachodzi „tam" — tj. poza obrębem świata, w wieczności, u Boga etc. — jest niepewne jako tylko wnioskowane podług hipotez. Tutaj nie należy zadawać zła, mimo iż zasady niezadawania zła logicznie udowodnić się nie da. Lecz tak samo nie da się dowieść logicznie istnienia świata. Świat istnieje, chociaż mógłby nie istnieć; zło można zadawać, ale nie trzeba tego robić. Uważam — mówi ADAN 300 — że to wynika z naszej zgody opartej na regule wzajemności; bądź mi, jako ja tobie jestem. Nie ma to nic wspólnego z istnieniem lub z nieistnieniem Boga. Gdybym nie zadawał zła, licząc się z tym, że „tam" będę za nie ukarany, albo gdybym wyrządził dobro, licząc „tam" na nagrodę, opieram się na racjach niepewnych. Tutaj jednak nie może być pewniejszej racji od naszego porozumienia w tej sprawie. Jeżeli „tam" są inne racje, nie znam ich z taką dokładnością, z jaką tutaj znam nasze. Żyjąc, prowadzimy grę o życie i jesteśmy w niej sojusznikami co do jednego. Tym samym gra jest między nami doskonale symetryczna. Postulując Boga, postulujemy dalszy ciąg gry poza światem. Uważam, że wolno postulować to przedłużenie gry tylko pod warunkiem, iż ono nie wpłynie w żaden sposób na przebieg gry tutaj. W przeciwnym razie dla kogoś, kto być może nie istnieje, poświęcić gotowiśmy to, co istnieje tutaj — na pewno.

NAAD zauważył, że nie jest dlań jasny stosunek ADANA 300 do Boga. ADAN uznaje wszak możliwość istnienia Stwórcy: co z niej wynika?

ADAN: Nic zgoła. To znaczy: nic w zakresie powinności. Sądzę, że — znów dla wszystkich światów — ważna jest taka zasada: etyka doczesności jest zawsze niezależna od etyki transcendentnego. Znaczy to, że etyka doczesności nie może mieć poza sobą żadnej sankcji, co by ją uprawomocniała. Znaczy to, że ten, kto czyni zło, jest zawsze łotrem, jak ten, kto czyni dobro, jest zawsze sprawiedliwym. Jeżeli ktoś gotów jest służyć Bogu, uznając argumenty na rzecz jego istnienia za dostateczne, nie ma przez to *tutaj* żadnej naddatkowej zasługi. Jest to jego rzecz. Zasada ta opiera się na założeniu, że jeśli Boga nie ma, to nie ma go ani trochę, a jeśli jest, to jest wszechmocny. Wszechmocny mógłby bowiem stworzyć nie tylko inny świat, ale także inną logikę, nie tę, co jest fundamentem mego rozumowania. Wewnątrz takiej innej logiki hipoteza etyki doczesnej byłaby koniecznie uzależniona od etyki transcendentnego. Wówczas jeśli nie dowody naocznościowe, to dowody logiczne miałyby moc zniewalającą i przymuszałyby do przyjęcia hipotezy Boga pod groźbą grzeszenia przeciwko rozumowi.

NAAD powiada, że, być może, Bóg nie pragnie sytuacji takiego zniewolenia do wiary w siebie, jaka powstałaby przy nastaniu owej innej logiki, postulowanej przez ADANA 300. Ten odpowiada na to:

Bóg wszechmocny musi być i wszechwiedny; wszechmoc nie jest od wszechwiedzy niezawisła, ponieważ ten, kto wszystko może, ale nie wie, jakie skutki pociągnie za sobą uruchomienie jego wszechmocy, de facto nie jest już wszechmocny; jeśliby Bóg kiedy niekiedy czynił cuda, jak o tym opowiadają, to rzucałoby na jego perfekcję nader dwuznaczne światło, ponieważ cud jest naruszeniem autonomii własnej stworzonego — jako nagła interwencja. Kto atoli produkt kreacji wyreguluje doskonale i z góry zna do końca jego zachowanie, autonomii tej nie ma potrzeby naruszać; jeśli mimo to ją narusza, pozostając wszechwiednym, oznacza to, że nie poprawia bynajmniej swego dzieła (poprawka oznaczać musi wszak niewszechwiedność wstępną), lecz daje cudem znak swojego istnienia. Otóż to jest ułomne logicznie, ponieważ dając takie znaki, wytwarza się wrażenie, jakoby się jednak naprawiało stworzone w jego lokalnych potknięciach. Wówczas bowiem analiza logiczna powstałego obrazu wygląda następująco: stworzone podlega poprawkom, które nie wychodzą z niego, ale przybywają z zewnątrz (z transcendencji, tj. z Boga), a więc należałoby właściwie uczynić cud — normą, czyli stworzone tak udoskonalić, żeby już żadne cuda nigdy więcej nie okazały się potrzebne. Cuda bowiem jako doraźne interwencje nie mogą być *tylko* znakami Bożej egzystencji: one zawsze przecież oprócz tego, iż objawiają ich Sprawcę, wykazują swych adresatów (są do kogoś tu skierowane pomocnie). Tak więc pod względem logicznym musi być tak oto: albo jest stworzone doskonałe, a wówczas cuda są zbędne, albo są niezbędne, a wówczas ono już doskonałe nie jest na pewno (cudownie czy niecudownie można wszak poprawić to tylko, co jakoś ułomne, bo cud wtrącający się do perfekcji potrafi ją jedynie naruszyć, czyli lokalnie pogorszyć). Inaczej mówiąc, sygnalizować cudami własną obecność to tyle, co używać najgorszego z możliwych logicznie sposobów jej zamanifestowania.

NAAD pyta, czy Bóg nie może sobie właśnie życzyć alternatywy pomiędzy logiką a wiarą w siebie: może akt wiary powinien być właśnie rezygnacją z logiki na rzecz zupełnego zaufania.

ADAN: Jeżeli raz jeden przyjmiemy, że rekonstrukcja logiczna czegokolwiek (bytu, teodycei, teogonii itp.) może być wewnętrznie sprzeczna, to jasne jest, iż wówczas da się już udowodnić absolutnie wszystko, czyli to, co się komu żywnie spodoba. Zważcie, jak wygląda rzecz: chodzi o to, by stworzyć kogoś, by obdarować go określoną logiką, a potem żądać złożenia z niej właśnie ofiary na rzecz uwierzenia w Sprawcę wszystkiego. Jeśli ten obraz sam ma pozostać niesprzeczny, domaga się zastosowania jako metalogiki zupełnie innego typu rozumowań aniżeli tych, co są właściwe logice stworzonego. Jeżeli tak nie przejawia się po prostu ułomność Kreatora, to przejawia się cecha, którą bym nazwał nieelegancją matematyczną, swoistą nieporządnością (niekoherencją) stwórczego aktu.

NAAD upiera się przy swoim: Być może, Bóg czyni tak, pragnąc właśnie pozostać niedościgłym dla stworzonego, tj. nierekonstruowalnym podług logiki, jakiej mu dostarczył. Domaga się, jednym słowem, supremacji wiary nad logiką.

ADAN odpowiada mu: Rozumiem. Oczywiście jest to możliwe, ale jeśli nawet tak by miało być, fakt, iż wiara okazuje się wówczas nie do pogodzenia z logiką, stwarza wielce niemiły dylemat natury moralnej. Trzeba bowiem w jakimś miejscu rozumowań zawiesić je i oddać prym niejasnemu domysłowi, czyli przełożyć domysł nad logiczną pewność. Ma to być zrobione w imię zaufania bezgranicznego; przez co wchodzimy w *circulus vitiosus*, ponieważ istnienie tego, komu tak wypadałoby zaufać, jest skutkiem rozumowań wyjściowo poprawnych logicznie; powstaje logiczna sprzeczność, nabierająca dla niektórych wartości dodatniej, nazywanej tajemnicą Boga. Otóż pod względem czysto konstrukcyjnym jest to rozwiązanie liche, a pod względem moralnym wątpliwe, ponieważ Tajemnica dostatecznie może być ufundowana na nieskończoności (a wszak nieskończonościowy jest charakter bytu), podtrzymywanie jej zaś i wzmacnianie kontradykcją wewnętrzną jest ze stanowiska każdego budowniczego perfidne. Rzecznicy teodycei nie zdają sobie na ogół sprawy z tego, że tak jest, ponieważ do pewnych jej części stosują jednak zwyczajną logikę, a do innych już nie; chcę powiedzieć, iż jeśli się wierzy w sprzeczność *, należy tym samym wierzyć już tylko w sprzeczność, a nie zarazem jeszcze i w jakowąś niesprzeczność (tj. w logikę) — gdziekolwiek indziej. Jeśli się jednak zachowuje taki dziwaczny dualizm (doczesność jest zawsze logice podległa, transcendencja tylko fragmentarycznie), to tym samym powstaje obraz stworzenia jako czegoś pod względem poprawności logicznej „łaciatego" i nie można już postulować jego perfekcji. Powstaje w sposób nieuchronny wniosek, że perfekcja to coś takiego, co musi być logicznie łaciate.

EDNA pyta, czy spójnikiem owych niekoherencji nie może być miłość.

ADAN: Gdyby i tak miało być nawet, to nie wszelka postać miłości, ale zaślepiająca tylko. Bóg, jeśli jest, jeśli stworzył świat, zezwolił, aby ów świat urządził się, jak umie i zechce. Za to, że Bóg istnieje, nie można mu być wdzięcznym: takie bowiem postawienie sprawy zakłada ustalenie wcześniejsze, iż Bóg może nie istnieć i że to byłoby złe; przesłanka ta prowadzi do innego rodzaju sprzeczności. A więc wdzięczność za akt kreacji? I ta się Bogu nie należy. Zakłada ona bowiem zniewolenie do wiary w to, że być jest na pewno lepiej, aniżeli nie być; nie pojmuję, jak by to z kolei można było udowodnić. Temu wszak, kto nie istnieje, nie można wyrządzić ani przysługi, ani krzywdy; a już jeśli Stwarzający dzięki wszechwiedzy wie z góry, że stworzony będzie mu wdzięczny i będzie go miłował, albo że mu będzie niewdzięczny i że będzie go odtrącał, tym samym wytwarza przymus, tyle iż niedostępny bezpośredniemu oglądowi stworzonego. Właśnie dlatego nie należy się Bogu nic: ani miłość, ani nienawiść, ani wdzięczność, ani wypominanie, ani nadzieja nagrody, ani lęk przed karą. Nie należy mu się nic. Kto łaknie uczuć, musi pierwej upewnić ich podmiot w tym, że ponad wszelką wątpliwość istnieje. Miłość może być zdana na domysły co do wzajemności, jaką wzbudza; to zrozumiałe. Ale miłość zdana na domysły co do tego, czy miłowany istnieje, stanowi nonsens. Kto jest wszechmocny, mógł dać pewność. Skoro jej nie

* Credo quia absurdum est (uwaga prof. Dobba w tekście).

dał, jeśli jest, uznał to za zbędne. Czemu zbędne? Nasuwa się domniemanie, że wszechmocny nie jest. Niewszechmocny zasługiwałby prawdziwie na uczucia pokrewne litości, a też i miłości; lecz tego wszak żadna z naszych teodycei nie dopuszcza. A więc powiadamy: służymy sobie i nikomu więcej.

Pomijamy dalsze rozważania na temat, czy Bóg teodycei jest raczej liberałem, czy raczej autokratą; trudno streścić wywody obejmujące dużą część książki. Rozważania i dyskusje, jakie protokołował Dobb, już to w kolokwiach grupowych ADANA 300, NAADA i innych personoidów, już to w solilokwiach (nawet czysto myślowy tok może eksperymentator notować dzięki odpowiednim urządzeniom włączonym w komputerową sieć), wypełniają niemal trzecią część dzieła *Non serviam*. W samym tekście nie znajdujemy żadnego do nich komentarza. Figuruje on jednak w posłowiu Dobba. Pisze on: *Argumentacja ADANA wydaje mi się przynajmniej o tyle niewywrotna, o ile jest do mnie zaadresowana: a wszak to ja go stworzyłem. W jego teodycei ja jestem Stwórcą. W samej rzeczy sporządziłem ów świat (o liczbie kolejnej 47) za pomocą programu ADONAI IX i stworzyłem zawiązki personoidów zmodyfikowanym programem JAHVE 09. Te wyjściowe istoty dały początek trzystu generacjom następnych. W samej rzeczy nie zakomunikowałem im jako pewnika ani tych faktów, ani mojej egzystencji poza granicami ich świata. W samej rzeczy dochodzą mego bytu tylko inferencyjnie, na prawach domysłów i hipotez. W samej rzeczy, gdy stwarzam rozumne istoty, nie czuję się w prawie żądania od nich jakichkolwiek przywilejów — miłości, wdzięczności czy aż jakowychś służb. Mogę ich świat powiększać lub redukować, jego czas przyspieszać lub zwalniać, zmieniać tryb i modus ich percepcji, likwidować je, dzielić, mnożyć, przekształcać im opokę ontologiczną bytu. Jestem więc względem nich wszechmocny, ale z tego doprawdy nie wynika, żeby mi się za to cokolwiek od nich należało. Uważam, że nie mają wobec mnie najmniejszych zobowiązań. Prawdą jest, że ich nie kocham. O miłości nie może być mowy, ale w końcu jakiś inny eksperymentator mógłby ją żywić dla swych personoidów. Uważam, że to w niczym nie odmieni rzeczy — ani na jeden włos. Wyobraźcie sobie, że do mojego BIX 310 092 dołączam ogromną przystawkę, która będzie „światem pozadoczesnym". Kolejno przepuszczam przez łączący kanał „dusze" mych personoidów w obręb przystawki i tam na-*

gradzam tych, co we mnie wierzyli, hołdy mi oddawali, okazywali mi wdzięczność i zaufanie, wszystkich zaś innych — wszystkie „niebożęta", by użyć słownictwa personoidalnego — karzę, np. unicestwieniem bądź mękami (o karach wiekuistych nie śmiem nawet pomyśleć — aż takim potworem nie jestem!). Czyn mój uznano by niechybnie za wyskok niesamowicie bezwstydnego egotyzmu, za nikczemny akt zemsty irracjonalnej, jednym słowem — za ostatnie łotrostwo w sytuacji totalnego panowania nad bezwinnymi, którzy będą mieć przeciwko mnie rację niezbitą — l o g i k i, co patronowała ich postępowaniu. Każdy, oczywiście, może sobie wyciągnąć z personetycznych doświadczeń takie wnioski, jakie uważa za słuszne i właściwe. Dr Ian Combay powiedział mi w prywatnej rozmowie, że mógłbym wszak upewnić społeczność personoidów o mym istnieniu. Otóż tego nie zrobię na pewno. Wyglądałoby mi to bowiem na jakieś dopraszanie się dalszego ciągu — to jest na oczekiwanie reakcji z ich strony. Ale co właściwie mogliby mi wyrządzić lub rzec takiego, abym nie poczuł się dogłębnie zawstydzony, ugodzony boleśnie jako ich nieszczęsny Stwórca? Rachunki za zużytą energię elektryczną przychodzi płacić kwartalnie i nadejdzie chwila, w której moja uniwersytecka zwierzchność zażąda zamknięcia eksperymentu, więc wyłączenia maszyny, czyli końca świata. Chwilę tę będę odraczał tak długo, jak się da. Jest to jedyna rzecz, na jaką mnie stać. Lecz nie taka, którą uznaję za chwalebną. Idzie raczej o coś takiego, co potocznie zwą na ogół psim obowiązkiem, Mam nadzieję, że przy tych słowach nikt sobie nic nie pomyśli. Jeśli pomyśli jednak, jest to jego rzecz.

Jak Erg Samowzbudnik bladawca pokonał

Potężny król Boludar kochał się w osobliwościach, na których gromadzeniu pędził życie, zapominając dla nich nieraz i o ważnych sprawach państwowych. Miał on kolekcję zegarów, a pośród nich były zegary tańczące, zegary-zorze i zegary-obłoki. Miał też wypchane stwory z najdalszych stron Wszechświata, a w osobnej sali, pod dzwonem szklanym, istotę najrzadszą, zwaną Homosem Antroposem, przedziwnie bladą, dwunogą, która miała nawet oczy, choć puste, i król kazał w nie dwa rubiny piękne włożyć, aby Homos patrzał czerwonym wzrokiem. Podochociwszy sobie, Boludar co najmilszych gości prosił do tej sali i pokazywał im maszkarę.

Pewnego razu gościł król na dworze elektrowieda tak starego, że już mu się w kryształach rozum od starości nieco mieszał, wszelako był ów elektrowied, Halazonem zwany, skarbnicą wszelkiej mądrości galaktycznej. Powiadano, że znał sposoby nizania fotonów na nitki, z czego świetliste naszyjniki powstają; a nawet, że wiedział, w jaki sposób można złowić żywego Antroposa. Znając jego słabość, król kazał natychmiast piwnice otworzyć; elektrowied poczęstunku nie odmawiał, i pociągnąwszy o jeden raz za wiele z butli lejdejskiej, kiedy miłe prądy rozeszły mu się po całym ciele, straszliwą tajemnicę zdradził królowi i obiecał zdobyć dlań Antroposa, który był władcą pewnego plemienia śródgwiezdnego; cenę wyznaczył wysoką: tyle brylantów rozmiaru pięści, ile Antropos zaważy — lecz król ani nie mrugnął.

Wyruszył tedy Halazon w drogę, król zaś jął chełpić się przed radą tronową oczekiwanym nabytkiem, czego i tak zresztą nie mógł ukryć, bo kazał już w parku zamkowym, gdzie rosły najwspanialsze kryształy, budować klatkę z grubych sztab żelaznych. Trwoga padła na dworaków. Widząc nieustępliwość króla, wezwali na zamek dwóch mędrców homologów, których król przyjął miłym sercem, był bowiem ciekaw, co też wielowiedowie ci, Salamid i Thaladon, powiedzą mu o istocie bladej takiego, czego on sam jeszcze nie wie.

— Czy prawdą jest — spytał, ledwo z klęczek powstali, oddawszy mu należny ukłon — że Homos miększy jest nad wosk?

— Tak jest, Wasza Jasność! — odparli obydwaj.

— A czy i to prawda, że szparką, którą ma u dołu twarzy, może wydawać rozmaite dźwięki?

— Tak jest, Wasza Królewska Mość, jak również, że do tego samego otworu tka Homos różne rzeczy, a potem dolną częścią głowy rusza, która na zawiaskach jest do górnej przytwierdzona, przez co się owe rzeczy rozdrabniają i on je wciąga do swego wnętrza.

— Dziwny obyczaj, o którym słyszałem — rzekł król. — Wszelako powiedzcie, mędrcy moi, po co on to czyni?

— W tej materii cztery są teorie, Wasza Królewska Mość — odparli homologowie. — Pierwsza, że czyni tak, by się nadmiaru jadów pozbyć (jadowity jest bowiem niesłychanie). Druga, że postępuje tak gwoli niszczeniu, które przedkłada nad wszelką inną uciechę. Trzecia, że przez chciwość, bo wszystko by pochłonął, gdyby mógł, czwarta...

— Dobrze, już dobrze! — rzekł król. — Czy to prawda, że on z wody jest uczyniony, a jednak nieprzezroczysty, jak ta moja kukła?

— I to prawda! Ma on, panie, w środku wielość rurek śliskich, którymi wody cyrkulują; są w nim żółte, są perłowe, ale najwięcej czerwonych — te niosą straszną truciznę, kwasorodem lub tlenem zwaną, który to gaz wszystko, czego tknie, zaraz w rdzę obraca lub w płomień. Dlatego on sam mieni się perłowo, żółto i różowo. Wszelako, Wasza Królewska Mość, błagamy pokornie, byś od zamysłu sprowadzenia żywego Homosa odstąpić raczył, istota to bowiem potężna i złośliwa jak żadna inna...

— To wyłuszczyć musicie mi dokładnie — rzekł król, udając, że gotów jest się do rad mędrców przychylić. W istocie jednak chciał zaspokoić tylko swoją wielką ciekawość.

— Istoty, do których i Homos należy, zwą się trzęskimi, panie. Należą do nich silikończycy i proteidzi; pierwsi gęstszej są konsystencji, przeto zwą ich zakalcytami bądź studzieninowcami; drudzy, rzadsi, u różnych autorów różne noszą miana, jako to: lipcy lub lipkowie u Pollomedera, grzęzawcy lub klejowaci u Tricephalosa Arborydzkiego, nareszcie trzęśliniakami klejookimi przezwał ich Analcymander Miedziawy...

— Prawdaż to, że oni nawet oczy mają śliskie? — spytał żywo król Boludar.

— Tak jest, panie. Istoty owe, z pozoru słabe i kruche, że dość upadku z sześćdziesięciu stóp, aby się każda w kałużę czerwoną rozbryznęła, przedstawiają, przez przyrodzoną chytrość, niebezpieczeństwo gorsze od wszystkich razem wirów i raf Pierścienia Astrycznego! Tak więc, błagamy cię, panie, abyś, mając na względzie dobro państwa...

— Już dobrze, moi kochani, dobrze — przerwał im król. — Możecie iść, a ja powezmę decyzję z należytą rozwagą.

Uderzyli czołem mędrcy homologowie i odeszli niespokojni, gdyż czuli, że nie porzucił groźnego zamysłu król Boludar.

Jakoż niebawem korab gwiezdny przywiózł nocą ogromne paki. Te zaraz do ogrodu królewskiego przeniesiono. Wnet otwarły się złociste podwoje dla wszystkich królewskich poddanych; wśród brylantowych gąszczy, z jaspisu wyrzeźbionych altan i marmurowych dziwadeł ujrzeli klatkę żelazną, a w niej istotę bladą, wiotką, która siedziała na małej baryłce, przed miską z czymś osobliwym, co wydawało wprawdzie woń oleju, ale popsutego przypaleniem na ogniu, a przez to nie nadającego się już do użytku. Wszelako istota najspokojniej nurzała rodzaj łopatki w misce i nabierając z czubem, wkładała maszczoną olejem substancję do otworu twarzowego.

Patrzący oniemieli ze zgrozy, kiedy odczytali napis na klatce, wyjawił bowiem, że mają przed sobą Antroposa Homosa — bladawca żywego. Pospólstwo jęło go drażnić, a wtedy Homos wstał, zaczerpnął czegoś z baryłki, na której był siedział, i chlustać jął na gawiedź zabójczą wodą. Jedni uciekali, drudzy chwytali kamienie, by ohydę porazić, ale straż zaraz obecnych rozpędziła.

O wypadkach tych dowiedziała się córka królewska, Elektrina. Odziedziczyła widać ciekawość po ojcu, nie bała się bowiem zbliżać do klatki, w której stwór pędził czas na drapaniu się lub wchłanianiu takich ilości wody i popsutego oleju, jaka by stu poddanych królewskich na miejscu uśmierciła.

Homos nauczył się rychło rozumnej mowy i ważył się nawet zagadywać Elektrinę.

Spytała go raz królewna, co też takiego białego świeci mu się w gębie.

— Nazywam to zębami — rzekł.

— Podaj mi choć jeden ząb przez kratę! — poprosiła królewna.

— A co mi za to dasz? — spytał.

— Dam ci mój złoty kluczyk, ale tylko na chwilę.

— A co to za kluczyk?

— Mój osobisty, którym się co wieczór rozum nakręca. Przecież i ty musisz go mieć.

— Mój kluczyk jest inny od twego — odparł wymijająco. — A gdzie go masz?

— Tu, na piersi, pod złotą klapką.

— Daj mi go...

— A dasz mi ząb?

— Dam...

Królewna odkręciła złotą śrubkę, otwarła klapkę, wyjęła złoty kluczyk i podała przez kraty. Bladawiec chwycił go chciwie i, rechocząc, uciekł w głąb klatki. Królewna prosiła go i błagała, by kluczyk oddał, lecz na próżno. Bojąc się zdradzić komukolwiek, co uczyniła, Elektrina z ciężkim sercem wróciła na pokoje pałacowe. Postąpiła nierozumnie, ale była jeszcze prawie dzieckiem. Nazajutrz słudzy znaleźli ją leżącą bez pamięci w kryształowym łóżku. Przybiegł król z królową, i dwór cały, a ona leżała, jakby śpiąc, ale nie dało się jej zbudzić. Wezwał król konsyliarzy-elektrykarzy nadwornych, medykierów-lekarczyków, a ci, zbadawszy królewnę, odkryli, że klapka otwarta, a śrubki ani kluczyka nie ma! Gwałt podniósł się w zamku i rwetes, wszyscy biegali, szukając kluczyka, ale daremnie. Nazajutrz doniesiono pogrążonemu w rozpaczy królowi, że jego bladawiec chce z nim mówić w sprawie zaginionego kluczyka. Król sam zaraz udał się do parku, a straszydło rzekło mu, iż wie, gdzie królewna kluczyk zgubiła, ale powie dopiero wtedy, kiedy król słowem królewskim wolność mu zaręczy i korab próżniopław ofiaruje, aby mógł nim do swoich wrócić. Król długo się opierał, cały park kazał przeszukać, ale w końcu przystał na te warunki. Jakoż przysposobiono próżniopław do lotu, a bladawca pod strażą wyprowadzono z klatki.

Król czekał przy statku, Antropos zaś przyrzekł wyjawić, gdzie kluczyk leży, dopiero kiedy znajdzie się na pokładzie.

Gdy zaś tam się znalazł, wychylił głowę przez lufcik i, pokazując świecący w ręku kluczyk, zawołał:

— Tu jest kluczyk! Zabieram go ze sobą, królu, aby się twoja córka nigdy nie przebudziła, ponieważ łaknąłem zemsty za to, żeś mię pohańbił, trzymając na pośmiewisko w żelaznej klatce!!

Poszedł ogień spod rufy próżniopławu i korab wzniósł się w niebo przy powszechnym osłupieniu. Wysłał król w pogoń najszybsze drążymroki stalowe i śmigielnice, ale załogi ich wróciły z pustymi rękami, gdyż chytry bladawiec zmylił ślady i uszedł pogoni.

Pojął król Boludar, jak źle uczynił, mędrców homologów nie usłuchawszy, ale mądry był po szkodzie. Najpierwsi elektrykarze-ślusarczycy starali się kluczyk dorobić, wielki składczy koronny, snycerze i płatnerze królewscy, podzłoci i podstali, kunstmistrze cybergrabiowie — wszyscy zjeżdżali się, aby umiejętności swych próbować — na próżno jednak. Pojął król, że trzeba odzyskać kluczyk uwieziony przez bladawca, inaczej ciemność na wieki zmysły i umysł królewny omroczy.

Obwieścił przeto w całym państwie, iż tak a tak się stało, bladawiec Homos antropiczny porwał złoty kluczyk, a kto go pochwyci lub choćby tylko klejnot życiodajny odzyska i królewnę obudzi, pojmie ją za żonę i na tron wstąpi.

Zjawili się wnet tłumnie śmiałkowie różnego pokroju. Byli wśród nich i elektrycerze znamienici, i wydrwigrosze-oszuści, astrozłodzieje, gwiazdołowcy; przybył na zamek Strzeżysław Megawat, szermierz-oscylator przesławny, o takim sprzężeniu zwrotnym zawrotnym, że nikt nie mógł mu pola dotrzymać w pojedynkę, przybywały samocze z krain najdalszych, jak dwaj Automacieje, nadążnicy w stu bitwach wypróbowani, jak Protezy, konstrukcjonista sławny, który inaczej, jak w dwu iskrochłonach, jednym czarnym, drugim srebrnym, nie chadzał, przyjechał Arbitron Kosmozofowicz z prakryształów zbudowany, postury przepięknie strzelistej, i Palibaba intelektryk, który na czterdziestu robosłach w osiemdziesięciu skrzyniach przywiózł starą maszynę cyfrową, od myślenia pordzewiałą, lecz potężną pomyślunkiem. Przybyli trzej mężowie z rodu Selektrytów, Diody, Triody i Heptody, którzy w głowach mieli taką próżnię doskonałą, że myślenie ich czarne było jak noc bezgwiezdna. Przybył Perpetuan, cały w zbroi lejdejskiej, z kolektorem w trzystu walkach wręcz zaśniedziałym, Matrycy Perforat, który dnia nie spędził, aby kogoś nie pocałkować, ten przywiózł na dwór wraz z sobą cyberowca niezwyciężonego, którego zwał Prądasem. Zjechali się wszyscy, a gdy dwór był już pełny, przytoczyła się pod jego progi baryłka, z niej zaś na kształt kropel rtęciowych wyciekł Erg Samowzbudnik, który dowolne mógł przybierać kształty.

Poucztowali bohaterowie, rozjaśniwszy sale zamkowe, że marmur stropów prześwietlił się różowo jak obłok o zachodzie, i wyruszyli, każdy inną drogą, aby bladawca szukać, wyzwać go na bój śmiertelny i odzyskać kluczyk, a wraz z nim posiąść królewnę i tron Boludarowy. Pierwszy, Strzeżysław Megawat, poleciał na Koldeję, gdzie żyje plemię Galaretów, bo zamyślał tam języka dostać. Nurkował też w ich mazi, ciosami szpady zdalnie sterowanej drogę sobie otwierając, lecz nic nie zwojował, bo gdy nadmiernie się rozpalił, chłodzenie w nim prysło i znalazł szermierz niezrównany grób wśród obcych, a dzielne jego katody maź nieczysta Galaretów pochłonęła na wieki.

Dwaj Automacieje-nadążnicy dostali się do kraju Radomantów, którzy z gazów świetlistych wznoszą budowle, parając się promieniotwórczością, a takimi są skąpcami, że co wieczór liczą wszystkie atomy swojej planety; źle przyjęli kutwy Radomantowie Automaciejów, ukazali im bowiem otchłań, pełną onyksów, miedziankitów, cytrynów i spineli, a gdy się elektrycerze na klejnoty złakomili, ukamienowali ich, obruszywszy z wysokości lawinę szlachetnych kamieni, która gdy szła, jasność zażegła okolicę, jak przy upadku stubarwnych komet. Byli bowiem Radomantowie tajnym przymierzem połączeni z bladawcami, o czym nikt nie wiedział.

Trzeci, Protezy Konstrukcjonista, dotarł, po długiej podróży przez mrok śródgwiezdny, aż do kraju Algonków. Tam kamienne nawałnice meteorów chodzą; w ich mur niepożyty wbił się korab Protezego i ze strzaskanymi stery dryfował po głębinach, a gdy zbliżał się do dalekich słońc, nieszczęsnemu śmiałkowi światła po omacku błądziły po oczach.

Czwarty, Arbitron Kosmozofowicz, więcej miał zrazu szczęścia. Przebiegł Cieśninę Andromedzką, przebył cztery wiry spiralne Gończych, za nimi zaś dostał się w próżnię spokojną, przychylną świetlnej żegludze, i sam jak promień ścigły na ster napierał i płomienistym warkoczem ślad swój znacząc, dobił do brzegów planety Maestrycji, gdzie wśród głazów meteorytowych ujrzał rozbity wrak korabia, którym Protezy był wyruszył. Pochował korpus Konstrukcjonisty, potężny, lśniący i zimny jak za życia, pod zwałem bazaltowym, lecz zdjął zeń oba iskrochłony, srebrny i czarny, aby mu za tarcze służyły, i ruszył przed siebie. Dzika i górska była Maestrycja, kamienne lawiny po niej grzmiały lub srebrne zielsko piorunów w chmurach, nad przepaściami. Rycerz zaszedł w kraj wąwozów i tam Palindromici napadli go w jarze malachitowym, zielonym. Piorunami siekli go z góry, a on odbijał je iskrochłonnym puklerzem, aż wulkan przesunęli, krater mu do grzbietu przystawili i plunęli ogniem, narychtowawszy. Padł rycerz i lawa kipiąca weszła w jego czaszkę, z której wypłynęło całe srebro.

Piąty, Palibaba-intelektryk, donikąd nie wyruszał, tylko zatrzymawszy się tuż za granicami królestwa Boludarowego, robosły puścił na pastwiska gwiazdowe, a sam maszynę łączył, nastrajał, programował i biegał nad jej osiemdziesięcioma skrzyniami, a gdy się prądem nasyciły, że spęczniała rozumem, zaczął stawiać jej ścisłym sposobem obmyślone pytania: gdzie mieszka bladawiec? jak znaleźć do niego drogę? jak go z mańki zażyć? jak usidlić, aby kluczyk oddał? Gdy odpowiedzi padały niewyraźne i wymijające, uniósłszy się gniewem, ćwiczył maszynę, aż miedzią rozgrzaną zaczęła cuchnąć, i póty bił ją i okładał, wołając: — Gadaj mi tu zaraz prawdę, przeklęta, stara maszyno cyfrowa! — aż stopiły się jej złącza i pociekła z nich łzami srebrnymi cyna, z hukiem pękły przegrzane rury i został nad wyżarzonym gruchotem wściekły i z kijem w ręku.

Jak niepyszny musiał wracać do domu. Nową maszynę obstalował, ale nie ujrzał jej wcześniej, aż za czterysta lat.

Szósta była wyprawa Selektrytów. Diody, Triody i Heptody inaczej sobie poczynali. Mieli zapasy nieprzebrane trytu, litu i deuteru i zamyślali sforsować wybuchami ciężkiego wodoru wszystkie drogi, wiodące w krainę bladawców. Nie wiadomo było jednak, gdzie tych dróg początek. Chcieli pytać Ognionogich, ale ci się przed nimi w złotych murach swej stolicy zamknęli i płomieniami wierzgali; bitni Selektryci szturmowali, deuteru ani trytu nie żałując, aż piekło otwierających się wnętrz atomowych niebu w gwiazdy zazierało. Mury grodu lśniły jak złoto, lecz w ogniu ukazywały prawdziwą swą naturę, bo obracały się w żółte chmury siarkowego dymu, z pirytów-iskrzyków bowiem je wzniesiono. Tam Diody poległ, przez Ognionogich stratowany, i rozum prysnął mu, jak bukiet barwnych kryształów pancerz osypując. W grobowcu z czarnego oliwinu go pochowali i pociągnęli dalej, w granice królestwa Osmalatyckiego, gdzie gwiazdobójca, król Astrocydes, panował. Ten miał skarbiec pełen jąder ogniowych, białym karłom wyłupionych, a tak ciężkich, że tylko straszna siła magnesów pałacowych je trzymała, aby się na wylot, w głąb planety, nie urwały. Kto na jego grunt wstąpił, nie mógł ręką ani nogą poruszyć, bo przeogromne ciążenie skuwało lepiej od śrub i łańcuchów. Ciężką mieli z nim przeprawę Triody i Heptody, Astrocydes bowiem, ujrzawszy ich pod bastionami zamku, wytaczał jednego po drugim białego karła i puszczał im ogniem ziejące cielska w twarze. Pokonali go wszakże, a on im wyjawił, którędy do bladawców droga, czym omamił ich, bo sam jej nie znał, chciał tylko pozbyć się strasznych wojowników. Weszli tedy w czarne jądro mroków, gdzie Triodego ustrzelił ktoś z garłacza antymaterią, może któryś z myśliwych-Kybernosów, a może był to samopał, zastawiony na bezogoniastą kometę. Dosyć, że Triody znikł, ledwo „Awruk!!" krzyknąć zdołał, słowo ulubione, zawołanie bitewne rodu. Heptody zaś dążył uparcie dalej, ale i jego czekał kres gorzki. Dostał się jego korab między dwa wiry grawitacji, Bachrydą i Scyntylią zwane; Bachryda czas przyspiesza, Scyntis zaś go spowalnia i jest między nimi strefa zastoju, w której chwile ani wstecz, ani naprzód nie płyną. Zamarł tam żywcem Heptody i trwa, wraz z niezliczonymi fregatami i galeonami innych astrodyerów, piratów i drążymroków, nie starzejąc się wcale, w ciszy i przeokrutnej nudzie, której na imię Wieczność.

Gdy tak skończył się pochód trzech Selektrytów, Perpetuan, cybergrabia Bałamski, który jako siódmy miał ruszyć, długo nie wyruszał. Długo się elektrycerz ów sposobił na wojnę, przypasowując sobie coraz to ostrzejsze konduktory, coraz to raźliwsze iskrownice, miotacze i spychacze; pełen rozwagi, zamyślał iść na czele wiernej drużyny. Ściągali pod jego sztandary konkwistadorzy, wiele też przyszło bezrobotów, co, innego nie mając zajęcia, wojaczką pragnęły się parać. Uformował z nich Perpetuan galaktyczną jazdę grzeczną, a to ciężką, pancerną, którą ślusarią nazywają, i kilka lekkich oddziałów, w których służyli druzgoni. Na myśl jednak, że ma oto iść i żywota dokonać w nieznanych krajach, że w byle kałuży w rdzę obróci się ze szczętem, żelazne golenie ugięły się pod nim, zdjął go żal straszliwy, i wrócił zaraz do domu, ze wstydu i żałości roniąc łzy topazowe, albowiem był to pan możny, o duszy klejnotów pełnej.

Przedostatni zaś, Matrycy Perforat, rozumnie wziął się do rzeczy. Słyszał on o kraju Pygmeliantów, karzełków robocich, które stąd swój ród wiodą, że się ich konstruktorowi grafion poślizgnął na rysownicy, przez co z matrycownicy wszyscy co do jednego garbatymi pokurczami wyszli, ale się przerób nie kalkulował i tak już zostało. Te karły, jak inni skarby, wiedzę zbierają, stąd ich łowcami zwą Absolutu.

Mądrość ich zasadza się na tym, że są kolekcjonerami wiedzy, a nie użytkownikami; do nich wyruszył Perforat, nie sposobem zbrojnym, lecz na galeonach, których pokłady gięły się od wspaniałych darów; zamierzał wkupić się w ich łaski strojami, kapiącymi od pozytronów, siekanymi neutronowym deszczem, wiózł im atomy złota, wielkie jak cztery pięście, i butle, chełboczące od najrzadszych jonosfer. Ale wzgardzili Pygmelianci nawet próżnią szlachetną, falami haftowaną w przepyszne widma astralne; darmo im też w gniewie Prądasem swoim groził, że na nich elektryczącego poszczuje. Dali mu w końcu przewodnika, ale ów był miriadorękim wijunem i wszystkie kierunki naraz zawsze pokazywał.

Przepędził go Perforat i puścił Prądasa tropem bladawców, ale się pokazało, że mylny był trop, chadzała bowiem tamtędy wapniowa kometa, prostodusznemu zaś Prądasowi wapń się pomieszał z wapieniem, który jest składnikiem głównym bladawcowego kośćca. Stąd błąd. Długo wałęsał się Perforat wśród słońc coraz ciemniejszych, bo trafił w bardzo starą okolicę Kosmosu.

Szedł przez amfilady olbrzymów purpurowych, aż ujrzał, jak się jego korab wraz z orszakiem gwiazd milczącym w zwierciadle spiralnym odbija, w lustrze srebrnoskórym; zdziwił się i na wszelki wypadek wziął do ręki gasidło Supernowych, które kupił od Pygmeliantów, by się od zbytniej spieki na Drodze Mlecznej uchronić; nie wiedział, na co patrzy, a to był węzeł przestrzeni, jej silnia najspoistsza, nawet tamecznym Monoasterzystom nie znana; tyle o niej powiadają, że kto do niej doszedł, już nie wróci. Do dziś nie wiadomo, co stało się z Matrycym w owym gwiezdnym młynie; wierny jego Prądas sam do domu przygnał, z cicha wyjąc na próżnię, a jego szafirowe ślepia takim strachem nabiegły, że nikt nie mógł spojrzeć w nie bez drżenia. Korabia wszakże ani gasideł, ani Matrycego nikt już odtąd nie widział.

Także ostatni, Erg Samowzbudnik, ruszył na samotną wyprawę. Nie było go rok i niedziel sześć. Kiedy wrócił, opowiadał o krainach nie znanych nikomu, jak to Peryskoków, którzy wychluśnie jadu budują gorące; o planecie Klajstrookich — ci zlewali się przed nim w szeregi bałwanów czarnych, tak bowiem w potrzebie czynią, a on na dwoje ich płatał, aż obnażała się skała wapienna, ich kość, a gdy pokonał ich mordospady, znalazł się twarzą naprzeciw twarzy olbrzymiej jak pół nieba i runął w nią, aby o drogę spytać, a pod ostrzem jego ogniomiecza pękała jej skóra i ukazywały się białe, wijące lasy nerwów; mówił o planecie lodu przezroczystego Aberycji, która, jak soczewka diamentowa, obraz całego Kosmosu w sobie mieści; tam sobie drogi do kraju bladawców odrysował. Prawił o kraju wiecznego milczenia, Alumnii kriotryckiej, gdzie widział tylko światła gwiazd odbite w czołach lodowców zawieszonych, o królestwie rozciekłych Marmeloidów, którzy z lawy pieścidła wrzące wyrabiają, o Elektropneumatykach, którzy w parach metanu, w ozonie, chlorze i dymach wulkanów umieją ogień rozumu zażegnąć i nad tym wciąż się biedzą, jak w gaz wprawić myślący geniusz. Wyjawił, że aby do krainy bladawców dojść, musiał drzwi słońca wyważać, Caput Medusae zwanego, uniósłszy je zaś z zawias chromatycznych, przebiegł przez wnętrze gwiazdy, całe w szeregach płomienia liliowego i białobłękitnego, aż się na nim zbroja od żaru zwijała. Jak przez trzydzieści dni usiłował odgadnąć słowo, które wyrzutnię Astroprocyanum uruchamia, gdyż tylko przez nią wejście jest do zimnego piekła istot trzęskich; jak się wśród nich nareszcie znalazł, a one usiłowały go pochwycić w sidła lepkie, rtęć wybić mu z głowy lub go o zwarcie przyprawić; jak mamiły go, pokazując pokraczne gwiazdy, ale to było tylko niby-niebo, prawdziwe bowiem przez chytrość schowały; jak torturami chciały zeń wydostać, jaki też jest jego algorytm, a gdy wszystko wytrzymał, w zasadzkę wciągnąwszy, skałą go magnetytową przytrzasnęły, a on się w niej zaraz rozmnożył na bezlik Ergów Samowzbudników, wieko żelazne odwalił, na powierzchnię wyszedł i sąd srogi nad bladawcami czynił przez miesiąc i dni pięć; jak ostatnim wysiłkiem potwory na gąsienicach, czołgunami zwane, rzuciły się na niego, lecz nic im to nie pomogło, bo, nie ustając w zapale bitewnym, tnąc, żgając i siekąc, tak ich zniemógł, że oczajduszę, bladawca-kluczodzierżcę, przywlekli mu pod stopy, Erg zaś łeb ohydny mu uciął, zewłok wypatroszył, a w nim kamień znalazł, trychobezoarem zwany, na kamieniu zaś wyryty był napis w drapieżnej mowie bladawców, powiadający, gdzie kluczyk się mieści. Samowzbudnik sześćdziesiąt siedem słońc białych, błękitnych i jak rubiny czerwonych rozpruł, nim, właściwe otwarłszy, znalazł kluczyk.

O przygodach, jakich doznał, o bitwach, które stoczyć musiał, wracając, ani wspomnieć nie chciał, bo już mu się cniło do królewny, a i spieszno było do ślubu z koronacją. Z wielką radością zawiedli go królestwo na komnaty córki, która milczała jak głaz, we śnie pogrążona. Erg pochylił się nad nią, koło klapki otwartej pomajstrował, coś do niej włożył, zakręcił, i zaraz królewna ku zachwyceniu matki, króla i dworaków oczy odemknęła i uśmiechnęła się do swojego zbawcy. Erg zamknął klapkę, zalepił ją plasterkiem, by się nie odmykała, i zauważył, że śrubkę, którą też odnalazł, uronił był podczas bitwy z Poleandrem Partobonem, cesarzem Jatapurgowym. Lecz nikt na to nie zważał, a szkoda, gdyż przekonaliby się oboje królestwo, iż wcale donikąd nie wyruszał, od małego bowiem posiadł sztukę otwierania wszelkich zamków i dzięki niej nakręcił królewnę Elektrinę. Nie doznał więc naprawdę żadnej z opisanych przygód, a jedynie odczekał rok i niedziel sześć, aby się podejrzane nie wydało, iż zbyt szybko wraca ze zgubą, a także chciał się upewnić, że żaden z jego rywali nie powróci. Wtedy dopiero na dwór króla Boludara przybył, królewnę do życia przywołał, poślubił, na tronie Boludarskim panował długo i szczęśliwie i nigdy się jego kłamstwo nie wydało. Z czego zaraz widać, żeśmy prawdę opowiedzieli, nie bajkę, albowiem w bajkach cnota zawsze zwycięża.

„Les Robinsonades”

par Marcel Coscat

(Ed. du Seuil — Paris)

Po Robinsonie Daniela Defoe przyszedł, dla dziatwy okrojony, Robinson szwajcarski oraz mnóstwo dalej infantylizowanych wersji bezludnego żywota; parę zaś lat temu „Olimpia” paryska opublikowała, idąc z duchem czasu, *Życie seksualne Robinsona Crusoe*, rzecz trywialną, której autora i nazywać nie warto, ukrył się bowiem pod jednym z tych pseudonimów, co stanowią własność samego wydawcy, angażującego wyrobników pióra w wiadomym celu. Lecz na *Robinsonady* Marcela Coscat warto było poczekać. Jest to Robinsona Crusoe życie towarzyskie, prace społeczno-charytatywne, jego żywot mozolny, trudny i tłumny, albowiem chodzi o socjologię samotności — o masową kulturę wyspy bezludnej, wprost pękającej od tłoku pod koniec powieści.

Pan Coscat nie napisał, jak rychło spostrzega czytelnik, utworu o charakterze plagiatowym ani komercjalnym. Nie zajmuje się ani sensacją, ani pornografią bezludzia, kierując chuć rozbitka ku drzewom palmowym, z ich włochatymi kokosami, ku rybom, kozom, siekierom, grzybom i wędlinom, uratowanym ze strzaskanego statku. W tej książce, na przekór „Olimpii”, Robinson nie jest już rozjuszonym samcem, który niczym falliczny jednorożec tratując krzewy, zasiewy trzciny cukrowej i bambusu, gwałci piaski plaży, szczyty górskie, wody zatoki, skwiry mew, wyniosłe cienie albatrosów czy rekiny, burzą ku brzegowi zapędzane. Łaknący takich treści nie znajdzie w tej książce pożywienia dla rozjątrzonej wyobraźni. Robinson Marcela Coscat jest to logik w stanie czystym, skrajny konwencjonalista, filozof, który wyprowadził z doktryny wnioski tak daleko, jak to było możliwe, rozbicie zaś statku — trójmasztowca „Patrycja” — było dlań jedynie otwarciem wrót, przecięciem sznurów, przygotowaniem laboratoryjnej aparatury pod eksperyment, bo to był akt, który umożliwił mu dotarcie do własnego jestestwa, nie skażonego obecnością Innych.

Sergiusz N., rozpoznawszy swe położenie, nie tyle godzi się ulegle, ile postanawia zostać prawdziwym Robinsonem, zaczynając od dobrowolnego przyjęcia tego właśnie imienia, co jest o tyle racjonalne, że z dotychczasowego żywota nie będzie mógł już czerpać żadnych korzyści.

Los rozbitka, w całokształcie bytowych niewygód, jest dostatecznie już niemiły, żeby go jeszcze warto było doprawiać daremnymi z góry wysiłkami pamięci, roztęsknionej za utraconym. Taki świat, jaki się zastaje, trzeba po ludzku urządzić; a więc zarówno wyspę, jak i siebie postanawia były Sergiusz N. urobić od zerowego początku. Nowy Robinson p. Coscat nie ma żadnych złudzeń; wie, że bohater Defoe był fikcją, jego zaś życiowy wzorzec — marynarz Selkirk — okazał się, odnaleziony przypadkiem po latach przez jakiś bryg, istotą tak dokumentnie zbydlęconą, że wyzbytą mowy. Robinson Defoe ocalił się nie dzięki Piętaszkowi — ten przybył zbyt późno — ale że sumiennie liczył na kompanię surową wprawdzie, lecz najlepszą z możliwych dla purytanina — samego Pana Boga mianowicie. To ów towarzysz narzucił mu srogi pedantyzm zachowania, uporczywą pracowitość, rachunki sumienia i tę zwłaszcza skromność schludną, która tak rozjuszyła autora paryskiej „Olimpii", że ją frontalnie wziął na rogi wyuzdania.

Sergiusz N., czyli Nowy Robinson, czując w sobie niejaką moc twórczą, jednego nie sporządzi na pewno i o tym wie z góry: Najwyższy na pewno mu nie wyjdzie. Jest to racjonalista i jako racjonalista zabiera się do dzieła. Rozważyć chce wszystko, a więc zaczyna od tego, czy może nie byłoby rzeczą najroztropniejszą nic zgoła nie robić; najpewniej doprowadzi to do obłąkania, lecz kto wie, czy ono nie będzie pozycją wcale wygodną? Ba, gdybyż to można sobie było dobrać typ szaleństwa niczym krawat do koszuli; euforię hipomaniakalną, z jej trwałą radością, Robinson chętnie by nawet sobie zaszczepił, ale skąd pewność, czy nie zdryfuje w depresję, kończącą się próbami samobójstwa? Ta myśl zraża go, zwłaszcza pod względem estetycznym, a poza tym bierność nie leży w jego naturze. Na powieszenie się czy utopienie też zawsze będzie miał chwilę czasu — więc i taki wariant odkłada ad acta. Świat snów — mówi sobie na jednej z pierwszych stronic powieści — to jest owo Nigdzie, które może być wręcz doskonałe; to utopia, osłabiona w wyrazistości, bo słabowicie rozcapierzona, tonąca w nocnych pracach mózgu, który nie stoi wówczas na wysokości zadań jawy. „We śnie odwiedzają mnie — rzecze Robinson — rozmaite osoby i zadają mi pytania, na które nie znam odpowiedzi, póki nie padnie z ich ust. Miałożby to oznaczać, że te osoby są kawałkami, odsznurowującymi się od mego jestestwa, jego pępowinowym przedłużeniem? Mówić tak to popadać w okropny błąd. Jak nie wiem, czy owe już smaczne dla mnie glisty, tłuściutkie białe robaki znajdują się pod tym oto płaskim kamieniem, który poczynam troskliwie podważać dużym palcem bosej nogi, tak też nie wiem, co kryje się w umysłach osób, wizytujących mnie we śnie. Względem mojego Ja są zatem te osoby równie zewnętrzne jak te glisty: nie o to wcale idzie, żeby zatrzeć różnicę między snem i jawą — to jest droga szaleństwa! — lecz o to, żeby wytworzyć nowy, lepszy porządek. Co we śnie udaje się tylko niekiedy, byle jako, pokrętnie, chwiejnie i od wypadku, należy naprostować, ścisnąć, dokojarzyć i umocnić; sen do jawy przycumowany, na jawę jako metoda wyprowadzony, jawie służący, jawę zaludniwszy, napchawszy ją samym najlepszym towarem, przestanie być snem, a jawa, pod wpływem takiej kuracji, stanie się i po staremu trzeźwa, i po nowemu ukształtowana. Ponieważ jestem sam, nie muszę liczyć się już z nikim; ale, ponieważ zarazem wiedza o tym, iż sam jestem, to dla mnie trucizna, przeto nie będę sam; faktycznie na Pana Boga mnie nie stać, ale to jeszcze nie znaczy od razu, że nie stać mnie na Nikogo!"

I dalej powiada nasz logiczny Robinson: „Człowiek bez Innych to ryba bez wody, ale jak większość wód jest brudna i zapaskudzona, tak i moje środowiska były śmietnikami. Krewnych, rodziców, szefów, nauczycieli nie sam sobie wybierałem, nawet kochanek to dotyczy, bo się nawijały, jak popadło: w tym przebierałem (jeśli w ogóle przebierałem), co traf dał. Skoro, jak byle śmiertelnik, skazany byłem na porodowo-rodzinno-towarzyskie okoliczności przypadkowe, to i nie ma czego żałować. A przeto: niech się rozlegnie pierwsze słowo Genesis: »Precz z tym chłamem!«"

Wypowiada, widzimy, te słowa z namaszczeniem, dorównującym Stwórczemu: „Niech się stanie..." Gdyż właśnie świat sobie zaczyna stwarzać Robinson od zera. Już nie tylko za sprawą akcydentalnej katastrofy oczyszczony od ludzi, lecz z postanowienia rozpoczyna kreację na całego. Tak doskonały logicznie bohater Marcela Coscat nakreśla program, który go potem zniszczy i wyszydzi — czyżby, niczym ludzki świat, swojego Stwórcę?

Robinson nie wie, od czego zacząć: miałżeby otoczyć się istotami idealnymi? Aniołami? Pegazami? (Przez kilka chwil ma chrapkę na centaura) Ale, wyzbyty złudzeń, pojmuje, że obecność istot jakoś doskonałych bokiem mu wyjdzie. Toteż na początek przydaje sobie tego, o kim dotąd, dawniej, tylko mógł roić, mianowicie wiernego sługę, butlera, garderobianego i lokaja w jednej osobie — tłustego (tłuści są pogodni!) Glumma. W toku tej pierwszej Robinsonady rozmyśla nasz czeladnik na Kreatora o demokracji, którą, jak każdy człowiek (tego jest pewien), znosił jeno z konieczności. Jeszcze chłopcem marzył przedsennie o tym, jak by to lubo było urodzić się wielkim panem w jakowymś średniowieczu. Teraz nareszcie marzenia może ziścić. Glumm jest porządnie głupi, bo tym pana swego samoczynnie wywyższa; do głowy nic mu oryginalnego nie przychodzi, więc służby nigdy nie wymówi; wszystko spełnia w lot, to nawet, czego pan jeszcze nie zdążył zażądać.

Autor nie wyjaśnia wcale, czy Robinson i jak za Glumma pracuje, ponieważ opowieść płynie od pierwszej (Robinsona) osoby: jeżeli więc nawet ów (a jak może być inaczej?) wszystko to sam ciszkiem-milczkiem czyni, co uchodzi potem za wyniki lokajskich służb, działa wówczas w doskonałej bezmyślności, toteż dostrzegalne są tylko rezultaty owych mozołów. Ledwo Robinson przetrze rankiem oczy, jeszcze snem sklejone, już leżą u jego wezgłowia troskliwie przygotowane ostryżki, jakie najbardziej lubi, morską wodą lekko posolone, kwaskiem szczawiowych ziół przyprawione do smaku, a na przekąskę — glisty miękkie, jak masełko białe, na schludnych talerzykach-kamykach; a ot opodal i buciki się świecą do blasku wyczyszczone kokosowym włóknem, i odzież czeka, głazem gorącym od słońca wyprasowana, gdzie i u spodni kant, i u surduta świeży kwiatuszek, ale pan i tak zwykle trochę pozrzędzi, śniadając i ubierając się, na obiad zamawia rybitwę, na kolację — mleczko kokosowe, ale dobrze wychłódłe — Glumm, jak na dobrego butlera przystało, rozkazów słucha, jasna rzecz, w kornym milczeniu.

Pan zrzędzi — sługa słucha; pan każe — sługa musi; miłe to życie, spokojne, trochę jak jakiś wczas wioskowy. Robinson chodzi na spacery, zbiera kamyki co ciekawsze, kolekcję nawet sobie ich zakłada, Glumm tymczasem posiłki szykuje — a przy tym sam w ogóle nic nie je: co za oszczędność na ekspensie i wygoda! Lecz niebawem wewnątrz stosunków Pana i Sługi pojawia się pierwsze ziarno piachu. Istnienie Glumma nie jest do zakwestionowania: wątpić w nie to tyle, co wątpić w to, że drzewa stoją i chmury płyną także, kiedy nikt na nie nie patrzy. Lecz służbistość lokaja, staranność jego, wierny posłuch, uległość stają się wręcz nużące. Buty z a w s z e czekają wyczyszczone, ostryżki pachną u twardego łoża co rana, Glumm nic nie gada — jeszcze by też, Pan nie znosi służących rezonerów, ale z tego widać, że Glumma jako o s o b y w ogóle na wyspie nie ma; Robinson postanawia coś takiego dodać, co sytuację, zbyt prostą, więc prymitywną, podrafinuje. Dorobić Glummowi opieszałości, przekory, figli w głowie się nie da: już przecież taki jest, jaki jest właśnie; zbyt mocno z a i s t n i a ł; angażuje tedy Robinson jako pomocnika-kuchcika małego Smena. Brudne to, ale przystojne, rzekłbyś — niemal cygańskie chłopię, trochę leniuch, ale bystry, skłonny do psich figlów, i teraz nie Pan, lecz Lokaj zaczyna mieć coraz więcej roboty — nie z obsługiwaniem Pana, lecz z ukrywaniem przed pańskim okiem wszystkiego, czego ten smarkacz nie wymyśli. W efekcie Glumma, że jest wciąż zajęty kurtyzowaniem Smena, nie ma w wyższym nawet stopniu niż dotąd, Robinson może czasem, od niechcenia, słuchać odgłosów połajanek Glummowych, niesionych w jego stronę wiatrem morskim (głos Glumma, skrzeczący — dziwnie przypomina głos dużych rybitw), ale sam przecież w te swary sług wkraczać nie będzie! Smen odciąga Glumma od Pana? Smen pójdzie precz, już został wygoniony na cztery wiatry. Nawet ostrygi podjadał! Pan gotów zapomnieć o małym epizodzie — cóż, kiedy Glumm nie całkiem potrafi. Opuszcza się w pracach: łajanie nic nie pomaga; lokaj dalej milczy, cichszy od wody, niższy od trawy, ale coś, teraz to jasne, sobie zaczął myśleć. Nie będzie Pan brał na spytki lokaja ani się jego szczerości dopraszał — komuż ma być spowiednikiem?! Nie idzie wszystko jak z płatka, surowe słowo nie skutkuje — a więc i ty, stary durniu, zmiataj mi z oczu! Naści trzymiesięczną pensję — bodajeś sczezł!

Robinson, dumny jak każdy Pan, cały dzień zmarnuje, żeby tratwę sklecić, tak dostaje się na pokład roztrzaskanej u raf „Patrycji": pieniędzy, na szczęście, bałwany nie zabrały. Rachunki wyrównane, Glumm znika, cóż — kiedy pieniądze odliczone pozostawił. Robinson, tak zelżony przez lokaja, nie wie, co czynić. Czuje popełniony błąd, chociaż na razie tylko samą intuicją: co, co takiego się nie udało!?

Jam Pan, ja wszystko mogę! — rzecze sobie zaraz na pokrzepienie i angażuje Sierodkę. Jest ona — domyślamy się — zarazem przywołaniem paradygmatu Piętaszka i jego opozycją (Piętaszek tak się ma do Sierodki, jak Piątek do Środy). Lecz to młode, dość sobie proste dziewczę mogłoby wystawić Pana na pokusy. Mógłby łatwo zginąć w jej objęciach cudownych, ponieważ nieosiągalnych, zatracić się gorączką w rui i porubstwie, oszaleć na punkcie bladego, zagadkowego uśmieszku, nikłego profilka, pięt bosych, gorzkich od popiołu ogniska, woniejących baranim tłuszczem płatków uszu. Więc od razu, z dobrego natchnienia, czyni Sierodkę trójnogą; w zwyklejszej, to jest trywialnie obiektywnej codzienności nie mógłby tego uczynić! Lecz tu jest Panem Stworzenia. Zrobił tak, jak ten, kto, mając beczkę metylowego alkoholu, trującego, a zapraszającego do opilstwa, sam ją przed sobą zagważdża, albowiem będzie żył wpodle pokusy, której nigdy nie zaspokoi; zarazem będzie miał mnóstwo roboty myślowej, bo jego chuć wciąż będzie jurnie odejmowała beczce jej szpunt hermetyczny. Tak to będzie odtąd Robinson żył obok trójnogiej dziewczyny, zdolny, owszem, imaginować ją sobie b e z środkowej nogi, lecz to i wszystko. Zostanie bogaczem uczuć nie wydatkowanych, umizgów nie strwonionych (bo niby po co je trwonić przy kimś takim?). Mała Sierodka, kojarząc mu się i z sierotką, i ze Środkiem (Mitt-woch, środek tygodnia: Sexus jawnie w tym usymboliczniony), zostanie jego Beatryczą. Czy ta durna dzierlatka-czternastolatka wiedziała w ogóle cokolwiek o dantejskich skurczach pożądliwości Dantego? Robinson jest prawdziwie z siebie zadowolony. Sam ją stworzył i sam ją przed sobą — trójnożnością — w tymże akcie zabarykadował. Rychło atoli rzecz trzeszczeć zaczyna. Skoncentrowawszy się na skądinąd ważnym problemie, Robinson zarazem zaniedbał tylu ważnych rysów Sierodki!

Najpierw idzie o rzeczy jeszcze dosyć niewinne. Chciałby czasem podpatrywać małą, ale dość ma dumy na to, żeby się tej chętce przeciwstawić. Lecz potem rozłażą się mu po mózgu myśli rozmaite. Dziewczyna robi to, co dawniej do Glumma należało. Ostryg zbieranie nic to; ale pielęgnacja garderoby Pana, nawet jego osobistej bielizny? W tym już można dostrzec pierwiastek dwuznaczności — nie! — jednoznaczności zgoła!

Więc wstaje chyłkiem, całkiem ciemną nocą, kiedy ona jeszcze śpi na pewno, żeby inieksprymable wyprać w zatoczce. Ale, skoro zaczyna tak wcześnie wstawać, właściwie dlaczego nie mógłby raz jeden, ot tak, dla śmiechu (ale tylko swojego, pańskiego, samotnego śmieszku) wyprać jej rzeczy? Czy nie obdarował jej nimi? Sam, na przekór rekinom, wypływał parokrotnie, aby spenetrować kadłub „Patrycji" — jakoż znalazł nieco damskich fatałaszków, spódniczek, sukienek, majteczek; a kiedy je wypierze, trzeba wszak wszystko powiesić na sznurku między pniami dwu palm. Niebezpieczna zabawa! I to tym bardziej niebezpieczna, że choć Glumma już na wyspie nie ma jako lokaja, nie sczezł on przecież do końca. Robinson prawie że słyszy jego sapiący oddech, myśli się jego domyśla: mnie to jakoś Wielmożny Pan nic nigdy nie wyprał. Istniejąc, Glumm nigdy by nie poważył się powiedzieć czegoś taką zuchwałą aluzją nadzianego, lecz nieobecny okazuje się fatalnie gadatliwy! Nie ma Glumma, w samej rzeczy: lecz jest pustka po nim! Nie widać go w żadnym konkretnym miejscu, ale i kiedy służył, chował się skromnie, wszak i wtedy nie włazil Panu w drogę, na oczy nie śmiał się pokazywać. Teraz Glummem wprost straszy: jego patologiczny służalczy wytrzeszcz, jego skrzekliwy głos — wszystko nadciąga; odległe sprzeczki ze Smenem — skrzeczą w skwirach byle rybitwy; to Glumm nadstawia włochatą pierś w dojrzałych kokosach (do czego prowadzi bezwstyd takich aluzji!), wygina się łuską palmowych pni i rybimi oczami (wytrzeszcz!) jak topielec spod fali wypatruje Robinsona. Gdzie? Ano tam, gdzie skała na cyplu — bo miał swoje małe hobby Glumm: lubił siadywać u przylądka i przeklinać chrapliwie stare, a przez to całkiem osłabłe wieloryby, puszczające swoje fontanny w ramach rodzinnego życia na oceanie.

Żeby to się można było z Sierodką dogadać, a przez to stosunki, już bardzo niesłużbowe, osadzić, zawęzić, uprzystojnić wedle posłuchu i rozkazu, surowości i dojrzałości pańsko-męskiej! Ależ to prosta w gruncie rzeczy dziewczyna; o Glummie ani słyszała; mówić do niej to tyle, co gadać do obrazu. Jeśli nawet sobie jakieś swoje pomyśli — na pewno nigdy nic nie powie. Niby to z prostoty, nieśmiałości (toż służy!), ale naprawdę taka dziewczyńskość jest instynktownie chytra, wybornie całą skórą pojmuje, ku czemu — nie: przeciwko czemu Pan rzeczowy, spokojny, opanowany i wyniosły! Znika nadto na całe godziny:

do nocy jej nie widać. Może Smen? No, bo nie Glumm, to wykluczone! Nie ma go na wyspie na pewno!

Naiwny czytelnik (takich niestety nie brak) już tu zdolen pomyśleć sobie, że Robinson cierpi od omamów, że wkroczył w szaleństwo. Nic podobnego! Jeśli jest niewolnikiem, to tylko własnej kreacji. Nie może bowiem powiedzieć sobie tej rzeczy jedynej, która podziałałaby nań w sposób radykalny — ozdrowieńczo. A mianowicie, że Glumma w ogóle nigdy nie było, tak jak i Smena. Po pierwsze, tym samym ta, która jest teraz — Sierodka — uległaby, jako bezbronna ofiara, niszczącemu przypływowi tak jawnej negacji. Ponadto zaś, raz tak złożone wyjaśnienie kompletnie, na zawsze już Robinsona sparaliżuje jako Stwórcę. Toteż bez względu na to, co jeszcze się stanie, on się tak samo nie może przyznać przed samym sobą do nicości stwarzanego, jak się rzetelny, prawdziwy Stwórca nigdy nie przyzna do stworzonego — złości. Gdyż to by znaczyło, w obu wypadkach, klęskę całkowitą. Bóg zła nie stworzył; i Robinson w jakowymś nic przez analogię też nie pracuje. Każdy jako więzień swojej Genesis z ducha.

Tak to jest Robinson bezbronnie na Glumma wydany. Glumm jest — ale zawsze dalej, niżby go można dosięgnąć kamieniem, pałką, i nie pomoże nawet zastawianie nań przywiązanej po ciemku do palika Sierodki (do czego już Robinson dochodzi!). Wygnany lokaj jest nigdzie, a przeto wszędzie. Nieszczęsny Robinson, co tak chciał uniknąć bylejakości, tak otoczyć się zamierzał wybrańcami, zanieczyścił sobie, bo zaglummił całą wyspę.

Bohater cierpi istne katusze. Doskonałe są zwłaszcza opisy nocnych sprzeczek z Sierodką, owych dialogów, rytmicznie poprzedzielanych jej nadąsanym, samiczym, kuśliwie pęczniejącym milczeniem rozmów, w których Robinson zatraca wszelką miarę, hamulce, cała pańskość opada z niego, już jest jej po prostu własnością — od jej jednego skinienia, od mrugnięcia, od uśmiechu zależny. A czuje przez ciemność ten mały, nikły uśmiech dziewczyny, kiedy zaś, znużony, zlany potem, przewraca się do świtu na twardym posłaniu, nachodzą go myśli rozwiązłe i szalone; poczyna sobie roić, co też by mógł uczynić z Sierodką... może zadziałać w sposób rajski? Stąd — w jego roztrząsaniach — aluzje, poprzez pytę z chustki i pytona, do biblijnego węża, stąd odcinanie, na próbę, głowy mewie, żeby z niej, po odjęciu litery „M", pozostała sama tylko Ewa, której

Adamem, jasna rzecz, zostałby Robinson. Lecz wie dobrze, że jeśli Glumma pozbyć się nie może, choć ten był mu wysoce obojętny w czasie swego lokajstwa, to już plan usunięcia Sierodki oznaczałby katastrofę. Każda forma jej obecności lepsza jest od rozstania: to jasne.

Więc przychodzi historia upodlenia. Conocne pranie fatałaszków staje się jakowymś misterium prawdziwym. Zbudzony w środku nocy, pilnie nasłuchuje jej oddechu. Wie zarazem, że teraz może przynajmniej walczyć z sobą o to, aby nie poruszyć się z miejsca, aby w tamtym kierunku nie wyciągnąć ręki — ale, gdyby wygonił małą okrutnicę, a, wówczas koniec! W pierwszych promieniach słońca jej bielizna, tak sprana, wybielona słońcem, dziurawa (o, lokalizacja tych dziur!), frywolnie furkoce na wietrze; Robinson poznaje wszystkie możliwości męczarni najbanalniejszych, jakie są przywilejem nieszczęśliwie zakochanego. A jej nadtłuczone lusterko, a jej grzebyk... Robinson zaczyna uciekać z jaskini-mieszkania, już nie brzydzi się rafy, z której lżył Glumm stare, leniwe wieloryby. Lecz dłużej tak być nie może: a więc niech nie będzie. I oto podąża na plażę, aby czekać na wielki, biały kadłub „Pherganica", parowca transatlantyckiego, który burza (też chyba poręcznie wyimaginowana?) wyrzuci na ciężki piach, parzący stopy, zasnuty lśnieniem umierających perłopławów. Cóż to jednak oznacza, że niektóre perłopławy kryją w sobie szpilki do włosów, a inne wypluwają miękkośluzowym mlaśnięciem — pod nogi Robinsona — niedopałki zmoczone cameli? Czy nie wskazuje rzecz wyraźnie, znakami tymi, na to, że nawet plaża, piach, drgająca woda i jej piany, ściekające w toń po gładziźnie, także nie są już cząstkami materialnego świata? Lecz czy tak jest, czy nie jest — przecież ów dramat, który rozpoczyna się na plaży, gdy kadłub „Pherganica", prujący się na rafach w potwornym łoskocie, wysypuje swoją niewiarygodną zawartość przed tańczącym Robinsonem, ten dramat jest całkiem realny, jako płacz uczuć nie odwzajemnionych...

Od tego miejsca, wyznajmy, książka staje się coraz trudniejsza do zrozumienia i wymaga nie byle jakiego wysiłku odbiorcy. Linia rozwojowa, dotąd precyzyjna, wikła się i pętli. Czyżby autor umyślnie chciał dysonansami zamącić wymowę romansu? Do czego służą oba stołki barowe, które urodziła Sierodka — domyślamy się, że ich trójnożność jest prostą cechą dziedziczną, to jasne, dobrze, ale kto był ojcem tych stołków? Byłażby już rzecz w stanie niepokalanego poczęcia mebli?? Dlaczego Glumm, który poprzednio tylko pluł na wieloryby, okazuje się ich krewnym (Robinson mówi o nim do Sierodki per „kuzyn waleni")? A dalej: na początku drugiego tomu Robinson ma od trojga do pięciorga dzieci. Niepewność liczby pojmujemy jeszcze: to jedna z cech halucynatorycznego świata, kiedy się już bardzo skomplikował: Stwórca nie jest już pewno w stanie wszystkich naraz szczegółów stworzonego utrzymać porządnie w pamięci. Bardzo dobrze. Lecz z kim miał te dzieci Robinson? Czy stworzył je czystym aktem intencjonalnym, jak poprzednio Glumma, Sierodkę, Smena, czy też począł je w akcie pośrednio wyimaginowanym — z niewiastą? O trzeciej nodze Sierodki w drugim tomie ani jedno słowo nie pada. Znaczyłożby to rodzaj antykreacyjnej e k s t r a k c j i? W ósmym rozdziale rzecz zdaje się potwierdzać ten fragment rozmowy z kocurem „Pherganica", w którym ów powiada do Robinsona „ty wyrwinogo". Ale skoro tego kocura Robinson wcale nie odnalazł na statku ani inaczej nie stworzył, bo kota wymyśliła ta ciotka Glumma, o której żona Glumma mówi, że była „położnicą Hiperborejów", nie wiadomo, niestety, czy Sierodka miała oprócz stołków jakieś dzieci, czy nie. Sierodka do dzieci się nie przyznaje: przynajmniej w ten sposób, że nie odpowiada na żadne pytania Robinsona podczas wielkiej sceny zazdrości, w której nieszczęśnik plecie już stryczek z włókna kokosowego.

„Nierobinsonem" zowie siebie bohater w tej scenie, a nawet „NICNIEROBINSONEM". Ale skoro tyle rzeczy zrobił dotąd (tj. stworzył), jak ów passus należałoby pojmować? Dlaczego Robinson powiada, że nie będąc tak dokładnie trójnożnym niczym Sierodka, przecież jest pod tym względem do niej poniekąd odlegle podobny — to jedno jeszcze jako tako da się wyrozumieć, lecz uwaga owa, zamykająca pierwszy tom, nie ma w drugim ani kontynuacji anatomicznej, ani artystycznej. Dalej, historia ciotki od Hiperborejów wygląda raczej niesmacznie, jak i chór dziecięcy, co akompaniuje jej metamorfozie: („Nas tu trzy, cztery i pół, Piętachu stary" — przy czym Piętach jest to stryj Sierodki — ryby o nim bulgocą w III rozdziale, znów chodzi o jakieś aluzje do pięt, ale nie wiadomo czyich).

Im dalej w drugi tom, tym bardziej zbija on z pantałyku. Robinson wprost z Sierodką w ogóle już nie rozmawia w drugiej jego części: ostatni akt komunikacji — to ów list, nocą, w jaskini, w popiele ogniska przez nią napisany po omacku, list do Robinsona, który ten odczytuje ze świtem — ale drży już poprzednio, domyślając się jego treści w mrokach, kiedy wodzi palcami po wystygłym żużlu... „żeby jej dał wreszcie spokój!" — napisała, a on nie śmiąc nic już odpowiedzieć, uciekł jak niepyszny — po co? Żeby organizować wybory Miss Perłopławów, żeby okładać kijem palmy, wyzywając je od ostatnich, żeby na promenadzie plażowej krzyczeć swój program zaprzęgnięcia wyspy do wielorybich ogonów! Wtedy też, w ciągu jednego przedpołudnia, powstają owe tłumy, które Robinson powołuje do egzystencji byle jako, od niechcenia, wypisując nazwiska, imiona, przydomki, gdzie popadnie — po czym zdaje się następować chaos kompletny: jako sceny ze zbijaniem tratwy i z jej rozbijaniem, ze stawianiem domu dla Sierodki i jego kładzeniem, z rękami, co tyleż tyją, ile nogi chudną, z niemożliwą orgią bez buraków, kiedy bohater nie potrafi odróżnić uszu od uszek ani krwi od barszczu!

Wszystko to razem — nieomal sto siedemdziesiąt stron, nie licząc epilogu! — wywołuje wrażenie, że albo Robinson zaparł się pierwotnych planów, albo że się sam autor zagubił w dziele. Jakoż Jules Nefastes oświadczył w „Figaro Littéraire", że utwór jest „kliniczny po prostu". Obłędowi, wbrew swojemu prakseologicznemu planowi Kreacji, Sergiusz N. ujść nie mógł. Skutkiem prawdziwie konsekwentnej kreacji solipsystycznej musi być schizofrenia. Tę banalną prawdę książka stara się zilustrować. Toteż Nefastes uważa ją za intelektualnie jałową, jakkolwiek zabawną miejscami — a to dla autorskiej inwencji.

Anatol Fauche natomiast w „La Nouvelle Critique" kwestionuje osąd swego kolegi z „Figaro Littéraire", powiadając, naszym zdaniem zupełnie do rzeczy, że Nefastes, bez względu na to, o czym prawią *Robinsonady*, jest niekompetentny psychiatrycznie (po czym następuje długi wywód o braku wszelkiego związku między solipsyzmem a schizofrenią, lecz my, mając ten problem za całkiem dla książki nieistotny, odsyłamy Czytelnika do „Nowej Krytyki" w tym względzie). A Fauche tak następnie wykłada filozofię powieści: dzieło ukazuje, że akt kreacji jest asymetryczny, bo wprawdzie wszystko da się myślą stworzyć, lecz nie wszystko (nic prawie) da się potem unicestwić. Na to nie pozwala sama pamięć tworzącego, niepodległa jego woli. Podług Fauche'a powieść nie ma co prawda nic wspólnego z historią kliniczną (pewnego szaleństwa na bezludziu), ale pokazuje stan zabłąkania w kreacji: działania Robinsona (w drugim tomie) są o tyle tylko bezsensowne, że on sam już z nich nic nie ma; natomiast psychologicznie tłumaczą się całkiem jasno. To szamotanina, typowa dla człowieka brnącego w sytuacje, jakie tylko cząstkowo antycypował; sytuacje te, krzepnąc podług praw sobie właściwych, biorą go w niewolę. Z realnych sytuacji — podkreśla Fauche — można realnie uciec; z myślanych natomiast się nie wycofasz; toteż *Robinsonady* wyjawiają to tylko, że człowiekowi prawdziwy świat jest niezbędny („prawdziwy świat zewnętrzny jest prawdziwym światem wewnętrznym"). Robinson pana Coscat wcale nie był szalony — to tylko jego plan sporządzenia sobie syntetycznego uniwersum na wyspie bezludnej był już w powiciu skazany na klęskę.

Siłą tych wniosków Fauche także odmawia *Robinsonadom* głębszych wartości, bo — tak wyłożone — dzieło istotnie okazuje się nader ubogie. Zdaniem niniejszego recenzenta obaj cytowani krytycy przeszli obok utworu, nie odczytawszy należycie jego zawartości.

Autor wyłożył, naszym zdaniem, rzecz daleko mniej banalną zarówno od historii obłędu na wyspie bezludnej, jak i od polemiki z tezą o kreacyjnej wszechmocy solipsyzmu. (Polemika ostatniego typu byłaby w ogóle nonsensem, ponieważ w systemowej filozofii nikt nigdy twierdzenia o solipsystycznej wszechmocy twórczej nie głosił; gdzie jak gdzie, ale w filozofii walka z wiatrakami na pewno nie popłaca).

Podług naszego przekonania to, co czyni Robinson, kiedy „szaleje", żadną wariacją nie jest — i nie jest to też jakoweś polemiczne głupstwo. Wstępna intencja bohatera powieści jest racjonalnie zdrowa. Wie on o tym, że ograniczeniem każdego człowieka są Inni; mniemanie, pochopnie stąd wyprowadzane, jakoby likwidacja Innych dostarczała podmiotowi wolności doskonałej, jest psychologicznym fałszem, odpowiadającym fałszowi fizycznemu, co by głosił, iż skoro kształty nadają wodzie ukształtowania naczyń, w jakich ją trzymać, to strzaskanie wszelkich naczyń dostarczy wodzie „absolutnej wolności". Tymczasem jak woda, wyzbyta naczyń, rozlewa się w kałużę, tak też eksploduje całkowicie osamotniony człowiek, przy czym eksplozja ta jest formą kompletnej dekulturalizacji. Jeśli się nie ma

Boga i jeśli ponadto nie ma ani Innych, ani nadziei ich powrotu, trzeba się ratować zbudowaniem systemu jakiejś wiary, który względem tworzącego ją *musi* być zewnętrzny. Robinson p. Coscat zrozumiał tę prostą naukę.

A dalej: dla zwykłego człowieka istotami najbardziej pożądanymi, a zarazem całkowicie realnymi są istoty *nieosiągalne*. Każdy wie o królowej angielskiej, o jej siostrze, księżniczce, o byłej prezydentowej USA, o słynnych gwiazdach filmowych, to jest w rzeczywiste istnienie takich osób nikt normalny ani trochę nie wątpi — jakkolwiek tego ich istnienia nie może doświadczyć bezpośrednio (namacalnie). Z kolei ten, kto może się poszczycić bezpośrednią znajomością takich osób, już nie będzie widział w nich fenomenalnych ideałów bogactwa, kobiecości, władzy, urody itd., ponieważ wchodząc z nimi w kontakty, doświadcza, siłą codziennych rzeczy, zupełnie zwykłej, normalnej, ludzkiej ich ułomności. Albowiem osoby takie w zbliżeniu wcale nie są przecież istotami boskimi czy inaczej nadzwyczajnymi. Więc prawdziwie szczytujące perfekcją, prawdziwie otchłannie przez to pożądane, wytęsknione, upragnione mogą być tylko istoty *dalekie* aż do pełnej nieosiągalności. Magnetycznego uroku przydaje im wyniesienie ponad tłumy; nie przymioty ciała czy ducha, lecz nieprzenikliwy dystans społeczny wytwarza ich kuszącą aureolę.

Otóż ten rys rzeczywistego świata usiłuje Robinson powtórzyć na swojej wyspie, wewnątrz królestwa bytów przez siebie wyimaginowanych. Zrazu działa błędnie, a to, gdyż po prostu *fizycznie* odwraca się plecami ku tworzonemu — Glummom, Smenom itp. — dystans wszakże, dość naturalny między panem i sługą, rad by przełamać, kiedy przydaje sobie kobietę. Glumma ani mógł, ani *chciał* wziąć w objęcia; teraz — wobec dziewczyny — *już tylko nie może*. I nie o to chodzi (bo to nie jest żaden intelektualny problem!), że on niebyłej nie mógł w objęcia chwycić. Ma się rozumieć, że to niemożliwe! Szło o to, żeby utworzyć *myślą* taką sytuację, której własne, naturalne *prawo* po wiek udaremni erotyczny kontakt — a przy tym musi to być takie prawo, które *nieistnienie* dziewczyny doskonale ignoruje. To *prawo* ma Robinsona powściągnąć, a nie banalny, prostacki fakt nieistnienia partnerki! Gdyż zwyczajnie przyjąć do wiadomości jej nieistnienie — to wszystko zrujnować.

Robinson zatem, domyśliwszy się, co należy uczynić, zabiera się do roboty — czyli do sporządzenia całego, zmyślonego społeczeństwa na wyspie. To ono stanie między nim a dziewczyną; to ono wytworzy system barier, przeszkód, da więc ów nieprzekraczalny dystans, z którego będzie ją mógł kochać, będzie mógł jej trwale pożądać — nie narażony już na żadną okoliczność trywialną, jako na chętkę wyciągnięcia ręki dla dotknięcia jej ciała. On wie przecież, że jeśli jeden jedyny raz ulegnie w walce, toczonej sam na sam, jeśli spróbuje jej dotknąć — cały świat, który stworzył, w tymże okamgnieniu runie. A więc dlatego zaczyna „szaleć". W zapamiętałym, dzikim pośpiechu wyrajając ze swej imaginacji tłumy — owe przydomki, nazwiska, byle jakie imiona wymyślając i wypisując na piasku, bredząc o żonach Glumma, o ciotkach, starych Piętachach itd., itp. A że owo mrowie jest mu *tylko* jako pewna niepokonana przestrzeń potrzebne (co by stanęło między Nim a Nią) — tworzy byle jako, koślawo, partacko i chaotycznie; działa w pośpiechu — i ten pośpiech dyskredytuje tworzone, wyjawia jego bełkotliwość, jego nieprzemyślaną tandetę.

Gdyby mu się powiodło, zostałby wiecznym kochankiem, Dantem, Don Kichotem, Werterem, i tym samym postawiłby na swoim. Sierodka — czy to nie oczywiste? — stałaby się wówczas kobietą równie realną co Beatrycze, co Lotta, co jakaś królowa czy księżniczka. Będąc całkowicie *realną*, byłaby zarazem — *nieosiągalna*. Dzięki temu mógłby żyć i marzyć o niej, albowiem zachodzi dogłębna różnica pomiędzy sytuacją, w której ktoś z jawy tęsknił do własnego snu, a taką, w której jawa kusi jawę — swoją niedościgłością właśnie. Bo tylko w tym drugim przypadku wciąż można przecież żywić nadzieję... skoro tylko dystans społeczny lub inne podobne przegrody przekreślają szansę spełnienia miłości. Stosunek Robinsona do Sierodki mógł więc ulec normalizacji tylko, gdyby ona jednocześnie się *urealniła* oraz *uniedostępniła* — dla niego.

Klasycznej bajce o połączeniu kochanków, rozłączonych złym losem, Marcel Coscat przeciwstawił tedy bajkę ontyczną o konieczności trwałej rozłąki, jako jedynej gwarantce duchowych ślubów — trwałych. Pojąwszy całą trywialność błędu „trzeciej nogi" Robinson (a nie autor, ma się rozumieć!) milczkiem o niej „zapomina" w drugim tomie. Panią swojego świata, królewną z lodowej góry, kochanką niedotykalną chciał uczynić Sierodkę, tę samą, która zaczynała u niego edukację jako mała służąca, prosta następczyni grubego Glumma... I to się właśnie

nie udało. Czy wiecie już, czy domyślacie się dlaczego? Odpowiedź brzmi prosto: ponieważ Sierodka, inaczej niż jakaś królowa, *wiedziała* o Robinsonie, ponieważ kochała go. Toteż nie chciała zostać boginią-westalką: to rozdwojenie popycha bohatera do zagłady. Gdyby to tylko on ją kochał, ba! Ale ona odwzajemniła uczucia... Kto nie rozumie tej prostej prawdy, kto myśli, jak pouczały naszych dziadów ich wiktoriańskie guwernantki, że umiemy kochać *innych*, a nie *siebie* w tych innych, ten niech lepiej nie bierze do ręki zasmucającego romansu, jakim obdarzył nas pan Marcel Coscat. Jego Robinson wymarzył sobie dziewczynę, której nie chciał oddać jawie do końca, ponieważ *ona* była *nim*, ponieważ z tej jawy, która nigdy nas nie opuszcza, nie ma innego, niż śmierć, przebudzenia.

Podróż trzynasta

Z piersią pełną pomieszanych uczuć przystępuję do opisu tej wyprawy, która przyniosła mi więcej, niżeli mogłem się kiedykolwiek spodziewać. Celem moim, kiedy wyruszyłem z Ziemi, było dotarcie do niezmiernie odległej planety gwiazdozbioru Kraba, Zazjawy, słynącej w całej próżni tym, że wydała jedną z najwybitniejszych osobistości Kosmosu, Mistrza Oh. Ten znakomity mędrzec nie nazywa się tak naprawdę, a mianuję go w ten sposób, ponieważ niepodobna inaczej oddać jego imienia w jakimkolwiek ziemskim języku. Dziecię, rodzące się na Zazjawie, otrzymuje ogromną ilość tytułów i odznaczeń wraz z imieniem niezmiernie długim według naszych pojęć.

Przyszedłszy w swoim czasie na świat, Mistrz Oh nazwany został Gridipidagititositipopokarturtegwauanatopocotuototam. Mianowano go Złotolitą Podporą Istnienia, Doktorem Łagody Doskonałej, Światłą Wszechstronnością Possybilitatywną etc., etc. W miarę jak dorastał i kształcił się, z roku na rok odejmowano mu po tytule i cząstce nazwiska, że zaś niezwykłe zdradzał zdolności, już w trzydziestym trzecim roku życia odebrano mu ostatnie odznaczenie, w dwa lata zaś później nie miał już w ogóle żadnego tytułu, a jego imię określała w alfabecie zazjawiskim jedna tylko, i to niema, litera, oznaczająca „przydech niebiański" — to jest rodzaj zdławionego westchnienia, które wydaje się od nadmiaru szacunku i rozkoszy.

Teraz Czytelnik pojmie zapewne, czemu zwę tego Mędrca Mistrzem Oh. Mąż ów, zwany Dobroczyńcą Kosmosu, całe swe życie poświęcił dziełu uszczęśliwiania rozlicznych plemion galaktycznych i w nieustającym trudzie stworzył naukę o spełnianiu życzeń, zwaną też Ogólną Teorią Protez. Stąd też, jak powszechnie wiadomo, pochodzi jego własne określenie jego działalności; jak wiecie, nazywa on siebie protetą.

Pierwszy raz zetknąłem się z przejawem działalności Mistrza Oh na Europii. Planeta ta z dawien dawna wrzała od kwasów, nienawiści i wzajemnej zgryźliwości jej mieszkańców. Brat zazdrościł tam bratu, uczeń nienawidził nauczyciela, podwładny zwierzchnika. Kiedym tam wszelako zawitał, rzuciła mi się w oczy sprzeczna z tą famą powszechna łagodność i najtkliwsza miłość, jaką okazywali sobie wszyscy bez wyjątku członkowie planetarnej społeczności. Usiłowałem oczywiście dociec, jakie może być źródło tak budującej przemiany.

Pewnego razu, wędrując ulicami miasta stołecznego w towarzystwie znajomego tuziemca, zauważyłem na licznych wystawach sklepowych głowy naturalnej wielkości, umieszczone na stojakach niczym kapelusze, oraz duże lale, doskonale wyobrażające Europijczyków. Zagadnięty towarzysz mój wyjaśnił, że są to odgromniki uczuć nieprzyjaznych. Żywiąc do kogoś niechęć lub uprzedzenie, idzie się do takiego sklepu i zamawia tam wierną podobiznę upatrzonego, aby potem, zamknąwszy się w mieszkaniu na cztery spusty, do woli sobie z nią poczynać. Osoby zamożniejsze stać na całą lalę, ubożsi muszą zadowolić się poniewieraniem samych tylko głów.

Ten nie znany mi dotąd wykwit techniki społecznej, zwany Protezą Swobody Poczynań, kazał mi zasięgnąć bliższych wiadomości o jego twórcy, którym okazał się Mistrz Oh.

Bawiąc potem na innych globach, miałem okazję stykać się ze zbawiennymi śladami jego działalności. I tak na planecie Ardelurii żył pewien znakomity astronom, głoszący, że planeta obraca się wokół swej osi. Teza ta sprzeciwiała się wierze Ardelurów, według której planeta osadzona jest nieruchomo w centrum Wszechświata. Kolegium kapłańskie wezwało astronoma przed sąd i zażądało, by odwołał swą heretycką naukę. Kiedy odmówił, skazano go na oczyszczające od grzechów całopalenie. Mistrz Oh, dowiedziawszy się o tym, pojechał na Ardelurię. Przeprowadził rozmowy z kapłanami i uczonym, wszelako obie strony twardo stały na swoim. Spędziwszy noc na rozmyślaniach, mędrzec doszedł do właściwej idei, którą zaraz wcielił w życie. Był to hamulec planetarny. Z jego pomocą wstrzymany został ruch obrotowy planety. Astronom, przebywający w więzieniu, przekonał się o zaszłej zmianie dzięki obserwacji nieba i wyparł się dotychczasowych twierdzeń, przystając ochoczo na dogmat o nieruchomości Ardelurii. Tak stworzona została Proteza Prawdy Obiektywnej.

W wolnych od pracy społecznej chwilach zajmował się Mistrz Oh pracami badawczymi innego rodzaju: i tak, na przykład, stworzył metodę odkrywania planet, zamieszkanych przez istoty rozumne, na bardzo wielką odległość. Jest to metoda „klucza a posteriori", niesłychanie prosta, jak każdy pomysł genialny. Rozbłysk nowej gwiazdki na firmamencie tam, gdzie dotąd gwiazd nie było, świadczy o tym, że właśnie rozpada się planeta, której mieszkańcy osiągnęli wysoki stopień cywilizacji i odkryli sposoby wyzwalania energii atomowej. Mistrz Oh zapobiegał jak mógł podobnym wydarzeniom, a to w ten sposób, że mieszkańców planet, na których wyczerpywały się zasoby paliw naturalnych, jak węgiel czy nafta, wyuczał hodowli węgorzy elektrycznych. Przyjęła się ona na niejednym globie pod nazwą Protezy Postępu. Któż z kosmonautów nie chwali sobie wieczornych spacerów na Enteroptozie, kiedy w wędrówce przez ciemności towarzyszy nam tresowany węgorz z żaróweczką w pyszczku!

Z upływem czasu rosła we mnie coraz większa chęć poznania Mistrza Oh. Rozumiałem wszakże, że nim się z nim zetknę, muszę pierwej uczciwie przysiąść fałdów, aby wznieść się na jego wyżyny intelektualne. Powodowany tą myślą, postanowiłem cały czas lotu, obliczany na lat dziewięć, poświęcić samokształceniu w dziedzinie filozofii. Jakoż wystartowałem z Ziemi w rakiecie od klapy po dziób wypełnionej półkami bibliotecznymi, uginającymi się pod ciężarem najszczytniejszych płodów ducha ludzkiego. Odsadziwszy się od gwiazdy macierzystej na jakieś sześćset milionów kilometrów, kiedy nic już nie mogło zakłócić mi spokoju, wziąłem się do lektury. Wobec jej ogromu przygotowałem sobie specjalny plan, polegający na tym, że aby uniknąć omyłkowego czytania książek, które już raz przewertowałem, każde poznane dzieło wyrzucałem przez klapę z rakiety, z tym że miałem zamiar pozbierać je, unoszące się swobodnie w przestrzeni, podczas drogi powrotnej.

Tak tedy przez dwieście osiemdziesiąt dni zgłębiałem Anaksagorasa, Platona i Plotyna, Orygenesa i Tertuliana, przeszedłem Szkota Eriugenę, biskupów Hraba z Moguncji i Hinkmara z Reims, od deski do deski odczytałem Ratramnusa z Corbie i Servatusa Lupusa, a także Augustyna, a mianowicie jego *De Vita Beata, De Civitate Dei* i *De Quantitate Animae.* Za czym wziąłem się za Tomasza, biskupów Synesiosa i Nemesiosa oraz

Pseudoareopagitę, świętego Bernarda i Suareza. Przy świętym Wiktorze musiałem zrobić przerwę, bo mam zwyczaj kręcenia w czasie lektury gałek z chleba, i rakieta była już ich pełna. Wymiótłszy wszystko w próżnię, zamknąłem klapę i wróciłem do nauki. Następne półki zapełniały dzieła nowsze — było tego ze siedem i pół tony i począłem się lękać, że czasu nie starczy mi na zgłębienie wszystkiego, aliści wnet przekonałem się, iż motywy się powtarzają, różne jedynie ujęciem. To co jedni, obrazowo mówiąc, stawiali na nogach, inni odwracali na głowę; tak więc niejedno mogłem pominąć.

Przemierzyłem więc mistyków i scholastyków, Hartmanna, Gentilego, Spinozę, Wundta, Malebranche'a, Herbarta i zapoznałem się z infinityzmem, doskonałością stwórcy, harmonią przedustawną i monadami, nie mogąc się nadziwić, jak każdy z owych mędrców wiele miał do powiedzenia o duszy ludzkiej, a przy tym każdy coś wręcz przeciwnego temu, co głosili inni.

Kiedy zagłębiałem się w rozkosznym doprawdy opisie harmonii przedustawnej, lekturę przerwała mi dość drastyczna przygoda. Oto znajdowałem się już w okolicach próżniowych wirów magnetycznych, które z nieporównaną siłą magnesują wszystkie przedmioty żelazne. Tak się też stało z żelaznymi skuwkami moich mesztów i przyssany do stalowej podłogi, kroku nie mogłem zrobić, by zbliżyć się do szafki z wiktuałami. Groziła mi już śmierć głodowa, aliści wspomniałem na czas, że mam w zanadrzu kieszonkowy Poradnik Kosmonauty, skąd wyczytałem, iż w podobnej sytuacji należy zzuć trzewiki. Po czym wróciłem do ksiąg.

Kiedym poznał już ze sześć tysięcy tomów i tak się obracałem w ich materii jak we własnej kieszeni, od Zazjawy dzieliło mnie jakieś osiem trylionów kilometrów. Właśnie zabrałem się do następnej półki, wypełnionej krytyką czystego rozumu, gdy uszu moich dobiegło energiczne pukanie. Podniosłem zaskoczony głowę, byłem bowiem sam w rakiecie, a z próżni gości się raczej nie spodziewałem. Pukanie powtórzyło się natarczywiej, zarazem zaś dobiegł mnie stłumiony głos:

— Otwierać! Rybicja!

Odkręciłem czym prędzej śruby klapy i do rakiety weszły trzy istoty w skafandrach, obsypanych mlecznym pyłem.

— Aha! Złapaliśmy wodnika na gorącym uczynku! — zawołał pierwszy z przybyłych, a drugi dodał:

— Gdzie wasza woda?

Zanim zdążyłem odpowiedzieć, osłupiały ze zdziwienia, trzeci powiedział do tamtych coś, co ich nieco zmitygowało.

— Skąd pochodzisz? — spytał mnie pierwszy.

— Z Ziemi! A wy kim jesteście?

— Swobodna Rybicja Pinty — burknął i podał mi kwestionariusz do wypełnienia.

Ledwo rzuciłem okiem na rubryki tego dokumentu, a potem na skafandry istot, wydające przy każdym ruchu odgłos bulgotania, zorientowałem się, że przez nieuwagę zleciałem w pobliże bliźniaczych planet Pinty i Panty, których wymijanie w możliwie dużym promieniu zalecają wszystkie poradniki. Niestety — było już na to za późno. Podczas gdy wypełniałem kwestionariusz, osobnicy w skafandrach systematycznie spisywali przedmioty znajdujące się w rakiecie. Odkrywszy w pewnym momencie puszkę ze szprotami w oleju, wydali triumfalny okrzyk, po czym opieczętowali rakietę i wzięli ją na hol. Próbowałem nawiązać z nimi rozmowę, ale bezskutecznie. Zauważyłem, że skafandry, które mieli na sobie, kończyły się szeroką, płaską wypustką, jak gdyby Pintyjczycy mieli zamiast nóg rybie ogony. Niebawem jęliśmy się opuszczać na planetę. Cała była pokryta wodą, co prawda bardzo płytką, gdyż wystawały z niej dachy budowli. Gdy Rybici zdjęli na lotnisku skafandry, przekonałem się, że są bardzo podobni do ludzi, a jedynie członki mają dziwacznie wygięte i pokręcone. Wsadzono mnie do czegoś w rodzaju łodzi, osobliwej przez to, że miała wielkie otwory w dnie i po burty pełna była wody. Tak zanurzeni popłynęliśmy z wolna w stronę śródmieścia. Spytałem, czy nie można by tych dziur zatkać i wyczerpać wodę; pytałem potem i o inne rzeczy, ale moi towarzysze nic nie odpowiedzieli, a tylko notowali gorączkowo moje słowa.

Ulicami brodzili mieszkańcy planety z głowami skrytymi pod wodą, wynurzając je co chwila dla zaczerpnięcia tchu. Przez szklane ściany bardzo pięknych domów widać było ich wnętrza: pokoje mniej więcej do połowy wysokości wypełniała woda. Kiedy wehikuł nasz zatrzymał się na skrzyżowaniu opodal gmachu noszącego napis „Główny Zarząd Irygacyjny", przez otwarte okna dobiegało mnie bulgotanie urzędników. Na placach stały strzeliste posągi ryb, ozdobione wieńcami wodorostów. Gdy łódź nasza znów się na chwilę zatrzymała (ruch był bardzo wielki), z rozmowy przechodniów pochwyciłem, że przed chwilą zdemaskowano właśnie na rogu szpiega, kiedy tryfował szengiele.

Potem wypłynęliśmy na rozległą aleję, ozdobioną wspaniałymi portretami ryb i różnokolorowymi napisami: „Hej wodnista swobodo!", „Pletwa do pletwy, zwalczymy suszę, wodniki!" — i innymi, których nie zdążyłem odczytać. Na koniec łódź przybiła do gigantycznego drapacza chmur. Fronton jego zdobiły festony, a nad wejściem widniała szmaragdowa tablica: „Swobodna Rybicja Wodna". Windą, przypominającą małe akwarium, pojechaliśmy na 16 piętro. Wprowadzono mnie do gabinetu, wypełnionego wyżej biurka wodą, i kazano czekać. Cały obity był przepiękną szmaragdową łuską.

Przygotowałem sobie w myśli dokładne odpowiedzi na pytania, skąd się tu wziąłem i dokąd zamierzam się udać, aliści nikt mnie o to nie pytał. Przesłuchujący, Rybita małego wzrostu, wszedł do gabinetu, zmierzył mnie surowym spojrzeniem, a potem wstał na palce i z ustami nad powierzchnią wody spytał:

— Kiedy rozpocząłeś swą zbrodniczą działalność? Wiele za nią otrzymywałeś? Jakich masz wspólników?

Odparłem, że jako żywo nie jestem szpiegiem; wyjaśniłem też okoliczności, które przywiodły mnie na planetę. Gdy atoli oświadczyłem, że znalazłem się na Pincie przypadkiem, przesłuchujący wybuchnął śmiechem i powiedział, że muszę sobie wymyślić coś inteligentniejszego. Następnie zabrał się do studiowania protokołów, rzucając mi co chwila rozmaite pytania. Szło mu to bardzo niesporo, bo za każdym razem musiał wstawać dla zaczerpnięcia tchu, a raz niechcący się zachłysnął i długo kaszlał. Zauważyłem potem, że przytrafia się to Pintyjczykom bardzo często.

Rybita namawiał mnie łagodnie, żebym przyznał się do wszystkiego, a kiedy odpowiadałem wciąż, że jestem niewinny, zerwał się nagle i wskazując na puszkę ze szprotami, spytał:

— A co to znaczy?

— Nic — odparłem zdumiony.

— Zobaczymy. Odprowadzić tego prowokatora! — krzyknął. Na tym przesłuchanie zostało zakończone.

Pomieszczenie, w którym mnie zamknięto, było całkiem suche. Przyjąłem to z prawdziwą przyjemnością, bo już porządnie dała mi się we znaki dokuczliwa wilgoć. Oprócz mnie znajdowało się w tym niewielkim pokoiku siedmiu Pintyjczyków, którzy przyjęli mnie nader życzliwie i jako obcokrajowcowi ustąpili miejsca na ławce. Od nich dowiedziałem się, że szproty znalezione w rakiecie przedstawiają w myśl ich ustaw straszliwą obrazę najwyższych ideałów pintyjskich, a to poprzez tak zwaną „zbrodniczą aluzję". Pytałem, o jaką aluzję idzie, wszelako nie umieli, czy raczej nie chcieli (jak mi się zdawało) tego powiedzieć. Widząc, że pytania na ten temat sprawiają im przykrość, zamilkłem. Dowiedziałem się jeszcze od nich, iż zamknięcia podobne do takich, w jakim przebywam, stanowią jedyne bezwodne miejsca na całej planecie. Pytałem, czy zawsze w swej historii przebywali w wodzie — odpowiedzieli mi, że niegdyś Pinta posiadała wiele lądów, a mało mórz i że było na niej mnóstwo wstrętnych, suchych miejsc.

Obecnym władcą planety był Wielki Wodnik Rybon Ermezyneusz. Przez trzy miesiące mego pobytu w sucharce zbadało mnie osiemnaście rozmaitych komisji. Określały one kształt, jaki przybierała mgiełka na lusterku, na które kazano mi chuchać, liczono ilość kropel, które ściekały ze mnie po zanurzeniu w wodzie, i pasowano mi rybi ogon. Musiałem też opowiadać rzeczoznawcom moje sny, które od razu klasyfikowali i segregowali według paragrafów kodeksu karnego. Pod jesień dowody mej winy obejmowały już osiemdziesiąt dużych tomów, a dowody rzeczowe wypełniały trzy szafy w gabinecie z rybią łuską. Na koniec przyznałem się do wszystkiego, co mi zarzucono, a w szczególności do perforowania chondrytów i do rzęsistej trybieży wielokrotnej na rzecz Panty. Do dziś dnia nie wiem, co by to mogło znaczyć. Z uwagi na okoliczności łagodzące, a mianowicie moją tępą nieświadomość błogosławieństw żywota podwodnego oraz nadchodzące imieniny Wielkiego Rybona Wodnika Ermezyneusza, wymierzono mi umiarkowany wyrok dwu lat swobodnego rzeźbienia z zawieszeniem w wodzie na sześć miesięcy, po czym wypuszczono mnie na wolną stopę.

Postanowiłem urządzić się możliwie dogodnie na okres półrocznego pobytu na Pincie, a nie znalazłszy miejsca w żadnym hotelu, zamieszkałem kątem u pewnej staruszki, która się trudniła tremobowaniem ślimaków, to jest przyuczaniem ich do układania się w pewne wzory na święta narodowe.

Zaraz pierwszego wieczoru po wyjściu z sucharki udałem się na występ stołecznego chóru, który mocno mnie rozczarował, albowiem chór śpiewał pod wodą — bulgocąc.

W pewnej chwili zauważyłem, że dyżurny Rybita wyprowadził jakiegoś osobnika, który po zapadnięciu ciemności na widowni oddychał przez trzcinową rurkę. Dostojnicy zajmujący miejsca w lożach pełnych wody nieustannie polewali się tuszem. Nie mogłem oprzeć się dziwnemu wrażeniu, że wszystkim jest z tym raczej niewygodnie. Próbowałem też zaczerpnąć w tym przedmiocie informacji u mojej gospodyni — nie raczyła mi wszakże odpowiedzieć; spytała tylko, do jakiego poziomu życzę sobie mieć napuszczoną wodę do pokoju. Gdy odparłem, że najchętniej nie widziałbym wody poza łazienką, zacisnęła usta, wzruszyła ramionami i odeszła, zostawiając mnie w pół słowa.

Pragnąc poznać wszechstronnie Pintyjczyków, starałem się brać udział w ich życiu kulturalnym. Kiedym przybył na planetę, w prasie toczyła się właśnie żywa dyskusja na temat bulgotania. Specjaliści opowiadali się za bulgotaniem z cicha, jako mającym największą przyszłość.

U mojej gospodyni zajmował jeden pokój pewien młody, sympatyczny Pintyjczyk, redaktor popularnego pisma „Rybi Głos". W gazetach spotykałem często wzmianki o baldurach i badubinach; z tekstu wynikało, że chodzi o jakieś istoty żywe, ale nie mogłem się dorozumieć, co mają one wspólnego z Pintyjczykami. Osoby, które o to pytałem, zazwyczaj zanurzały się, zagłuszając mnie bulgotaniem. Chciałem spytać o to redaktora, ale był wielce zaaferowany. Przy kolacji wyznał mi w największym wzburzeniu, że przydarzyła mu się fatalna rzecz. Przez przeoczenie napisał w artykule wstępnym, że w wodzie jest mokro. W związku z tym spodziewał się najgorszego. Usiłowałem go pocieszyć, pytałem też, czy według nich w wodzie jest sucho; wzdrygnął się i odparł, że nic nie rozumiem. Wszystko należy rozpatrywać z rybiego punktu widzenia. Otóż rybom nie jest mokro, ergo — w wodzie nie jest mokro. Po dwu dniach redaktor znikł.

Na szczególne trudności natrafiłem, chodząc na imprezy publiczne. Gdy po raz pierwszy poszedłem do teatru, w oglądaniu przedstawienia wielce przeszkadzał mi nieustający szept. Sądząc, że szepczą moi sąsiedzi, starałem się nie zwracać na to uwagi. W końcu zdenerwowany przesiadłem się na inny fotel, ale i tam słyszałem ten sam szept. Gdy na scenie była mowa o Wielkim Rybonie, cichy głos szeptał: „członki twe przepaja szczęsne drżenie". Zauważyłem, że cała sala zaczęła z lekka dygotać.

Potem przekonałem się, iż we wszystkich miejscach publicznych umieszczone są specjalne szeptacze, podpowiadające obecnym właściwe przeżycia. Pragnąc lepiej poznać obyczaje i właściwości Pintyjczyków, nabyłem większą ilość książek, zarówno powieści, jak czytanek szkolnych i dzieł naukowych. Niektóre z nich mam jeszcze, na przykład: *Mały Badubin, O okropnościach suszy, Jak rybio jest pod wodą, Bulgot we dwoje* itp. W księgarni uniwersyteckiej polecono mi dzieło o ewolucji perswazyjnej, wszelako i z niego nie wyniosłem nic poza bardzo szczegółowymi opisami baldurów i badubinów.

Moja gospodyni, kiedym ją próbował indagować, zamknęła się w kuchni ze ślimakami, udałem się więc ponownie do księgarni i spytałem, gdzie mógłbym zobaczyć chociaż jednego badubina. Na te słowa wszyscy sprzedawcy dali nurka pod kontuar, a przypadkowo obecni w sklepie młodzi Pintyjczycy zaprowadzili mnie na Rybicję jako prowokatora. Wtrącony do sucharki, zastałem tam trzech z poprzednich towarzyszy. Od nich dowiedziałem się dopiero, że baldurów ani badubinów jeszcze na Pincie nie ma. Są to szlachetne, doskonałe w swej rybowatości formy, w które Pintyjczycy przekształcą się z czasem zgodnie z nauką o ewolucji perswazyjnej. Spytałem, kiedy się to stanie. Na to wszyscy obecni zadrżeli i usiłowali dać nurka, co z braku wody było oczywistą niemożliwością, a najstarszy wiekiem, o bardzo pokręconych członkach, rzekł:

— Słuchaj no, wodniku, takich rzeczy nie mówi się u nas bezkarnie. Niechby Rybicja dowiedziała się o twoich pytaniach, to uczciwie obostrzy ci wyrok.

Przygnębiony oddałem się smutnym rozmyślaniom, z których wyrwała mnie rozmowa towarzyszy niedoli. Rozprawiali o swych przewinieniach, zastanawiając się nad ich rozmiarami. Jeden znalazł się w sucharce, ponieważ zasnąwszy na omywanym wodą tapczanie zachłysnął się i skoczył na równe nogi z krzykiem: „Zdechnąć można od tego". Drugi nosił dziecko na barana, zamiast przyuczać je od maleńkości do życia pod wodą. Trzeci wreszcie, ów najstarszy, miał nieszczęście zabulgotać w sposób określony przez osoby kompetentne jako znaczący i obelżywy podczas prelekcji o trzystu wodnikach bohaterach, którzy zginęli, ustanawiając rekord życia pod wodą.

Niebawem wezwano mnie przed Rybitę, który oświadczył mi, że ten ponowny haniebny występek, jakiego się dopuściłem, zmusza go do wymierzenia mi łącznej kary trzech lat swobodnego rzeźbienia. Nazajutrz w towarzystwie trzydziestu siedmiu Pintyjczyków popłynąłem łodzią, w znanych już warunkach, to jest zanurzony w wodzie po brodę, do regionów rzeźbiarskich. Znajdowały się one daleko za miastem. Praca nasza polegała na rzeźbieniu posągów ryby z gatunku sumiastych. Za mej pamięci wykuliśmy ich około 140 000. Rano płynęliśmy do pracy, śpiewając pieśni, z których najlepiej zapamiętałem jedną, zaczynającą się od słów „Hej swoboda, hej swoboda do rzeźbienia sił nam doda". Po pracy wracaliśmy do naszych pomieszczeń; przed kolacją zaś, którą należało spożywać pod wodą, przybywał codziennie lektor i wygłaszał prelekcję oświatową o swobodach podwodnych; chętni mogli zapisywać się do klubu kontemplatorów pletwistości. Kończąc prelekcję, lektor pytał zawsze, czy ktoś z nas nie stracił aby ochoty do rzeźbienia? Nikt się jakoś nie zgłaszał, więc i ja tego nie czyniłem. Zresztą rozmieszczone na sali szeptacze oświadczały, że mamy zamiar rzeźbić bardzo długo, i to możliwie podwodnie.

Pewnego dnia kierownictwo nasze jęło okazywać oznaki niezwykłego podniecenia, a przy obiedzie dowiedzieliśmy się, że obok naszych pracowni przepłynie dziś Wielki Rybon Wodnik Ermezyneusz, który wyprawia się na wcielanie baldurzej miętoci. Jakoż od południa pływaliśmy na baczność w oczekiwaniu wysokiego przybycia. Padał deszcz i było okropnie zimno, tak że wszyscyśmy drżeli. Szeptacze umieszczone na pływających bojach donosiły, że dygoczemy z entuzjazmu. Orszak Wielkiego Rybona na siedmiuset łodziach mijał nas niemal do zmierzchu. Znajdując się dość blisko, miałem okazję ujrzeć samego Rybona, który, ku memu zdumieniu, w najmniejszej mierze nie przypominał ryby. Był to najzwyklejszy z pozoru, tyle że bardzo sędziwy Pintyjczyk, o członkach okrutnie pokręconych. Ośmiu magnatów odzianych w łuskę szkarłatną i złotą podtrzymywało dostojne barki władcy, gdy wynurzał głowę z wody dla zaczerpnięcia tchu; kaszlał przy tym tak przeraźliwie, aż mi się go żal robiło. Na cześć tego wydarzenia wyrzeźbiliśmy nadprogramowo osiemset posągów ryby sumiastej.

W jakiś tydzień potem poczułem po raz pierwszy paskudne łupanie w rękach; towarzysze wyjaśnili mi, że mam po prostu początki reumatyzmu, stanowiącego największą plagę Pinty. Nie wolno wszakże mówić, że to choroba, a tylko, że są to objawy bezideowego oporu organizmu przeciw zrybieniu. Teraz dopiero stał się dla mnie jasny powykręcany wygląd Pintyjczyków.

Co tydzień prowadzono nas na widowiska, przedstawiające perspektywy życia podwodnego. Ratowałem się zamykaniem oczu, bo na samo wspomnienie wody niedobrze mi się robiło.

Tak toczyło się moje życie przez pięć miesięcy. Pod koniec tego okresu zaprzyjaźniłem się z pewnym starszym Pintyjczykiem, profesorem uniwersytetu, który rzeźbił swobodnie za to, że na jednym z wykładów oświadczył, iż woda jest wprawdzie niezbędna do życia, ale w innym sensie, niż się to powszechnie praktykuje. W rozmowach, które prowadziliśmy przeważnie nocą, profesor opowiadał mi o dawnych dziejach Pinty. Planetę nękały niegdyś gorące wiatry i uczeni dowiedli, że zagraża jej przemiana w szczerą pustynię. W związku z tym opracowali wielki plan irygacyjny. Aby go wprowadzić w życie, założono odpowiednie instytucje i nadrzędne biura; potem atoli, gdy zbudowano już sieć kanałów i zbiorników, biura nie chciały się rozwiązać i działały dalej, nawadniając Pintę coraz bardziej. Doszło do tego — mówił profesor — że to, co miało być opanowane, opanowało nas. Nikt jednak nie chciał przyznać się do tego, następnym zaś, koniecznym już krokiem było stwierdzenie, że jest właśnie tak, jak być powinno.

Pewnego dnia poczęły krążyć wśród nas wieści budzące niesłychane podniecenie. Mówiono, że oczekiwana jest jakaś nadzwyczajna zmiana, niektórzy ważyli się nawet twierdzić, iż sam Wielki Rybon zarządzi w najbliższym czasie suszę mieszkalną, a może i ogólną. Kierownictwo przystąpiło niezwłocznie do zwalczania defetyzmu, ustalając nowe projekty rybich posągów. Mimo to uparta plotka powracała w wersjach coraz bardziej fantastycznych; słyszałem na własne uszy, jak ktoś mówił, że widziano Wielkiego Rybona Ermezyneusza z ręcznikiem.

Jednej nocy dobiegły nas odgłosy hucznej zabawy z budynku kierownictwa. Wypłynąwszy na dwór, ujrzałem, jak kierownik wraz z lektorem wylewają z okien wodę wielkimi kubłami, głośno przy tym śpiewając. Skoro świt pojawił się lektor; siedział w uszczelnionej łódce i oświadczył nam, że wszystko, co działo się dotąd, było nieporozumieniem; że opracowuje się nowe, prawdziwie swobodne, a nie takie jak dotąd sposoby bytowania, a na razie odwołane zostaje bulgotanie jako męczące, szkodliwe dla zdrowia i całkiem zbyteczne. Podczas swej przemowy wsadzał nogę do wody i cofał ją, otrząsając się z obrzydzenia. Na zakończenie dodał, że był zawsze przeciwny wodzie i jak mało kto rozumiał, że nic z niej dobrego nie wyniknie. Przez dwa dni nie chodziliśmy do pracy. Potem skierowano nas do rzeźb już gotowych; odbijaliśmy im pletwy i przytwierdzali zamiast nich nogi. Lektor zaczął nas uczyć nowej piosenki „Raduje się dusza, kiedy wkoło susza", i mówiono już powszechnie, że lada dzień przywiezione zostaną pompy, które usuną wodę.

Jednakże po drugiej zwrotce lektor został wezwany do miasta i więcej nie wrócił. Nazajutrz rano przypłynął do nas kierownik, ledwo co wynurzając głowę z wody, i rozdał wszystkim nieprzemakalne gazety. Donosiły one, że bulgotanie, jako szkodliwe dla zdrowia i nie pomagające w baldurzeniu, zostaje raz na zawsze unieważnione, co nie oznacza jednak bynajmniej powrotu na zgubną suszę. Wprost przeciwnie. Aby przyklimować badubiny i spętwić baldury, ustanawia się na całej planecie oddychanie wyłącznie podwodne, jako w wyższym stopniu rybie, przy czym mając na uwadze dobro publiczne, wprowadza się je stopniowo, to znaczy — każdego dnia wszyscy obywatele winni przebywać pod wodą o małą chwilę dłużej niż dnia poprzedniego. Żeby im to ułatwić, powszechny poziom wody podwyższa się do jedenastu głębarków (miara długości).

Rzeczywiście pod wieczór podwyższono poziom wody tak, żeśmy musieli spać, stojąc. Ponieważ szeptacze zostały zalane, umocowano je cośkolwiek wyżej, a nowy lektor zabrał się do prowadzenia ćwiczeń w oddychaniu podwodnym. Po kilku dniach miłościwym rozporządzeniem Ermezyneusza na prośbę wszystkich obywateli poziom wody podwyższono jeszcze o pół głębarka. Wszyscyśmy zaczęli chodzić wyłącznie na palcach. Osoby niższe po krótkim czasie gdzieś znikły. Ponieważ oddychanie podwodne nikomu się nie udawało, wytworzyła się praktyka nieznacznego wyskakiwania nad powierzchnię dla chwycenia tchu. Po jakimś miesiącu szło to już bardzo sprawnie, przy czym wszyscy udawali, że ani sami tego nie robią, ani drugich tak postępujących nie widzą. Prasa donosiła o olbrzymich postępach oddychania podwodnego w całym państwie, a do swobodnego rzeźbienia przybywało sporo osób, które bulgotały po staremu.

Wszystko to razem wzięte tyle mi sprawiało kłopotu, że zdecydowałem się w końcu opuścić tereny swobodnego rzeźbienia. Po pracy ukryłem się za podmurówką nowego pomnika (zapomniałem powiedzieć, żeśmy odbijali przytwierdzone rybom nogi i na powrót umieszczali tam pletwy), a kiedy zrobiło się pusto, popłynąłem do miasta. Miałem pod tym względem znaczną przewagę nad Pintyjczykami, którzy wbrew temu, czego można by się spodziewać, pływać w ogóle nie umieją.

Utrudziłem się mocno, ale w końcu udało mi się dopłynąć na lotnisko. Rakiety mojej pilnowało czterech Rybitów. Na szczęście ktoś zaczął w pobliżu bulgotać i Rybici rzucili się w tę stronę. Zerwałem wtedy pieczęcie, wskoczyłem do środka i wystartowałem z największą możliwą szybkością. Po kwadransie planeta majaczyła już w dali jako drobna gwiazdka, na której tak wiele było mi dane przeżyć. Położyłem się do łóżka, rozkoszując się jego suchością; niestety, miły ten wypoczynek nie trwał długo. Ze snu wyrwało mnie naraz energiczne dobijanie się do klapy. Jeszcze na pół senny zawołałem: „Niech żyją swobody pintyjskie!" Okrzyk ten drogo miał mnie kosztować, albowiem do rakiety dobijał się patrol Anielicji Pantyjskiej. Próżne były moje tłumaczenia, że źle mnie dosłyszano, że wołałem „swobody pantyjskie", a nie „pintyjskie". Rakieta została opieczętowana i wzięta na hol. Trzebaż było jeszcze biedy, że miałem w spiżarce drugą puszkę szprotów, którą napocząłem był przed udaniem się na spoczynek. Ujrzawszy otwartą puszkę, Anielici zadrżeli, a potem z triumfalnym okrzykiem sporządzili protokół. Niebawem wylądowaliśmy na planecie. Kiedy wsadzono mnie do oczekującego wehikułu, odetchnąłem, widząc, że planeta, jak daleko sięgnąć okiem, pozbawiona jest wody. Gdy moja eskorta zdjęła skafandry, przekonałem się, że mam do czynienia z istotami ogromnie przypominającymi ludzi, wszyscy jednak mieli twarze tak do siebie podobne, jakby byli bliźniakami i do tego uśmiechniętymi.

Choć zapadał zmrok, w mieście jasno było od świateł jak w dzień. Zauważyłem, że kto tylko z przechodniów spojrzał na mnie, kiwał z przerażeniem czy z politowaniem głową, a jakaś Pantyjka zemdlała nawet na mój widok, co było o tyle osobliwe, że nie przestała się i wtedy uśmiechać.

Po niejakim czasie wydało mi się, że wszyscy mieszkańcy planety noszą rodzaj masek, nie byłem tego wszakże całkiem pewny. Podróż zakończyła się przed gmachem, na którym widniał napis: W O L N A A N I E L I C J A P A N T Y. Noc spędziłem samotnie w małym pokoiku, nasłuchując odgłosów wielkomiejskiego życia, dobiegających przez okno. Nazajutrz koło południa odczytano mi w gabinecie przesłuchującego akt oskarżenia. Zarzucano mi występek angelofagii z poduszczenia pintyjskiego oraz zbrodnię zróżnicowania osobistego. Dowody rzeczowe, świadczące przeciw mnie, były dwa: jeden stanowiła otwarta puszka szprotów, drugi zaś — lusterko, w którym pozwolił mi się przejrzeć przesłuchujący.

Był to Anielita IV Rangi w białym jak śnieg mundurze z brylantowymi błyskawicami przez pierś; wyjaśnił mi, że za występki, które popełniłem, grozi mi dożywotnia identyfikacja, po czym dodał, iż sąd daje mi cztery dni czasu na przygotowanie obrony. Z wyznaczonym z urzędu obrońcą mogłem się widzieć na każde żądanie.

Mając już pewne doświadczenie w przedmiocie metod postępowania sądowego w tych okolicach Galaktyki, chciałem się przede wszystkim dowiedzieć, na czym polega grożąca mi kara. Jakoż spełniając moje życzenie, zaprowadzono mnie do niewielkiej sali bursztynowego koloru, w której czekał już obrońca, Anielita II Rangi. Okazał się on nader wyrozumiały i nie szczędził mi wyjaśnień.

— Wiedz, obcy przybyszu — rzekł — że posiedliśmy najwyższe zrozumienie źródeł wszystkich trosk, cierpień i nieszczęść, którym podlegają istoty gromadzące się w społeczeństwa. Źródło to mieści się w jednostce, w jej prywatnej osobowości. Społeczeństwo, zbiorowość jest wieczna, podlega prawom trwałym i niewzruszonym, tak jak im podlegają potężne słońca i gwiazdy. Jednostkę cechuje chwiejność, niepewność decyzji, przypadkowość postępków, a nade wszystko — przemijalność. Otóż my zlikwidowaliśmy całkowicie indywidualizm na rzecz społeczności. Na naszej planecie istnieje wyłącznie zbiorowość — nie ma na niej jednostek.

— Jakże — rzekłem osłupiały — to, co mówisz, musi być tylko figurą retoryczną, bo przecież ty jesteś jednostką...

— W najmniejszej mierze — odparł z niezmiennym uśmiechem. — Zauważyłeś chyba, że nie różnimy się od siebie twarzami. Tak samo też osiągnęliśmy „najwyższą zamienialność społeczną".

— Nie rozumiem. Co to znaczy?

— Zaraz ci to wyjawię. W każdej chwili istnieje w społeczeństwie określona ilość funkcji, czyli, jak mówimy, etatów. Są to etaty zawodowe, więc władców, ogrodników, techników, lekarzy; są też etaty rodzinne — ojców, braci, sióstr i tak dalej. Otóż na każdym takim etacie Pantyjczyk działa tylko przez jedną dobę. O północy odbywa się w całym naszym państwie jeden ruch, jak gdyby, mówiąc obrazowo, wszyscy czynili jeden krok — i w taki sposób osobnik, który wczoraj był ogrodnikiem, dziś zostaje inżynierem, wczorajszy budowniczy staje się sędzią, władca — nauczycielem, i tak dalej. Podobnie ma się rzecz z rodzinami. Każda składa się z krewnych, więc ojca, matki, dzieci — tylko te funkcje pozostają niezmienne — istoty pełniące je, zamieniają się każdej doby. Tak więc niezmienna pozostaje jedynie zbiorowość, uważasz? Wciąż tyle samo jest rodziców i dzieci, lekarzy i pielęgniarek, i tak we wszystkich dziedzinach życia. Potężny organizm naszego państwa trwa od wieków niewzruszony i niezmienny, trwalszy od skały, a trwałość tę zawdzięcza temu, że raz na zawsze skończyliśmy z efemeryczną naturą jednostkowego istnienia. Dlatego to mówiłem, że jesteśmy zamienialni w sposób doskonały. Przekonasz się o tym niebawem, gdyż po północy, jeżeli mnie wezwiesz, przyjdę do ciebie w nowej postaci...

— Ale po co to wszystko? — spytałem. — I w jakiż sposób każdy z was potrafi pełnić wszystkie zawody? Czyż możesz być nie tylko ogrodnikiem, sędzią lub obrońcą, ale także dowolnie ojcem lub matką?

— Wielu zawodów — odparł mój uśmiechnięty rozmówca — nie potrafię dobrze wykonywać. Zważ wszelako, że pełnienie zawodu trwa tylko jeden dzień. Ponadto w każdym społeczeństwie starego typu olbrzymia większość osobników wykonuje swe funkcje zawodowe kiepsko, a przecież machina społeczna nie przestaje przez to działać. Ktoś, kto jest kiepskim ogrodnikiem, zaprzepaści u was ogród, kiepski władca całe państwo doprowadzi do ruiny, gdyż obaj mają na to czas, który u nas nie jest im dany. Ponadto w zwykłym społeczeństwie oprócz nieumiejętności fachowych daje się odczuć ujemny, a nawet zgubny wpływ prywatnych dążeń jednostek. Zawiść, pycha, egoizm, próżność, żądza władzy wywierają żrące działanie na życie ogółu. Ten zły wpływ u nas nie istnieje. W samej rzeczy nie istnieje u nas dążenie do zrobienia kariery, nikt też nie kieruje się interesem osobistym, ponieważ interesu osobistego nie ma u nas wcale. Nie mogę uczynić dziś na mym etacie żadnego kroku w nadziei, że mi się ten krok jutro opłaci, ponieważ jutro będę już kimś innym, a nie wiem dziś, kim będę jutro.

Zamiana etatów następuje o północy na zasadzie powszechnego losowania, na które nie ma wpływu żaden z żyjących. Czy zaczynasz pojmować głęboką mądrość naszego ustroju?

— A uczucia? — spytałem. — Możnaż kochać co dzień innego człowieka? I jakże ma się sprawa z ojcostwem i macierzyństwem?

— Pewnym zakłóceniem naszego systemu — odparł mój rozmówca — była dawniej okoliczność, kiedy osobnik na etacie ojca rodził dziecko, albowiem może się zdarzyć, że etat ojca obejmuje akurat kobieta w dniu swego rozwiązania. Wszelako trudność ta znikła, odkąd określone zostało w ustawach, że ojciec może rodzić dzieci. Co się zaś tyczy uczuć, to zaspokoiliśmy dwa, z pozoru wykluczające się, głody, żyjące w każdej istocie rozumnej: głód trwałości i głód zmiany. Przywiązanie, szacunek, miłość były niegdyś podgryzane nieustannym niepokojem, obawą przed utraceniem istoty ukochanej. Ten lęk myśmy przezwyciężyli. W samej rzeczy jakiekolwiek wstrząsy, choroby, kataklizmy nawiedzałyby nasze życie — każdy z nas ma zawsze ojca, matkę, małżonka i dzieci. Nie dość na tym. To, co niezmienne, zaczyna po niejakim czasie nużyć, bez względu na to, czy zaznajemy dobra, czy zła. Zarazem jednak pragniemy trwałości losu, chcemy uchronić go przed zakłóceniami i tragediami. Chcemy istnieć, a nie przemijać, zmieniać się, a trwać, być wszystkim, nie ryzykując nic. Te sprzeczności, zdawałoby się, nie do pogodzenia, są u nas rzeczywistością. Znieśliśmy nawet antagonizm szczytów społecznych i nizin, bo każdy każdego dnia może być najwyższym władcą, bo nie ma takiego rodzaju życia, takiej sfery działania, która byłaby przed kimkolwiek zamknięta.

Teraz mogę ci wyjawić, co oznacza wiszący nad tobą wymiar kary. Oznacza on największe nieszczęście, jakie może spotkać Pantyjczyka; a mianowicie wyjęcie spod losowania powszechnego i przejście na samotny byt indywidualny. Identyfikacja jest to akt zmiażdżenia osobnika poprzez obciążenie go okrutnym i bezlitosnym brzemieniem dożywotniej indywidualności. Musisz się śpieszyć, jeśli chcesz zadać mi jeszcze jakieś pytania, bo dochodzi północ; wnet będę musiał cię opuścić.

— Jak radzicie sobie ze śmiercią? — spytałem.

Ze zmarszczonym czołem i uśmiechniętą twarzą obrońca przypatrywał mi się, jakby próbując zrozumieć to słowo. Na koniec rzekł:

— Śmierć? To przestarzałe pojęcie. Nie ma śmierci tam, gdzie nie ma jednostek. Nikt u nas nie umiera.

— Ależ to nonsens, w który sam nie wierzysz! — zawołałem. — Przecież każda żywa istota musi umrzeć, więc i ty!

— Ja, to znaczy kto? — przerwał mi z uśmiechem.

Nastała chwila milczenia.

— Ty, ty sam!

— Kimże jestem ja sam, poza dzisiejszym etatem? Nazwiskiem, imieniem? Nie mam go. Twarzą? Dzięki zabiegom biologicznym, jakie przeprowadzono u nas przed wiekami, twarz moja jest taka sama, jak u wszystkich. Etatem? Ten zmieni się o północy. Cóż pozostaje? Nic. Zastanów się, co oznacza śmierć? Jest to utrata, tragiczna przez swą nieodwracalność. Kogo traci ten, kto umiera? Siebie? Nie, bo umarły to nie istniejący, a ten, kto nie istnieje, nie może niczego utracić. Śmierć jest sprawą żywych — jest utratą kogoś bliskiego.

Otóż my nigdy nie tracimy naszych bliskich. Mówiłem ci to już przecież. Każda rodzina jest u nas wieczna. Śmierć u nas — to byłaby kompresja etatu. Ustawy nie dopuszczają jej. Muszę już iść. Żegnaj, obcy przybyszu.

— Zaczekaj! — zawołałem, widząc, że mój obrońca wstaje. — Istnieją u was przecież, muszą istnieć różnice, choćbyście byli podobni do siebie jak bliźnięta. Musicie mieć starców, którzy...

— Nie. Nie prowadzimy rachuby ilości etatów, które ktoś piastował. Nie prowadzimy także rachuby lat astronomicznych. Nikt z nas nie wie, jak długo żyje. Etaty są bezwieczne. Czas na mnie.

Z tymi słowy odszedł. Zostałem sam. Po chwili drzwi uchyliły się i obrońca pojawił się znowu. Miał na sobie ten sam liliowy mundur ze złotymi błyskawicami Anielity II Rangi i ten sam uśmiech.

— Jestem na twoje usługi, oskarżony przybyszu z innej gwiazdy — powiedział, i wydało mi się, że to jest nowy głos, którego jeszcze nie słyszałem.

— A przecież jest u was coś niezmiennego: etat oskarżonego! — zawołałem.

— Mylisz się. Dotyczy to jedynie obcych. Nie możemy dopuścić, aby ukrywając się za etatem, ktoś usiłował rozsadzić od wewnątrz nasze państwo.

— Czy znasz się na prawie? — spytałem.

— Znają się na nim księgi ustaw. Zresztą proces twój odbędzie się dopiero pojutrze. Etat będzie cię bronił...

— Zrzekam się obrony.

— Pragniesz bronić się sam?

— Nie. Chcę zostać skazany.

— Jesteś lekkomyślny — powiedział obrońca z uśmiechem. — Pamiętaj o tym, że nie będziesz jednostką wśród jednostek, lecz w pustce większej od próżni międzyplanetarnej...

— Czy słyszałeś kiedy o Mistrzu Oh? — spytałem. Sam nie wiem, skąd wzięło mi się to pytanie.

— Tak. To on jest twórcą naszego państwa. Stworzył nim największe swoje dzieło — Protezę Wieczności.

Tak zakończyła się nasza rozmowa. Po trzech dniach, stawiony przed sąd, skazany zostałem na dożywotnią identyfikację. Odwieziono mnie na lotnisko, z którego niezwłocznie wystartowałem, biorąc kurs na Ziemię. Nie wiem, czy przyjdzie mi jeszcze kiedyś ochota spotkania Dobroczyńcy Kosmosu.

Maska

Na początku była ciemność i zimne płomienie, i huk przeciągły, a w długich sznurach iskier czarno osmalone haki wieloczłonkowe, które podawały mnie dalej, i pełzające metalowe węże, co dotykały mię ryjkowato spłaszczonymi łbami, a każde takie dotknięcie budziło dreszcz błyskawiczny, ostry i rozkoszny prawie.

Zza szkieł okrągłych patrzał we mnie wzrok niezmiernie głęboki, nieruchomy i oddalał się, ale to chybam ja się przesuwało dalej i wchodziło w krąg następnego spojrzenia, budzącego drętwotę, szacunek i lęk. Ta wędrówka moja na wznak trwała czas niewiadomy, a w miarę jej postępów powiększałom się i rozpoznawałom siebie, doświadczając własnych granic, i nie potrafię wyjawić, kiedym mogło już dokładnie ogarnąć własny kształt, rozpoznać każde miejsce, gdziem ustawało. Tam się świat zaczynał, huczący, płomienny, ciemny, a potem ustał ruch i cienkie trzpienie stawonogie, co podawały mię sobie, unosiły lekko w górę, oddawały cęgowym garściom, podsuwały płaskim ustom w otoku iskier, znikły, i leżałom jeszcze bezwładne, choć zdolne już do własnego ruchu, lecz w pełni wiadomości, że jeszcze nie czas, i w tym zmartwiałym przechyle — bom spoczywało wtedy na skośnej równi — ostatni prąd, wiatyk bez tchu, pocałunek rozedrgany sprężył mnie, i to był znak, żeby zerwać się i wpełznąć w okrągły otwór bezświetlny, i już bez wszelkiego przynaglania dotknęłom zimnych, gładkich, wklęsłych płyt, aby spocząć na nich z kamienną ulgą. Lecz może był to sen.

O przebudzeniu nic nie wiem. Szelesty niezrozumiałe pamiętam i półmrok chłodny, i siebie w nim, świat otworzył mi się światłem szerokim, połyskliwością rozbitą w barwy, i to jeszcze, jak wiele zdumienia było w mym ruchu, gdym przekraczało próg. Silne blaski spływały z góry na barwny zamęt pionowych kadłubów, widziałom ich kule, obracające ku mnie lśniące wodą guziki, powszechny gwar zamarł i w powstałej ciszy uczyniłom jeszcze jeden mały krok.

Wtedy z nieposłyszanym, odczutym tylko dźwiękiem cieniutkiej struny, co pękła we mnie, uczułam napływ płci tak gwałtowny, że chwycił mnie zawrót głowy i przymknęłam powieki. A gdy stałam tak, z zamkniętymi oczami, dobiegły mnie ze wszech stron słowa, bo razem z płcią wszedł we mnie język. Otwarłam oczy i uśmiechnęłam się, i ruszyłam przed siebie, a moje suknie szły ze mną, poważnie szłam, otoczona krynoliną, nie wiedząc dokąd, ale zmierzałam dalej, bo to był dworski bal, i wspomnienie własnej pomyłki sprzed chwili, kiedym wzięła głowy za kule, a oczy za mokre guziki, bawiło mnie jak małe dziewczęce głupstwo, dlatego uśmiechałam się, ale ten uśmiech był skierowany tylko do mnie. Słuch mój sięgał daleko, wyostrzony, więc rozpoznawałam w nim szmer wytwornego uznania i oddechy panów zatajone, i zawistne pań, a skąd to takie dziewczę, wicehrabio? A ja szłam przez olbrzymią salę, pod kryształem pająków, z sufitowej sieci kapały płatki róż, przeglądałam się w niechęci, wypełzającej na umalowane twarze kobiet, i w pożądliwych oczach smagłych parów.

Za oknami od stropu po parkiety ziała noc, kufy płonęły w parku, a w międzyokiennej niszy, u stóp marmurowego posągu, stał człowiek niższy od innych, otoczony wieńcem dworaków odzianych w pasiastą czerń i żółć, którzy zdawali się przeć ku niemu, lecz nie przekraczali pustego kręgu, i ten jedyny nawet nie spojrzał w moją stronę, kiedy się przybliżałam. Mijając go, przystanęłam i choć wcale nie patrzał w moją stronę, ujęłam samymi końcami palców krynolinę, spuszczając oczy, jakbym chciała mu złożyć głęboki ukłon, lecz popatrzyłam jedynie na własne ręce smukłe i białe, nie wiem jednak, czemu dla mnie ta biel, gdy zajaśniała na błękicie krynoliny, miała w sobie coś przerażającego. On zaś, ów niski pan czy par, otoczony dworakami, za którym stał blady rycerz w półzbroi, z obnażoną blond głową, i trzymał w ręku małą jak zabawka mizerykordię, nie raczył spojrzeć na mnie, mówiąc coś niskim, jakby stłumionym nudą głosem przed siebie, bo do nikogo. A ja, nie złożywszy mu ukłonu, lecz tylko patrząc nań krótką chwilę bardzo gwałtownie, żeby zapamiętać jego twarz, ciemnoskośną przy ustach, bo ich kąt grymasem znużenia podgięła biała blizenka, wpijając się oczami w te usta, okręciłam się na pięcie, aż zaszumiała krynolina, i poszłam dalej. Wtedy dopiero spojrzał na mnie i poczułam doskonale ten wzrok przelotny, zimny, a taki zwężony, jakby miał niewidzialną fuzję u policzka i muszką jej celował w mój kark, między rulony złotych pukli, i to był drugi początek. Nie chciałam się odwrócić, lecz uczyniłam to i pochyliłam się w niskim, bardzo niskim dygnięciu, unosząc oburącz krynolinę, jak gdyby wchodząc poprzez jej sztywność w blask posadzki, bo to był król. Potem odeszłam wolno, zastanawiając się nad tym, skąd wiem to tak dobrze i na pewno, a też bliska zrobienia czegoś niestosownego, bo skoro nie mogłam wiedzieć, a wiedziałam, w sposób natarczywy i bezwzględny, wzięłam wszystko za sen, a cóż znaczy we śnie — chwycić czyjś nos? Przelękłam się odrobinę, bo nie udało mi się tego uczynić, jakbym miała w sobie niewidzialną granicę. Tak się wahałam, idąc bezwiednie, pomiędzy przekonaniem o jawie i o śnie, a zarazem wpływała we mnie wiedza, po trosze jak fale wpływają na brzeg i każda fala pozostawiała we mnie nowe powiadomienie, tytuły jak utkane z koronek; w połowie sali, pod rozjarzonym kandelabrem, szybującym jak statek w ogniu, już znałam wszystkie miana dam, których zużycie wspierał troskliwy kunszt.

Wiedziałam już tak wiele, jak dobrze ocknięty z koszmaru, ale pamiętający go jeszcze z ociąganiem, i to, co zostawało mi niedostępne, rysowało się w mym umyśle jak dwa zaćmienia — przeszłości mojej i teraźniejszości, bo wciąż jeszcze nie znałam ani trochę siebie. Czułam za to już w pełni moją nagość, piersi, brzuch, uda, szyję, ramiona, niewidzialne stopy, skryte bogatym strojem, dotknęłam topazu w złocie, świetlikiem pulsującego między piersiami, czułam też wyraz mej twarzy, nie dającej nikomu nic zgoła, wyraz, który musiał zadziwiać, bo kto tylko spojrzał na mnie, doznawał wrażenia uśmiechu, lecz gdy uważnie przypatrzył się mym ustom, oczom, brwiom, dostrzegał, że nie ma tam ani śladu wesołości, nawet grzecznej tylko, więc szukał go jeszcze raz w oczach, ale były zupełnie spokojne, więc przechodził do policzków, doszukiwał się go w podbródku, ale nie miałam trzpiotowatych dołeczków, policzki moje były gładkie i białe, podbródek uważny, cichy, rzeczowy, a tak doskonały jak szyja, która nie zdradzała nic. Wtedy zapatrzony popadał w konsternację, bo nie pojmował, skąd przyszło mu do głowy, że uśmiecham się, i w oszołomieniu, wywołanym swoją rozterką i moją pięknością, cofał się w głąb tłumu lub składał mi głęboki ukłon, żeby choć w tym geście ukryć się przede mną.

A ja wciąż jeszcze dwóch rzeczy nie wiedziałam, aczkolwiek pojmowałam, choć niejasno jeszcze, że one są najważniejsze. Nie rozumiałam, czemu król nie popatrzał na mnie przechodzącą, czemu nie chciał mi spojrzeć w oczy, choć ani się nie lękał mojej urody, ani jej pożądał, owszem, wyczułam, że jestem mu wprawdzie cenna, lecz w niewysłowiony sposób, jak gdyby za nic mię miał samą, jakbym była dla niego kimś spoza tej sali wyiskrzonej, nie stworzona do tańca po lustrzanych od wosku parkietach, ułożonych w intarsje wielobarwne, pomiędzy kutymi w spiżu herbami nadproży, lecz gdy go mijałam, nie powstała w nim ani jedna z myśli, w których mogłabym się dokopać woli królewskiej, a kiedy posłał za mną wzrok przelotny i niedbały, lecz sponad niewidzialnej lufy, pojęłam to nawet, że nie we mnie mierzył bladym okiem, które domagało się ukrycia za ciemnymi szkłami, bo oczy te nie udawały niczego, inaczej niż dobrze ułożona twarz, i tkwiły w tłumnej wytworności jak ostatek brudnej wody w miednicy. Nie, jego oczy były jakby czymś już dawno wyrzuconym, co trzeba chować, co nie znosi dnia.

Czegoś może ode mnie chciał, ale czego? Nie mogłam jednak rozmyślać nad tym, bo musiałam się skupić na innej rzeczy. Znałam tu wszystkich, ale mnie nikt nie znał. Chyba on jeden: król. Miałam na podorędziu już i o sobie wiedzę, dziwaczne stawały się moje uczucia, gdy zwalniałam kroku, w trzech czwartych sali już przemierzonej, a w tłumie różnokolorowym, wśród twarzy skostniałych, ze srebrną szadzią bokobrodów, i twarzy przekrwionych, odętych, spoconych pod grudkowatym pudrem, wśród orderowych wstąg i szamerowań otwarł się korytarz, abym szła niczym królowa jakaś tą wąską ścieżką międzyludzką, na wodzach spojrzeń przeprowadzających — dokądże tak szłam?

Do kogoś.

A kim byłam? Ponieważ myślało mi się z biegłością potoczystą, pojęłam w jednej sekundzie, jak jest osobliwy rozdźwięk między moim stanem a tej tu ciżby dystyngowanej, bo każdy z nich miał dzieje, rodzinę, odznaczenia jednego rodzaju, jedną nobilitację z intryg, matactw, i obnosił swój pęcherz nikczemnej dumy, każdy historię własną wlókł za sobą jak wzbity kurz ciągnie się za wozem pustynnym, trop w trop, gdy ja byłam z tak dalekich stron, jakbym nie jedną miała historię, lecz ich wielość, ponieważ los mój uczynić mógł zrozumiałym dla nich tylko stopniowy przekład na obyczaj tutejszy, na tę mowę obcą, choć już mi swojską, więc mogłabym się tylko przybliżać do ich pojmowania, a podług dobranych określeń stawałabym się coraz inną istotą dla nich. Czy i dla siebie też? Nie... a jednak prawie że tak, nie posiadałam wiedzy ponad tę, co wdarła się we mnie na progu sali jak woda, gdy burzy się i zalewa pustkę, wysadziwszy dotąd trwałe zapory, ponad tą wiedzą rozumowałam logicznie, czyż można być wielością naraz? Pochodzić z wielu porzuconych przeszłości? Logika moja, wyjęta z blekotu wspomnień, mówiła mi, że nie można, że muszę mieć jakąś przeszłość jedną, a skoro jestem hrabianką Tlenix, Duenną Zoroennay, młodą Wirginią, osieroconą w zamorskim kraju Langodotów przez ród walandzki, skoro nie umiem odróżnić zmyślenia od rzeczywistości, odnaleźć siebie we własnej prawdziwej pamięci, to może jednak śnię? Lecz już gdzieś rozlegała się orkiestra i bal napierał jak lawina głazów — nie sposób było się skłonić do wiary w bardziej jeszcze rzeczywistą, od przebudzenia pęknąć zdolną rzeczywistość!

Szłam w niemiłym teraz oszołomieniu, pilnując każdego kroku, bo wracał zawrót głowy, który nazywałam vertigo. O włos nie zeszłam z mego królewskiego stąpania, choć olbrzymi był to wysiłek, jakkolwiek niewidzialny i potęgowany ową niewidzialnością właśnie, aż poczułam wsparcie z oddali, były to oczy mężczyzny, który siedział w niskiej framudze okna uchylonego, z niepoważnie przerzuconym przez ramię fontaziem brokatowej zasłony, szytej w czerwonosiwe lwy koronowane, lwy strasznie stare, co trzymały w łapach berła i jabłka, jabłka zatrute, rajskie. Ten człowiek okryty lwami, odziany czarno, dostatnio, lecz i z naturalną jakąś niedbałością, która nie ma nic wspólnego ze sztucznym pańskim nieładem, ten obcy, nie dandys, cicisbej, żaden dworak czy piękniś, ale i niestary, patrzał na mnie ze swego osamotnienia w powszechnym zgiełku — sam tak zupełnie, jak ja byłam sama. A wokół ci, co zapalają cygarillo przed oczami partnerów taroka zwiniętym banknotem, rzucają złote dukaty na zielone sukno, jakby gałki muszkatołowe ciskali łabędziom do sadzawki, ci, co nie mogą uczynić nic głupiego ani hańbiącego, bo jasność ich osoby nobilituje każdy uczynek. Mężczyzna nad wyraz nie nadawał się do tej sali, i bezwiedne jakby przyzwolenie, które dał sztywnemu brokatowi w lwy królewskie, żeby przewisał mu przez bark, rzucając mu w twarz odblask tronowej purpury, to przyzwolenie zdawało się najcichszym szyderstwem. Nie całkiem już młody, całą swoją młodość miał żywą w oczach ciemnych, nierówno zmrużonych, i słuchał albo i nie słuchał swego interlokutora, grubego i małego łyska, o minie przejedzonego łagodnego psa. Kiedy siedzący powstał, zasłona ześliznęła mu się z ramienia jak fałszywy odrzucony szych i oczy nasze spotkały się mocno, lecz moje zeszły z jego twarzy natychmiast, jak w ucieczce. Przysięgam. Ale pozostała mi na dnie oczu jego twarz, jakbym oślepła na mgnienie i słuch mój sczezł, tak że zamiast orkiestry słyszałam przez chwilę tylko własne tętno. Zresztą, nie wiem.

Twarz miał, zapewniam, dosyć zwyczajną. Owszem, w rysach znieruchomiała mu asymetria urodziwej brzydoty tak właściwej rozumności, ale musiał być już zmęczony własną inteligencją, zbyt przeszywającą i też po trosze niszczącą jego samego, zapewne zjadał nocami sam siebie, widać było, że mu z tym ciężko i że są godziny, w których rad by się jej pozbyć niczym kalectwa, nie jak przywileju i daru, bo nieustająca myśl musiała mu doskwierać, zwłaszcza kiedy był samotny, a to było dlań rzeczą częstą — wszędzie, więc i tutaj. A ciało jego, pod odzieniem dobrym, przyzwoicie skrojonym, lecz niezbyt obcisłym, jakby strofował był i powściągał krawca, zmusiło mnie, bym pomyślała o jego nagości.

Dość żałobna musiała to być nagość, nie wspaniale męska, atletycznie muskularna, ślizgająca się w sobie wężowiskiem nabrzmień, brzuśców, ścięgnami — strunami, żeby budzić oskomę staruch, jeszcze nie zrezygnowanych ze wszystkim, jeszcze oszalałych nadzieją tarła. Lecz on głowę tylko miał tak męską, piękną, przez zarys genialności w ustach, przez gniewliwą zapalczywość brwi, między brwiami w zmarszczce, jak cięcie rozdzielającej obie, i poczucie własnej śmieszności w mocnym, tłusto lśniącym nosie. Och, nie był to urodziwy mężczyzna i właściwie nawet brzydota jego nie była pokuśliwa, był po prostu osobny, a gdybym nie rozdrętwiła się wewnętrznie, kiedyśmy się zderzyli oczami, pewno mogłabym pójść dalej.

Co prawda, gdybym to uczyniła, gdyby udało mi się wymknąć z tej strefy ciążenia, miłościwy król drgnięciem sygnetu, kątem wyblakłych ócz, źrenicami jak szpilki już by się mną zajął i powróciłabym, skąd przyszłam. Lecz w owym miejscu i czasie nie mogłam tego przecież wiedzieć, nie pojmowałam, że to, co patrzy na przypadkowe zetknięcia spojrzeń, co jest ulotnym skrzyżowaniem czarnych dziurek źrenicznych w tęczówkach dwojga istot, boż to w końcu są dziurki, krągłych narządów, co się zwinnie ślizgają w otworach czaszek — że to jest właśnie przeznaczone, skąd bowiem mogłam o tym wiedzieć.

Jużem szła dalej, kiedy wstał, i strąciwszy z rękawa przewieszony skraj brokatu, jak gdyby dawał znać, że komedia się skończyła, ruszył za mną. Zatrzymał się po dwu krokach, bo już nim owładnęło zrozumienie, jak impertynencki był ów zdecydowany postępek, jakim gapiostwem się zdawało tak iść za nieznajomą pięknością niczym zapatrzony głupek za orkiestrą, więc stanął, a wtedy ja zamknąwszy jedną dłoń, drugą zesunęłam z nadgarstka pętliczkę wachlarza. Żeby upadł. Więc on natychmiast...

Przypatrywaliśmy się sobie już z bliska, nad perłową maciczką rękojeści tego wachlarza. Była to chwila wspaniała i straszna, zimno śmiertelnym kolcem przeszyło mi krtań, abym nie mogła odezwać się, czując więc, że głosu nie wydobędę, tylko chrypkę, skinęłam mu głową — i ów gest wypadł prawie tak samo jak poprzednio, kiedym nie dokończyła ukłonu przed królem nie patrzącym.

On się nie odkłonił, był bowiem nazbyt zaskoczony i zdumiony tym, co się z nim samym działo, bo się tego nie spodziewał po sobie. Wiem, bo mi potem mówił, ale gdyby nie wyznał, też bym wiedziała.

Zależało mu na tym, żeby coś powiedzieć i żeby się nie zachować na podobieństwo idioty, jakim był w owym momencie na pewno, i wiedział o tym.

— Pani — rzekł, pochrząkując jak prosię. — Pani, oto wachlarz...

Już dawno miałam go na powrót w ręku. I siebie też.

— Panie — powiedziałam, a głos mój był w timbrze odrobinę matowy, zmieniony, lecz mógł myśleć, że to mój głos zwykły, nigdy wszak nie słyszał go dotąd — czy mam go upuścić raz jeszcze?

I uśmiechnęłam się, och, nie kusząco ani uwodzicielsko, ani promiennie. Uśmiechnęłam się tylko dlatego, gdyż poczułam, że się rumienię. Ten rumieniec nie był naprawdę mój, wpłynął mi na policzki, ogarniał twarz, zaróżowił płatki uszu, co wybornie czułam, lecz ja ani się zmieszałam, ani zachwyciłam, ani zadziwiłam tym obcym człowiekiem, w końcu jednym z wielu, zagubionym pomiędzy dworakami — powiem wyraźniej: z rumieńcem tym nie miałam nic wspólnego, był tegoż pochodzenia, co wiedza, która wstąpiła we mnie na progu sali, za pierwszym krokiem na jej lustrzaną gładź — ten rumieniec zdawał się częścią dworskiej etykiety, tego co właściwe, podobnie jak wachlarz, krynolina, topazy i uczesanie. Więc żeby uczynić ten rumieniec małoznacznym, chcąc mu przeciwdziałać, dla obrony od fałszywych posądzeń uśmiechnęłam się nie do niego, ale nad nim, korzystając z przejścia między wesołością a drwiną, on zaś roześmiał się wtedy cicho, bez wydania głosu, jakby do środka, i było to podobne do śmiechu dziecka, wiedzącego, że najsurowiej w świecie zakazano mu się śmiać, więc właśnie dlatego nie potrafi się opanować. Przez co odmłodniał w okamgnieniu.

— Gdyby pani dała mi chwilę zwłoki — rzekł, przestając się śmiać nagle, jakby trzeźwiejąc od nowej myśli — mógłbym wymyślić odpowiedź godną twych słów, to znaczy nader dowcipną. Ale na ogół doskonałe myśli przychodzą mi już na schodach.

— Tak kiepsko jest z pana inwencją? — spytałam, kierując wysiłek woli w stronę twarzy i uszu, zgniewał mię już bowiem ten rumieniec nieustępliwy, co był naruszeniem mej własnowolności, pojmowałam bowiem, że stanowi efekt tego samego rozmysłu, z jakim oddawał mnie przeznaczeniu król.

— Powinnam może dodać „czy na to nie ma rady?" A pan odpowie, że nie ma w obliczu urody, której doskonałość zdaje się potwierdzać hipotezę Absolutu. Wtedy byśmy oboje spoważnieli na dwa takty orkiestry i z należytą zręcznością wydostalibyśmy się na zwyklejszy dworski grunt. Lecz skoro widzisz mi się pan na tym gruncie dość nieswój, może będzie lepiej, jeśli nie tak będziemy rozmawiali...

Naprawdę przeląkł się mnie dopiero, gdy usłyszał te słowa — i naprawdę nie wiedział, co rzec. W oczach jego była taka powaga, jak byśmy stali pod burzą, między kościołem i lasem — albo tam, gdzie nie ma już nic.

— Kim jesteś? — spytał twardo. Nie było w tym już ani śladu zdawkowości, udania, już tylko bał się mnie. Ja nie bałam się go wcale, doprawdy ani trochę, choć właściwie powinnam się była przerazić, bo czułam, jak z jego twarzą, z jej porowatą skórą, z nastroszonymi krnąbrnie brwiami, z jego dużymi małżowinami uszu łączy się we mnie moje dotąd zamknięte oczekiwanie, jak gdybym nosiła w sobie jego nie wywołany negatyw, który się właśnie wypełniał. Jeśli nawet był moim wyrokiem, nie bałam się go. Ani siebie, ani jego, zadrżałam jednak od nieruchomej we mnie siły tego złączenia — nie jak człowiek, ale jak zegar, kiedy ze złożonymi wskazówkami rusza, ażeby wybić godzinę — choć jeszcze milczy. Tego drżenia nie mógł dostrzec nikt.

— Powiem to panu niebawem — odpowiedziałam bardzo spokojnie. Uśmiechnęłam się lekko, nikłym uśmiechem, jakim dodaje się otuchy chorym i słabym, i rozłożyłam wachlarz.

— Napiłabym się wina. A pan?

Skinął głową, usiłując wciągnąć na siebie jak skórę te maniery, co były mu obce, odstające, niewygodne, i od tego miejsca na sali poszliśmy po posadzce, ociekłej perlistymi strużkami woszczyn, co kropliście padały z żyrandola, w filowaniu świec, ramię w ramię, tam gdzie u ściany perłowi lokaje lali trunki w kielichy.

Nie powiedziałam mu tej nocy, kim jestem, nie chciałam mu bowiem kłamać, a nie znałam prawdy. Prawda nie może być sprzeczna, a ja byłam duenną, hrabianką i sierotą, wszystkie te genealogie krążyły we mnie, każda mogła się wypełnić, gdybym przyznała się do niej, pojmowałam już, że prawdę wyznaczy mój wybór i kaprys, cokolwiek wypowiem, zdmuchnie obrazy pominięte, lecz trwałam chwiejna wśród owych szans, bo mi się w nich czaił jakiś podstęp pamięci — byłażbym najzwyczajniej niespełna rozumu konfabulantką, która wymknęła się pieczy zatroskanych należycie bliskich? Rozmawiając z nim, pomyślałam, że jeśli jestem wariatką, wszystko skończy się pomyślnie. Z obłędu można wyjść jak ze snu — obojgu więc przyświeca nadzieja.

Gdyśmy w późnych godzinach, a nie odstępował mego boku, przeszli obok majestatu na chwilę, nim raczył oddalić się do swych apartamentów, poczułam, że włodarz ani spojrzał w naszą stronę, i było to straszliwe odkrycie. Nie sprawdził bowiem mego zachowania u boku Arrhodesa, widać było to zbędne, jakby wiedział ponad wszelką wątpliwość, że może mi zaufać całkowicie, tak jak ufa się w pełni wysłanym skrytobójcom, którzy nie zawiodą do ostatniego tchu, los ich bowiem zamknięty jest w ręku wysyłającego. Powinnam była raczej zetrzeć moją podejrzliwość obojętnością królewską, skoro nie spojrzał w moją stronę, to nie znaczyłam mu nic, a zatem nieustępliwość prześladowczych domniemań przechylała wagę na rzecz szaleństwa. Więc jako anielsko piękna wariatka śmiałam się, przepijając do Arrhodesa, którego król nienawidził jak nikogo, lecz poprzysiągł umierającej matce, że jeśli zły los spotka tego mędrca, to z jego własnego wyboru. Nie wiem, czy mi to ktoś powiedział w tańcu, czy może dowiedziałam się tego z siebie samej, bo noc była długa i zgiełkliwa, tłum ogromny wciąż nas roztrącał, aleśmy się odnajdywali nieumyślnie, tak jakby tu wszyscy oddani byli tej samej zmowie — oczywisty majak, przecie nie znajdowaliśmy się wśród mechanicznie tańczących manekinów. Rozmawiałam ze starcami, z pannami zazdroszczącymi mi urody, rozpoznając niezliczone odcienie głupoty zacnej i skorej do złego, tnąc i przeszywając tych marnych poczciwców i te dziewuszki z taką łatwością, aż mi ich się stawało żal. Musiałam być rozumem wcielonym, pełnym wyostrzeń, oczom moim dodawała blasku olśniewająca bystrość słów — od rosnącej trwogi udawałabym chętnie cielę, by ratować Arrhodesa, lecz tego jednego nie potrafiłam wcale. Nie byłam aż tak wszechstronna, niestety. Byłżeby mój rozum, a on znaczy prawość, podległy kłamstwu? Takim refleksjom oddawałam się w tańcu, wchodząc w obroty menueta, gdy Arrhodes, który nie tańczył, patrzał na mnie z oddali, czarny i smukły na tle purpurowego brokatu w koronowane lwy. Król odszedł, i niedługo potem pożegnaliśmy się, nie pozwoliłam mu nic powiedzieć, o nic pytać, próbował i bladł, słysząc, jak powtarzam „nie", zrazu ustami, potem już tylko złożonym wachlarzem. Wychodząc, nie wiedziałam ani trochę, gdzie mieszkam, skąd przyszłam, dokąd oczy skieruję, wiedziałam tylko, że to do mnie nie należy, podejmowałam próby, ale były daremne — jakże wyjaśnić? Każdy wie, że nie można odwrócić gałki ocznej tak, aby źrenica zajrzała w głąb czaszki.

Pozwoliłam odprowadzić mu się do bramy pałacowej, park zamkowy poza kręgiem ciągle płonących kuf ze smołą był jak z węgla skrzesany, w zimnym powietrzu daleki śmiech, nieludzki, to fontanny mistrzów z południa naśladowały go perliście — albo gadające posągi podobne do białawych maszkar zawisłych ponad klombami, słowiki królewskie śpiewały też, chociaż nikomu, w pobliżu oranżerii jeden odcinał się od tarczy księżycowej duży i ciemny na gałęzi — doskonały w stylu! Żwir chrzęścił pod naszymi krokami, a złocone ostrza ogrodzenia rzędem sterczały ponad mokre listowie.

Z niedobrą skwapliwością chwycił mnie za rękę, której mu nie umknęłam od razu, zajaśniały białe pasy na koletach grenadierów JKMości, ktoś wywoływał mój pojazd, konie biły kopytami, od fioletowych okienek latarni zabłyszczały drzwi karety, opadł stopień. Nie mógł to być sen.

— Kiedy i gdzie? — spytał.

— Może lepiej: nigdy i nigdzie — powiedziałam szczerą prawdę moją, i dodałam szybko, nieporadnie: — Nie przekomarzam się z panem, mości mędrcze, wejdź w siebie, a zrozumiesz, że ci dobrze radzę.

Tego, co jeszcze chciałam dodać, nie udało mi się już wysłowić, myśleć mogłam wszystko, jakież to było dziwne, jeno głosu wydobyć za nic, nie mogłam dotrzeć do tych słów. Chrypka, niemota, jak z obrócenia klucza w zamku, jakby rygiel wszedł między nas.

— Za późno — powiedział cicho, z opuszczoną głową. — Naprawdę za późno.

— Ogrody królewskie są dostępne od rannego do południowego hejnału — rzekłam z nogą na stopniu. — Tam, gdzie staw łabędzi, jest wypróchniały dąb. W samo południe jutro albo w dziupli wiadomość znajdziesz pan. A teraz życzę, żebyś niepojętym cudem zapomniał przecież, żeśmy się spotkali. Gdybym wiedziała jak, modliłabym się o to.

Były to bardzo niewłaściwe słowa, banalne w tym osaczeniu, lecz już niczym nie wyrwałabym się temu śmiertelnemu banałowi, pojęłam to, gdy kareta ruszyła, mógł przecież tłumaczyć sobie to, co powiedziałam, tak, że lękam się uczucia, które we mnie wzbudził. Tak też było: lękałam się uczucia, które wzbudził we mnie, nie miało jednak nic wspólnego z miłością, lecz mówiłam to, co *mogłam* powiedzieć, jak w mroku na mokradłach próbuje się stopą wysuniętą, czy następny krok nie wtrąci w topiel. Tak szłam słowami, wymacując oddechem, co mogę, a czego nie będzie mi dane rzec.

Ale on nie mógł tego wiedzieć. Rozstaliśmy się bez tchu, w osłupieniu, w trwodze podobnej do namiętności, bo tak się rozpoczynała nasza zguba. Ale ja jednak, wiotka i słodka, dziewczęca, jaśniej pojmowałam, że jestem jego losem w tym straszliwym znaczeniu, którego nie odeprzeć.

Pudło karety było puste — szukałam taśmy, przyszytej do rękawa stangreta, ale nie było jej. Okien też nie było — czy może czarne szkło? Mrok wnętrza był tak zupełny, jakby nie należał się nocy, lecz nicości. Nie był brakiem światła, był pustką. Wodziłam rękami po wklęsłych ścianach, obitych pluszem, lecz nie odnalazłam ramy okiennej ani klamki, niczego prócz tych płaszczyzn wyściełanych miękko przede mną i nade mną, dach zadziwiająco niski, jakbym została zatrzaśnięta nie w pudle karety, lecz w drgającym, pochyłym pojemniku, nie słyszałam ani odgłosu kopyt, ani zwykłego w jeździe toczenia się kół. Czerń, cisza i nic. Wtedy zwróciłam się ku sobie, sobie byłam bowiem groźniejszą zagadką niż wszystko, co się ze mną dotąd stało. Pamięć miałam zachowaną. Sądzę, że tak musiało być, że nie można było urządzić tego inaczej, pamiętałam tedy moje pierwsze ocknięcie, jeszcze wyzbyte płci, tak całkowicie nieswoje, jakbym wspominała przepoczwarzający zjadliwie sen. Pamiętałam budzenie się w drzwiach sali pałacowej, kiedy byłam już na jawie niniejszej, pamiętałam nawet lekkie zgrzytanie, z jakim otwarły się te rzeźbione podwoje, i maskę twarzy lokaja, upodobnionego służbistą gorliwością do pełnej uszanowania lalki — żywy woskowy trup. Teraz wszystko to było mi we wspomnieniu jednością, a przecież mogłam sięgnąć wstecz, tam, gdzie nie wiedziałam jeszcze, co to — podwoje, co to bal i co — ja. Pamiętałam zwłaszcza w sposób do dreszczu przeszywający, bo tak złośliwie tajemniczy, że moje pierwsze myśli już wgnieżdżane na poły w słowa formułowałam w porządku innej płci. Stałom, widziałom, weszłom — to były formy użyte przeze mnie, nim blask sali, buchając przez otwarte drzwi, nie poraził mych źrenic i nie odemknął, chyba on, bo cóż innego, nie otwarł we mnie szybrów i zasuw, zza których wstąpiło we mnie, z bolesną raptownością nawiedzenia, człowieczeństwo słów, dwornych poruszeń, wdzięku nadobnej płci, wraz z pamięcią twarzy, wśród których twarz tego mężczyzny była pierwsza — a nie królewski grymas — a chociaż nikt nigdy nie mógłby mi tego wyjaśnić, wiedziałam z niezbitą pewnością, że przed królem zatrzymałam się od błędu — że była to pomyłka, to znaczy nieporozumienie między przeznaczonym mi i wypełniającym owo przeznaczenie. Pomyłka — więc nieprawdziwy to był los, skoro podatny na błędy — więc mogłażbym jeszcze się uratować?

Teraz w tym doskonałym odosobnieniu, które nie trwożyło mnie, owszem, było mi wygodne, bo mogłam tak dobrze w nim, w takim skupieniu myśleć, kiedy chciałam dowiedzieć się siebie, wypytując wspomnienia, tak już przystępne i porządnie uszeregowane, że miałam je na podorędziu, jak się ma od lat znajome sprzęty w starym mieszkaniu, kiedy stawiałam pytania, widziałam wszystko, co zaszło tej nocy — lecz było to jasne i ostre tylko do progu dworskiej sali. Przedtem — otóż właśnie. Gdzie byłam — byłom!? — przedtem? Skąd się wzięłam? Uspokajająca, najprostsza myśl głosiła, żem nie całkiem zdrowa, że powracam z choroby jak z egzotycznej, pełnej dziwacznych przygód podróży, że jako subtelna dziewica, zaiste książkowa i romansowa, jako dystraktka, dziwaczka, nazbyt delikatna dla tego brutalnego padołu, doznałam majaczliwych nawiedzeń, może roiłam sobie w histerycznej gorączce pochód przez metalowe piekła, niewątpliwie na łóżku z baldachimem, w koronkami obszytej pościeli, byłoby mi z mózgową gorączką dość nawet do twarzy w blasku świecy, rozwidniającej alkowę na tyle, bym, w ocknięciu, nie przelękła się znów czegoś i w postaciach pochylonych nade mną rozpoznała niezwłocznie kochających opiekunów: cóż za miłe kłamstwo! Miewałam zwidy, nieprawdaż? I one, wtopiwszy się w czysty nurt mej jedynej pamięci, rozszczepiły ją na dwoje. Rozszczepiona...? Bo pytając, słyszałam w sobie chór odpowiedzi, gotowych, czekających: Duenna, Tlenix, Angelitanka. A to co znowu? Miałam te wszystkie zwroty gotowe, były mi dane i każdemu odpowiadały nawet obrazy, gdybyż tylko jeden ich łańcuch! One współistniały jednak tak, jak współistnieją korzenie rozchodzące się drzewa, i teraz ja, z konieczności jedna, naturalnie jedyna, miałażbym kiedyś być wielością rozgałęzień, co się we mnie zlały, jak zlewają się strumienie w nurt rzeczny? Ale to przecież nie może być, rzekłam sobie. Nie może być. Tego byłam pewna. I ujrzałam mój los dotychczasowy tak rozdzielony: do progu pałacowej sali zdawał się składać z różnolitych wątków, a od progu był już jedyny. Obrazy pierwszej części mego losu były przebiegami równoległymi i nawzajem kłam sobie zadawały. Duenna: wieża, ciemne granitowe głazy, zwodzony most, krzyki w nocy, krew na miedzianym półmisku, rycerze o wyglądzie rzeźników, topory zrudziałe halabard i moja blada twarzyczka w owalnym półślepym lustrze między ramą okna mętnego błonnego a wezgłowiem rzeźbionym — stamtąd przyszłam?

Lecz jako Angelita byłam chowana w spiece południa, i patrząc w tę stronę wstecz, widziałam białe mury odwrócone wapiennymi plecami do słońca, uschłe palmy, dzikie psy o potarganej sierści u tych palm, oddające spieniony mocz na ich łuskowate korzenie, i kosze pełne daktyli, zaschłych lepką słodyczą, i medyków w zielonych szatach, i schody, kamienne schody opadającego ku zatoce miasta, wszystkimi murami odwróconego od upałów, sterty rozsypanych winnych gron, żółknących w rodzynki, podobne do kup gnoju, i znowu moją twarz w wodzie, nie w lustrze, a woda lała się z dzbana srebrnego — przyćmionego starością. Pamiętałam nawet, jak nosiłam ów dzban i jak woda, poruszając się w nim ciężko, obciągała mi dłoń.

A moje ono i jego wędrówka na wznak, i pocałunki, składane na moich rękach i nogach, na czole przez ruchliwe żmije z metalu? Ta groza poszarzała już całkiem i z największym trudem mogłam ją ledwie wspomnieć, jak właśnie zły, do słów dostępu nie mający sen — nie mogłam przeżyć ani naraz, ani po kolei losów tak sobie zaprzeczających! Co więc pewnego? Piękna byłam. Tyleż rozpaczy, co triumfu wstało we mnie, kiedy przeglądałam się w jego twarzy jak w żywym lustrze, bo taka bezwzględna była doskonałość moich rysów, że cokolwiek bym uczyniła szalonego, czy zawrzeszczałabym z pianą opętania na ustach, czy gryzłabym krwawe mięso, piękno nie odstąpiłoby mej twarzy — ale dlaczego myślałam „mej twarzy", a nie po prostu „mnie?" Czy byłam kimś niezgodnym i nie doprowadzonym do jedności z własnym ciałem i twarzą? Czarownicą, gotową rzucać uroki, Medeą? To był mi nonsens i głupstwo. A i to nawet, że myśl tak mi szła, jak klinga wyświechtana w ręku wyzbytego klejnotu rycerza rozbójnika, że rozcinałam myślą każdy przedmiot bez wysiłku, samochcące to myślenie moje wydawało mi się w swej perfekcji nazbyt już zimne, nadmiernie spokojne, bo lęk trwał poza nim — jak gdyby nadwidzialny, wszechobecny, ale osobny — dlatego i myślenie własne miałam w podejrzeniu. Lecz jeśli ani twarzy swojej nie ufałam, ani myśli, przeciwko czemu właściwie mogłam żywić strach i podejrzliwość, skoro oprócz duszy i ciała nie ma nic? To było zagadkowe.

Rozrzucone korzenie mych przeszłości nie zdradzały mi niczego istotnego, lustracja stawała się przesypywaniem barwnych obrazów, jako Duenna północy, Angelita skwarów, Mignonne, byłam każdym razem inną osobą o innym nazwisku, stanie, rodzie, spod innego nieba, nic tu nie miało prymatu — krajobraz południa wracał do moich oczu jakby wysilony przesłodzeniem kontrastów, kolorem, co naciągał lazurami zbyt ostentacyjnymi, gdyby nie te psy sparszywiałe, dzieci półślepe o zaropiałych powiekach i wydętych brzuszkach, bez wydania głosu konające na spiczastych kolanach zakwefionych matek, byłoby mi to palmowe wybrzeże nadto gładkie, śliskie jak kłamstwo. A północ Duenny, z jej wieżami w śniegowych czapach, niebo skotłowane buro, zimy z krętymi postaciami śniegu wymyślonymi przez wiatr, co pełzły do fosy po blankach i przyporach, wstępowały od przyciesi zamkowych swymi białymi jęzorami po głazie, i łańcuchy mostu zwodzonego jakby spłakane żółto, a to tylko rdza zabarwiała sople ogniw, w lecie zaś wodę fosy pokrywała kożuchem pleśń: tak dobrze i to wszystko pamiętałam!

Lecz i mój trzeci byt; ogrody, wielkie, chłodne, strzyżone, ogrodników z nożycami, sfory chartów i doga arlekina, który leżał na stopniach tronu — znudzona rzeźba w nieomylnej gracji bezwładu poruszanego oddechem żeber — a w jego żółtawych, obojętnych oczach połyskiwały, można było myśleć, zmniejszone kształty kataryj albo niekrotek. I te słowa, niekrotki, katarie, nie wiedziałam teraz, co znaczyły, ale musiałam chyba kiedyś wiedzieć, kiedy tak wgłębiałam się w tę zapamiętaną do smaku źdźbeł gryzionych przeszłość, czułam, że nie powinnam tak wracać ani do trzewiczków, z których wyrosłam, ani do pierwszej długiej sukni wyszywanej srebrem, jakby nawet dziecko, którym byłam, kryło w sobie zdradę. Dlatego przywołałam wspomnienie najokrutniej obce — martwej podróży na wznak, odrętwiających pocałunków metalu, który dotykając mego nagiego ciała, wydawał szczękliwy odgłos, jakby moja nagość była ogłuchłym dzwonem, który nie może rozebrzmieć, ponieważ nie ma jeszcze serca. Tak, do tego nieprawdopodobieństwa odwoływałam się już nie zdziwiona, że z taką trwałością zakrzepła we mnie pamięć wymajaczonego koszmaru, musiał to być bowiem koszmar — żeby podtrzymać tę pewność, dotykałam palcami, samymi opuszkami, miękkich przedramion, piersi; było to bez wątpienia natręctwo, któremu ulegałam, drżąc, jakbym z odchyloną w tył głową wstępowała pod lodowate strumienie trzeźwiącego deszczu.

Nigdzie odpowiedzi na moje pytanie, więc cofnęłam się od tej otchłani mojej i nie mojej. A zatem na powrót do tego, co jedyne. Król, wieczór balowy, dwór i ten mężczyzna. Byłam dla niego stworzona, on dla mnie, wiedziałam to, ale znów w lęku, nie, nie był to lęk, lecz żelazna obecność przeznaczenia, nieuniknionego, niedocieczonego, i właśnie ta nieuniknioność, ta wieść jak śmierć, że już nie można odmówić, uchylić się, odejść, uciec, wreszcie może zginąć, ale zginąć *inaczej* — w tej lodowatej obecności pogrążałam się bez tchu. Nie mogąc jej znieść, powtarzałam samymi wargami „ojciec, matka, rodzeństwo, przyjaciółki, bliscy" — jak dobrze rozumiałam te słowa, pojawiały się chętne postaci, znane, musiałam się do nich przyznawać przed samą sobą, ależ niepodobna mieć czterech matek i tyluż ojców, więc znów ten obłęd? Taki głupi i taki uparty?

Próbowałam wreszcie arytmetyki: jeden a jeden jest dwa, z ojca i matki powstaje dziecię, byłaś nim, masz dziecięce wspomnienia...

Albo byłam szalona, rzekłam sobie, albo nadal nią jestem, i będąc świadomością, jestem biało przyćmioną świadomością. Nie było balu, zamku, króla, wstąpienia w byt gwałtownie poddany nakazowi harmonii przedustawnej. Iskrę żalu poczułam, opór wywołany myślą, że muszę też rozstać się z moją pięknością. Z elementów niezgodliwych niczego nie zbuduję, chyba że odnajdę w budowanym jego koślawość, szpary, w które wniknę, aby rozsadzić i wejść w głąb. Czy doprawdy wszystko stało się tak, jak się miało stać? Jeśli byłam własnością króla, to jak mogłam o tym wiedzieć? Nawet nocne pomyślenie o tym winno było mi zostać wzbronione. Jeśli on stał za wszystkimi, to czemu chciałam oddać mu ukłon i zrazu nie oddałam mu go? Jeśli przygotowania odznaczały się doskonałością, to czemu pamiętałam rzeczy, jakich nie należało mi pamiętać, przecież za odwołanie mając tylko dziewczęcą i dziecinną przeszłość, nie weszłabym w rozterkę tego zwątpienia, która przyprawiała o rozpacz, wstęp do powstania przeciw losowi? A już na pewno zdmuchnięcie należało się owej wędrówce na wznak, ożywającej od iskrowych pocałunków martwocie mojej i nagości bezdźwięcznej, lecz właśnie i to także stało się, i było teraz ze mną. Kryłażby się w zamyśle i w wykonaniu niedoskonałość? Błędy nieopatrzne, nieuwaga, przecieki ukradkowe, brane za zagadki albo za zły sen? Lecz w takim razie odzyskiwałam nadzieję. Czekać. Czekać, aby nagromadziły się w dalszym ziszczaniu następne nieskładności, uczynić z nich ostrze do skierowania w króla, w siebie, wszystko jedno w kogo, byle niezgodnie z narzuconym losem. A więc poddać się temu urokowi, trwać w nim, pójść na umówione spotkanie z samego rana, a wiedziałam, nie wiem jak ani skąd, że TEGO nic mi nie wzbroni, owszem, wszystko właśnie w tę stronę mnie skieruje. A teraźniejsza moja zewnętrzność była tak prymitywna, cóż ścianki, zrazu poddające się miękko palcom, podatne obicia, pod nimi opór stali czy muru, nie wiedziałam, ale mogłam rozszarpać paznokciami tę przytulną miękkość, wstałam, głowa dotknęła wklęsło zaokrąglonego pułapu. To wokół mnie i nade mną, ale wewnątrz, ja, ja sama?

Wietrzyłam dalej niegodziwość w tym moim nierozumieniu siebie, a ponieważ zaraz piętra na piętrach myśli skokami się nabudowywały, myślałam już sobie, że powinnam wątpić we własne moje mniemanie, skorom, szalona topielica, jak owad w jasnym bursztynie, zamknięta w mojej *obnubilatio lucida*, to zrozumiałe, że —

Zaraz. Skąd tak świetnie rozczłonkowane moje słownictwo, owe terminy uczone, łacińskie, te zwroty logiczne, sylogizmy, owa biegłość nienależna słodkiej dziewicy, której widok był płonącym stosem męskich serc? I skąd to poczucie nieszczęsnego banału w sprawach płci, zimna pogarda, dystans, och, tak, on mnie już może kochał, już może i oszalał mną, chciał mnie widzieć, słyszeć mój głos, dotykać moich palców, a ja patrzałam w jego namiętność jak w preparat pod szkłem. Nie byłoż to zadziwiające, sprzeczne i niesynkategorematyczne? Może wszystko mi się przecież roiło, a ostatecznością i dnem był stary, wyziębły mózg, splątany w doświadczeniu niezliczonych lat? Może wyostrzona mądrość tylko była jedyną moją prawdziwą przeszłością, z logiki powstałam, ona stanowiła moją autentyczną genealogię...

Nie uwierzyłam w to. Byłam niewinna, tak, i zarazem winna straszliwie. Niewinna byłam we wszystkich zbiegających się ku mej teraźniejszości szlakach czasu przeszłego dokonanego, dziewczęciem tak bywałam, podlotkiem chmurnie milkliwym w zimach szarosiwych i w upalnym stęchu pałaców i byłam niewinną tego, co zaszło dziś, u króla, bo nie mogłam być inna, a wina moja, okrutna, tkwiła tylko w tym, że już tak dobrze wszystko to wiedziałam i że miałam za blichtr, fałsz, pianę, i że chcąc zejść w głąb mej zagadki, bałam się tego zejścia i odczuwałam podłą wdzięczność dla niewidzialnych przegród, powstrzymujących mnie na tej drodze. Tak więc miałam ducha skalanego i prawego, cóż pozostało mi jeszcze, o, zapewne pozostało, miałam jeszcze ciało moje i jęłam dotykać je i badałam je tak w tym czarnym zamknięciu, jak wytrawny urzędnik śledczy bada miejsce dokonanej zbrodni. Śledztwo szczególne! — bo szukając dotknięciami nagiego ciała, miałam w palcach lekko mrowiące odrętwienie, byłżeby to strach mój przed samą sobą? Ależ byłam piękna i miałam mięśnie zwinne, sprężyste, biorąc w garści uda tak, jak nikt ich sam nie ujmuje, jak gdyby obce były, mogłam w tężejącym uchwycie wyczuć pod gładką i pachnącą skórą kości długie, lecz nadgarstków oraz wnętrza mych przedramion u łokci bałam się czemuś dotknąć.

Usiłowałam przemóc ten opór, cóż mogło tam być, ręce miałam spowite koronkami, nieco szorstkimi przez sztywność, nieporęcznie szło, więc ku szyi. Taką nazywają łabędzią — głowa osadzona na niej z nie postanowioną, naturalną dumą, budzącą uszanowanie, konchy uszu pod splotami włosów małe, jędrne płatki uszne, bez klejnotów, nieprzekłute, czemu, dotykałam czoła, policzków, ust. Ich wyraz, wykryty koniuszkami cienkich palców, znów mię zaniepokoił. Inny był, niż sądziłam. Obcy. Ale jak mogłam być sobie obca inaczej niż z choroby, szaleństwa?

Ukradkowym ruchem, co godny był naiwności małego dziecka, otumanionego bajkami, sięgnęłam ku nadgarstkom przecież i ku łokciom, tam gdzie ramię przechodzi w przedramię, było tam coś niezrozumiałego. Zatracałam czucie w opuszkach palców, jakby coś uciskało moje nerwy, naczynia krwionośne, i znów przeskoczyłam myślą w myśl podejrzliwą: skąd takie wiadomości do mnie, dlaczego badałam siebie jak anatom, nie leżało to w stylu dziewicy, Angelity ani jasnowłosej Duenny, ani lirycznej Tlenix, jednocześnie zaś czułam uspokajający mus: to jest właśnie zwyczajne, nie dziw się sobie, rozdziwaczona kaprysami trzpiotko, jeśli byłaś troszkę nieswoja, nie wracaj tam, zdrowiej, myśl o umówionym spotkaniu... Ale łokcie, nadgarstki? Pod skórą jakby twarda grudka, napęczniałe węzły chłonne? Zwapnienia? Niemożliwe, bo sprzeczne z urodą, z jej absolutną pewnością. Była tam przecież twardziel, maleńka, wyczułam ją dopiero przy silnym ucisku, wyżej dłoni, gdzie nie sięga puls, i jeszcze w zgięciu łokciowym.

A więc ciało moje też miało tajemnice, odpowiadało innością inności ducha, jego strachowi w samozapatrzeniach, była w tym prawidłowość, odpowiedniość, symetria: skoro tam, to i tu. Skoro umysł, to i członki. Skoro ja, to i ty. Ja, ty, zagadki, byłam znużona, przemożne zmęczenie weszło mi w krew, powinnam była mu się poddać. Usnąć, zapaść w nieprzytomność innego, wyzwalającego mroku. Wtedy przeszyło mnie postanowienie, żeby odmówić złośliwie zgody tej chętce, żeby sprzeciwić się wiążącemu mnie pudłu tej stylowej karety (ale wnętrze nie było już tak stylowe!), temu duszkowi dziewicy zbyt mądrej, nazbyt dociekliwej w rozumowaniu! Przekora wobec samocielesnej piękności, co miała swe ukryte stygmaty! Kim jestem? Opór mój był już wściekłością, od której duch mój gorzał w mroku i przez to zdawał mi się jaśnieć. *Sed tamen potest esse totaliter aliter*, co to, skąd? Duch mój? *Gratia? Dominus meus?*

Nie, byłam sama i sama zerwałam się, aby zębami wpić się w te miękko spowite ściany, rwałam obicia, suchy, szorstki materiał trzeszczał mi w zębach, wypluwałam włókna wraz ze śliną, paznokcie połamią się, właśnie tak dobrze, właśnie tak, nie wiem, przeciw sobie czy komu, ale nie, nie, nie, nie nie, nie.

Błysk ujrzałam, wypączkował przede mną jakby łebek węża, ale to była metalowa główka. Igła? Coś mnie ukłuło, wyżej kolana, w udo, z zewnętrznej strony, to był mały, nikły ból, ukłucie i już nic.

Nic.

Ogród był pochmurny. Park królewski w śpiewających fontannach, żywopłoty wystrzyżone pod jeden strychulec, geometria drzew, krzewów i stopnie, marmury, konchy, amorki. I nas dwoje. Tanich, zwykłych, romantycznych, pełnych rozpaczy. Uśmiechałam się do niego, a miałam na udzie znak. Ukłuto mię. Duch mój tam, gdzie buntowałam się, i ciało tam, gdzie już je nienawidziłam, miały zatem sojusznika. Okazał niedostateczną zręczność. Teraz nie bałam się go już tak bardzo, teraz grałam już rolę. Owszem, był dość zręczny, skoro narzucił mi ją, od wewnątrz, wdarłszy się do twierdzy. Zręczny, lecz nie dosyć — widziałam sidła. Nie pojmowałam jeszcze celu, alem je zobaczyła, poczuła, a kto ujrzy, już nie taki przerażony jak ten, kto musi żyć samym domysłem.

Tyle miałam z sobą fatygi, borykań, nawet światło dnia mi przeszkadzało solennością swoją, ogrodami do podziwiania majestatu, nie zieleni, doprawdy wolałabym teraz mieć moją noc, aniżeli ten dzień, lecz był dzień i mężczyzna, który nic nie wiedział, niczego nie rozumiał, żyjąc parzącą słodyczą lubego obłąkania, czarem przeze mnie rzuconym, nie przez kogoś trzeciego. Sidła, wnyki, pułapka z żądłem śmiertelnym, i wszystko to — ja? A też po to bicze fontanny, ogrody królewskie, mgiełka oddali? Toż to głupie. O czyjąś szło ruinę, śmierć czyją? Czy nie starczyło fałszywych świadków, starców w perukach, stryka, trucizny? Może o coś większego szło? Intrygi zatrute, jak to na królewskich posadzkach.

Ogrodnicy w skórzniach, oddani zieleniom miłościwego majestatu, nie zbliżali się do nas. Milczałam, bo tak było wygodniej, siedzieliśmy na stopniu schodów ogromnych, jakby zbudowanych w oczekiwaniu olbrzyma, który zstąpi kiedyś z obłocznych wysokości, aby uczynić z nich użytek. Symbole, wydęte w głazy, nagie amorki, fauny, syleny, śliskie ociekłym wodą marmurem, upodobniały się chmurnością do szarego nieba. Idylliczna scena, jak Laura z Filonem, ileż lukrecji! Na dobre ocknęłam się w tych ogrodach, kiedy kareta odjechała, i poszłam lekko, jakbym wyszła co dopiero z parującej wonnej kąpieli, a moja suknia była już inna, wiośniana, przymglonym deseniem odwoływała się do kwiatów nieśmiało, aluzją była do nich, pomagała wzbudzić cześć, otaczała mnie nietykalnością, Eos Rhododaktylos, ale szłam między błyszczącymi od rosy żywopłotami z piętnem na udzie, nie musiałam ani nawet nie mogłam była go dotknąć, pamięci starczyło, nie zatarto mi jej. Rozumem byłam uwięzionym, skutym w powiciu, urodzonym w niewoli, ale rozumem. I dlatego zanim się pojawił, widząc, że teraz jest mój czas, że nie ma w pobliżu ani igły, ani podsłuchu, jęłam, jak aktorka przygotowująca się do występu, mówić szeptem rzeczy, o jakich nie wiedziałam, czy uda mi się je przy nim wypowiedzieć, czyli granice mojej wolności badałam, w świetle dnia dotykałam ich po omacku.

Co takiego? Samą prawdę, najpierw — przemianę formy gramatycznej, potem wielość moich plusquamperfektów, wszystko też, co przeszłam, i ukłucie porażające bunt. Czy to ze współczucia ku niemu, żeby go nie pogrążyć? Nie, bo nic go nie kochałam. To była zdrada: wtargnęliśmy w siebie ze złej woli. Więc TAK to miałam rzec? Że chcę go wybawić od siebie poświęceniem jako od zguby?

Nie — było to całkiem inaczej. Miłość miałam gdzie indziej — dobrze wiem, jak to brzmi. To była miłość płomienna, czuła i bardzo zwykła. Oddać mu chciałam duszę i ciało, lecz nie w prawdzie, a tylko w stylu mody, obyczaju, wymagań dworskich, bo nie byle jaki, wszak miał to być cudowny, ale dworski grzech.

Była to bardzo wielka miłość, zniewalająca do drżenia, przyspieszająca tętno, widziałam, że jego widok uczyni mnie szczęśliwą. I bardzo była mała, bo miała granice we mnie, poddana stylowi, jak wypracowane starannie zdanie, wyrażające bolesny zachwyt spotkania we dwoje. A więc poza obrębem owych uczuć wcale nie zależało mi na tym, żeby go ratować przede mną czy nie tylko przede mną, bo kiedy poza moją miłość wykraczałam myślą, nie obchodził mnie zupełnie, lecz potrzebowałam sojusznika w walce z tym, co mnie w nocy ukłuł jadowitym metalem. Nie miałam nikogo innego, a on był mi oddany ze wszystkim: mogłam na niego liczyć. Wiedziałam co prawda, że nie mogę liczyć na niego poza uczuciem, jakie żywił do mnie. On nie dostąpił żadnej *reservatio mentalis*. Dlatego nie mogłam mu zdradzić całej prawdy: że moja miłość ku niemu i ukłucie jadowite są z tego samego źródła. Że już przez to brzydzę się obojga, oboje mam w nienawiści i oboje chcę zdeptać jak tarantulę. Tego nie mogłam mu wyjawić, gdyż musiał być konwencjonalny w swojej miłości, nie życzyłby sobie takiego wyzwolenia mojego, jakiego pragnęłam, takiej mojej wolności, co by go odrzuciła precz. Dlatego nie mogłam inaczej, jak tylko działając kłamliwie, nazywając wolność fałszywym mianem miłości, tylko w niej i poprzez nią ukazać mu siebie jako ofiarę niewiadomego. Króla? Ależ nawet gdyby się targnął na majestat, nie uwolniłoby mnie to, król, jeśli w samej rzeczy był sprawcą, to tak dalekim, że śmierć jego o włos by nie zmieniła mojego nieszczęścia. Więc żeby spróbować, czy zdołam tak sobie poczynać, zatrzymałam się u posągu Wenery, który swym nagim zadem wystawiał pomnik wyższym i niższym pasjom ziemskiego kochania, by w dobrej samotności przygotować monstrualne uświadomienie z wyostrzonymi argumentami, tę diatrybę, jak gdybym ostrzyła nóż.

Było to bardzo trudne. Wciąż dochodziłam nieprzekraczalnej granicy, bo nie wiedziałam, gdzie przykurcz chwyci mój język, gdzie się potknie duch, bo ten duch to był mój wróg przecież. Nie ze wszystkim kłamać, ale nie wchodzić w ośrodek prawdy, ośrodek tajemnicy. Zmniejszałam więc tylko stopniowo jej zasięg, zmierzając w tę stronę jak po spirali. Lecz gdym go dostrzegła z dala, jak szedł i zaczął niemal biec ku mnie, drobna jeszcze sylwetka w ciemnej pelerynie, pojęłam, że wszystko to na nic, bo tego styl nie pomieści. Cóż za miłosna scena, w której Laura wyznaje Filonowi, że mu jest żegadłem? Ani nawet baśniowy styl, skoro zdejmując ze mnie zaklęcie, jeśliby mógł, zawróciłby mnie w nicość, z której wyszłam. Jego cała mądrość była tu na nic. Cudownie piękna dziewica, jeśli ma się za instrument ciemnych sił i mówi o ukłuciach, o żegadłach, jeżeli mówi TO i TAK, jest dziewicą szaloną. Nie wystawia świadectwa prawdzie, lecz splątaniu swemu, zaczem nie tylko miłości, oddania, lecz jeszcze ponadto litości godna.

Z połączenia tych uczuć udałby może wiarę w powiedziane, zasumowałby się, zapewnił o przygotowaniach do wyzwolicielskiego czynu, w istocie do leczniczych konsultacji, po całym świecie rozniósłby wieść o mojej biedzie — już bym go wolała znieważyć. Zresztą, w takim skomplikowaniu sił, w im większym stopniu sojusznik, w tym mniejszym — kochanek pełen nadziei na spełnienia, na pewno nie chciałby wyjść daleko z roli kochanka, szaleństwo jego było normalne, krzepkie, solidnie rzeczowe: kochać, ach kochać, żwiry na mej drodze starannie pogryźć w przytulny piaseczek, lecz nie igrać w dziwadła analizy, skąd bierze początek mój duch?

Wyglądało więc na to, że jeśli przysposobiono mnie ku jego zgubie, musi zginąć. Nie wiedziałam, co go porazi ze mnie, przedramiona, nadgarstki w uścisku, to chyba zbyt byłoby proste, ale wiedziałam już, że inaczej nie może być.

Musiałam iść z nim, ścieżkami osłodzonymi przez wprawnych mistrzów ogrodnictwa, oddaliliśmy się zaraz od Wenus Kallipygos, bo ostentacja, z jaką wyjawiała swoje, była niewłaściwa w naszym wczesnoromansowym stadium idealnych afektów i nieśmiałych napomknień o szczęściu. Przeszliśmy obok faunów, też brutalnych, lecz inaczej, sposobem właściwszym, bo samczość tych kamiennych kudłaczy nie mogła dotknąć mej anheliczności, dostatecznie dziewiczej, żeby nie urażały mię nawet z bliska: byłam w prawie nierozumienia ich marmurowo stężałych chuci.

Pocałował mnie w rękę tam, gdzie była grudka, której nie mógł wargami wyczuć. A gdzież czekał mój szczwacz? Czy w pudle karety? Czy może miałam jedynie wyłudzić od niego niewiadome tajemnice: cudowny stetoskop, przyłożony do piersi potępionego mędrca?

Nie wyjawiłam mu nic.

We dwa dni romans taką przebył drogę, jak się należało. Mieszkałam z garstką dobrej służby w rezydencji, odległej o cztery stajania od siedziby królewskiej; Phloebe, mój totumfacki, wynajął ów pałacyk w pierwszym dniu po ogrodowym spotkaniu, nic nie mówiąc o środkach, jakich wymagał ten krok, a ja, nie rozeznająca się w sprawach finansowych dziewica, o nic nie pytałam. Sądzę, że jednocześnie onieśmielałam go i drażniłam, być może nie był wtajemniczony we właściwą rzecz, chyba na pewno nie był, działał z rozkazu królewskiego, oddawał w słowach cześć, a w oczach widziałam nieuniżone lekceważenie, najpewniej brał mnie za nową królewską faworytę, a moim przejażdżkom i widzeniom z Arrhodesem nie dziwił się zbytnio, gdyż sługa wymagający, aby król poczynał sobie z nałożnicą wedle zrozumiałego dlań schematu, nie jest dobrym sługą. Sądzę, że gdybym się pieściła z krokodylem, nie mrugnąłby nawet powieką. Byłam swobodna wewnątrz woli królewskiej, monarcha zresztą nie zbliżył się do mnie ani raz. Wiedziałam już, że są rzeczy, których nie powiem mojemu mężczyźnie, ponieważ kołczał mi język od samego zachcenia i wargi drętwiały mi podobnie jak palce, którymi dotykałam siebie pierwszej nocy w karecie. Zabroniłam Arrhodesowi odwiedzin, rozumiał to konwencjonalnie, obawą moją, że mię skompromituje, i miarkował się poczciwiec. Wieczorem trzeciego dnia wzięłam się nareszcie do wykrycia, kim jestem. Odziana do snu, obnażyłam się przed nocnym zwierciadłem i stałam w nim posągowo naga, a srebrne igły i stalowe lancety spoczywały na konsoli, zakryte aksamitnym szalem, bałam się bowiem ich blasku, choć nie obawiałam się ich ostrzy. Piersi osadzone wysoko patrzały w bok i w górę różowymi sutkami, ślad ukłucia wysoko na udzie znikł; jak położnik czy chirurg gotujący się do operacji oburącz wpierałam zamknięte dłonie w białe, gładkie ciało, żebra ugięły się pod naciskiem, lecz miałam brzuch sklepiony jak niewiasty na gotyckich obrazach i pod ciepłą, miękką powłoką napotkałam nieustępliwy opór, wodząc zaś dłońmi z góry w dół wykryłam stopniowo obły kształt wewnątrz. Sześć świec mając po każdej stronie, wzięłam w palce najmniejszy lancet, nie ze strachu, lecz dla jego estetyczności.

W lustrze wyglądało to, jak gdybym się chciała nożem pchnąć, scena dramatycznie czysta, wytrzymana w stylu do ostatniego szczegółu przez wielkie łoże z baldachimem, dwa szpalery wysokich świec, błysk w moim ręku i moją bladość, ponieważ ciało moje lękało się straszliwie, kolana uginały się pode mną, jedna tylko dłoń z ostrzem miała należytą pewność. Tam gdzie obły, nie poddający się naciskowi opór był najwyrazistszy, poniżej łuku żebrowego, wbiłam lancet głęboko, ból był znikomy i powierzchowny tylko, od sztychu wypłynęła jedna kropla krwi. Niezdolna objawić rzeźniczej umiejętności pomału, z anatomicznym wyrachowaniem, rozcięłam na dwoje ciało do łona nieomal, gwałtownie, zaciskając z całej siły zęby i powieki. Patrzeć, to było już ponad siłę. Stałam jednak już nie drżąca, a tylko zlodowaciała i w komnacie jak obcy i daleki rozlegał się mój kurczowy, prawie spazmatyczny oddech. Otwarte cięciem powłoki rozeszły się, białoskóre, i zobaczyłam w lustrze srebrny stulony kształt jak ogromnego płodu, jakby lśniącej we mnie ukrytej poczwarki, ujęty w rozchylone fałdy nie krwawiącego, różowego tylko ciała. Cóż to był za potworny strach, tak patrzeć w siebie! Nie ważyłam się dotknąć srebrzystej powierzchni, przeczystej, niepokalanej, odwłok podługowaty jak trumienka mała lśnił, odzwierciedlając w sobie pomniejszone płomyki świec, poruszyłam się i wtedy ujrzałam jego przytulone płodowo odnóża, cienkie jak szczypce, wchodziły w moje ciało i pojęłam nagle, że to nie było ono, obce, inne, to byłam dalej ja sama. A więc dlatego wyciskałam, stąpając po mokrym piasku w alejkach, tak głębokie ślady, dlatego byłam tak silna, to ja, to dalej ja, powtarzałam sobie w myśli, kiedy wszedł.

Drzwi pozostały nie zamknięte — jaka nieopatrzność. Zakradł się, wszedł tak zafascynowany własną zuchwałością, niosąc przed sobą jak na usprawiedliwienie i obronę ogromną tarczę czerwonych róż, że ujrzawszy mnie, a odwróciłam się z okrzykiem przerażenia, widział już, lecz jeszcze nie dostrzegał, nie rozumiał, nie mógł. Nie z lęku, już tylko z okropnego wstydu zgniatającego krtań obu rękami usiłowałam na powrót ukryć w sobie srebrną obłość, zbyt była jednak wielka, a ja nazbyt otwarta nożem, by się udało.

Jego twarz, jego niemy krzyk i ucieczka. Proszę, aby ta część zeznania została mi oszczędzona. Nie mógł doczekać się przyzwolenia, zaproszenia, więc przyszedł z kwiatami, a dom był pusty, sama wyprawiłam całą służbę, aby nikt nie mógł mi przeszkodzić w tym, co zamyśliłam — nie miałam już innego sposobu, innej drogi. A może już wtedy zalęgło się w nim pierwsze podejrzenie. Pamiętam, jak przechodziliśmy poprzedniego dnia przez łożysko wyschłego strumyka, jak chciał mnie przenieść na rękach i zabroniłam mu, nie z prawdziwej albo udawanej wstydliwości, lecz dlatego, ponieważ musiałam. Zobaczył wtedy w miękkim, podatnym mule ślady moich stóp, tak małe i tak głębokie, chciał coś powiedzieć, miał to być niewinny żart, ale powstrzymał się nagle i ze znajomą mi już bruzdą między nasępionymi brwiami wszedł na przeciwległy stok, nawet nie podając mi, wspinającej się za nim, pomocnej ręki. Więc może już wtedy. A jeszcze, kiedy już na samym szczycie wzniesienia potknęłam się, chwytając dla odzyskania równowagi tęgą witkę leszczyny, poczułam, że krzak wyważam cały z korzeniami, osunęłam się więc za nakazem odruchu na kolana, puszczając złamaną gałąź, aby nie objawić tej niezmożonej olbrzymiej mojej siły. Stał bokiem, nie patrzał, tak pomyślałam, lecz mógł wszystko dostrzec kątem oka. Więc czy z podejrzenia zakradł się, czy namiętności niepohamowanej?

Wszystko jedno.

Najgrubszymi członami moich czułków oparłam się o brzegi otwartego na oścież ciała, aby się wypoczwarczyć, i wydobyłam się na wolność zwinnie, a wtedy Tlenix, Duenna, Mignonne osunęła się pierwej na kolana, potem runęła twarzą w bok i wypełzłam z niej, rozprostowując wszystkie odnóża, powoli idąc wstecz niczym rak. Świece, których płomienie jeszcze chwiały się w przeciągu wznieconym jego ucieczką w otwarte drzwi, jaśniały w lustrze, naga z rozrzuconymi nieprzystojnie nogami spoczywała bezwładnie, nie chcąc dotknąć jej, mego kokonu, fałszywej skóry mojej, ominęłam ją i wznosząc się jak modliszka wpółprzegiętym korpusem, spojrzałam na siebie w zwierciadle. To ja, powiedziałam sobie bez słów, to ja. To wciąż jeszcze ja. Przebiegi gładkie, tęgopokrywe, owadzie, zgrubienia stawów, odwłok w zimnym lśnieniu srebra, obłe, stworzone dla chyżości boki, ciemniejsza wyłupiasta głowa, to ja. Powtarzałam sobie, jakbym się na pamięć uczyła tych słów, a zarazem matowiała i gasła we mnie wieloraka przeszłość Duenny, Tlenix, Angelity, jak dawno przeczytane książki z dziecinnego pokoju o nieważnych i bezsilnych już treściach, mogłam je wspominać, powoli kręcąc głową w obie strony, szukając w odbiciu własnych oczu, a jednocześnie zaczynałam, choć nie oswojona jeszcze z tą swoją postacią, rozumieć, że ten akt autoewentracji nie ze wszystkim był moim powstaniem, że stanowił przewidzianą czastkę planów, zamyśloną na taką właśnie okoliczność rebelii, żeby się okazała wkroczeniem w doskonałe nareszcie poddaństwo. Gdyż zdolna dalej myśleć z poprzednią biegłością i swobodą, podlegałam jednocześnie nowemu ciału mojemu i jego metal jaśniejszy miał wpisane w siebie ruchy, które jęłam wykonywać.

Miłość zgasła. Gaśnie i w was, lecz latami albo miesiącami, ten sam zachód przeżyłam w chwilach, był to trzeci już z kolei początek, bo wydając lekki, posuwisty szmer, obiegłam trzykroć komnatę, dotykając wysuniętymi, dygocącymi czułkami łoża, na którym nie było mi już dane spocząć. Brałam w siebie woń niekochanka mojego, by ruszyć jego śladem, znajoma mu a nieznajoma, w tej nowo otwartej, już chyba ostatniej, rozgrywce. Trop jego ucieczki szalonej znaczyły najpierw otwarte kolejne drzwi i róże, co się rozsypały, woń ich mogła mi być pomocną, jako że stała się, przynajmniej na jakiś czas, cząstką jego woni. Widziane z dołu, z niska, więc z nowej perspektywy, komnaty, przez które się przemykałam, zdawały mi się przede wszystkim nazbyt duże, pełne nieporęcznych, zbędnych sprzętów, ciemniejących obco w półmroku, potem słabo zazgrzytały stopnie kamiennych schodów pod mymi pazurkami i wybiegłam w ogród wilgotny i ciemny — słowik śpiewał, poczułam wewnętrzne rozbawienie, bo to był już zupełnie niepotrzebny rekwizyt, innych wymagał ten akt następny, myszkowałam dobrą chwilę między krzewami, czując, jak chrzęści żwir, pryskający mi spod nóg, zakręciłam się raz i drugi wkoło, aż pognałam przed siebie, chwyciwszy trop. Gdyż miałam go chwycić, złożony z unikalnego zestroju nikłych zapachów, z drgnień powietrza, porozsuwanego jego przejściem, każdą drobinę odnalazłam, nie rozprowadzoną jeszcze wiatrem nocnym, i tak weszłam na właściwy kierunek, który miał być odtąd moim do końca.

Nie wiem, z czyjej woli dałam mu się silnie wysforować, bo do świtu, zamiast ścigać go, krążyłam w królewskich ogrodach. W pewnej mierze było to wskazane, przebywałam bowiem tam, gdzieśmy chodzili między żywopłotami, trzymając się za ręce, mogłam więc napoić się dokładnie jego wonią tak, by jej na pewno z żadną inną nie zamienić. Co prawda mogłam też pomknąć prosto za nim i dopaść go w zupełnej bezradności pomieszania i rozpaczy, ale nie zrobiłam tego. Wiem, że moje postępki owej nocy można też wyłożyć całkiem inaczej, moją żałobą i wolą królewską, skoro utraciłam kochanka, zyskując tylko ofiarę, a monarsze nagły i szybki kres nienawistnego mu człowieka mógł się wydawać niedostateczny. Być może Arrhodes nie pognał do swego domu, lecz udał się do któregoś z przyjaciół i tam, w gorączkowej rozmowie, sam odpowiadając sobie na zadawane pytania (obecność innego człowieka była mu wszak potrzebna tylko jako trzeźwiące wsparcie), doszedł wszystkiego bez pomocy cudzego przemysłu. Zresztą poczynania moje w ogrodach w niczym nie przypominały cierpień rozłąki. Wiem, jak to nieładnie zabrzmi czułym duszom, lecz nie mając ani rąk do łamania, ani łez do wylewania, ani kolan, na które mogłabym paść, ani ust, żeby przyciskać do nich za dnia zbierane kwiaty, nie oddawałam się prostracji. Zajmowało mnie teraz niezwykłe mistrzostwo rozróżnień, jakie posiadłam, bo biegnąc alejami ani razu nie wzięłam smużki najbardziej nawet złudnie podobnego śladu za ten, który był moim obecnym przeznaczeniem i ostrogą nie zmęczonych starań. Czułam, jak w moim zimnym płucu lewym każda cząstka powietrza przesmykuje się meandrami niezliczonych komórek badawczych i jak każda z podejrzanych cząsteczek dostaje się do mego płuca prawego, gorącego, gdzie moje pryzmatyczne oko wewnętrzne przyglądało się jej uważnie, aby potwierdzić właściwy sens lub odrzucić go jako mylący, a działo się to szybciej, niż drgają skrzydełka najmniejszego owada, szybciej, niż moglibyście to pojąć. O przedświcie opuściłam królewskie ogrody. Dom Arrhodesa stał pusty, otwarty na oścież, nie dbając tedy i o to, aby sprawdzić, czy wziął z sobą jakąś broń, odnalazłam świeży ślad i ruszyłam nim już bez wszelkiej zwłoki. Nie sądziłam, że wybieram się na długą wędrówkę. A jednak dni przeszły w tygodnie, tygodnie w miesiące, a ja wciąż go tropiłam.

Nie wydawało mi się to bardziej szkaradne od zachowania wszelkich istot, mających wypisany w sobie własny los. Biegłam przez deszcze i skwary, rozłogi, wądoły i chaszcze, suche trzciny oślizgiwały mi się po tułowiu, a woda na przełaj przebywanych kałuż czy rozlewisk opryskiwała mnie i ściekała grubymi kroplami po obłym grzbiecie i po głowie, w tym miejscu naśladując łzy, co nie miało jednak żadnego znaczenia. Widziałam, w nieustającym pędzie, jak każdy, kto zobaczył mnie z daleka, odwracał się i przyciskał do ściany, drzewa, muru lub, jeśli nie miał takiego ukrycia, przyklękał i zakrywał rękami twarz, albo padał na nią i leżał tak długo, aż pozostawiłam go już daleko za sobą. Nie znałam potrzeby snu, toteż biegłam i nocą przez wsie, osady, miasteczka, przez targowiska pełne garów glinianych i suszących się na sznurach owoców, gdzie całe gromady pierzchały przede mną, a dzieci umykały z wrzaskiem w boczne uliczki, na co nie zwracałam uwagi, mknąc moim tropem. Jego zapach wypełniał mnie całą jak obietnica. Zapomniałam już wygląd twarzy tego człowieka i umysł mój, jak gdyby mniej wytrzymały od ciała, szczególnie podczas nocnego pędu, zawężał się tak, że nie wiedziałam, kogo tropię ani nawet, czy kogoś tropię, wiedziałam tylko, że wolą moją jest gnać tak, aby ślad powietrznych drobin, przeznaczonych mi z wezbranej różnorodności świata, trwał i wzmagał się, bo jeśliby słabł, znaczyłoby to, że nie podążam w dobrym kierunku. Nie pytałam nikogo o nic, a też nikt nie ośmielał się do mnie odezwać, jakkolwiek czułam, że przestrzeń, oddzielająca mnie od tych, co kulili się u ścian przy mym zbliżaniu lub padali na ziemię, zakrywając rękami tył głowy, pełna jest napięcia, i pojmowałam je jako składany mi przeraźliwy hołd, ponieważ byłam na królewskim tropie, który dawał mi niewyczerpaną moc. Czasem tylko dziecko, jeszcze bardzo małe, którego dorośli nie zdążyli pochwycić i zacisnąć w objęciach przy mym milczącym, gwałtownym pojawieniu w największym pędzie, zaczynało płakać, ale nie zważałam na to, ponieważ mknąc, musiałam trwać w nieustającej, najwyższej koncentracji, zwrócona zarazem na zewnątrz, w świat piaszczysty, murowany, zielony, okryty błękitami, i w mój wewnętrzny, gdzie od sprawnego grania mych obojga płuc powstała muzyka molekularna, bardzo piękna, bo tak wspaniale nieomylna. Przebywałam rzeki i odnogi limanów, katarakty, mułowate zbiorniki wysychających jezior, a wszelki stwór omijał mnie, oddalał się w ucieczce lub poczynał gorączkowo worywać się w spieczony grunt, zapewne nadaremnie, gdybym go miała upatrzonego, bo nikt nie był tak błyskawicznie zwinny jak ja, lecz nie obchodziły mnie owe stworzenia kosmate, raczkujące, skośnouche, wydające chrypliwe rżenia, piski, zawodzenia, miałam wszak przed sobą inny cel.

Wielekroć przebijałam niczym pocisk wielkie mrowiska, a ich mieszkanki rude, czarne, plamiste bezsilnie staczały się po mym lśniącym pancerzu, a raz czy drugi jakiś stwór niezwykłej wielkości nie ustąpił mi z drogi, więc chociaż nie miałam do niego nic, aby zaoszczędzić czasu na kołowania i wymijania, sprężywszy się skokiem, w lot przeszywałam go, zaczem w trzasku wapienia i bełkocie czerwonych strug pluskających na mój grzbiet i łeb oddalałam się tak szybko, że nie od razu pomyślałam o śmierci, zadanej tym prędkim i gwałtownym sposobem. Pamiętam też, że przekradałam się przez wojenne fronty, pełne rozsypanego bezładnie mrowia szarych i zielonych opończy, z których jedne ruszały się, a w innych tkwiły kości, zgniłe lub całkowicie wyschnięte i przez to białe jak przybrudzony śnieg, lecz i na to nie zważałam, ponieważ miałam wyższe zadanie, które było tylko na moją miarę. A to, ponieważ trop zwijał się, pętlił i przecinał sam siebie, i prawie znikał na brzegach słonych jezior, wypalony słońcem w drażniący mi płuca kurz lub wypłukany deszczami; i z wolna zaczynałam rozumieć, iż to, co mi umyka, jest pełne przebiegłej chytrości i czyni wszystko, aby mnie wprowadzić w błąd i urwać nić cząsteczek, naznaczonych śladem jedyności. Gdyby ten, kogo tropiłam, był zwyczajnym śmiertelnikiem, dopadłabym go po czasie właściwym, to jest niezbędnym, aby jego strach i rozpacz należycie spotęgowały oczekującą go karę, na pewno dognałabym go dzięki niestrudzonej chytrości i nieomylnej pracy moich tropicielskich płuc — ażbym go zgładziła szybciej, niż pomyślałabym, że to właśnie czynię. Zrazu nie następowałam mu na pięty, idąc ostygłym dobrze śladem, aby wyrazić tym moje mistrzostwo, a zarazem dać tropionemu należny czas, zgodnie z dobrym obyczajem, bo dzięki temu wzbierała w nim rozpacz, niekiedy zaś pozwalałam mu znacznie się odsadzić, czując mnie bowiem wciąż nazbyt blisko, mógłby w przystępie beznadziejności zrobić sobie coś złego i tym samym wymknąć się mojemu postanowieniu. Toteż nie zamierzałam dopaść go zbyt szybko ani tak raptownie, żeby nie zdążył pojąć, co go czeka. Dlatego zatrzymywałam się nocami zaszyta w gąszczu, nie dla odpoczynku, ten był mi zbędny, lecz dla umyślnej zwłoki, a też by rozważyć dalsze działania. Nie myślałam już o ściganym jako o Arrhodesie, niegdyś moim kochanku, ponieważ wspomnienie to otorbiło się i wiedziałam, że winno spoczywać w spokoju. Żałowałam jedynie, że nie mam już daru uśmiechania się, gdy sobie przypominałam zamierzchłe fortele, więc Angelitę, Duennę, słodką Mignonne, i parę razy przyjrzałam się sobie w lustrze wody, z pełnią księżyca nad głową, aby się przekonać, jak w niczym już nie jestem do nich podobna, choć pozostałam piękna, teraz było to jednak piękno śmiercionośne, budzące grozę tak wielką jak zachwyt. Wykorzystywałam też nocny pobyt na owych leżach, by do srebra zetrzeć z odwłoku grudy zaschniętego błota i przed wyruszeniem w dalszą drogę poruszałam lekko tuleją żądła, objętą skokowymi nogami, sprawdzając jej gotowość, nie znałam bowiem dnia ani godziny.

Niekiedy podkradałam się bezszelestnie do ludzkich siedzib i nasłuchiwałam głosów, przegięta w tył, opierając lśniące czułki o framugę okienną lub wypełznąwszy na dach, z którego okapu mogłam zwisnąć swobodnie w dół, bo nie byłam przecież martwym mechanizmem opatrzonym dwojgiem tropicielskich płuc, lecz istotą, używającą właściwie rozumu. A pogoń i ucieczka trwały już dostatecznie długo, żeby się stały głośne, i słyszałam, jak stare kobiety straszyły mną dzieci, dowiadywałam się też niezliczonych bajań o Arrhodesie, któremu tak sprzyjano, jak obawiano się mnie, królewskiej wysłanniczki. Co takiego gadali prostacy na przyzbach? Że jestem maszyną, nasadzoną na mędrca, który odważył się targnąć na majestat.

Nie zwyczajną miałam być wszakże maszyną katowską, lecz osobliwym urządzeniem, zdolnym przybierać dowolną postać: żebraka, dziecka w kolebce, ślicznej dziewuszki, ale też metalowego gada. Tamte kształty to larwa, w której mordercza wysłanniczka ukazuje się ściganemu, by go omamić, wszystkim innym zaś objawia się jako skorpion ze srebra, pełznący tak chyżo, że nikomu jeszcze nie udało się zliczyć jego nóg. Tu się rzecz dzieliła na rozmaite wersje. Jedni mówili, że mędrzec chciał obdarzyć lud wolnością na przekór królewskiej woli, i tym wzbudził monarszy gniew; inni, że miał wodę życia i mógł nią wskrzeszać zamęczonych, co zostało mu zabronione najwyższym rozkazem, on zaś, pozornie ugiąwszy się przed wolą władcy, potajemnie szykował hufiec z wisielców, odciętych na cytadeli po wielkiej egzekucji rebeliantów. Jeszcze inni nic zgoła nie wiedzieli o Arrhodesie i nie przypisywali mu żadnych umiejętności wspaniałych, a tylko mieli go za skazańca, któremu już z tej racji należy się przychylność i pomoc. Chociaż nie były wiadome przyczyny, co rozjątrzyły królewską wściekłość, że wezwanym werkmistrzom nakazano sporządzić w ich kuźni maszynę tropicielską, złym to zwano zamysłem i grzesznym rozkazem; cokolwiek bowiem uczynił ścigany nie mogło być tak złe jak los, który mu król zgotował. Końca nie było owym bajaniom, w których do woli rozzuchwalała się prostacza wyobraźnia, w tym jednym nieodmienna, że obdarzała mnie całym szkaradzieństwem, na jakie stać umysły.

Słyszałam też niezliczone kłamstwa o dzielnych, spieszących na odsiecz Arrhodesowi, co jakoby zastępowali mi drogę, aby paść w nierównym boju — boż ani żywy duch się na to nie poważył. Nie brakło w tych podaniach i zdrajców, pokazujących mi Arrhodesowe ślady, kiedym nie mogła ich już odnaleźć — też kłamstwo wierutne. O tym atoli, kim jestem, kim mogę być, co mam w umyśle, czy znam rozterkę albo zwątpienie, nikt nie mówił wcale, ale i temu się nie dziwiłam.

Nasłuchałam się niejednego o znanych ludowi prostych maszynach nadążnych, wypełniających wolę królewską, która jest prawem. Czasem wcale nie kryłam się przed mieszkańcami niskich izb, lecz czekałam wschodu słońca, aby w jego promieniach skoczyć srebrną błyskawicą na trawę i w łyskliwych rozbryzgach rosy związać koniec wczorajszej drogi z jej dzisiejszym początkiem. Mknąc rześko, napawałam się padaniem spotykanych na twarz, zeszkleniem spojrzeń, zmartwiałą grozą, która otaczała mnie na kształt nieprzekraczalnej aureoli. Lecz nadszedł dzień, w którym jałowy okazał się mój węch dolny, na próżno też pętliłam po wzgórzystej okolicy, szukając śladu górnym, i zaznałam poczucia nieszczęścia, które czyniło daremną całą moją doskonałość, aż stojąc na szczycie pagórka, ze skrzyżowanymi ramionami, jakbym modliła się wietrznemu niebu, pojęłam, w najsłabszym dźwięku, wypełniającym mi dzwona odwłoku, że nie wszystko stracone, więc aby wypełnił się zamysł, sięgnęłam do dawno już zarzuconego daru — mowy. Nie uczyłam się jej, bom ją posiadała, musiałam ją jednak zbudzić w sobie, wymawiając wyrazy początkowo ostro i dźwięcznie, rychło jednak głos mój upodobnił się do ludzkiego, więc zbiegłam po stoku, aby użyć słów, skoro zawiódł mnie węch. Nie czułam wcale nienawiści do tropionego, chociaż okazał się tak biegły i chytry, rozumiałam jednak, że wypełnia należną mu część zadania tak, jak ja wypełniam moją. Odnalazłam rozstaje, na których zanikł stopniowo ślad, i stałam dygocząc, a nie ruszając się z miejsca, ponieważ jedna para mych nóg ciągnęła na oślep ku drodze pokrytej wapiennym pyłem, kiedy druga, kurczowo drapiąc głazy, targała mnie w stronę przeciwną, gdzie bielały mury niewielkiego klasztoru, otoczonego starodrzewem. Zebrawszy się w sobie, popełzłam ciężko i jakby niechętnie ku furcie klasztornej, w której stał zakonnik z uniesioną twarzą, może zapatrzony w zorzę na nieboskłonie. Zbliżałam się do niego powoli, aby nie porazić go nagłym zjawieniem, i pozdrowiłam, a gdy bez słowa wpatrywał się we mnie, spytałam, czy pozwoli, bym wyznała mu pewną rzecz, z którą trudno mi samej sobie poradzić. Sądziłam zrazu, że zastygł od trwogi, skoro ani się nie poruszył, ani nie odezwał, lecz on namyślał się tylko i wreszcie wyraził zgodę. Poszliśmy tedy do klasztornego ogrodu, on przodem, ja za nim, i dziwna musiała być z nas para, lecz o tej wczesnej godzinie nie było wokół ani żywego ducha, zdolnego podziwiać srebrną modliszkę i białego księdza. Powiedziałam mu pod modrzewiem, kiedy usiadł, przybierając mimo woli, a z nawyku, pozę spowiednika, więc nie patrząc na mnie, lecz skłoniwszy tylko głowę w moją stronę, że pierwej nim weszłam na trop, byłam dziewczyną, przeznaczoną z woli królewskiej Arrhodesowi, którego poznałam na balu dworskim, i że kochałam go, nie wiedząc o nim nic, i wstępowałam bezwiednie w miłość, jaką w nim wzbudziłam, aż od nocnego ukłucia pojęłam, kim mogę mu być, a nie widząc dla niego ani dla siebie innego ratunku, pchnęłam się nożem, lecz zamiast śmierci spotkało mnie przeistoczenie. Odtąd mus, który poprzednio tylko podejrzewałam, naprowadził mnie na ślad kochanka, i stałam mu się prześladującą furią. Lecz długo trwała ta pogoń, tak długo, aż jęło mnie dochodzić wszystko, co ludzie mówią o Arrhodesie, jakkolwiek zaś nie wiem, ile w tym prawdy, poczęłam od nowa rozmyślać nad naszym wspólnym losem i wzeszła we mnie przychylność ku temu człowiekowi, zrozumiałam bowiem, że chcę go ze wszystkich sił zabić, ponieważ nie mogę go już więcej kochać. Tak wejrzałam we własną nikczemność, to jest w miłość wynicowaną i poniżoną, łaknącą zemsty na tym, który oprócz własnego nieszczęścia nic nie był mi winien. Dlatego nie chcę już kontynuować pogoni ani budzić wokół śmiertelnego przerażenia, owszem, chcę koniecznie zaradzić złemu, nie wiem tylko jak.

O ile mogłam dostrzec, zakonnik nie wyzbył się do końca tej rozmowy podejrzliwości, jako że od razu zastrzegł się, nimem jeszcze zaczęła mówić, iż cokolwiek powiem, nie wejdzie pod pieczęć spowiedzi, gdyż podług jego mniemania stanowię istotę wyzbytą własnej woli. A też i potem mógł zadawać sobie pytanie, czy nie zostałam mu podesłana umyślnie, wszak trafiają się tacy podesłańcy, i to najperfidniej przebrani, lecz odpowiedź jego zdawała się płynąć z uczciwego namysłu. Rzekł mi: — A cóż, gdybyś znalazła tego, którego szukasz? Czy wiesz, co wtedy uczynisz?

Ja na to: — Ojcze, wiem tylko, czego nie chcę uczynić, lecz nie wiem, jaka tkwiąca we mnie moc wydobędzie się wówczas ze mnie, a zatem nie mogę powiedzieć, czy nie zostanę zniewolona do zabójstwa.

Rzekł mi: — Jakąż ja ci mogę dać radę? Czy chcesz, aby to zadanie zostało ci odjęte?

Jak pies leżąc u jego stóp, podniosłam głowę, i widząc, jak mruży oczy od słonecznego promienia, który poraził go, odbity srebrem mej czaszki, powiedziałam: — Niczego bardziej nie pragnę, jakkolwiek pojmuję, że los mój stanie się wtedy okrutny, bo nie będę już miała przed sobą żadnego celu. Nie umyśliłam sobie tego, do czego zostałam stworzona, a też będę musiała na pewno zapłacić drogo za uchybienie woli królewskiej, ponieważ nie jest dopuszczalne, aby takie uchybienie pozostało bez kary, więc mnie z kolei wezmą na muszkę rusznikarze pałacowych podziemi i wyślą w świat żelazną sforę, żeby mnie zniszczyć. A gdybym nawet umknęła, korzystając z wprowadzonych we mnie kunsztów, i udała się choćby na kraj świata, gdziekolwiek zaszyję się, wszystko będzie mnie unikało i nie znajdę nic, dla czego warto byłoby istnieć dalej. Także podobny do twego los będzie przede mną zamknięty, ponieważ każdy władny jak ty odpowie mi tak jak ty, że nie jestem wolna duchowo, więc nie mogę zyskać przywileju klauzury klasztornej!

On zamyślił się, potem zadziwił i rzekł: — Nie znam się na urządzeniu podobnych tobie ani trochę, wszelako widzę cię i słyszę, i wydajesz mi się z twojej mowy rozumem, jakkolwiek może poddanym ograniczającemu zniewoleniu, lecz skoro, jak mi właśnie mówisz, walczysz z tym zniewoleniem, maszyno, i powiadasz, że czułabyś się wyzwolona, gdyby ci odebrano wolę zabójstwa, powiedz mi, a jakże ci jest z tą wolą?

Ja na to: — Ojcze, może i nie jest mi dobrze, lecz na tym, jak należy tropić, ścigać, śledzić, podpatrywać i podsłuchiwać, czaić się i taić, a także łamać stojące na drodze przeszkody, podchodzić, mylić, krążyć i zacieśniać pętlę krążenia, na tym wszystkim znam się wybornie, i wykonywanie owych czynności w sposób biegły i niezawodny, czyniąc ze mnie wyrok nieubłaganego fatum, przysparza mi zadowolenia, co pewno umyślnie zostało wpisane ogniem w moje wnętrzności.

— Powtórnie cię pytam — rzekł — powiedz, co uczynisz, kiedy zobaczysz Arrhodesa?

— Ojcze, powtórnie odpowiadam, że nie wiem, jakkolwiek bowiem nie chcę mu złego, to, co we mnie wpisane, może okazać się potężniejsze od mojej chęci.

Gdy to usłyszał, przysłonił oczy ręką i rzekł: — Jesteś moją siostrą.

— Jak mam to rozumieć? — spytałam w największym zaskoczeniu.

— Tak, jak mówię — odparł — a znaczy to, że ani się wywyższam nad ciebie, ani poniżam przed tobą, jakkolwiek byśmy się bowiem różnili, niewiedza twoja, którą mi wyznałaś, a w którą ja wierzę, czyni nas równymi przed Prowidencją. A skoro tak, chodź ze mną, pokażę ci coś.

Poszliśmy, jedno za drugim, przez ogród klasztorny, aż do starej drewutni, pod naciskiem rąk zakonnika otwarły się kraczące drzwi, w mroku zaś wewnątrz rozpoznałam leżący na snopkach słomy ciemny kształt, a nozdrzami wszedł mi w płuca zapach, bezustannie tropiony, tak mocny tutaj, że poczułam, jak żądło samo wzwodzi mi się i wysuwa z łonowej tulei, lecz w następnej chwili wzrokiem, przywykającym do ciemności, dostrzegłam omyłkę. Na słomie leżała tylko porzucona odzież. Zakonnik widział po moim dygotaniu, jak jestem wstrząśnięta, i rzekł: — Tak. Tu był Arrhodes. Skrywał się w naszym klasztorze od miesiąca, gdy mu się udało zmylić ciebie. Żal mu było, że nie może działać po dawnemu, więc sekretnie powiadamiał uczniów, co odwiedzali go czasem nocami, lecz wkradli się pomiędzy nich dwaj zdrajcy, którzy uprowadzili go pięć dni temu.

— Czy chcesz powiedzieć „wysłannicy królewscy”? — spytałam, ciągle drżąc i modlitewnie przyciskając do piersi skrzyżowane odnóża.

— Nie, mówię „zdrajcy”, porwali go bowiem podstępem i siłą, mały chłopiec niemowa, któregośmy przygarnęli, on jeden widział, jak uchodzili z nim o świcie, spętanym i z nożem przyłożonym do karku.

— Porwali go? — spytałam, nic nie rozumiejąc. — Kto? Dokąd? Po co?

— Sądzę, że po to, by mieć pożytek z jego rozumu. Nie możemy odwołać się o odsiecz do prawa, bo to jest prawo królewskie. Zmuszą go więc do służb, a jeśli odmówi, zabiją go i ujdą bezkarnie.

— Ojcze — powiedziałam — niech będzie pochwalona godzina, w której ośmieliłam się do ciebie zbliżyć i odezwać. Pójdę teraz tropem porywaczy i wyzwolę Arrhodesa. Umiem tropić, ścigać, niczego lepiej nie potrafię, pokaż mi tylko znany ci ze słów niemowy, właściwy kierunek!

Odparł: — A wszak nie wiesz, czy będziesz się mogła powstrzymać, sama mi to wyznałaś!

Ja na to: — Tak jest, lecz sądzę, że znajdę właściwy sposób. Nie wiem jeszcze dobrze — może odszukam sprawnego werkmistrza, który odnajdzie we mnie właściwy obwód i odmieni go tak, żeby upatrzony stał mi się przeznaczonym.

Zakonnik rzekł: — Nim ruszysz w drogę, możesz, jeśli chcesz, zasięgnąć rady jednego z naszych braci, ponieważ nim do nas przystał, był w świecie biegłym w takich właśnie kunsztach. Służy nam teraz pomocą jako medyk.

Staliśmy już w słonecznym ogrodzie, a chociaż nie dał tego znać po sobie, zrozumiałam, że nie ufa mi nadal. Trop ulotnił się w ciągu pięciu dni, mógł mi więc wskazać równie dobrze właściwy, jak fałszywy kierunek. Wyraziłam zgodę.

Medyk obejrzał mnie z zachowaniem wskazanej ostrożności, świecąc ślepą latarką w głąb mego ciała poprzez szczeliny międzyodwłokowych dzwon, przy czym okazał wiele starania i uwagi. Potem wstał, strzepnął kurz z habitu i powiedział:

— Zdarza się, że na maszynę, wysłaną z wiadomym poleceniem, zasadza się rodzina skazanego lub jego przyjaciele czy też inni ludzie, którzy dla niepojętych władzy przyczyn usiłują obrócić jej postanowienia wniwecz. By temu zapobiec, przezorni rusznikarze królewscy zamykają wiadomą treść hermetycznie i łączą ją z sednem tak, aby wszelkie manipulowanie okazać się musiało zgubne. Po nałożeniu ostatniej pieczęci nawet oni nie mogliby już usunąć żądła. Tak jest z tobą. Zdarza się też, że ścigany przebiera się w inną odzież, zmienia wygląd, zachowanie i woń, lecz nie może zmienić umysłu i dlatego maszyna nie zadowala się tropieniem podług dolnego i górnego węchu, lecz poddaje upatrzonych indagacjom, które obmyślili najtężsi znawcy poszczególnych osobliwości ducha. Tak jest i z tobą. Ponadto zaś widzę w twoim wnętrzu urządzenie, jakiego nie miała żadna z twych poprzedniczek, które jest wieloraką pamięcią spraw, zbędnych maszynie tropicielskiej, są to bowiem utrwalone dzieje niewieście, pełne kuszących umysł imion i obrotów mowy, od których biegnie przewodnik do śmiertelnego sedna. Tak więc jesteś maszyną udoskonaloną w sposób dla mnie niepojęty, a może nawet maszyną doskonałą. Usunąć ci żądła, nie przywołując zarazem wiadomego skutku, nie może nikt.

— Żądło jest mi niezbędne, powiedziałam, leżąc ciągle na wznak, gdyż mam spieszyć ku pomocy porwanemu.

— Co do tego, czy gdybyś chciała ze wszystkich sił, potrafiłabyś powstrzymać spusty, zawieszone nad wiadomym sednem, nie umiem powiedzieć ani tak, ani nie — mówił dalej medyk, jak gdyby nie usłyszał moich słów. — Mogę uczynić, jeśli chcesz, tylko jedną rzecz, mogę mianowicie bieguny wiadomego miejsca opylić przez rurkę startym na proch żelazem, gdyż od tego powiększy się nieco przedział twej wolności. Jeśli jednak uczynię to nawet, do ostatniej chwili nie będziesz wiedziała, czy spiesząc komuś z pomocą, nie okażesz się wobec niego nadal posłusznym narzędziem.

Widząc, jak obaj patrzą na mnie, zgodziłam się na ów zabieg, który trwał krótko, nie sprawił mi dolegliwości ani też nie wywołał w mym duchowym stanie żadnej wyczuwalnej zmiany. Aby jeszcze lepiej zaskarbić sobie ich zaufanie, spytałam, czy pozwolą mi spędzić w klasztorze noc, cały dzień zeszedł bowiem na rozmowach, rozważaniach i auskultacjach. Zgodzili się chętnie, ja zaś poświęciłam ów czas dokładnemu przebadaniu drewutni, zaznajamiając się z zapachem porywaczy. Byłam do tego zdolna, ponieważ trafia się, że wysłanniczce królewskiej zastępuje drogę nie sam upatrzony, lecz jakiś inny śmiałek. Przed świtem ległam na słomie, na której przez wiele nocy sypiał był rzekomo porwany, i wdychałam w bezruchu jego woń, oczekując zakonników. Rozumiałam bowiem, że gdyby okłamali mię zmyśloną opowieścią, będą się lękać mojego mściwego powrotu z fałszywej drogi, więc ta najciemniejsza godzina przedświtu okaże się dla nich wielce właściwa, jeśliby zamierzali mnie zgładzić. Leżałam, udając głęboko uśpioną, wsłuchując się w każdy najlżejszy szmer, idący z ogrodu, mogli bowiem zatarasować z zewnątrz drzwi i podpalić drewutnię, aby owoc mego żywota w płomieniach rozerwał mnie na sztuki. Nie musieliby nawet pokonać właściwej im odrazy do zabijania, skoro nie uważali mnie za osobę, a tylko za maszynę katowską; szczątki moje mogliby zakopać w ogrodzie i nic by się im nie stało. Nie wiedziałam dobrze, co uczynię, jeśli posłyszę ich zbliżanie, i nie dowiedziałam się, gdyż do niego nie doszło. Toteż pozostałam sam na sam z myślami, w których powracały zdumiewające słowa, jakie powiedział starszy zakonnik, patrząc mi w oczy, „jesteś moją siostrą". Nie rozumiałam ich nadal, lecz gdy pochylałam się nad nimi, coś gorącego rozpływało się w moim jestestwie i przeinaczało mnie tak, jakbym utraciła ciężki płód, którym byłam brzemienna. Rano zaś wybiegłam przez uchyloną furtkę i, wymijając za wskazaniem zakonnika klasztorne zabudowania, puściłam się pędem w stronę widniejących na horyzoncie gór — tam bowiem skierował moją pogoń.

Spieszyłam się bardzo i koło południa dzieliło mnie od klasztoru więcej niż sto mil. Gnałam jak pocisk między białopiennymi brzozami, a kiedy na przełaj biegłam przez wysoką trawę podgórskich łąk, ta padała po obu stronach jakby pod miarowymi ciosami ostrza w ręku kosiarza.

Ślad obu porywaczy odnalazłam w głębokiej dolinie, na mostku przerzuconym przez bystrą wodę, lecz ani krzty tropu Arrhodesa, chyba nie zważając na wysiłek nieśli go na zmianę, w czym się objawiała ich chytrość oraz wiedza, skoro pojmowali, że nikt nie ma prawa zastąpić maszyny królewskiej w jej posłannictwie, i że wielce narazili się, ważąc się na swój czyn, woli monarszej. Chcielibyście zapewne wiedzieć, jakie były moje prawdziwe zamiary w tym biegu ostatnim, a więc powiem, że podeszłam zakonników, a też nie podeszłam ich, naprawdę bowiem życzyłam sobie odzyskania albo raczej uzyskania wolności, przecież nigdy jej dotąd nie miałam. Jeśli jednak idzie o to, co zamierzałam z ową wolnością uczynić, nie wiem, co mam wyznać. Niewiedza ta nie była niczym nowym, wkłuwając w nagie ciało nóż także nie wiedziałam, czy chcę się zabić, czy tylko rozpoznać, nawet gdyby jedno miało być tym samym, co drugie. Przewidziano i ten mój krok, jak o tym świadczyły wszystkie dalsze wypadki, toteż nadzieja wolności mogła być tylko urojeniem, nie moim własnym nawet, lecz wprowadzonym we mnie po to, abym żwawiej działała, pobudzona taką właśnie perfidnie przyłożoną ostrogą. Jak jednak powiedzieć, czy wolność równałaby się po prostu zaniechaniu Arrhodesa, nie wiem. Przecież mogłabym zabić go także, będąc całkowicie wolną, ponieważ nie byłam na tyle szalona, by uwierzyć w niemożliwy cud wzbudzenia wzajemności teraz, kiedy przestałam już być kobietą, a jeśli może nie ze wszystkim przestałam nią być, jakże Arrhodes, który widział rozpruty brzuch nagiej kochanki, byłby zdolny w to uwierzyć? Tak więc mądrość moich stwórców wykraczała poza ostatnią rubież mechanicznego kunsztu, niewątpliwie bowiem uwzględnili w swojej rachubie także i ten mój stan, w jakim spieszyłam utraconemu na zawsze z pomocą. Gdybym mogła zawrócić i oddalić się, gdzie oczy poniosą, też bym się mu nie przysłużyła zbytnio, ciężarna śmiercią, której nie miałabym komu urodzić. Uważam więc, że byłam szlachetnie nikczemna i wolnością zniewolona, żeby czynić nie to, co było mi nakazane wprost, lecz to, czego we wcieleniu moim sama chciałam. Roztrząsania zawiłe i drażniące zbędnością miały jednak ustać u celu. Zabijając porywaczy i ocalając kochanka, zmuszając go tak właśnie, aby żywiony dla mnie wstręt i strach zamienił na bezsilny podziw, mogłam jeśli nie jego, to przynajmniej siebie odzyskać.

Przebiwszy się przez gęste krzaki leszczyny, pod pierwszymi upłazami straciłam raptownie trop. Darmo szukałam go, w jednym miejscu był, a w drugim sczezł, jakby ścigani ulecieli w niebo. Wróciwszy do zagajnika, jak mi podyktowała roztropność, nie bez trudu odnalazłam krzak, z którego wycięto kilka najtęższych gałęzi. Obwąchałam więc kikuty, ociekłe sokiem leszczynowym, i wróciwszy tam, gdzie ginął ślad, odkryłam jego przedłużenie wonią leszczynową, albowiem umykający posłużyli się szczudłami, pojmując, że smuga górnego zapachu nie wytrwa długo w powietrzu, zmieciona przez górski wiatr. Zaostrzyło to moją wolę; wnet zapach leszczynowy osłabł, lecz i tu przejrzałam użyty fortel — końce szczudeł owinęli strzępami jutowego worka.

U wiszaru skalnego leżały porzucone szczudła. Polanę zalegały olbrzymie głazy, porosłe mchem od północy, a tak na sobie spiętrzone, że nie sposób było przemierzyć osypiska inaczej, jak tylko skacząc wielkimi susami z jednego maliniaka na drugi. To też uczynili uciekający, nie obrali jednak prostego szlaku, lecz kluczyli zygzakiem, przez co musiałam bezustannie spełzać z głazów, obiegać je dokoła i chwytać drżące w powietrzu drobiny tropu. Tak dotarłam do urwiska, po którym wspięli się wzwyż, musieli więc uprowadzonemu oswobodzić ręce, lecz nie dziwiłam się temu, że z własnej woli podążył z nimi, nie miał bowiem odwrotu. Pięłam się wyraźnym śladem, czując potrójną woń na rozgrzanych płaszczyznach skał, choć przychodziło wdzierać się pionowo, półkami skalnymi, rynienkami, obrywami i nie było takiej kępki siwego mchu wtulonej w szczelinę zwisów ani tak drobnej rysy, dającej przelotne oparcie stopom, której umykający nie użyliby jako stopnia, zatrzymując się kiedy niekiedy w najtrudniejszych miejscach, aby wypatrzyć dalszą drogę, co poznawałam po nasilającej się tam ich woni, ja wszakże gnałam w górę, ledwie dotykając głazów, i czułam wzmożone tętno mego wnętrza, które grało i śpiewało we wspaniałym pościgu, bo ludzie ci byli na moją miarę, i odczuwałam dla nich zarazem podziw i radość, albowiem czegokolwiek dokonali w tym karkołomnym darciu się wzwyż, idąc we trzech i ubezpieczając się liną, której jutowy zapach pozostał na ostrych krawędziach, ja powtarzałam samotnie i lekko, i nic nie mogło strącić mnie z tej podniebnej ścieżki. Na szczycie trafił mnie ogromny wicher, który świszczał u grani jak nóż, lecz anim się obejrzała, by ujrzeć zieloną krainę, co rozpościerała się w dole gasnącymi niebiesko w powietrzu horyzontami, lecz pędząc wzdłuż grani w obie strony, szukałam dalszych śladów, ażem je odnalazła w znikomej szczerbie. Wtem białawy ucios i odpryśnięcie oznaczyły upadek jednego z uchodzących, przechyliwszy się więc przez skraj kamienia, spojrzałam w dół i zobaczyłam go drobnego, jak spoczywał w połowie stoku, a ostrość spojrzenia pozwoliła mi dostrzec nawet ciemne bryzgi na wapieniach, jakby wokół leżącego padał przez chwilę krwawy deszcz. Tamci poszli wszakże dalej granią i na myśl, że pozostał mi już tylko jeden strzegący Arrhodesa przeciwnik, poczułam żal, ponieważ nigdy dotąd nie odczuwałam tak doniosłości moich poczynań i nie doznawałam takiej ochoty walki, którą byłam zarazem trzeźwa i pijana. Zbiegłam więc po pochyłości, bo uchodzący obrali ten kierunek, pozostawiając zabitego w przepaści, niechybnie bowiem spieszyli się, a jego natychmiastowa śmierć od runięcia była oczywistością. Zbliżałam się ku bramie skalnej, jakby ruinie olbrzymiego kościoła, z którego pozostały tylko ogromne filary pogruchotanych wrót, boczne skarpy przymurza i jedno wysokie okno, w którym jaśniało niebo, a na jego tle smukła drzewina, w nieświadomym siebie bohaterstwie, wyrosła tam od ziarna, zasadzonego przez wiatr w garści prochu. Za skalną bramą był drugi, wyższy kocioł skalny, częściowo zasnuty mgłami, przytrzaśnięty powłóczystą chmurą, z której padał drobno iskrzący się śnieg. W cieniu, rzuconym przez basztę skalną, usłyszałam sypki odgłos, a za nim grom, i kamienna lawina runęła zboczem. Głazy prały mnie, aż iskry i dym poszły mi z boków, ja zaś, zwinąwszy pod siebie wszystkie odnóża, zapadłam w płytką wnękę pod maliniakiem i bez szwanku już przeczekałam zejście ostatnich kamieni. Przyszła mi myśl, że goniony, prowadzący Arrhodesa, z rozmysłu wybrał lawiniaste, znane mu miejsce, licząc na to, że nieświadoma gór, roztrzaskam się w obruszonej lawinie — a choć była to jedynie nieznaczna możliwość, uradowała mnie, bo skoro przeciwnik nie tylko umykał i kluczył, lecz atakował, walka stawała się godniejsza.

Na dnie drugiego kotła, zabielonego śniegiem, stała budowla, ani dom, ani zamek, wzniesiona z najcięższych głazów, jakich w pojedynkę nawet olbrzym nie ruszy — i pojęłam, że to musi być schronienie wroga, bo gdzieżby indziej w tej głuszy? Więc wcale już nie szukając tropu, jęłam obsuwać się, zarywając tylne nogi w lecący gruz, przednimi jakby pływając po miałkich okruchach, a środkową parą hamując ten zjazd, by nie obrócił się w runięcie, aż dotarłam do pierwszego śniegu i po nim bezszelestnie już szłam dalej, próbując przy każdym kroku, czy nie zapadnę się w bezdenną jakąś szczelinę. Musiałam być rozważna, bo tamten właśnie od przełęczy spodziewał się mego pojawienia, więc nie podeszłam zbyt blisko, aby nie stać się widoczną z fortecznego gmachu, a potem, wciśnięta pod grzybiasty głaz, cierpliwie czekałam nadejścia nocy.

Ściemniało się szybko, lecz śnieg wciąż prószył i ciemność bielała; przez co nie ważyłam się zbliżać do gmachu, a tylko położyłam głowę na skrzyżowanych nogach, tak by mieć go na oku. Po północy śnieg przestał padać, lecz nie otrząsnęłam go z siebie, bo upodabniał mnie do otoczenia, i od księżycowej rysy między obłokami jaśniał jak ślubna suknia, której nigdy nie nosiłam. Powoli jęłam pełznąć w stronę majaczącej sylwety domostwa, nie spuszczając oczu z okna na piętrze, w którym tlał żółtawy brzask, nasunąwszy ciężkie powieki na gałki, bo księżyc raził mnie, nawykłą do ciemności. Wydawało mi się, że w tym słabo rozjaśnionym oknie coś się poruszyło, jakby wielki cień popłynął wzdłuż ściany, więc popełzłam szybciej, aż dotarłam do podmurza. Metr za metrem jęłam się wspinać po blanku, a nie było to trudne, gdyż głazy nie miały spoin i łączył je tylko ich ogromny ciężar. Dotarłam tak do niższych okien, czerniejących jak forteczne wyloty, przeznaczone gardzielom armat. Wszystkie ziały na oścież mrokiem i pustką. Także wewnątrz panowała taka cisza, jakby od wieków śmierć była tu jedyną mieszkanką; chcąc lepiej widzieć, uruchomiłam moje nocne spojrzenie, i wsunąwszy głowę do środka kamiennej izby, otwarłam świetliste oka czułków, od czego poszedł w głąb fosforyczny blask. Ujrzałam się naprzeciw osmolonego kominka z chropawych płyt, na którym dawno wystygła garść połupanych polan i nadwęglonego chrustu, widziałam też ławę i pordzewiałe narzędzia u ściany, legowisko wymięte i kamienne jakieś buły w kącie. Dziwne mi się wydało, że nic tu nie broni wejścia, a nie ufając zapraszającej pustce, choć w głębi drzwi stały otworem, bodaj przez to właśnie, w tym wietrząc zasadzkę, wycofałam się bez szmeru, jakem wniknęła, aby podjąć wspinaczkę na wyższe piętro. Do okna, z którego szedł mgławy brzask, ani myślałam się zbliżyć. Wczołgałam się wreszcie na dach i znalazłszy się na jego ośnieżonej płaszczyźnie, ległam jak warujący pies, by czekać dnia. Słyszałam dwa głosy, nie pojmowałam jednak, o czym mówiły. Spoczywałam w bezruchu, zarazem pragnąc i lękając się chwili, w której skoczę na przeciwnika, aby uwolnić Arrhodesa, i sprężona w zastygnięciu, bezsłownie wyobrażając sobie obroty zmagań, zakończonych użądleniem, jednocześnie patrzałam we własną głąb, już nie doszukując się w niej teraz źródeł woli, lecz usiłując wykryć najsłabszy chociaż znak, wyjawiający, czy jednego tylko człowieka zabiję. Nie wiem, kiedy ten lęk ustąpił. Spoczywałam nadal niepewna, bo nie znająca siebie, lecz właśnie ta niewiedza, czy przybyłam jako wybawicielka, czy jako zabójczyni, stając się dla mnie czymś nieznanym dotąd, niepojęcie nowym, czyniąc sens każdego mojego drgnięcia pewnym zagadkowej dziewiczości, napawała mnie zachwytem. Zachwyt ten zdziwił mnie niemało i rozważałam, czy nie w nim właśnie objawia się mądrość sprawców, skoro uczynili tak, bym mogła moc bezbrzeżną upatrywać naraz w niesieniu pomocy i zatraty, wszelako i tego nie byłam pewna. Odgłos nagły, krótki, a po nim głos bełkotliwy dobiegły mnie z dołu — jeszcze jeden dźwięk, głuchy, jakby padającego ciężaru, a potem cisza. Zaczęłam się sczołgiwać z dachu, zgiąwszy niemal we dwoje odwłok tak, że pierśną połową ciała przylgnęłam do ściany, a ostatnią parą nóg i tuleją żądła spoczywałam jeszcze na dachowej krawędzi, aż łbem wahającym się od wysiłku zbliżyłam się, wisząc, ku otworowi okiennemu.

Świeca gasła, strącona na podłogę, lecz knot jej jeszcze się jarzył czerwono i wysileniem nocnego wzroku ujrzałam pod stołem leżący kadłub, zalany czarną w tym oświetleniu krwią, a chociaż wszystko we mnie żądało skoku, wciągnęłam pierwej powietrze o woni krwi i stearyny: ten człowiek był mi obcy, więc doszło do walki i Arrhodes ugodził go przede mną, jak, czemu, kiedy, nie postało mi w myśli, to bowiem, że z nim, żywym, jestem teraz w tym pustym domu sam na sam, że nas tylko dwoje, poraziło mnie jak grom. Drżałam, oblubienica i morderczyni, notując jednocześnie okiem, które nie mrugało, miarowe skurcze tego wielkiego ciała, wydającego ostatni dech. Więc odejść teraz, cichcem, w świat ośnieżonych gór, byle nie zostać z nim w cztery oczy, w sześć oczu, poprawiłam się, skazana na straszność i śmieszność bez wyjścia, i to uczucie drwiny i szyderstwa, przeważywszy szalę, pchnęło mnie tak, że ześliznęłam się, wciąż jeszcze zawisła głową na dół jak czatujący pająk, i nie bacząc już na lekkie zgrzytanie brzusznych łusek po parapecie, śmigłym łukiem przeskoczyłam trupa, by dopaść drzwi.

Nie wiem, jak ani kiedy je pchnęłam. Za progiem były kręte schody, a na nich na wznak Arrhodes, głową przekręconą wsparty o wyświechtany głaz. Musieli walczyć na tych schodach, przez co nic mię prawie nie doszło, tu u mych nóg więc leżał, żebra poruszały się, zobaczyłam, tak właśnie, jego nagość, której nie znałam, którą pomyślałam tylko pierwszej nocy, na sali balowej.

Charczał, widziałam, jak usiłuje rozewrzeć powieki, otwierały się, najpierw białka, a ja, przechylona w tył, ze zgiętym odwłokiem, wpatrywałam się z góry w jego odwróconą twarz, nie śmiąc ani dotknąć go, ani się cofnąć, bo póki był żyw, nie byłam pewna siebie, choć krew uchodziła z niego z każdym oddechem, widziałam jednak dobrze, że mój obowiązek sięga ostatniego tchu, ponieważ wyrok królewski należy wypełnić i w agonii, więc nie mogłam ryzykować, skoro wciąż jeszcze żył, i nie wiedziałam też, czy na pewno chcę jego ocknięcia. Gdyby otwarł przytomnie oczy i odwróconym obrazem wziął mnie całą, taką, jaka stałam nad nim, bezsilnie już śmiercionośna w modlitewnym geście, brzemienna nie od niego, byłżeby to ślub, czy jego przewidziana niemiłosiernie parodia?

Lecz nie otworzył przytomnych oczu i kiedy świt wszedł między nas kłębami drobno roziskrzonego śniegu od okien, którymi w zadymce górskiej wył cały dom, zajęczał raz jeszcze i przestał oddychać, a wtedy, już uspokojona, układłam się przy nim szczelnie, owinęłam go i wzięłam w objęcia, i leżałam tak w świetle i w mroku przez dwa dni śnieżycy, która okrywała nas nie tającą pościelą. A w trzecim dniu wzeszło słońce.

Czerwiec 1974

Terminus

1

Od przystanku był jeszcze kawał drogi, zwłaszcza dla kogoś, kto, jak Pirx, niósł walizkę. Nad bielejącymi widmowo polami stał mglisty przedświt, asfaltem szły ze świstem opon ciężarówki, poprzedzane osrebrzonymi kłębami pary, ich tylne światła zapalały się czerwono przed zakrętami. Przekładając walizkę z ręki do ręki, spojrzał w górę. Mgła musiała być niska, bo zobaczył gwiazdy. Mimo woli poszukał kursowej dla Marsa. W tym momencie szary mrok zadrżał. Nieprawdopodobnie zielony ogień prześwietlił na wylot mgłę. Odruchowo otworzył usta, już nadciągał grzmot, a za nim gorący podmuch. Grunt zadygotał. W jednej chwili nad równiną wzeszło zielone słońce. Śniegi rozgorzały jadowitym blaskiem aż po widnokrąg, cienie przydrożnych słupów zaczęły biec przed siebie, wszystko, co nie było jaskrawą zielenią, stało się czarne, jak zwęglone. Pirx, rozcierając pozieleniałe dłonie, patrzył, jak jeden z oświetlonych upiornie, strzelistych minaretów, które, jakby za dziwnym kaprysem budowniczego, wznosiły się pośrodku okolonej wzgórzami kotliny, odrywa się od ziemi, jak stojąc na kolumnie ognia poczyna majestatycznie iść w górę, a kiedy grzmot stał się materialną siłą, wypełniającą przestrzeń, zobaczył przez szpary między palcami dalekie wieże, budynki, cysterny, obwiedzione brylantową aureolą; szyby kapitanatu rozbłysły, jakby szalał za nimi pożar, wszystkie kontury poczęły falować i giąć się w rozżarzonym powietrzu, a sprawca tego widowiska, rycząc triumfalnie, znikał już na wysokości, pozostawiwszy w dole ogromny, czarny krąg dymiącej ziemi. Po chwili z ugwieżdżonego nieba zaczął padać ciepły, grubokroplisty deszcz kondensacji.

Pirx podniósł swoje brzemię i poszedł dalej. Wzlot rakiety przełamał jak gdyby noc — z każdą chwilą robiło się jaśniej i widać było, jak osiada w rowach topniejący śnieg, a cała równina wynurza się spod obłoków pary.

Za statkami, świecącymi od wody, szły długie mury ochronne dla załogi lotniska o skarpach okrytych darnią. Martwa, nasiąkła wilgocią zeszłoroczna trawa nie dawała dobrego oparcia stopom, ale spieszyło mu się, więc zamiast szukać schodków najbliższego przejścia, z rozbiegu wspiął się na górę — i zobaczył ją z daleka.

Wyższa od wszystkich innych rakiet, stała osobno, wysoka jak wieża. Takich nie budowano od lat. Omijał rozlane na betonie płytkie kałuże wody, dalej już ich prawie nie było, wyparowała momentalnie od termicznego udaru, czworokątne płyty sucho i ostro, jak w lecie, dzwoniły pod krokami. Im był bliżej, tym bardziej musiał zadzierać głowę. Pancerz wyglądał, jakby go na przemian smarowano klejem i nacierano zmieszanymi z gliną szmatami. Kiedyś próbowano dodawać do powłokowych tungstenów włókna azbestowego karbidku. Kiedy się taki statek przypalił parę razy na hamowaniu atmosferycznym, wyglądał jak obdzierany ze skóry — cały w strzępach. Nie warto było ich zdzierać — wnet wyłaziły. Opory przy starcie, jasna rzecz, olbrzymie. Stateczność, sterowność — prosto przed Trybunał Kosmiczny: jeden kryminał.

Szedł, nie spiesząc się, choć walizka porządnie już mu ciążyła, ale chciał dokładnie obejrzeć sobie statek z zewnątrz; ażurowa konstrukcja trapu rysowała się na tle nieba iście Jakubową drabiną, ściana rakiety szara była jak kamień — wszystko zresztą było jeszcze szare: rozwłóczone po betonie puste skrzynki, butle, łachy pordzewiałego żelastwa, dzwona metalowych wężów. Rozrzucone chaotycznie, świadczyły o pośpiechu, z jakim dokonano załadunku. Dwadzieścia kroków przed trapem postawił walizkę i rozejrzał się. Wyglądało na to, że ładunek jest już zaokrętowany; rozkraczona na gąsienicach ogromna pochylnia towarowa została odsunięta i zaczepy jej wisiały w powietrzu, ze dwa metry od kadłuba. Wyminął stalową łapę, którą statek, niebotyczny i czarny teraz na tle zorzy, wspierał się o beton, i zszedł pod rufę. Wokół łapy żelbet osiadł pod strasznym ciężarem, strzeliwszy w otoczeniu rysami pęknięć.

Nieźle zapłacą i za to — pomyślał o armatorach, wchodząc w obszar cienia rzucanego przez rufę. Z odrzuconą w tył głową zatrzymał się pod lejem pierwszej wyrzutni. Obrzeże ziejące zbyt wysoko, by mógł go dosięgnąć, pokrywały grube nawarstwienia kopciu. Wciągnął badawczo powietrze. Choć silniki milczały od dawna, wyczuł ślad ostrego, charakterystycznego swędu jonizacji.

— Chodź no tu — powiedział ktoś z tyłu. Odwrócił się, ale nie zobaczył nikogo. I znowu usłyszał ten sam głos — jakby z odległości trzech kroków.

— Hej, jest tu kto?! — krzyknął. Głos zabrzmiał głucho pod czarną, rozdziawioną dziesiątkami wylotów kopułą rufy. Odpowiedziała cisza. Przeszedł na drugą stronę i zobaczył krzątających się w odległości jakichś trzystu metrów ludzi — stojąc rzędem, wlekli po ziemi ciężki wąż paliwowy. Poza tym było pusto. Nasłuchiwał chwilę, aż doszły go, tym razem z wysoka, niewyraźne, bełkotliwe głosy. Musiał to być efekt wylotowych lejów: działały jak reflektor, skupiając dźwięki otoczenia. Wrócił po walizkę i ruszył z nią do trapu.

Sześciopiętrową drabinę przemierzył, nie wiedząc o tym nawet, zajęty myślami, choć jakie były — nie umiałby powiedzieć. U szczytu, na otoczonej aluminiową poręczą platformie nawet się nie obejrzał, żeby pożegnać wzrokiem okolicę. Nie przyszło mu to do głowy. Nim pchnął klapę, powiódł palcami po pancerzu. Istna tarka. Jego chropowatość nasuwała myśl o zżartej kwasami skale.

— No, co mam robić, sam chciałem — mruknął. Klapa otwarła się ciężko, jakby przywalona głazami. Komora ciśnieniowa wyglądała jak wnętrze beczki. Powiódł palcami po rurach, roztarł suchy pył. Rdza.

Przeciskając się przez wewnętrzny właz, zdążył jeszcze zauważyć, że uszczelka jest połatana. W górę i w dół biegły pionowe studnie korytarzy oświetlonych bocznymi lampami. Ich światło zlewało się w perspektywie w błękitnawą smużkę. Gdzieś szumiały wentylatory, nosowo cmokała niewidzialna pompa. Wyprostował się. Jak przedłużenie własnego ciała poczuł otaczający go masyw pokładów i pancerzy. Niech diabli wezmą — 19 000 ton!

Na drodze do sterowni nie spotkał nikogo. Korytarz wypełniała cisza tak ostateczna, jakby statek był już w próżni. Pneumatyczną wyściółkę ścian pokrywały plamy; liny, służące za oparcie przy braku ciążenia, zwisały nisko, sparciałe. Spawane i przecinane dziesiątki razy złącza rurociągów wyglądały niczym nadwęglone bulwy wyciągnięte z popieliska. Pochylnią, jedną i drugą, doszedł do sześciobocznego pomieszczenia z metalowymi drzwiami o zaokrąglonych kątach w każdej ścianie. Okręcone postronkiem, zamiast pneumatyków, miedziane klamki.

Okienka numeratorów ukazywały szklane bielma. Nacisnął taster informatora — przekaźnik trzasnął, w metalowej puszce coś zaszeleściło, ale tarczka pozostała ciemna.

No, co mam robić? — pomyślał. — Lecieć ze skargą do SPT?

Otworzył drzwi. Sterownia wyglądała jak sala tronowa. W szkłach martwych ekranów zobaczył się jak w lustrze — kapelusz do reszty stracił fason od deszczu, z walizką, w jesionce, robił wrażenie zabłąkanego mieszczucha. Na wzniesieniu stały budzące rozmiarami szacunek fotele pilotów, zwaliste, z siedzeniem w kształcie głębokiego negatywu ludzkiego ciała — zapada się w nie po pierś. Postawił walizkę na podłodze i podszedł do pierwszego. Wypełnił go cień niczym widmo ostatniego sternika. Uderzył dłonią w oparcie — buchnął kurz, zakręciło mu w nosie, zaczął kichać raz po raz, wściekły, aż nagle roześmiał się. Pianowa wyściółka poręczy zmurszała od starości. Kalkulatory — takich jeszcze nie widział. Ich twórca musiał się zapatrzyć w organy. Zegarów na pulpitach było jak maku — trzeba by mieć ze sto oczu, aby je naraz ogarnąć. Odwrócił się wolno. Szedł oczami od ściany do ściany, widział plątaninę łatanych kabli, skorodowane płyty izolacji, żelazne koła ręcznego opuszczania hermetycznych grodzi, wyświechtane od dotyku rąk, spłowiałą czerwień rozrządu gaśnic — wszystko było tak zakurzone, tak stare...

Kopnął amortyzatory fotela. Od razu pociekło z hydraulików.

Inni latali, to i ja potrafię — pomyślał. Wrócił na korytarz, przeciwległymi drzwiami dostał się do burtowego przejścia i poszedł przed siebie. Tuż za szybem windy zauważył na ścianie ciemniejsze, wypuczone miejsce. Przyłożył dłoń — nie omylił się. Plomba po przestrzelinie. Poszukał w otoczeniu dalszych śladów przebicia, ale zmieniono widać całą sekcję — strop i ściany były gładkie. Wrócił oczami do plomby. Cement zastygł gruzłami, wydało mu się, że dostrzega w nim niewyraźne odbicie dłoni, które pracowały w gwałtownym pośpiechu. Wsiadł do windy i zjechał na sam dół, do stosu. Za szybą przesuwały się miarowo oświetlone cyfry pokładów: piąty... szósty... siódmy...

Na dole było chłodno. Korytarz skręcał łukiem, zbiegał się z innymi, poprzez wydłużony, niski przedsionek widział już drzwi komory stosu. Tu było jeszcze chłodniej; para oddechu bielała w świetle zakurzonych lamp. Potrząsnął głową. Zamrażalniki? Musiały być gdzieś blisko. Nadstawił ucha. Blachy poszycia drgały, wstrząsane słabo dzwoniącym pulsem. Przeszedł pod nawisłymi ciężko stropami, które wtórowały głucho jego krokom, nie mogąc otrząsnąć się z wrażenia, że jest w głębi podziemi. Korba hermetycznych drzwi nie dawała się obrócić. Naparł mocniej — ani drgnęła. Już chciał stanąć na niej nogą, kiedy zorientował się w systemie zamkowym; musiał pierwej wyciągnąć zabezpieczającą sztabkę.

Za tymi drzwiami były następne — dwuskrzydłowe, na pionowej osi, grube jak w skarbcu. Lakier łuszczył się ze stali, na wysokości oczu odczytywał resztkę czerwonych liter:

N... BEZP..... STWO

Znalazł się w ciasnym przejściu — prawie zupełnie ciemnym. Kiedy postawił nogę na progu, coś szczęknęło i prosto w twarz buchnął mu biały blask; równocześnie zajaśniała tablica z czaszką na skrzyżowanych piszczelach.

Ależ bali się wtedy! — pomyślał. Blacha stopni zabębniła głucho, kiedy schodził do komory. Znalazł się jakby na dnie wyschłej fosy — naprzeciw, wypukła niczym blanka fortecznego muru, szarzała wysoka na dwa piętra ochronna ściana reaktora, pokryta zielonkawą i żółtą ospą niewielkich wybrzuszeń. To były plomby po starych promienistych przeciekach. Spróbował policzyć je — ale kiedy wszedł na pomost i zobaczył mur z wysoka, dał spokój; w niektórych miejscach nie widać już było spod nich betonu.

Pomost, stojący na żelaznych kolumienkach, oddzielały od reszty komory wielkie szyby — jakby nań nasadzono pudło ze szkła. Domyślił się, że to szkło ołowiowe, mające chronić przed twardym promieniowaniem, ale i tak wydał mu się ten zabytek atomowej architektury nonsensem.

Pod czymś w rodzaju niewielkiego daszka sterczały, wycelowane w brzuch stosu, rozcapierzone promieniście liczniki Geigera. W osobnej wnęce znalazł zegary — martwe, z wyjątkiem jednego. Stos na jałowym rozruchu.

Zeszedł na dół, ukląkł i zajrzał do studzienki pomiarowej. Lustra peryskopu były w czarnych plamach od starości. Trochę za dużo szlaki radioaktywnej, ale ostatecznie Mars nie Jowisz — można obrócić w dziesięć dni. Wyglądało, że paliwa jest na kilka takich rejsów. Uruchomił kadmowe blendy. Wskazówka zatrzęsła się i niechętnie przesunęła na drugi koniec skali. Sprawdził opóźnienie — ujdzie. Tyle, aby kontrola SPT przepuściła — z przymknięciem oka.

Coś poruszyło się w kącie. Dwa zielone światełka. Zapatrzył się w nie i drgnął, bo przesunęły się wolno. Podszedł bliżej. To był kot. Czarny, chudy. Miauknął cicho i przywarł grzbietem do jego nogi. Uśmiechnął się i poszukał w otoczeniu wzrokiem, aż znalazł wysoko, na żelaznej półce, rząd klatek. Coś białawego mrowiło się w nich pospiesznie. Od czasu do czasu łysnął między drutami czarny paciorek oka. Białe myszy. Wożono je jeszcze czasem na starych statkach, jako żywe wskaźniki radioaktywnego przecieku. Pochylił się, żeby pogłaskać kota, ale ten umknął mu, i zwracając głowę ku najciemniejszej, zwężonej części komory, cicho miauknął, wygiął grzbiet i na wyprężonych łapach przesunął się ku betonowej skarpie, za którą czerniało coś, jakby czworokątne przejście. Koniec wyprężonego ogona zadrgał, zwierzę pełzało dalej, już ledwo widoczne w półmroku. Pirx, zaintrygowany, zajrzał tam, schylając głowę. W pochyłej ścianie widniały na wpół uchylone kwadratowe drzwiczki, wewnątrz refleks światła połyskiwał na czymś, co wziął za zwoje metalowego węża. Kot wpatrywał się w to, nastroszony, jego zesztywniały ogon wykonywał drobne ruchy.

— No, co znowu, tam nic nie ma — mruknął Pirx i, przysiadając prawie na obcasach, zbliżył oczy do ciemnej wnęki. W środku siedział ktoś. Matowe błyski leżały na skulonym torsie. Kot zaczął zbliżać się do drzwiczek, miaucząc cichutko. Oczy Pirxa przywykały do ciemności — coraz wyraźniej dostrzegał spiczaste, wysoko uniesione kolana, lśniący słabo metal nagolenników i opasujących je segmentowych ramion. Tylko głowa kryła się w cieniu.

Kot miauknął.

Jedno ramię poruszyło się z chrzęstem, wysunęło na zewnątrz, i dotykając końcami żelaznych palców podłogi, utworzyło skośny most, po którym kot szmyrgnął błyskawicznie w górę i usadowił się na barku siedzącego.

— Hej, ty — powiedział Pirx, nie wiadomo, do kota czy do tego stworu, który powoli, jakby pokonując ogromny opór, jął cofać rękę. Odezwanie się Pirxa sparaliżowało ten ruch. Żelazne palce stuknęły o beton.

— Kto tam to — odezwał się zniekształcony, jakby dobywający się z żelaznej rury głos. — Terminus mówi — kto?

— Co tu robisz? — spytał Pirx.

— Ter-minus — tu — jestem — zim-no — źle — widzę — dukał chrypliwie głos.

— Czy pilnujesz stosu? — spytał Pirx. Tracił już nadzieję, że dowie się czegoś od automatu, strupieszałego, jak cały statek, ale w obliczu zielonych ślepiów nie mógł jakoś zrejterować w pół słowa.

— Ter-minus — stosu — zabełkotało w betonowym schowku — ja — stosu. Stosu... — powtarzał jakby z głupkowatym zadowoleniem.

— Wstań! — krzyknął Pirx, bo nic innego nie przyszło mu do głowy. W środku zachrzęściło. Cofnął się o krok, widząc, jak z ciemności wysuwają się dwie żelazne rękawice o rozstawionych palcach, obracają się na zewnątrz, jak zaczepiają o framugę i zaczynają holować tułów, w którym przeciągle zachrobotało. Metalowy kadłub gibnął się, wyjrzał na światło i wstawał przy zgrzytaniu i pisku wszystkich stawów. Na poprzecznych złączach blachy, zaciemniając kurz, który ją pokrywał, wystąpiły krople oliwy. Podobny raczej do rycerza w zbroi aniżeli do automatu, chwiał się powoli na boki.

— Czy tu jest twoje miejsce? — spytał Pirx. Szklane oczy automatu rozeszły się na boki, krążąc wolno po otoczeniu, i ten zez nadał jego płaskiej, metalowej twarzy wyraz całkowitej tępoty.

— Plomby przygoto-wane — dwa, sześć, osiem funtów — źle — widać — zimno...

Głos wydobywał się nie z głowy, lecz z szerokiej tarczy piersiowej automatu.

Kot, zwinięty w kłębek, patrzył na Pirxa z wysokości jego barku.

— Plom-by — goto-we — skrzeczał dalej Terminus. Wykonywał jednocześnie drobne ruchy, będące zaczątkami dobrze Pirxowi znanej operacji — jak gdyby nabierał czegoś z powietrza szuflowato ustawionymi garściami i pchnięciem umieszczał to gdzieś przed sobą — tak, naprzemiennymi ruchami, opatruje się radioaktywne przecieki. Oksydowany tors zachwiał się gwałtowniej, czarny kot zgrzytnął pazurami po blasze, nie utrzymał się i z gniewnym fuknięciem buchnął czarną smugą w dół, dotykając w przelocie nóg Pirxa. Automat jakby tego nie zauważył. Umilkł, tylko jego ręce wikłały się jeszcze w szczątkowych, gasnących ruchach, które stanowiły jak gdyby coraz słabsze nieme echo jego słów — aż zamarł.

Pirx spojrzał na całą w zaciekach, skamieniałą od starości ścianę reaktora, pokrytą raz koło razu ciemniejszymi plamami cementowych opatrunków, i wrócił oczami do Terminusa. Musiał on być bardzo stary — kto wie, czy nie starszy od statku. Prawy bark wyglądał na wymieniony, biodra i uda nosiły wyraźne ślady spawania, dokoła żelaznych szwów blacha, odpuszczona żarem, przybrała granitową niemal barwę.

— Terminus! — krzyknął, zupełnie jakby odzywał się do głuchego — idź na swoje miejsce!

— Słucham. Ter-minus.

Automat cofnął się, niczym rak, do otwartego schowka, i zgrzytając, jął wciskać się do środka. Pirx obejrzał się za kotem, ale nigdzie go nie było. Wrócił na górę, zamknął za sobą hermetyczne drzwi i pojechał windą na czwarty pokład — do kabiny nawigacyjnej.

Szeroka i niska, z poczerniałą, dębową boazerią i belkowanym stropem, przypominała kajutę okrętową. Miała okrętowe iluminatory w miedzianych pierściennych ramach, przez które padało dzienne światło. Jakieś czterdzieści lat temu panowała taka moda; nawet plastykowe pokrycia ścian imitowały wówczas drewnianą klepkę. Otworzył okrągłe okno i omal nie stuknął czołem w głuchy mur. Złudzenie dziennego światła dawały ukryte jarzeniówki. Zatrzasnął okno i odwrócił się. Z gwiazdowych stołów aż na podłogę zwisały mapy nieba, bladoniebieskie jak morza w geografii, po kątach walały się rulony zużytej kalki, upstrzone kursowymi wykresami, rysownica pod punktowym reflektorkiem cała była podziobana ukłuciami cyrkli, w kącie stało biurko, przed nim — dębowy fotel, przyśrubowany do podłogi, pod siedzeniem miał kulowy przegub, żeby można go pochylać w dowolną stronę, obok ciągnęły się wpuszczone w boazerię, zwaliste szafy biblioteczne.

Istna arka Noego.

Czy to dlatego agent, już po podpisaniu umowy, powiedział mu: „Dostaje pan historyczny statek”?

Stary — to jeszcze nie historyczny.

Zaczął kolejno wysuwać szuflady biurka, aż znalazł książkę okrętową — wielką, w wyślizganej skórzanej oprawie, z zaśniedziałymi okuciami. Wciąż stał, jakby nie mogąc się zdobyć na zajęcie tego wielkiego, wysiedzianego fotela. Odchylił okładkę. Na pierwszej stronie widniała data próbnego rejsu i fotogram aktu technicznego stoczni. Mrugnął powiekami; nie było go jeszcze wtedy na świecie. Poszukał ostatniego zapisu — ten był teraz najważniejszy. Zgadzał się z tym, co usłyszał od agenta — statek od tygodnia ładował maszyny i drobnicę dla Marsa, start, wyznaczony na 28, opóźnił się — od trzech dni liczy się postojowe. To dlatego tak się spieszyli — postojowe w ziemskim porcie może zrujnować milionera...

Kartkował wolno książkę, nie czytając wyblakłego pisma, chwytał tylko pojedyncze, stereotypowe zwroty, kursowe cyfry, wyniki obliczeń — nie zatrzymywał się nigdzie, jakby szukając w niej czegoś innego. Ze strumienia kartek wyłoniła się jedna — na górze:

Statek wprowadzony do stoczni Ampers-Hart na remont I kategorii.

Data pochodziła sprzed trzech lat.

I cóż takiego ulepszyli? Nie był taki znów ciekaw, ale przejrzał spis robót, dziwiąc się coraz bardziej — wymieniono pancerze dziobowe, szesnaście sekcji pokładów, wręgi obsady reaktora, grodzie hermetyczne...

Nowe grodzie i wręgi?

Prawda — agent mówił coś o jakiejś starej awarii. Ale to nie była zwykła awaria — raczej katastrofa.

Odwrócił stronę, żeby dowiedzieć się czegoś z zapisów poprzedzających remont. Najpierw znalazł port przeznaczenia: *Mars. Ładunek: drobnica. Załoga: pierwszy oficer-inżynier Pratt, drugi — Wayne, piloci Potter i Nolan, mechanik Simon...*

A dowódca?

Cofnął się jeszcze o stronę i drgnął.

Data przejęcia statku — sprzed dziewiętnastu lat. I podpis. *Pierwszy nawigator — Momssen.*

Momssen!

Owionął go suchy żar.

Jak to Momssen? Przecież chyba nie t e n Momssen! Przecież... przecież tamto — to był inny statek!

Ale data zgadzała się: upłynęło od niej dziewiętnaście lat. Zaraz. Tylko powoli. Powoli.

Wrócił do książki okrętowej. Zamaszyste, wyraźne pismo. Wyblakły atrament. Pierwszy dzień podróży. Drugi, trzeci.

Mierny przeciek reaktora: 0,4 rtg/godzinę. Nałożono plomby. Obliczenia kursu. Gwiazdowy fix.

Dalej, dalej!

Nie czytał: skakał oczami po zwartych rządkach pisma.

Jest!

Data, której uczył się w szkole jako chłopiec, i pod nią:

0 godz. 16.40 Cz. L. odebrane Ostrzeżenie Met. Dejmosa przed pochodzącą z jowiszowej perturbacji Leonidów chmurą, idącą kursem kolizji 7 chyż. 40 km/sek. przez sektor własny. Odbiór O. M. potwierdzony. Ogłoszony alarm P–M dla załogi. Przy utrzymującym się przecieku reaktora 0,42 rtg/godz. podjęty manewr wymijający całą mocą z wyjściem przybliżonym na deltę Oriona.

Niżej, od nowej linii:

O godz. 16.51 Cz. L. na

Reszta karty była pusta.

Żadnych znaków, bazgrołów, plam, nic — oprócz niepotrzebnie przedłużonej w dół, nie skręcającej wedle nakazów kaligrafii, pionowej kreseczki ostatniej litery — „a”.

Jej kilkumilimetrowe, nieco chwiejne przeciągnięcie, którym urywało się regularne pismo, wychodząc na biały obszar papieru, zawierało już wszystko: grzmot trafień, wyjącą ucieczkę powietrza, krzyk ludzi, którym pękały gałki oczne i gardła...

Ale tamten statek nazywał się przecież inaczej. Inaczej! Jak?

To było jak we śnie: nazwy tej, tak chyba sławnej jak nazwa statku Kolumba, nie mógł sobie przypomnieć!

Boże — jakże się nazywał ten statek, ostatni statek Momssena?!

Skoczył do biblioteki. Gruby tom rejestru Lloyda sam wskoczył mu w rękę. To było jakoś na K. Kosmonauta? Nie. Kondor! Nie. Coś dłuższego — jakiś dramat — bohater czy rycerz...

Rzucił tom na biurko i zwężonymi oczami przypatrywał się ścianom. Między biblioteką a szafą z mapami wisiały na boazerii przyrządy — hygrometr, indykator promieniowania, wskaźnik dwutlenku węgla...

Odwrócił je po kolei. Żadnych napisów. Wyglądały zresztą na nowe.

Tam w kącie!

Wkręcona w dębową płytę świeciła tabliczka radiografu. Takich już nie produkują — śmieszne, odlane w mosiądzu ozdóbki okalały tarczę... Odkręcał szybko śruby, ujmując je ostrożnie końcami palców, szarpnął obsadę, została mu w dłoni — odwrócił metalowe pudełko. Na spodniej stronie wyryty był w złocistym mosiądzu jeden wyraz: KORIOLAN.

To był ten sam statek.

Powiódł wzrokiem po kabinie. Więc to tu, na tym fotelu siedział wtedy — w tej ostatniej chwili — Momssen?

Rejestr Lloyda otwarł się na „K". KORONA POŁUDNIOWA, KORSARZ, KORIOLAN. Statek Kompanii... 19 000 ton masy spoczynkowej... wypuszczony ze stoczni w roku... reaktor uranowo-wodny, system... chłodzenie... ciąg... zasięg maksymalny... wprowadzony na linię Terra–Mars, utracony wskutek kolizji z potokiem Leonidów, po szesnastu latach odnaleziony przez statek patrolowy w aphelium orbity... po remoncie I kat., przeprowadzonym w Ampers-Hart, wprowadzony przez Kompanię Południową na linię Terra–Mars... transport drobnicy... taryfa ubezpieczeniowa... nie, nie to... jest! ...pod nazwą Błękitna Gwiazda.

Przymknął oczy. Jak tu cicho. Zmienili nazwę. Pewno żeby nie mieć trudności z werbunkiem załogi. To dlatego ten agent...

Zaczynał przypominać sobie, co mówiono o tym w Bazie. To ich statek patrolowy odkrył wrak. Ostrzeżenia meteorytowe przychodziły wtedy zawsze zbyt późno. Ogłoszony protokół komisji był lakoniczny: „Siła wyższa. Niczyjej winy". A załoga? Odnaleziono ślady świadczące o tym, że nie wszyscy zginęli natychmiast — że wśród ocalałych był sam dowódca, który sprawił, że ci ludzie, odcięci od siebie częściami zgniecionych pokładów, mimo braku nadziei na ratunek, nie załamali się i żyli do ostatniej butli tlenu — stanowiąc załogę — do końca. Była tam jeszcze jakaś osobliwa rzecz, jakiś makabryczny szczegół, powtarzany przez całą prasę przez kilka tygodni, aż nowa sensacja zepchnęła wszystko w niepamięć — co to było?

Naraz zobaczył wielką salę wykładową, tablicę zabazgraną wzorami, przy których biedził się Smiga, cały umączony kredą — a on, z głową schyloną nad wysuniętą szufladą stołu, czytał ukradkiem płasko rozłożoną na dnie szuflady gazetę „Kto może przeżyć śmierć? Tylko martwy". Ależ tak! Tak to było! Jeden ocalał w katastrofie, bo nie potrzebował tlenu ani żywności i spoczywał, przywalony gruzami, przez szesnaście lat — automat.

Wstał. Terminus! Na pewno, na pewno Terminus. Ma go tu, na pokładzie. Gdyby tylko chciał, gdyby odważył się...

Nonsens. To mechaniczny debil, maszyna do plombowania przecieków, głucha i ślepa od starości. To tylko prasa, w swoim wiecznym usiłowaniu wyciśnięcia maksimum sensacji z każdego zdarzenia, zrobiła z niego krzyczącymi nagłówkami tajemniczego świadka tragedii, którego Komisja miała przesłuchiwać przy zamkniętych drzwiach. Przypomniał sobie tępe skrzeczenie automatu. Bzdura, oczywista bzdura!

Zatrzasnął książkę okrętową, wrzucił ją do szuflady i spojrzał na zegarek.

Ósma, trzeba się spieszyć. Odszukał papiery ładunku. Luki były już zamknięte, kontrola portowa i sanitarna dokonana, deklaracje celne zawizowane, wszystko gotowe. Przejrzał przy biurku certyfikat towarowy i zdziwił się, że nie ma dokładnej specyfikacji frachtu. Maszyny, dobrze, ale jakie maszyny? Jaka tara? Dlaczego brak diagramu załadowania z wykreślonym środkiem ciężkości? Nic, oprócz wagi łącznej i schematycznego szkicu rozlokowania w ładowniach. W rufowych było ledwo 300 ton ładunku — dlaczego? Czyżby statek szedł na zmniejszonym udźwigu? I o czymś takim on dowiaduje się przypadkiem, w ostatniej niemal chwili?! W miarę jak coraz spieszniej grzebał się w teczkach, w segregatorach, rozrzucał papiery, wciąż nie mogąc znaleźć tego, którego akurat szukał, tamta historia ulatniała mu się z pamięci, tak że spojrzawszy w pewnej chwili na wyjęty z oprawy radiograf, aż drgnął ze zdziwienia. Za chwilę jednak wpadł mu w ręce jakiś świstek, z którego wyczytał, że w ostatniej ładowni, przytykającej dnem do tarczy ochronnej stosu, znajduje się czterdzieści osiem skrzyń żywności. I znowu na specyfikacji widniało tylko ogólnikowe określenie „łatwo psujące się środki żywnościowe”. Dlaczego zatem umieszczono je tam, gdzie wentylacja jest najgorsza, a temperatura podczas pracy silników najwyższa? Umyślnie, żeby się zepsuły, czy jak?

Rozległo się pukanie.

— Proszę — rzucił, usiłując na chybił trafił powkładać do teczek rozwłóczone po całym biurku papiery. Weszło dwóch mężczyzn. Stojąc u progu, odezwali się:

— Boman, inżynier-nukleonik.

— Sims, inżynier-elektryk.

Pirx wstał. Sims był młody, szczupły, z wiewiórczym wyrazem twarzy, pokaszliwał i rzucał oczami. Boman — Pirx na pierwszy rzut oka poznał w nim weterana. Jego twarz pokrywała opalenizna o charakterystycznym pomarańczowym odcieniu, jaki nadaje długotrwałe działanie drobnych, sumujących się dawek promieni kosmicznych. Sięgał Pirxowi ledwo do ramienia: w czasach kiedy zaczynał latać, liczył się jeszcze każdy kilogram wagi na pokładzie. Choć chudy, twarz miał jakby rozlaną, a wokół oczu ciemne torby po obrzękach, jak zwykle u kogoś przez całe lata poddawanego wielokrotnym przeciążeniom. Dolna warga nie osłaniała zębów.

Ja też będę kiedyś tak wyglądał — pomyślał Pirx, idąc ku nim z wyciągniętą ręką.

2

Piekło zaczęło się o dziewiątej. Na lotnisku był normalny ruch — do startów kolejka, co sześć minut bełkotanie wielkich megafonów, ostrzegawcze race, potem huk, ryk, grzmot silników na próbie pełnego ciągu, po każdym starcie całymi kaskadami opadał wzbity wysoko kurz, jeszcze dobrze nie osiadł, jak z wieżyczki obwieszczano wolną drogę następnemu — wszystkim spieszyło się, każdy chciał urwać jeszcze parę minut, jak zwykle w towarowym porcie podczas szczytu: prawie każdy statek szedł na Marsa, który wołał rozpaczliwie o maszyny i zieleniny — ludzie nie widzieli tam kawałka jarzyny całymi miesiącami, hydroponiczne solaria dopiero się budowały.

Do podstawionych rakiet toczyły się tymczasem dźwigi, betoniarki, elementy kratowych konstrukcji, bele szklanej waty, cysterny z cementem, ropą, lekarstwa — na sygnał wszyscy ludzie kryli się, gdzie kto mógł, w rowach przeciwpromiennych, w opancerzonych ciągnikach, a jeszcze beton dobrze nie ostygł, kiedy wracali do roboty. O dziesiątej, kiedy słońce, całe w dymach, czerwone, jakby spuchnięte, wzniosło się nad widnokrąg, ochronne przypory betonowe między stanowiskami startowymi były poryte, okopcone, przeżarte ogniem, głębokie pęknięcia zachlapywano naprędce szybko schnącym cementem, który błotnistymi fontannami walił z węży, tymczasem załogi antyradiacyjne wyskakiwały z transporterów w wielogłowych skafandrach, żeby strugami sprężonego piachu ścierać promieniste zanieczyszczenia, we wszystkie strony na syrenach pędziły pomalowane w czerwono-czarne szachownice łaziki kontroli, na wieży kapitanatu ktoś urywał sobie gardło przy megafonie, u szczytu ostrych wież młynkowały wielkie bumerangi radarów — jednym słowem, wszystko było tak, jak ma być. Pirx dwoił się i troił. Trzeba było przyjąć jeszcze na pokład dostarczone w ostatniej chwili świeże mięso, zatankować wodę do picia, sprawdzić aparaturę chłodni (minimalna wynosiła minus pięć, delegat SPT kręcił głową, ale w końcu zlitował się i podpisał), sprężarki, choć po generalnym remoncie, zaczęły na próbie łzawić spod zaworów, głos Pirxa upodabniał się z wolna do jerychońskiej trąby, naraz okazało się, że woda jest źle rozmieszczona — jakiś kretyn przerzucił zawór, nim wypełniły się denne zbiorniki — podpisywał papiery, wtykano mu po pięć naraz, nie wiedział, co podpisuje. Na zegarze była jedenasta — mieli godzinę do startu, i wtedy bomba.

Kapitanat nie da wolnej drogi, bo stary system dysz, zbyt niebezpieczny opad radioaktywny — statek powinien mieć pomocniczy napęd boro-wodorowy, tak jak Gigant — ten frachtowiec, który startował o szóstej — Pirx, już zachrypnięty od krzyku, naraz się uspokoił. Czy dyspozytor ruchu zdaje sobie sprawę z tego, co mówi? Czy dopiero teraz zauważył Błękitną Gwiazdę? Z tego mogą być wielkie — bardzo wielkie nieprzyjemności. O co chodzi? Dodatkowa osłona? Z czego? Worki z piaskiem. Ile? Bagatelka — trzy tysiące sztuk. Proszę bardzo — on i tak wystartuje w wyznaczonym czasie. Rachunek Kompanii zostanie obciążony. Proszę obciążać.

Pocił się. Wszystko jakby się sprzysięgło, żeby powiększyć jeszcze i tak panujący chaos: elektryk wymyśla mechanikowi, który nie sprawdził awaryjnego rozrządu, drugi pilot wyskoczył gdzieś na pięć minut, nie ma go na pokładzie, z narzeczoną się żegna, felczer w ogóle znikł, czterdzieści pancernych mamutów zajechało pod statek, okrążyło go i ludzie w czarnych kombinezonach biegiem układają worki z piaskiem, semafor na wieżyczce nagli ich dzikimi łamańcami, przyszedł jakiś radiogram, zamiast pilota odebrał go elektryk, zapomniał wciągnąć do książki radiowej, zresztą to nie jego rzecz, Pirxowi kręciło się już w głowie, udawał tylko, że wie, co się dzieje — na dwadzieścia minut przed godziną zero powziął dramatyczną decyzję: kazał przepompować całą wodę z dziobowych zbiorników na rufę. Niech się dzieje, co chce — najwyżej zagotuje się, ale za to statyczność będą mieli lepszą.

O jedenastej czterdzieści — próba silników. Od tej chwili odwrotu już nie było. Okazało się, że nie wszyscy ludzie są do niczego — zwłaszcza Boman przypadł mu do gustu — nie widziało się go ani nie słyszało, a wszystko szło jak w zegarku: przedmuch dysz, mały ciąg, pełny — na sześć minut przed zerem, kiedy kapitanat wyrzucił sygnał DO STARTU, byli gotowi. Wszyscy leżeli już na rozłożonych fotelach, gdy znalazł się felczer; drugi pilot, Mulat, wrócił, bardzo markotny, od narzeczonej, głośnik charczał, beczał, mruczał, nareszcie wskazówka automatu nakryła zero, dostali wolną drogę. Start.

Pirx wiedział oczywiście, że 19 000 ton to nie patrolowa skorupka, w której jest akurat tyle miejsca, żeby się szeroko uśmiechnąć, statek nie pchła, nie skoczy, trzeba wyrabiać ciąg — ale czegoś takiego się nie spodziewał. Mieli już pół mocy na zegarach, kadłub drżał od rufowych wyrzutni do szczytu, jakby się miał rozlecieć w kawałki, a wskaźnik obciążenia mówił, że jeszcze się nie oderwali od betonu. Przemknęło mu przez głowę, że Gwiazda może zaczepiła o coś — podobno taka rzecz zdarza się raz na sto lat — w tym momencie wskaźnik ruszył. Stali na ogniu, Gwiazda dygotała, wskazówka grawimetru tańczyła jak szalona po skali; z westchnieniem osunął się na poduszki, rozluźniając mięśnie — odtąd, choćby chciał, nic już nie mógł zrobić. Szli w górę. Od razu dostali radiowe upomnienie za start całą mocą — bo to daje nadmierne skażenie radioaktywne. Kompania będzie obciążona dodatkową, karną opłatą. Kompania? Bardzo dobrze, niech płaci, niech ją cholera weźmie! Pirx tylko się skrzywił, nie próbował nawet spierać się z kapitanatem, że startował połową ciągu. Czy miał może lądować i wzywać komisję i żądać protokolarnego odpieczętowania zapisu w uranografach?

Zresztą w tej chwili miał na głowie coś zupełnie innego: przebijanie atmosfery. W życiu nie siedział jeszcze na statku, który się tak trząsł. Podobnie mogli się czuć chyba tylko ludzie w głowicy średniowiecznego taranu, walącego mur. Wszystko wprost skakało, latali w pasach, że dusza z nich wychodziła, grawimetr nie mógł się zdecydować, pokazywał to 3,8 to 4,9, podpełzał bezwstydnie do piątki i jak przestraszony zlatywał nagle na trzy. Zupełnie jakby kluski mieli w wyrzutniach! Szli już całą mocą, oczywista, Pirx obiema rękami przyciskał haubę do głowy, bo inaczej nie słyszał głosu pilota w słuchawkach — tak ryczała Gwiazda! Nie był to triumfalny grzmot balistyczny.

Jej walka z ziemską grawitacją przypominała pełną rozpaczy agonię. Przez dobre parę minut można było myśleć, że to nie oni startują z Ziemi, ale wiszą nieruchomo, odpychając planetę całą mocą odrzutu — tak wyczuwalny był pełen męczarni wysiłek Gwiazdy! Wszystkie blachy, złącza aż zamazało w konturach od wibracji i Pirxowi wydało się, że słyszy trzaskanie puszczających szwów, ale to było złudzenie — w tym piekle nie złowiłby nawet trąb Sądu Ostatecznego.

Temperatura powłoki dziobu — o, to był jedyny wskaźnik, który się nie wahał, nie cofał, nie skakał ani nie zatrzymywał, ale spokojnie lazł w górę, jakby miał przed sobą jeszcze co najmniej metr miejsca na skali, a nie same końcowe, czerwone cyfry: 2500, 2800 — zostało ledwo parę kresek, kiedy Pirx spojrzał w tę stronę. Przy tym nie mieli nawet szybkości orbitalnej, wszystko, czego się dorobili, to było 6,6 km/sek. w czternastej minucie lotu! Przeszyła go okropna myśl, jak w koszmarze, który nawiedza czasem pilotów, że w ogóle się nie oderwał, a to, co bierze za śmigające w ekranach chmury, jest po prostu parą buchającą z pękniętych rur chłodzenia! Tak źle jednak nie było: lecieli. Felczer leżał blady jak ściana i chorował. Pirx pomyślał sobie, że z opieki lekarskiej, którą ten nad nimi roztoczy, nie będzie wielkiej pociechy. Inżynierowie trzymali się dobrze, a Boman nawet się nie spocił — leżał sobie siwy, spokojny, szczupły, jak chłopczyk z zamkniętymi oczami. Spod foteli, z amortyzatorów sikał na podłogę płyn hydrauliczny, aż miło — tłoki dobijały niemal do końca. Pirx był tylko ciekaw, co się stanie, jak naprawdę dobiją.

Ponieważ był przyzwyczajony do całkiem innego, nowoczesnego układu zegarów, wciąż głowa obracała mu się w niewłaściwą stronę, kiedy chciał skontrolować ciąg, chłodzenie, szybkość, co tam z powłoką, no i przede wszystkim, czy siedzą na synergicznej.

Pilot, z którym porozumiewał się krzykami przez interkom, trochę jakby się stracił — to wchodzili na kurs, to wychodzili, wahnięcia naturalnie drobne, ułamkowe, ale przy przebijaniu atmosfery wystarczą, żeby zaraz jedna burta zaczęła grzać się mocniej od drugiej — w pancerzu powstają wtedy kolosalne napięcia termiczne, skutki mogą być fatalne — pocieszał się tylko nadzieją, że skoro ta kosmata skorupa wytrzymała setki startów, to wytrzyma i ten.

Wskazówka termopary doszła do końca skali: 3500 stopni jak obszył, tyle mieli na zewnątrz, i gdyby to miało trwać jeszcze dziesięć minut, wiedział, że powłoka zacznie się rozłazić — karbidki też nie są niezniszczalne. Jaki gruby był pancerz? Na to nie było żadnego wskaźnika, w każdym razie — porządnie nadpalony. Robiło mu się gorąco, ale tylko z wrażenia, bo wewnętrzny termometr stał na dwudziestu siedmiu, jak przy starcie. Byli na sześćdziesiątym kilometrze, atmosfera została praktycznie pod nimi, szybkość — 7,4 km/sek. Szli trochę równiej, ale wciąż na potrójnym niemal ciążeniu. Ta Gwiazda ruszała się jak ołowiany kloc. W żaden sposób nie można jej było uczciwie rozpędzić — nawet w próżni. Dlaczego? Pojęcia nie miał.

Pół godziny potem leżeli już na kursie Arbitra — dopiero za tym, ostatnim z pelengujących satelitów, mieli wejść na szlak ekliptyczny Ziemia–Mars. Wszyscy popodnosili się, Boman masował sobie twarz, Pirx czuł, że i jemu też obrzękły trochę wargi, zwłaszcza dolna — ludzie mieli przekrwione, nastrzykane oczy, suchy kaszel i chrypkę, ale to były normalne objawy, przechodzące zwykle bez śladu po jakiejś godzinie.

Stos pracował jako tako, ciąg wprawdzie nie spadł, ale i nie urósł, a w próżni powinien się był właściwie zwiększyć — jakoś nie chciał. Nawet prawa fizyki zdawały się obowiązywać tylko mniej więcej na Gwieździe. Mieli prawie normalne, ziemskie przyspieszenie i 11 kilometrów na sekundę. Oczekiwało ich jeszcze rozpędzenie Gwiazdy do normalnej kurierskiej, inaczej bowiem wlekliby się na Marsa miesiącami; na razie szli prosto na Arbitra.

Pirx, jak każdy nawigator, oczekiwał od niego samych tylko przykrości — to ostrzeżenia, że statek ma nieprzepisowo wielki płomień wylotowy, a to, że odbiera mu się pierwszeństwo dla przepuszczenia jakiegoś ważniejszego, a to, że wyładowania jonizacyjne w dyszach zakłócają radiowy odbiór — tymczasem nic. Arbiter przepuścił ich od razu, dogonił ich jeszcze radiogram „wysokiej próżni", Pirx odpowiedział i na tym skończyła się wymiana kosmicznych grzeczności.

Weszli na kurs bezpośredni, Pirx kazał zwiększyć ciąg, przyspieszenie wzrosło, można już było ruszać się, rozprostować kości, wstać — radiomonter, który był i kucharzem, poszedł do kambuza. Wszyscy byli przy apetytach, zwłaszcza Pirx, który nie jadł jeszcze nic, a przy starcie spocił się jak mysz, w sterowni temperatura teraz dopiero zaczęła rosnąć, bo żar z rozpalonego pancerza przenikał do wnętrza z opóźnieniem. Czuć było rzadki olej, który wyciekł z hydraulików i otoczył fotele całymi kałużami.

Jądrowiec zjechał do stosu sprawdzić, czy nie ma neutronowych przecieków, Pirx rozmawiał tymczasem z elektrykiem, przyglądając się gwiazdom. Okazało się, że mają wspólnych znajomych. Pirxowi pierwszy raz od chwili, kiedy stanął na pokładzie, poczęło robić się raźniej na duszy: jaka ta Gwiazda jest, taka jest, a 19 000 — nie w kij dmuchał. Zresztą prowadzić takiego trupa jest znacznie trudniej niż przeciętny frachtowiec, więc i honor większy, i doświadczenie się gromadzi.

Półtora miliona kilometrów za Arbitrem przeżyli pierwszy wstrząs: obiadu nie dało się jeść. Radiomonter zawiódł straszliwie. Najbardziej pieklił się felczer — okazało się, że jest chory na żołądek, przed samym startem kupił kilka kur, dał jedną monterowi — i rosół był pełen pierza. Dla reszty miały być befsztyki — można było zajmować się nimi przez resztę życia.

— Hartowane, czy co? — powiedział drugi pilot i tak dziabnął widelcem swoją porcję, że wyskoczyła z talerza.

Monter był niewrażliwy na docinki. Poradził felczerowi, żeby sobie ten rosół przecedził. Pirx czuł, że powinien wystąpić jako rozjemca, a właściwie jako zwierzchnik, ale nie wiedział, co robić. Chciało mu się śmiać.

Po obiedzie z puszki wrócił do sterowni. Kazał zrobić pilotowi kontrolny fix gwiazdowy i wpisawszy do książki okrętowej zapisy grawimetrów, spojrzał na zegary stosu. Gwizdnął cichutko. To nie był stos, ale wulkan. Miał osiemset stopni w obudowie — po czterech godzinach lotu. Chłodziwo krążyło pod maksymalnym ciśnieniem dwudziestu atmosfer. Pirx zastanowił się. Najgorsze jak gdyby już przeszli. Lądowanie na Marsie nie stanowiło problemu — ciążenie o połowę mniejsze, atmosfera rzadka. Jakoś siądą. Inna rzecz, że ze stosem trzeba coś zrobić. Poszedł do Kalkulatora i obliczył, jak długo muszą jeszcze iść obecnym ciągiem, żeby wleźć na kurierską. Przy szybkości mniejszej od 80 km/sek. wyrobiliby olbrzymie opóźnienie.

— Jeszcze siedemdziesiąt osiem godzin — odpowiedział Kalkulator.

Siedemdziesiąt osiem takich godzin musiało rozsadzić stos. Rozleciałby się jak jajko. O tym Pirx nie wątpił. Zdecydował, że wyrobią szybkość na raty — po trochu. Tyle że to skomplikuje trochę kurs, no i lecieć trzeba będzie okresami bez ciągu, więc bez grawitacji — co nie należy do przyjemności. Innej rady jednak nie było. Kazał pilotowi nie spuszczać oka z astrokompasu, a sam zjechał windą na dół, do reaktora. Idąc ciemnawym korytarzem między ładowniami, usłyszał przygłuszony łomot — jakby po żelaznych płytach szedł pancerny zastęp. Przyspieszył kroku. Naraz kot przeleciał mu czarną smugą pod nogami, a równocześnie gdzieś blisko huknęły drzwi. Zanim oświetlona zabrudzonymi lampami czeluść głównego korytarza otwarła się przed nim, wszystko ucichło. Miał przed sobą pustkę poczerniałych ścian, tylko w głębi jakaś jarzeniówka drgała jeszcze od wstrząsu, który rozchybotał ją przed chwilą.

— Terminus! — krzyknął na chybił trafił. Odpowiedziało tylko echo. Zawrócił i burtowym przejściem dostał się do przedsionka stosu. Bomana, który zjechał tu przed nim, już nie było. Wysuszone na piasek powietrze szczypało w oczy. W lejach wentylatorów buszował gorący wiatr, szum i hałas był taki, jak w parowej kotłowni. Stos, jak każdy stos, pracował bezgłośnie — wyły obciążone do ostateczności agregaty chłodzenia. Zamurowane w betonie kilometry rurociągów, którymi śmigał lodowaty płyn, wydawały przedziwne, jakby skarżące się, bełkotliwe jęki. Strzałki pomp leżały za soczewkowatymi szkłami pochylone jak jedna na prawo. Pośród zegarów jaśniał jak księżyc najważniejszy — gęstości strumienia neutronów. Wskazówka dotykała niemal czerwonej granicy — widok, który każdego inspektora SPT mógł przyprawić o udar serca.

Chropawa od cementowych łat, podobna do skały betonowa ściana zionęła martwym upałem, blachy pomostu delikatnie wibrowały, wsączając w całe jego ciało nieprzyjemne drżenie, światło lamp połyskiwało tłusto w migocących tarczach wentylatorów; jedna z sygnałowych lampek, dotąd biała, poczęła mrugać, aż zgasła i wnet zapłonął w tym miejscu czerwony sygnał. Wszedł pod pomost, gdzie mieściły się wyłączniki rozrządu, ale Boman uprzedził go już: zegarowy automat nastawiony był na rozerwanie reakcji łańcuchowej za cztery godziny. Nie ruszył go, skontrolował tylko Geigery. Cykały spokojnie. Sygnalizator wskazywał drobny przeciek — 0,3 rentgena na godzinę. Zajrzał jeszcze w ciemny kąt komory. Był pusty.

— Terminus! — krzyknął. — Hej, Terminus!

Nie było odpowiedzi. W klatkach białymi plamkami skakały niespokojnie myszy — widać kiepsko się czuły w iście podzwrotnikowej temperaturze. Wrócił na górę i zaryglował za sobą drzwi. Dreszcz przeszedł go w chłodnym powietrzu korytarza — koszulę miał mokrą od potu. Nie wiadomo po co zapuścił się w zwężające się ku tyłowi, ciemnawe korytarze rufy, aż drogę zamknął mu ślepy mur. Dotknął go dłonią. Mur był ciepły. Westchnął, zawrócił, pojechał windą na czwarty pokład do nawigacyjnej i wziął się do wykreślania kursu. Kiedy się z tym uporał, zegar wskazywał dziewiątą. Zdziwił się, bo ani spostrzegł, jak zleciał mu czas. Zgasił światło i wyszedł.

Wsiadając do windy, poczuł, że podłoga uchodzi mu miękko spod stóp. Automat wyłączył stos zgodnie z programem.

W słabo oświetlonym nocnymi lampkami korytarzu śródokręcia miarowo szumiały wentylatory. Iskry dalekich żarówek filowały w krzyżujących się prądach powietrza. Odepchnął się lekko od drzwi windy i popłynął przed siebie. Boczna sekcja korytarza była jeszcze ciemniejsza. W niebieskawym półmroku mijał drzwi kajut, do których ani dotąd nie zajrzał. Ujścia rezerwowych włazów, oznaczone rubinowymi lampkami, otwierały swe czarne leje. Ten tak płynny, że jak gdyby śniony ruch, jakim sunął, nieważki pod zaklęsłymi stropami, z wielkim, nie dotykanym stopą cieniem u stóp, wiódł go coraz dalej, aż przez uchylone drzwi wpłynął do wielkiej, nie używanej mesy. Pod nim, w smudze światła, długi stół flankowały rzędy foteli. Trwał w zawieszeniu ponad sprzętami, jak nurek zwiedzający wnętrze zatopionego okrętu. W słabo połyskujących szkłach u ściany zatańczyły odbicia lamp, rozsypały się niebieskimi płomyczkami i zgasły. Za mesą otwierało się następne, jeszcze ciemniejsze pomieszczenie. Tu nawet jego przywykłe do mroku oczy zawiodły. Po omacku dotknął końcami palców elastycznej powierzchni, nie wiedząc, czy to strop, czy podłoga. Odepchnął się lekko, wykręcił jak pływak i pomknął bezgłośnie dalej. W aksamitnej czerni bielały, promieniując własnym światłem, podługowate, szeregiem ustawione kształty. Poczuł zimno gładkiej powierzchni — to były umywalnie. Najbliższą pokrywały czarne plamy. Krew?

Wyciągnął ostrożnie rękę. To był towot.

Jeszcze jedne drzwi. Otworzył je, wisząc skośnie w powietrzu, w szarawym półmroku przefrunęły przed jego twarzą widmowym korowodem jakieś papiery, książki, i zaszeleściwszy słabo, znikły. Znów odbił się, tym razem nogami, i przez otwarte drzwi wychynął na korytarz w kłębach kurzu, który otoczył go zamiast spaść, i ciągnął za nim rudawym welonem.

Sznur nocnych świateł płonął nieruchomo. Jakby niebieska woda wypełniała pokłady. Poszybował ku wiszącej u stropu linie; pętle, gdy wypuszczał je z rąk, poczynały wężować leniwie, jakby zbudzone dotknięciem.

Podniósł głowę. Gdzieś, niedaleko, rozległo się stukanie. Ktoś uderzał młotkiem w metal. Płynął za tym dźwiękiem, to narastającym, to ginącym, aż dostrzegł wpuszczone w podłogę zardzewiałe szyny. Kiedyś wtaczano nimi lory do głównych ładowni. Leciał teraz szybko, z podmuchem powietrza na twarzy. Dźwięk kołatał głośniej. Naraz zobaczył pod stropem rurę. Wychodziła z poprzecznego korytarza. Stary, calowy przewód rurociągu. Dotknął go. Rura zadrgała. Uderzenia łączyły się w grupy, po dwa, po trzy. Nagle zrozumiał. To był alfabet Morse'a.

— Uwaga...

Trzy uderzenia.

— Uwaga...

— Uwaga...

Trzy uderzenia.

— J-e-s-t-e-m-z-a-g-r-o-d-z-i-a — dudniła rura. Odruchowo składał litery, zgłoskę po zgłosce.

— L-o-d-w-s-z-e-d-z-i-e...

Lod? — Nie zrozumiał w pierwszej chwili. — Może lód? Jaki lód? Co to znaczy? Kto...

— Z-b-i-o-r-n-i-k-p-e-k-n-i-e-t-y — odezwała się rura. Trzymał na niej dłoń. Kto to nadaje? Gdzie? Usiłował uzmysłowić sobie przebieg rurociągu. Był to nie używany przewód awaryjny, szedł z rufy, oddając odgałęzienia na wszystkich pokładach. Ktoś ćwiczy się w Morsie? Co za pomysł! Pilot?

— P-r-a-t-t-o-d-e-z-w-i-j-s-i-e-p-r-a-t-t...

Pauza.

Pirx przestał oddychać. To nazwisko trafiło go jak cios. Jakąś sekundę patrzył rozszerzonymi oczami na przewód, naraz rzucił się naprzód. To ten drugi pilot! — pomyślał, dopadł zakrętu, odepchnął się i leciał ku sterowni, nabierając szybkości, a rura dzwoniła nad nim:

— W-a-y-n-e-t-u-s-i-m-o-n...

Dźwięk oddalił się. Stracił rurę z oczu; rzucił się w bok — skręcała w poprzeczny korytarz. Z impetem odbił się od ściany i poprzez obłok kurzu wpatrzył się w zgięty kikut rury z wkręconą, zardzewiałą zaślepką. Urywała się tu. Nie szła do sterowni? Więc — więc to z rufy? Ale tam — nikogo nie ma...

— P-r-a-t-t-w-s-z-o-s-t-y-m-z-o-s-t-a-t-n-i-a — dzwoniła rura. Wisiał pod stropem, zaczepiony zgiętymi palcami o rurę, jak nietoperz, tętna waliły mu w głowie. Po krótkiej pauzie poszły dalsze uderzenia:

— B-u-t-l-a-m-a-t-r-z-y-d-z-i-e-ś-c-i-d-o-z-e-r-a...

Trzy uderzenia.

— M-o-m-s-s-e-n-o-d-e-z-w-i-j-s-i-e-m-o-m-s-s-e-n...

Pauza.

Rozejrzał się. Było zupełnie cicho, tylko żaluzja wentylatora kłapała za zakrętem w podmuchach powietrza i wymiatane stamtąd śmieci ciągnęły, wirując ospale, w górę, rzucając ponad lampami cienie na strop, jakby całymi rojami polatywały tam wielkie, niekształtne ćmy. Naraz posypały się gwałtowne uderzenia:

— P-r-a-t-t-p-r-a-t-t-p-r-a-t-t-m-o-m-s-s-e-n-n-i-e-o-d-p-o-w-i-a-d-a-m-a-t-l-e-n-w-s-i-o-d-m-y-m-c-z-y-m-o-z-e-s-z-p-r-z-e-j-s-c-o-d-b-i-o-r...

Pauza. Światło lamp było wciąż jednakowe, śmieci i kurz krążyły powolnymi obrotami. Chciał puścić rurę, ale nie mógł. Czekał. Odezwała się:

— S-i-m-o-n-d-o-m-o-m-s-s-e-n-a-p-r-a-t-t-w-s-z-o-s-t-y-m-z-a-g-r-o-d-z-i-a-z-o-s-t-a-t-n-i-a-b-u-t-l-a-m-o-m-s-s-e-n-o-d-e-z-w-i-j-s-i-e-m-o-m-s-s-e-n...

Ostatnie, ciężkie uderzenie. Rura wibrowała po nim długo. Pauza. Kilkanaście niezrozumiałych stuknięć i szybka seria:

— S-l-a-b-o-d-o-c-h-o-d-z-i-s-l-a-b-o-d-o-c-h-o-d-z-i...

Cisza.

— P-r-a-t-t-o-d-e-z-w-i-j-s-i-e-p-r-a-t-t-o-d-b-i-o-r...

Cisza.

Rura drgnęła. Jakby z bardzo daleka dochodziły oderwane stuknięcia. Trzy kreski. Trzy kropki. Trzy kreski. SOS. Każde następne uderzenie było słabsze. Jeszcze dwie kreski. I jeszcze jedna. I przeciągły, zamierający dźwięk, jakby ktoś skrobał czy drapał rurę — można go było słyszeć tylko w tej bezwzględnej ciszy.

Odepchnął się i głową naprzód poleciał wzdłuż rury, zakręcał, gdy ona zakręcała, unosił się, opadał, z podmuchem rozstępującego się powietrza na twarzy. Otwarty szyb. Pochylnia. Zwężające się ściany. Jedne, drugie, trzecie wrota ładowni. Zrobiło się ciemniej. Wiódł końcami palców po rurze, żeby jej nie zgubić, czarny, zapiekły kurz oskorupiał mu dłonie; był już poza pokładami, w pozbawionej stropów i podłóg przestrzeni, oddzielającej pancerz zewnętrzny od ładowni; między trawersami ciemniały napuchłe cielska rezerwowych zbiorników, z wysoka docierały tu pojedyncze, pełne kurzu smugi światła. W jakiejś chwili spojrzał w górę i zobaczył poprzez czarny szyb dwie ulice lamp, rude od prochu, który ciągnął się za nim wydłużonym obłokiem, jak dym niewidzialnego pożaru. Powietrze było tu zatęchłe, duszne, o woni nagrzanych blach. Szybował pośród ledwo majaczących cieni żelaznej konstrukcji, rura dzwoniła przeciągle:

— P-r-a-t-t-p-r-a-t-t-o-d-e-z-w-i-j-s-i-e-p-r-a-t-t...

Rura rozwidliła się. Zaciskał w rękach oba rozgałęzienia, żeby wyczuć, skąd biegnie dźwięk, ale nie mógł odróżnić kierunku. Na chybił trafił puścił się w lewo. Jakiś właz. Zwężający się, czarny jak smoła tunel. Na końcu — okrągłe światło. Wypadł na wolną przestrzeń. Był w przedsionku reaktora.

— T-u-w-a-y-n-e-p-r-a-t-t-n-i-e-o-d-p-o-w-i-a-d-a — dzwoniła rura, kiedy odryglował pierwsze drzwi. W twarz buchnęło mu gorące powietrze. Wszedł na pomost. Sprężarki wyły. Ciepły wiatr rozburzył mu włosy. Widział w skrócie betonową ścianę reaktora, zegary świeciły, czerwonymi kroplami drżały światła sygnałów.

— S-i-m-o-n-d-o-w-a-y-n-e-a-s-l-y-s-z-e-m-o-m-s-s-e-n-a-p-o-d-e-m-n-a — łomotała tuż przy nim rura. Wychodziła ze ściany, łukiem biegła w dół, łącząc się z głównym rurociągiem. Automat stał, rozkraczony przed jego obsadą. Walczył jak gdyby z niewidzialnym przeciwnikiem, tak błyskawiczne były wypady jego rąk. Pełnymi garściami ciskał cementowe ciasto, rozprowadzał je skośnym chlapnięciem, poprawiał, modelował, przechodził do następnego odcinka — wtedy następowała pauza. Pirx wsłuchał się w rytm jego pracy. Chodzące, jak tłoki, ramiona wybijały:

— M-o-m-s-s-e-n-r-z-u-c-p-r-z-e-w-o-d-p-r-a-t-t-t-r-a-c-i-t-l-e-n...

Terminus zastygł z uniesionymi ramionami, zawieszony naprzeciw swego na wpół ludzkiego cienia. Jego kwadratowa głowa poruszała się w lewo i w prawo. Badał następne złącze. Pochylił się. Nabrał złożoną jak szufla rękawicą cementu. Zamachnął się. Ręce wchodziły w rytm. Rura zadygotała od uderzeń:

— N-i-e-o-d-p-o-w-i-a-d-a-n-i-e-o-d-p-o-w-i-a-d-a...

Pirx przełożył nogi przez reling i spłynął w dół.

— Terminus! — krzyknął, nim jeszcze dotknął stopami podłogi.

— Słucham — odpowiedział natychmiast automat. Jego lewe oko zwróciło się ku człowiekowi; drugie chodziło dalej w orbicie, za rękami, które obrzucały rurę cementem, wybijając:

— P-r-a-t-t-o-d-e-z-w-i-j-s-i-e-p-r-a-t-t-o-d-b-i-o-r...

— Terminus! Co robisz!! — krzyknął Pirx.

— Jest przeciek. Cztery dziesiąte rentgena na godzinę. Plombuję go — odpowiedział głuchym basem automat, podczas kiedy jego ręce wybijały równocześnie:

— T-u-w-a-y-n-e-m-o-m-s-s-e-n-o-d-e-z-w-i-j-s-i-e-m-o-m-s-s-e-n...

— Terminus!!! — jeszcze raz krzyknął Pirx. Patrzył to na metalową twarz z zezującym ku niemu lewym okiem, to na miganie żelaznych rękawic.

— Słucham — tak samo monotonnie powtórzył automat.

— Co... nadajesz Morse'em?!

— Plombuję przeciek — odparł niski głos.

— S-i-m-o-n-d-o-w-a-y-n-e-a-p-o-t-t-e-r-a-p-r-a-t-t-m-a-z-e-r-o-m-o-m-s-s-e-n-n-i-e-o-d-p-o-w-i-a-d-a... — łomotało żelazo pod jego śmigającymi rękawicami. Ciężkie, cementowe ciasto rozpłaszczało się, ściekało, rękawice podrywały je w górę, przytwierdzały, dociskały do obłej powierzchni. Na jakąś sekundę zastygły uniesione, potem automat pochylił się, nabrał nową porcję metalicznego cementu i posypała się lawina gwałtownych uderzeń:

— M-o-m-s-s-e-n-m-o-m-s-s-e-n-m-o-m-s-s-e-n-o-d-e-z-w-i-j-s-i-e-m-o-m-s-s-e-n-m-o-m-s-s-e-n-m-o-m-s-s-e-n-m-o-m-s-s-e-n-m-o-m-s-s-e-n-m-o-m... — Rytm rozpędzał się oszalały, cały rurociąg trząsł się i jęczał pod gradem ciosów, było to jak nie kończący się krzyk.

— Terminus!!! Przestań!!! — Pirx rzucił się naprzód i porwał przeguby automatu, które wyśliznęły mu się, mokre od oliwy. Terminus zamarł, sprężony, słychać było tylko przeciągły skowyt pomp za betonową ścianą. Pirx miał tuż przed sobą korpus zlany oliwą, ściekającą po słupiastych nogach; cofnął się.

— Terminus... — powiedział słabo. — Co ty...

Urwał. Z przeraźliwym trzaskiem zeszły się żelazne rękawice. Ocierały się o siebie, zdzierając resztki przyschniętego cementu, które zamiast spaść, zatańczyły w powietrzu, rozchodząc się jak krąg dymu.

— Co ty... robiłeś? — powiedział Pirx.

— Plombuję przeciek. Cztery dziesiąte rentgena na godzinę. Czy mogę plombować dalej?

— Nadawałeś Morse'em. Co nadawałeś?

— Morse'em — powtórzył dokładnie tym samym tonem automat i dorzucił: — Nie rozumiem. Czy mogę plombować dalej?

— Możesz... — mruknął Pirx. Patrzył na wielkie, powoli prostujące się ręce. — Tak, możesz...

Czekał. Terminus nie widział go już. Nabrał lewą ręką cementu i cisnął go błyskawicznym ruchem. Przytwierdził — rozpłaszczył — wygładził: trzy uderzenia. Teraz prawa ręka pospieszyła ku lewej i rura zabębniła:

— P-r-a-t-t-l-e-ż-y-w-s-z-o-s-t-y-m...

— M-o-m-s-s-e-n...

— O-d-e-z-w-i-j-s-i-e-m-o-m-s-s-e-n...

— Gdzie jest Pratt?!!! — krzyknął Pirx przeraźliwie.

Terminus, którego ręce stawały się w świetle połyskliwymi smugami, odpowiedział natychmiast:

— Nie wiem.

Równocześnie wystukiwał z taką szybkością, że Pirx ledwo chwytał:

— P-r-a-t-t-n-i-e-o-d-p-o-w-i-a-d-a...

W tym momencie stało się coś zdumiewającego. Na tę serię, wybijaną prawą rękawicą, nałożyła się druga, daleko słabsza — wystukiwały ją palce lewej ręki; sygnały zmieszały się i przez kilkanaście sekund rurociąg trząsł się z hałasem podwójnego kucia, z którego wychynęła zamierająca seria:

— Z-m-n-o-w-r-e-c-e-n-i-m-o-g-j-u-z...

— Terminus... — powiedział, samymi wargami, Pirx. Cofał się ku żelaznym schodkom. Automat nie usłyszał go. Jego tors, świecący od oliwy, drgał zgodnie z rytmem pracy. Nawet nie słuchając, z samych jego błyśnięć mógł Pirx odczytać:

— M-o-m-s-s-e-n-o-d-e-z-w-i-j-s-i-e...

3

Leżał na wznak. Ciemność roiła się od błysków, powstających w jego oczach. Pratt szedł w głąb statku. Tak? Kończył mu się tlen. Tamci dwaj nie mogli mu pomóc. A Momssen? Dlaczego nie odpowiadał? Może nie żył już? Nie, Simon słyszał go. Musiał być gdzieś blisko — o ścianę. O ścianę? To by znaczyło, że pomieszczenie, w którym był Momssen, zawierało powietrze. Inaczej tamten nic by nie słyszał. Co słyszał? Kroki? Dlaczego wzywali go? Dlaczego się nie odzywał?

Rozdzielone na kropki i kreski głosy agonii. Terminus. Jak to się stało? Odnaleziono go pod stosem zwalisk, na dnie komory. Zapewne w miejscu, gdzie rurociąg wychodzi z niej na zewnątrz. Zasypany rumowiskiem, mógł słyszeć stukanie — jak długo? Zapasy tlenu są znaczne. Mogą wystarczyć na miesiące. Żywność też. A więc spoczywał tam, pod gruzami... zaraz! Nie było przecież ciążenia. Co go unieruchomiło? Chyba zimno. Automaty nie mogą poruszać się przy bardzo niskiej temperaturze. Olej ścina się w stawach. Płyn hydrauliczny zamarza i rozsadza przewody. Pozostaje tylko metalowy mózg — tylko mózg. Mógł słyszeć i utrwalać sygnały; coraz słabsze, zachowały się w elektrycznych zwojach jego pamięci, jakby to było wczoraj. A on sam o tym nie wie? Jak to może być? Nie wie, że modelują rytm jego pracy? Może kłamie? Nie — automaty nie kłamią.

Zmęczenie zalewało go jak czarna woda. Może nie należało tego słuchać? Było w tym coś ohydnego, tak przypatrywać się utrwalonej w każdym szczególe agonii, śledzić jej postępy, żeby analizować potem każdy sygnał, wołanie o tlen, krzyk. Nie wolno tego robić — jeśli nie można pomóc. Był już tak nieprzytomny, że nie wiedział, o czym myśli, ale powtarzał jeszcze wargami bez głosu, jakby sprzeciwiając się komuś:

— Nie. Nie. Nie.

Potem nie było już nic.

Zerwał się w zupełnej ciemności. Chciał usiąść na łóżku, ale przypięta kołdra nie puściła, po omacku mocował się z pasami, zrobił światło.

Silniki pracowały. Narzucił płaszcz, oceniając jednocześnie kilkakrotnym ugięciem kolan wielkość przyspieszenia. Jego ciało ważyło dobrze ponad sto kilogramów. Z półtora g? Rakieta skręcała, czuł wyraźną wibrację, szafy w ścianach potrzaskiwały przeciągle, ostrzegawczo, drzwi jednej otwarły się z gniewnym krakaniem, wszystkie nie umocowane przedmioty, ubranie, bucikі, posuwały się drobnymi ruchami w stronę rufy, jakby zjednoczone w jakimś skrytym zamiarze, który je znienacka ożywił. Podszedł do szafki interkomu, otworzył drzwiczki, w środku stał aparat, podobny do starego telefonu.

— Sterownia! — krzyknął do słuchawki. Aż skrzywił się od własnego głosu — tak bolała go głowa.

— Tu Pierwszy. Co tam?

— Poprawka kursowa, nawigatorze — odpowiedział daleki głos pilota. — Zniosło nas trochę.

— Ile?

— Sze-siedem sekund.

— Jak stos? — zapytał powoli.

— Sześćset dwadzieścia w osłonie.

— A w ładowniach?

— Burtowe po pięćdziesiąt dwa, kilowe — czterdzieści siedem, rufowe — dwadzieścia dziewięć i pięćdziesiąt pięć.

— Jakie tam było odchylenie, Munro? Ile pan powiedział?

— Siedem sekund.

— Powiedzmy — odparł Pirx i rzucił słuchawkę. Pilot, oczywiście, ołgał go. Siedmiosekundowa poprawka nie wymagałaby takich przyspieszeń. Oceniał zejście z kursu na kilka stopni. Paskudnie grzeją się te ładownie. Co jest w rufowej? Żywność? Usiadł przy biurku.

Błękitna Gwiazda Terra Mars do Kompo Ziemia. Pierwszy do armatora. Reaktor grzeje ładunek stop brak specyfikacji zagrożonego na rufie stop proszę wskazania stop nawigator Pirx koniec.

Pisał jeszcze, kiedy silniki umilkły, ciążenie znikło i od nacisku ołówka uniósł się w powietrze. Niecierpliwie odbił się od sufitu, by wylądowawszy z powrotem na fotelu, przeczytać jeszcze raz radiogram.

Po zastanowieniu się przedarł formularz i wrzucił kawałki do szuflady. Senność odeszła go na dobre, pozostał tylko ból głowy. Ubierać się nie chciał, była to, przy braku grawitacji, skomplikowana procedura, złożona z chwiejnych podskoków i szamotania się z poszczególnymi częściami garderoby, więc tak, jak stał, w płaszczu narzuconym na pidżamę, opuścił kajutę.

Błękit nocnego oświetlenia skrywał żałosny stan obić. W czterech najbliższych wnękach dyszały puste i czarne wyloty szybów wentylacyjnych, wałęsające się po kątach śmieci ściągało ku nim, niczym muł unoszony podmorskim prądem. Bezwzględna cisza wypełniała cały statek. Wsłuchany w nią, prawie nie poruszając się, zawisły przed wielkim własnym cieniem, który trwał skośnie pochylony na ścianie, przymknął oczy. Zdarzało się czasem, że ludzie zasypiali w takim zawieszeniu, ale było to niebezpieczne — byle zryw silników, uruchomionych dla manewru, mógł cisnąć bezbronnym o pokład czy strop. Nie słyszał już ani wentylatorów, ani szumu własnej krwi. Wydało mu się, że potrafiłby tę ciszę nocną statku odróżnić od każdej innej. Na ziemi czuło się ograniczenie ciszy, jej skończoność, chwilowość. Wśród księżycowych wydm człowiek niósł z sobą własne, małe milczenie, uwięzione we wnętrzu skafandra, który wyolbrzymiał każde skrzypnięcie rzemieni nośnych, każde chrupnięcie stawów, tętno, nawet oddech — tylko statek nocą zatracał się w czarnym, lodowym milczeniu.

Podniósł zegarek do oczu; dochodziła trzecia.

Jeżeli tak dalej pójdzie, wykończę się — pomyślał. Odbił się od wypukłej ścianki działowej i niczym gaszący szybkość ptak wylądował z rozpostartymi rękami na progu kajuty. Z daleka, jakby z żelaznych podziemi, dobiegł go ledwo słyszalny dźwięk.

— Bang — bang — bang.

Trzy uderzenia.

Z przekleństwem zatrzasnął drzwi, zdjął płaszcz i nie troszcząc się oń, cisnął go w powietrze; płaszcz wydął się powoli niczym groteskowe widmo, jął płynąć w górę. Zgasił światło, położył się i okrył głowę poduszką.

— Wariat! Przeklęty żelazny wariat!!! — powtarzał z zaciśniętymi powiekami, drżąc z niezrozumiałej dla samego siebie wściekłości. Zmęczenie wzięło szybko górę: ani wiedział, kiedy znów zasnął.

Otworzył oczy przed siódmą. Półprzytomny jeszcze, podniósł rękę — nie opadła. Ciążenia nie było. Ubrał się i wyszedł. Zmierzając do sterowni, mimo woli nasłuchiwał. Było cicho. Przed drzwiami zatrzymał się. Na matowych szybach leżały zielonkawe, jakby podwodne, refleksy radarowych ekranów. W środku panował półmrok. Pilot, na wpół leżąc w swoim fotelu, palił papierosa. Płaskie smugi dymu pływały przed ekranami, zapalając się od ich odblasku. Słychać było nikłe pobrzękiwanie jakiejś ziemskiej muzyczki, przerywane kosmicznymi trzaskami.

Pirx usiadł z tyłu za pilotem; nie chciało mu się nawet sprawdzić zapisów grawimetrycznych.

— Kiedy ciąg? — spytał. Pilot był domyślny.

— O ósmej. Ale jeżeli pan się chce wykąpać, nawigatorze, mogę dać zaraz — to żadna różnica.

— E, nie. Niech już będzie porządek — mruknął Pirx.

Zapadło milczenie, tylko głośnik bzykał powtarzającym się w kółko, mechanicznym motywem melodii. Pirxa jął znowu morzyć sen. Ocknął się kilka razy, znowu zapadał w drzemkę, z ciemności występowały wielkie, zielone ślepia kotów, mrugał powiekami, zamieniały się w oświetlone zegary — balansował tak na granicy jawy i snu, wtem głośnik trzasnął i odezwał się:

— Tu mówi Dejmos. Jest godzina siódma trzydzieści. Nadajemy codzienny komunikat meteorytowy dla strefy wewnętrznej. Pod wpływem pola grawitacyjnego Marsa powstało w roju Drakonidów, który opuścił już strefę Pasa, zawichrzenie brzeżne. W dniu dzisiejszym będzie ono przechodzić przez sektory 83, 84 i 87. Stacja meteorytowa Marsa szacuje rozmiary chmury na 400 tysięcy kilometrów sześciennych. W związku z tym ogłasza się sektory 83, 84 i 87 za zamknięte dla żeglugi aż do odwołania. Obecnie podamy skład chmury, przekazany bezpośrednio przez sondy balistyczne Fobosa. Według otrzymanego ostatnio doniesienia chmurę tworzą mikrometeoryty klasy X, XY, Z...

— Dobrze, że to nie dla nas — zauważył pilot — dopiero co zjadłem śniadanie, nie posłużyłoby mi, jakby tak przyszło dać wszystko w dysze!

— Ile robimy? — spytał Pirx. Wstał.

— Ponad pięćdziesiąt.

— Tak? Nie najgorzej — mruknął Pirx. Sprawdził kurs, zapisy uranografów, wielkość przecieku — utrzymywał się na jednakowym poziomie — i poszedł do mesy. Byli tam już obaj oficerowie. Pirx czekał, czy któryś nie wspomni o nocnych hałasach, ale rozmowa obracała się cały czas wokół loteryjnego ciągnienia — niecierpliwie wyczekiwał go Sims i z tej racji opowiadał o kolegach i znajomych, którym udało się wygrać.

Po śniadaniu Pirx udał się do nawigacyjnej nakreślić przebyty odcinek drogi. W pewnej chwili wbił cyrkle w rysownicę, wyszarpnął szufladę, dobył z niej książkę okrętową i poszukał składu ostatniej załogi KORIOLANA.

Oficerowie: Pratt i Wayne, piloci: Nolan i Potter, mechanik: Simon...

Wpatrywał się uporczywie w zamaszyste pismo dowódcy. Na koniec wrzucił książkę do szuflady, dokończył kreślenia i z rulonem kalki pojechał do sterowni. W pół godziny obliczył dokładny czas przybycia na Marsa. Wracając, zajrzał przez szybę w drzwiach do mesy. Oficerowie grali w szachy, felczer siedział przed telewizorem z elektryczną grzałką na brzuchu. Pirx zamknął się w kajucie i przejrzał radiogramy, które wziął od pilota. Ani się obejrzał, jak zmorzył go sen. Kilka razy w drzemce zdawało mu się, że silniki zaczynały ciągnąć, i usiłował się obudzić z takim skutkiem, że śnił, jak wstaje, idzie do sterowni, znajduje ją pustą i w poszukiwaniu kogokolwiek z załogi poczyna błądzić w ciemnym jak smoła labiryncie rufowych korytarzy. Ocknął się przy biurku, mokry od potu, zły, bo przeczuwał już, jaką będzie miał noc po tylu przespanych za dnia godzinach. Kiedy pod wieczór pilot włączył silniki, skorzystał z tego i wziął gorącą kąpiel. Odświeżony, poszedł do mesy, wypił przygotowaną kawę i spytał przez telefon wachtowego o temperaturę reaktora. Podpełzała pod tysiąc, ale jakoś nie mogła przekroczyć krytycznej. Około dziesiątej wezwała go sterownia — mijali jakiś statek, który wywołał ich, pytając o lekarza. Pirx, dowiedziawszy się, że chodzi o ostry atak ślepej kiszki na pokładzie, wolał nie polecać swego felczera, tym bardziej że w odległości ledwo trzech milionów kilometrów szedł wielki pasażerski, który ogłosił gotowość zastopowania i przerzucenia lekarzy.

I tak leniwie, bez przygód, upłynął cały dzień. O jedenastej białe światło zmieniło na wszystkich pokładach, z wyjątkiem sterowni i komory stosu, mżenie błękitnawych lampek nocnych. W mesie świeciła jeszcze niemal do północy mała lampa nad szachownicą. Siedział tam Sims. Grał sam przeciw sobie. Pirx poszedł jeszcze sprawdzić temperaturę w dennych ładowniach i spotkał po drodze wracającego ze stosu Bomana. Inżynier był raczej dobrej myśli — przeciek nie wzrastał, a chłodzenie działało wcale sprawnie.

Inżynier pożegnał się i odszedł, zostawiwszy Pirxa w pustym, chłodnym korytarzu. Słaby wiew ciągnął w górę statku, resztki zakurzonych pajęczyn, osnuwających wyloty wentylacyjne, trzepotały bezgłośnie.

Pirx chodził jakiś czas wysokim jak nawa kościelna przejściem między głównymi ładowniami, aż kilka minut po północy silniki zamilkły.

Z różnych stron statku dobiegła go seria zmieszanych ostrych i stłumionych, coraz dalszych i słabszych odgłosów — to nie przymocowane przedmioty, poruszając się z nadanym przyspieszeniem, uderzały o ściany, stropy, podłogi; echo tych ruchów, które na moment wypełniły nagle jakby ożywający statek, drżało chwilę w powietrzu, aż zgasło i znowu była cisza, podkreślona miarowym szumem wentylatorów.

Pirx przypomniał sobie, że szuflada biurka w nawigacyjnym jest spaczona, i w poszukiwaniu stolarskiego dłuta zeszedł długim, wąskim jak kiszka korytarzem między lewoburtową ładownią a tunelem kablowym do rupieciarni, najbardziej chyba zakurzonego miejsca statku; na dodatek kurz, w którym brodził wyżej głowy, nie opadał, tak że na pół uduszony ledwo trafił po omacku w wyjściowe drzwi.

Był już blisko śródokręcia, kiedy w korytarzu odezwały się kroki. Wobec braku ciążenia iść mógł tylko automat. W samej rzeczy donośnym stąpnięciom towarzyszył trzask przywierających do podłogi magnetycznych ssawek. Pirx zaczekał, aż w przejściu ukazała się czarna na tle dalekich świateł sylweta. Terminus szedł, chwiejąc się niepewnie, z wielkimi wymachami ramion.

— Hej, Terminus — odezwał się, wychodząc z cienia.

— Słucham.

Ciężka postać zatrzymała się; korpus poszedł bezwładnością do przodu i powoli odzyskał pion.

— Co tu robisz?

— Myszy — odpowiedział głos zza piersiowej tarczy, potęgując wrażenie, że z wnętrza pierściennej zbroi przemawia zachrypnięty karzeł. — Myszy mają niespokojny sen. Budzą się. Biegają. Są spragnione. Jeżeli są spragnione, trzeba im dać wody. Myszy dużo piją, jeżeli wysoka temperatura.

— A co ty robisz? — zagadnął Pirx.

Automat zakołysał się.

— Wysoka temperatura. Chodzę. Wciąż chodzę, jeżeli wysoka temperatura. Wody myszom. Jeżeli wypiją i usną, dobrze. Niejednokrotnie wydarzały się pomyłki na skutek wysokiej temperatury. Czuwam. Wychodzę, wracam do reaktora. Wody myszom...

— Niesiesz wodę myszom? — spytał Pirx.
— Tak. Terminus.
— Gdzie masz tę wodę?
Automat powtórzył jeszcze dwa razy „wysoka temperatura" i z łudzącym wrażeniem, że działa w nim ukryty człowiek — bo wykonał obu rękami gest zaskoczenia, szybki i nieporadny zarazem, podnosząc je kolejno do oczu, których obiektywy poruszyły się w oczodołowej oprawie, skierowane na wnętrze metalowych dłoni — powiedział:
— Nie ma wody. Terminus.
— Więc gdzie jest ta woda? — nalegał Pirx. Spod przymrużonych powiek obserwował górującego nad nim o głowę robota, który wydał kilka niezrozumiałych odgłosów i nieoczekiwanie wyrzekł basem:
— Za... pomniałem.
Pirx stracił się — tak bezbronnie to zabrzmiało. Przez dobrą chwilę mierzył chwiejący się lekko korpus.
— Zapomniałeś, co? Idź do reaktora. Wracaj. Słyszysz?!
— Słucham.
Terminus zachrzęścił, wykonał zwrot na miejscu i jął oddalać się tym samym, nadmiernie sztywnym i przez to jakby starczym krokiem. Malał w perspektywie korytarza. Na jednym z ostatnich progów potknął się, zawiosłował ciężko barami, chwycił równowagę i znikł w poprzecznym przejściu. Jakąś chwilę ściany powtarzały echo jego marszu. Pirx zaczął wracać do siebie, naraz rozmyślił się, i płynąc bezszelestnie nad podłogą, dotarł do szóstego wentylacyjnego. Poruszanie się szybami, nawet przy wyłączonych silnikach, było zabronione, ale zlekceważył zakaz. Odepchnął się silnie od relingów i w dziesięć sekund przeszybował odległość siedmiu pięter, dzielącą śródokręcie od rufy. Nie wszedł do komory stosu. W połowie wysokości ściany widniała podłużna zasuwa. Podpłynął ku niej, odryglował wąskie drzwiczki i odsunął je. Za drzwiczkami znajdowało się wpasowane w stal, prostokątne okienko z ołowiowego szkła, stanowiące tylną ścianę klatek z myszami. Dzięki temu można je było obserwować, nie wchodząc do komory. Zobaczył, tuż za szkłem, zanieczyszczone, puste dna klatek, a dalej, poprzez druciane siatki, w głębi komory, oświetlone z wysoka lampą, błyszczącą reflektorami, zlane wodą plecy robota, który wisiał niemal poziomo w powietrzu, ospale poruszając rękami. Całą jego zbroję

oblazły białe myszki; biegając truchcikiem po blachach naramienników, piersiowych tarcz, skupiając się tam, gdzie w zaklęsłościach rozczłonkowanego brzucha nagromadziła się grubymi kroplami woda, zlizywały ją, podskakiwały, polatywały w powietrzu, a Terminus łowił je, przemykały mu między żelaznymi palcami, ich ogonki zwijały się w esy-floresy — obraz był tak osobliwy, tak komiczny, że Pirxowi zachciało się śmiać. Terminus wtykał tymczasem schwytane myszy do klatek, jego metalowa twarz niebezpiecznie zbliżyła się do oczu Pirxa, ale najwidoczniej nie dostrzegł go. Jeszcze dwie, trzy myszki polatywały w powietrzu. Terminus uporał się i z nimi, zamknął klatkę i znikł Pirxowi z oczu — tylko jego nadludzki cień, oparty o mufę głównego rurociągu, rozwianym krzyżem położył się na betonie reaktora.

Pirx zasunął cicho drzwiczki, wrócił do kajuty, rozebrał się i położył, ale nie mógł usnąć. Jakiś czas czytał pamiętniki astrogatora Irvinga, ale oczy piekły go, jak zasypane piaskiem, głowa ciążyła, zarazem jednak trzeźwy był jak pieprz. Pomyślał z rozpaczą o ilości godzin, dzielących go od dnia, i narzuciwszy płaszcz, wyszedł.

Na skrzyżowaniu głównego korytarza z burtowym dobiegło go z wentylacyjnego szybu stąpanie. Przybliżył głowę do kraty otworu. Odgłos, zniekształcony echem żelaznej studni, płynął z dołu. Odepchnął się od kraty, szybując chwilę nogami naprzód, i najbliższym pionowym przejściem dostał się na poziom rufy. Kroki rozbrzmiały głośniej, zamarły, nasłuchiwał — odezwały się z nową siłą. Automat wracał. Pirx oczekiwał go pod samym stropem wysokiego w tym miejscu korytarza. W głębi pokładu zgrzytały powłóczone podeszwy. Dźwięk zgasł. Tracił już cierpliwość, gdy stąpanie ponowiło się, z przejścia wychynął długi cień i w ślad za nim ukazał się Terminus. Przeszedł pod Pirxem tak blisko, że słychać było bicie jego hydraulicznego serca. Kilkanaście kroków dalej przystanął i wydał przeciągły syk. Potem chybnął się parę razy w prawo i w lewo, jakby kłaniał się żelaznym ścianom, i ruszył przed siebie. U ciemnego wejścia w boczny korytarz znowu stanął. Zajrzał tam. Przeciągłe syczenie powtórzyło się. Pirx ledwo dotykając końcami palców stropu, popłynął za ciężką postacią.

— Kcsss... kcssss... — dochodziło go coraz wyraźniej. Terminus jeszcze raz przystanął przed następnym szybem wentylacyjnym, usiłował wsadzić głowę przez kraty, ale nie udało mu się; zasyczał, wyprostował się wolno i pokuśtykał dalej. Pirx miał tego dość.

— Terminus!! — krzyknął. Automat, który właśnie się pochylał, zastygł w pół ruchu.

— Słucham — odpowiedział.

— Co znowu tu robisz?

Patrzył w spłaszczoną metalową maskę, chociaż nie była twarzą — i nie mogła nic zdradzić.

— Szukam... — odezwał się Terminus. — Szukam... kota.

— Co?

Terminus jął się prostować. Rósł w górę, z bezwładnie zwisającymi ramionami, jakby o nich zapomniał, a przez to, że w słabym poskrzypywaniu stawów robił to tak wolno, ruch ten miał w sobie coś grożącego.

— Szukam kota — powtórzył.

— Po co?!

Terminus milczał chwilę, zastygły w posąg z metalu.

— Nie wiem — powiedział cicho i Pirx zmieszał się. Przez swój martwy spokój, w słabym blasku lamp, z pordzewiałymi szynami torowiska u zamkniętych wrót, korytarz wyglądał jak sztolnia opuszczonej kopalni.

— Dosyć tego — odezwał się wreszcie. — Wracaj do reaktora i nie wychodź stamtąd, słyszysz?!

— Słucham.

Terminus odwrócił się i odszedł. Pirx został sam. Prąd powietrza unosił go, zawisłego między stropem i podłogą, milimetr po milimetrze, w stronę otwartej paszczy wentylatora. Odbił się stopą od ścian, skręcił ku windzie i poszybował w górę, mijając po drodze czarne ziewy szybów, w których, jak chód olbrzymiego zegara, dudniły coraz słabsze i dalsze kroki automatu.

4

W ciągu następnych dni pochłonęła Pirxa matematyka. Za każdym nowym włączeniem stos grzał się coraz bardziej, zarazem jego wydajność malała. Boman przypuszczał, że neutronowe lustra są bliskie ruiny. Świadczył o tym wzrastający wolno, lecz nieubłaganie przeciek radioaktywny. Skomplikowanym rachunkiem starał się wydozować czasy napędu i chłodzenia, podczas przestojów reaktora przerzucał cyrkulację mrożącego płynu z burtowych ładowni w głąb rufowych, gdzie panowała iście tropikalna temperatura. To lawirowanie między sprzecznymi wielkościami wymagało cierpliwości — przesiadywał przy Kalkulatorze, szukając metodą prób i błędów najlepszego rozwiązania. W rezultacie przebyli czterdzieści trzy miliony kilometrów ze znikomym opóźnieniem. W piątym dniu podróży osiągnęli, na przekór pesymistycznym przewidywaniom Bomana, wymagany pułap szybkości. Wyłączając reaktor, który miał stygnąć aż do lądowania, Pirx odetchnął skrycie. Jedną z osobliwości dowodzenia starym frachtowcem było to, że widywał gwiazdy daleko rzadziej aniżeli na Ziemi. Nie był ich zresztą ciekaw — nawet czerwonej jak miedziak tarczki Marsa; wystarczyły mu kursowe wykresy.

Późnym wieczorem ostatniego dnia podróży, kiedy przerywana z rzadka błękitnymi lampkami ciemność powiększyła jak gdyby pokłady, przypomniał sobie o ładowniach. Dotychczas nawet do nich nie zajrzał.

Opuścił mesę, w której Sims grał, jak co dzień, w szachy z Bomanem, i zjechał windą na rufę. Od ostatniego spotkania nie widział ani nie słyszał Terminusa. Zauważył tylko, że kot przepadł gdzieś tak gruntownie, jakby go w ogóle nie było na statku.

Ledwo oświetlone śródokręcie oddychało szelestem płynącego bez końca powietrza. Gdy otworzył drzwi, w hali zapaliły się pod grubą warstwą kurzu lampy. Przemierzył ładownię z jednego końca w drugi. Sterty skrzyń, sięgające niemal stropu, rozdzielało wąskie przejście. Sprawdzał napięcie stalowych taśm, zakotwiczonych w podłodze, którymi ściągnięta była każda piramida ładunku, a wywołany otwarciem drzwi przeciąg wysysał z ciemnych kątów kłęby trocin, śmieci, pakuły falujące słabo, niby kożuch rzęsy na wodzie.

Był już na korytarzu, kiedy usłyszał miarowe, powolne dźwięki.

— Uwaga...

Trzy uderzenia.

Dryfował chwilę w prądzie powietrza, który unosił go coraz wyżej. Czy chciał, czy nie chciał — musiał słuchać. Rozmawiało ich dwóch. Sygnały były słabe — jakby oszczędzali się, miarkując siłę uderzeń. Przychodziły raz wolniej, raz szybciej, jeden mylił się często, jakby zapomniał alfabetu Morse'a. Czasem milczeli dłuższy czas, czasem zaczynali nadawać równocześnie. Czarny korytarz z rozrzuconymi rzadko lampami zdawał się nie mieć końca, jakby szumiący w nim wiatr pochodził z bezgranicznej pustki.

— S-i-m-o-n-s-l-y-s-z-y-s-z-g-o — powoli, nieregularnie stukało w rurze.

— N-i-e-s-l-y-s-z-e — n-i-e-s-l-y-s-z-e...

Z pasją odepchnął się od ściany i skulony, z podkurczonymi nogami, jak kamień pomknął w dół korytarzami coraz gorzej oświetlonymi; zbliżanie się rufy poznawał po rosnącej ilości delikatnego rudawego pyłu wokół lamp. Ciężkie drzwi stosu były nie domknięte. Zajrzał do środka.

W komorze było chłodno. Sprężarki, odstawione na noc, milczały, czasem tylko dziwnym, prawie ludzkim głosem zabełkotał ukryty w betonowym murze rurociąg, kiedy bańki gazu torowały sobie drogę przez gęstniejący płyn.

Terminus, ochlapany cementem, pracował. Nad jego poruszającą się wahadłowo czaszką furczał zawzięcie wentylator. Pirx, nie dotykając stopni schodów, zsunął się nad nimi z ręką na poręczy. Żelazne rękawice podźwiękiwały słabo, ich ciosy tłumiła warstwa świeżo narzuconego cementu.

— N-i-e-s-l-y-s-z-e... o-d-b-i-o-r...

Czy sprawiał to przypadek, czy też nakaz spowolnienia uderzeń płynął z tego samego źródła, które wysyłało znaki Morse'a, dość że rura odzywała się wciąż słabiej. Pirx stał tuż przy automacie. Rozczłonkowane segmenty jego brzucha, zachodzące na siebie, gdy się pochylał, przypominały karbowany odwłok owada. W szklanych oczach chwiały się miniaturowe odbicia lamp. Wpatrzony w nie Pirx poczuł, że jest w tej pustej komorze o stromych ścianach sam. Terminus nie wiedział, co robi, był maszyną, przekazującą utrwalone serie dźwięków, niczym więcej. Uderzenia wciąż słabły.

— S-i-m-o-n-o-d-e-z-w-i-j-s-i-e — chwytał z wysiłkiem. Rytm rozpadał się. Dotknął rury jakieś pół metra nad zgiętym torsem pracującego automatu — kiedy poprawiał chwyt, kostki palców stuknęły o żelazo i nadawana właśnie seria urwała się na mgnienie. Przeszyty nagłym impulsem, nim zdążył pomyśleć, jak szalona jest chęć wtrącenia się do rozmowy sprzed lat, począł szybko wybijać:

— C-z-e-m-u-m-o-m-s-s-e-n-n-i-e-o-d-p-o-w-i-a-d-a... o-d-b-i-o-r...

Niemal w tej samej chwili, gdy uderzył pierwszy raz w rurę, stuknął w nią Terminus. Oba dźwięki zbiegły się, rękawica automatu zamarła, jakby usłyszawszy go, i kiedy skończył, po kilku sekundach zaczęła wtłaczać cement w szpary złącza. Rura zadźwięczała:

— B-o-m-a-p-r-a...

Pauza. Terminus schylił się, by zaczerpnąć cementowego ciasta. Czy to był początek odpowiedzi? Pirx czekał bez tchu. Automat prostował się, ciskając gwałtownie cement, i rurą poszły przyspieszające uderzenia:

— S-i-m-o-n-c-z-y-t-o-t-y...

— T-u-s-i-m-o-n-n-i-e-j-a... k-t-o-m-o-w-i-l... k-t-o-m-o-w-i-l...

Wcisnął głowę w ramiona; uderzenia leciały jak grad:

— K-t-o-m-o-w-i-l-o-d-e-z-w-i-j-s-i-e-k-t-o-m-o-w... k-t-o-m-o-w-i-l... k-t-o-m-o-w-i-l-k-t-o-m-o-w-i-l-t-u-s-i-m-o-n-t-u-w-a-y-n-e-o-d-e-z-w-i-j-s-i-e...

— Terminus! — krzyknął. — Przestań! Przestań!

Dudnienie ustało. Terminus prostował się, a jego naramienniki, barki, rękawice podrygiwały, cały korpus drgał żelazną czkawką, i z tych spazmatycznych wstrząsów Pirx odczytywał dalej:

— K-t-o-m-o-w-i... k-t-o... k-t-o...

— Przestań!!! — krzyknął raz jeszcze. Widział go z boku; ciężkie plecy przeszywał dreszcz, i refleks światła, odbitego od pancerza, powtarzał:

— K-t-o...

Jak gdyby wyczerpany burzą, która przez niego przeszła, automat drętwiał. Unosząc się nad podłogą, zawadził z przeciągłym zgrzytnięciem o poziomą gałąź rurociągu i zawisł przy niej, jakby schwytany, w martwym spokoju, ale wpatrzywszy się weń, Pirx dostrzegł milimetrowe drganie bezwładnie opuszczonej ręki.

— K-t-o...

Nie wiedział, jak znalazł się na korytarzu. Wentylatory szumiały. Płynął przed siebie, pod idący z górnych pokładów chłodny, suchy wiatr, światła lamp oświetlającymi kręgami przesuwały mu się po twarzy.

Drzwi kajuty były nie domknięte. Na biurku paliła się lampa, płaskie kliny światła docierały dołem do ścian; strop był ciemny.

Kto to był? Kto go tak wołał? Simon? Wayne? Ależ ich nie było! Nie żyli od dziewiętnastu lat!

Więc kto to był — Terminus? Ależ on uszczelniał tylko rurociągi.

Wiedział dobrze, co usłyszy, jeśli spróbuje go badać — gadaninę o rentgenach, przecieku i plombach. Nie podejrzewa nawet, że odgłos jego pracy układa się w widmowy rytm.

Jedno jest pewne: ten zapis — jeśli to zapis — nie jest martwy. Kimkolwiek są ci ludzie — te głosy, te uderzenia — można z nimi mówić. Jeśli się tylko ma odwagę...

Odepchnął się od stropu i przepłynął chwiejnie do przeciwległej ściany. Do diabła! Chciało mu się chodzić, chodzić gwałtownymi krokami, mieć ciężar, uderzyć z całej siły pięścią w stół! Ten, pozornie tak wygodny stan, w którym przedmioty i własne ciało zmieniały się w niematerialne cienie, był jak koszmar. Wszystko, czego się tknął, usuwało się, odpływało, niepewne, pozbawione oparcia, stawało się wydętą pustką, pozorem, snem...

Snem?

Zaraz. Kiedy śni mi się ktoś i zadaję mu pytanie, nie znam odpowiedzi, dopóki nie padnie z jego ust, a przecież ten śniony człowiek nie istnieje poza moim mózgiem i jest tylko czasowo wyodrębnioną jego częścią. Każdy rozszczepia się tak niemal co dzień, a właściwie co noc — dając początek chwilowym, na użytek jednego majaku powstałym pseudoosobowościom. Mogą to być istoty wymyślone — albo wzięte z jawy. Czy nie śnią nam się nieraz umarli? Czy nie prowadzimy z nimi rozmów?

Umarli.

Czyżby Terminus...

W swoim na pół świadomym krążeniu po kajucie, przepływając od jednej ściany do drugiej, odtrącany od twardych płaszczyzn, dotarł do drzwi i chwycił się ich. Widział ciemny wycinek korytarza z padającą w tę ciemność smugą światła.

Wrócić tam?

Wrócić i — pytać?

Jest to jakieś zjawisko fizykalne — bardziej skomplikowane od zwykłego zapisu; automat nie jest, w końcu, urządzeniem do utrwalania dźwięków. Powstał w nim zapis, obdarzony pewną autonomicznością, zmiennością, któremu — jakkolwiek brzmi to dziwnie — można stawiać pytania i dowiedzieć się wszystkiego. Poznać losy Simona, Nolana, Pottera i to niezrozumiałe, przerażające — milczenie dowódcy.

Czy można wyobrazić sobie jakieś inne wytłumaczenie?

Chyba nie.

Był tego pewien, a jednak nie ruszał się z miejsca, jakby na coś czekał.

Koniec końców, nie ma w tym nic oprócz obiegu prądów wewnątrz żelaznego pudła. Nikogo żywego, żadnej istoty, ginącej w ciemności strzaskanego statku. Na pewno nic!

Wystukiwać, pod szklanymi oczami Terminusa, pytania? Ależ oni, zamiast wziąć się do składnego opowiadania swojej historii, zaczną krzyczeć do niego, wołać o tlen, o ratunek! Co odpowiedzieć? Że nie istnieją? Że są tylko „pseudoosobowościami", wyizolowanymi wyspami elektrycznego mózgu, jego majaczeniem, jego czkawką? Że ich strach jest tylko imitacją strachu, a ich agonia, powtarzana każdej nocy, znaczy tyle, co zdarta płyta? Pamiętał jeszcze wywołany swym pytaniem gwałtowny zryw uderzeń, ten krzyk, którym, pełni zdumienia i zbudzonej nieoczekiwanie nadziei, przyzywali go, to powtarzające się bez końca, natarczywe, pospieszne błaganie: „Odezwij się! Kto mówi? Odezwij się!!!"

Miał jeszcze w uszach, czuł w końcach palców rozpacz i furię tych uderzeń.

Nie istnieli? A więc kto go wzywał — kto wołał pomocy? I co z tego, gdyby fachowcy powiedzieli, że za tym krzykiem nie ma nic oprócz wirowania ładunków i drżenia zbudzonych rezonansem blach? Usiadł przy biurku. Wysunął szufladę. Przydusił gniewnie wstające z szelestem papiery, odnalazł ten, którego szukał, rozpostarł go przed sobą i wygładził starannie, by nie fruwał w oddechu. Wpisywał kolejno w drukowane rubryki:

MODEL: *AST — Pm — 105/0044*

TYP: *Uniwersalny Naprawczy*

NAZWA: *Terminus*

RODZAJ USZKODZENIA: *Rozpad funkcji*

WNIOSKI... Zawahał się. Przybliżał pióro do papieru i cofał je. Myślał o niewinności maszyn, które człowiek obdarzył zdolnością myślenia i uczynił je przez to uczestnikami swych szaleństw. O tym, że mit Golema, maszyny zbuntowanej i powstającej przeciw człowiekowi, jest kłamstwem, wymyślonym po to, żeby ci, co niosą za wszystko odpowiedzialność, mogli ją z siebie zrzucić.

WNIOSKI: *Zdać na złom.*

I u dołu karty podpisał się z nieruchomą twarzą:

Pierwszy nawigator Pirx.

Posłowie
Top Fifteen

Piętnaście najwybitniejszych opowiadań Lema: *Top Fifteen, The Best of Lem* — nie da się ukryć, że to Amerykanie najlepiej umieją nazywać tomy takie jak ten, który Państwo trzymają w ręku! To w amerykańskiej cywilizacji, nastawionej na sukces artysty w masowym społeczeństwie, powstało szaleństwo rankingów, plebiscytów, list książek, płyt, filmów, które najlepiej się sprzedają, a tym samym dostarczają producentom największych dochodów. Pięknoduch skrzywi się z pogardą na uleganie „gustom mydlarza", ale w tych klasyfikacjach kryje się przecie coś naprawdę ważnego.

Więc oto fabuły, które niegdyś powstawały w zaciszu paru kolejnych krakowskich domostw pisarza, oderwały się od autora i stały się własnością czytelników. To oni nadają im teraz żywotność, oni decydują, którym historiom nadal i po wielokroć oddawać swój czas, emocje, wyobraźnię i pieniądze. Także i krytyk musi się teraz przyznać: oceny i interpretacje furda — ważne jest osobiste przeżycie, prywatna przygoda z tekstem, która ma swój kalendarz, swoje życiowe konteksty, która wlecze za sobą jakieś sobie tylko właściwe skojarzenia. Dlaczego moim wspomnieniom z wczesnych lektur Lema towarzyszy gdzieś w tle dźwięk saksofonów Gerry Mulligana i Charlie Parkera? Oczywiście dlatego, że wtedy właśnie ich słuchałem, czytając, i muzyka ta weszła w skład nastroju, budowanego przez teksty. A ważność „tego, co najpierw"? Z opowiadań Lema najpierw czytałem tom *Inwazja z Aldebarana* i stamtąd przychodzi do mnie niezwykła atmosfera otwierającej zbiór *Inwazji*, a może bardziej jeszcze — pełen grozy nastrój *Ciemności i pleśni*. Ta groza odbija się zresztą w innej, wcześniejszej — gdy jako sześciolatek natknąłem się w „Przekroju" na drukowany tam w odcinkach *Obłok Magellana* — z obrazem mrocznego, pełnego zwłok astronautów wnętrza sztucznego księżyca Atlantydów. Lem wchodził więc w moje doświadczenia najpierw od strony niesamowitości, fantastyki grozy, a potem dopiero objawił mi się jako mistrz literackich gier, filozof czy humorysta.

Czemu te zwierzenia służą? Ano temu, by do Lema-klasyka, zobiektywizowanego i zmarmurzonego na cokole mędrca i fantasty wszechczasów, dodać setki i tysiące Lemów prywatnych, układających się w rytm osobistych przeżyć lekturowych. A do tego jeszcze — nie zapomnijmy! — istnieje także Lem taki, jakim go sobie sam pisarz wyobraża, bo przecie i on jest czytelnikiem swoich własnych utworów, jedne z nich lubi bardziej, inne mniej, a każdy wchodzi w jego własny z kolei ciąg skojarzeń i przypomnień. Z czego więc ulepiona ta wspaniała piętnastka? Z tysięcy poszczególnych, prywatnych spotkań z literaturą, którym tylko nieuleczalny snob i mędrek odmówiłby wagi. Sam autor *Filozofii przypadku* twierdził wszak, że sens literackich utworów ustala się w długich procesach czytelniczego odbioru. „Piętnastka" mówi nam zatem wiele o preferencjach odbiorców, choć powstawała inaczej nieco niż rankingi płyt, w których głosowania odbywają się tylko za pośrednictwem portfeli. Wydawnictwo mnie najpierw poprosiło o listę najulubieńszych opowieści, potem do niej doszła lista czytelniczego plebiscytu — na koniec dopiero sam pisarz skreślił niezbyt lubiane przezeń teksty, a dopisał własnych faworytów. Efekt jest więc owocem kompromisu, choć czytelnicy mieli w nim bardzo wiele do powiedzenia, a przynajmniej kolejność zamieszczonych w tomie utworów odpowiada ich kolejności na rankingowej liście. Nie znaczy to, że ostatecznie autorowi nie przysługiwało prawo skreślania. Dlatego spotkać się mogły w spisie treści pierwsza i ostatnia w rankingu opowieści: ta najpopularniejsza, *Sexplosion*, i *Terminus* — przez odbiorców nie wiedzieć czemu najmniej ceniony, lubiany jednak przez autora.

Rzut oka na wyniki rankingu przynosi ciekawe wnioski. Otóż w głosowaniu zwyciężyły dosyć wyrafinowane w literackim pomyśle fikcyjne recenzje z *Doskonałej próżni* i kosmiczna baśń otwierająca *Bajki robotów*. Również wysoko, bo na piątej pozycji, znalazła się trudna i filozoficzna *Podróż dwudziesta pierwsza* z *Dzienników gwiazdowych*, dopiero na dziewiątym miejscu wylądował zaś *Test* — pierwsza z popularnych *Opowieści o pilocie Pirxie*, by zresztą paść zaraz ofiarą bezlitosnego ołówka autora. Cóż by to miało znaczyć? Chyba tyle, że przeciętni czytelnicy Lema — ci przynajmniej, którzy mają dostęp do Internetu — cenią dziś sobie bardziej teksty wymagające ćwiczenia myśli, a mniej — sensacyjne fabuły. Są też powody do zdziwień: zaskakująco wysoko wylądowały na liście wczesne opowiadania *Doktor Diagoras* (4) i *Szczur w labiryncie* (6), które w tomie jednak się nie znalazły, zdumiewająco nisko oceniono z kolei *Maskę*, jedną z najbardziej oryginalnych i fascynujących intelektualnie opowieści Lema, która w rankingu uplasowała się na pozycji 37–39, razem z nieporównanie mniej istotną *Podróżą dwudziestą drugą*. Daleko uplasowała się aluzyjna politycznie *Podróż trzynasta* (36) — zabójczo złośliwa wizja stalinizmu, której czytelnicy młodsi nie kojarzą już z własnymi doświadczeniami.

Wyniki rankingów takich jak ten zawsze budzić muszą zaskoczenie, nie sposób bowiem uśrednić gustów, sprowadzić ich do wspólnego mianownika. Można wszelako określić, jacy są główni „wygrani" tego nie całkiem demokratycznego plebiscytu. To przede wszystkim *Dzienniki gwiazdowe* i opowieści z cyklu wspomnień Ijona Tichego (pięć opowiadań) oraz *Doskonała próżnia* i *Cyberiada* wraz z *Bajkami robotów* (po cztery). Łatwo z tego wywnioskować, że największym powodzeniem cieszyły się tutaj opowieści na poły poważne, na poły żartobliwe, żeniące groteskowy absurd z solenną filozoficzną refleksją. Trudno się dziwić: Lema specjalnością jest wszak przyrządzanie takich właśnie dekoktów, których smak jest osobliwie przełamany, niełatwy do rozpoznania. Więc niby śmieszne te historie — bo i jakże nie chichotać w trakcie lektury *Kongresu futurologicznego* czy *Tragedii pralniczej*, jakże nie bawić się *Elektrybałtem Trurla* czy *Profesorem A. Dońdą*? Ale w tej samej chwili dostrzeżemy, że nasza świetna „piętnastka" rozważa mimochodem najważniejsze pytania ludzkości: pytanie o istnienie i przymioty Boga (*Podróż dwudziesta pierwsza*, *Non serviam*), pytanie o determinizm i wolną wolę (*Maska*) i związany z nim dylemat, czy żyjemy w świecie naturalnym, czy sztucznie na nasze potrzeby stworzonym (*„Being Inc."*). Następnie idą pytania o przyszłość cywilizacji ludzkiej (*Kongres futurologiczny*, *Profesor A. Dońda*), o szanse nadążenia stanowionym prawem za żywiołowością ekonomicznych przemian (*Tragedia pralnicza*), wreszcie o niebezpieczeństwa, które pociąga za sobą nieopanowane dążenie do bogactw lub władzy (*Trzej elektrycerze*, *Podróż trzynasta*, *Bajka* *o królu Murdasie*). A przecie i inne ważne sprawy Lem w swoich opowieściach rozważa: sięga do mrocznych i perwersyjnych zapętleń ludzkiego umysłu i erotyki („*Sexplosion*", „*Les Robinsonades*"), do tajników artystycznej kreacji (*Elektrybałt Trurla*), szuka fantomów dawno zmarłych osób w mechanicznych odruchach, które przyswoił sobie nieświadomy niczego stary robot (*Terminus*).

Poważne? Jeszcze jak! Ale przecie — jak się rzekło — zarazem groteskowe i śmieszne, bo wszak między powagą a śmiesznością nie ma zasadniczego rozdziału, a w twórczym myśleniu pomaga ten sam rodzaj wszystko w lot chwytającej inteligencji i zdolności kojarzenia, co w rozpoznawaniu komizmu. Jakoś to — może nieświadomie — rozumiemy i stąd wspólny — autora i czytelników — wybór piętnastu najlepszych opowieści jest jednocześnie wyborem tego stylu myślenia i pisania, który zaciera granice między powagą a żartem, nauką i mitem, pieczołowicie skonstruowanym modelem rzeczywistości i jej parodystycznym, szalonym odbiciem w sztuce i literaturze. Bliskość tych biegunowych przeciwieństw u Lema uświadomi nam jeden z bohaterów bajki *Król Globares i mędrcy*:

„To, co powiedziałem, nie pochodziło z wiedzy. Nauka nie zajmuje się takimi własnościami bytu, do których należy śmieszność. Nauka objaśnia świat, ale pogodzić z nim może jedynie sztuka. Cóż wiemy naprawdę o powstaniu Kosmosu? Pustkę tak obszerną można wypełniać legendami i mitami. Pragnąłem, w mitologizowaniu, dojść do granic nieprawdopodobieństwa i myślę, że byłem tego bliski. Ty i tak wiesz o tym, więc chcesz tylko zapytać, czy doprawdy Kosmos jest śmieszny. Ale na to pytanie każdy musi sam sobie odpowiedzieć".

Lem nie może więc za nas odpowiedzieć na pytanie o śmieszność Bytu, może jedynie zbliżyć do siebie z jednej strony powagę refleksji, z drugiej — radość intelektualnej gry, poczucie humoru i spontaniczność emocji, jakie budzi w nas kontakt ze światem i rozgryzanie jego zagadek. Takim go — jak widać — kochamy i taki wyłania się z piętnastu wybranych społem najświetniejszych opowieści.

Jerzy Jarzębski

Spis treści

Wydanie drugie
Printed in Poland
Wydawnictwo Literackie Sp. z o.o., 2006
ul. Długa 1, 31-147 Kraków
bezpłatna linia telefoniczna: 0 800 42 10 40
księgarnia internetowa: www.wydawnictwoliterackie.pl
e-mail: ksiegarnia@wydawnictwoliterackie.pl
Skład i łamanie: Edycja
Druk i oprawa: Drukarnia Wydawnictw Naukowych S.A. w Łodzi